KB084688

#혼자공부하기

우등생 해법 가을·겨울

Chunjae
Makes
Chunjae

우등생 가을·겨울 1-2

편집개발 조진형, 구영희, 김현주, 김성원
디자인총괄 김희정
표지디자인 윤순미, 강태원
내지디자인 박희춘, 우혜림
제작 황성진, 조규영

발행일 2022년 6월 1일 6판 2022년 6월 1일 1쇄
발행인 (주)천재교육
주소 서울시 금천구 가산로9길 54
신고번호 제2001-000018호
고객센터 1577-0902

※ 정답 분실 시에는 천재교육 홈페이지에서 내려받으세요.
※ KC 마크는 이 제품이 공통안전기준에 적합하였음을 의미합니다.
※ 주의
책 모서리에 다칠 수 있으니 주의하시기 바랍니다.
부주의로 인한 사고의 경우 책임지지 않습니다.
8세 미만의 어린이는 부모님의 관리가 필요합니다.

우등생 해법 가을·겨울 12주 스케줄표

1·2

다음의 표는 **우등생 해법 가을·겨울**을 공부하는 데 알맞은 학습 진도표입니다.

BOOK1

		1일차	2일차	3일차
1주	단원명	가을 ❶ 내 이웃 이야기		
	BOOK1 주제별 교과서(가을·겨울)	4~9쪽	10~13쪽	14~17쪽
	확인	월 일	월 일	월 일
2주	단원명	가을 ❶ 내 이웃 이야기		
	BOOK1 주제별 교과서(가을·겨울)	18~20쪽	21~23쪽	24~27쪽
	확인	월 일	월 일	월 일
3주	단원명	가을 ❶ 내 이웃 이야기		
	BOOK1 주제별 교과서(가을·겨울)	28~30쪽	31~33쪽	34~38쪽
	확인	월 일	월 일	월 일
4주	단원명	가을 ❷ 현규의 추석		
	BOOK1 주제별 교과서(가을·겨울)	39~42쪽	43~45쪽	46~48쪽
	확인	월 일	월 일	월 일
5주	단원명	가을 ❷ 현규의 추석		
	BOOK1 주제별 교과서(가을·겨울)	49~52쪽	53~55쪽	56~57쪽
	확인	월 일	월 일	월 일
6주	단원명	가을 ❷ 현규의 추석		
	BOOK1 주제별 교과서(가을·겨울)	58~60쪽	61~62쪽	63~67쪽
	확인	월 일	월 일	월 일

절취선

우등생 해법 가을 · 겨울 12주 스케줄표 1·2

BOOK 1

주	구분	1일차	2일차	3일차
7주	단원명	겨울 ❶ 여기는 우리나라		
	BOOK 1 주제별 교과서(가을 · 겨울)	68～71쪽	72～74쪽	75～77쪽
	확인	월 일	월 일	월 일
8주	단원명	겨울 ❶ 여기는 우리나라		
	BOOK 1 주제별 교과서(가을 · 겨울)	78～81쪽	82～83쪽	84～86쪽
	확인	월 일	월 일	월 일
9주	단원명	겨울 ❶ 여기는 우리나라		
	BOOK 1 주제별 교과서(가을 · 겨울)	87～89쪽	90～91쪽	92～96쪽
	확인	월 일	월 일	월 일
10주	단원명	겨울 ❷ 우리의 겨울		
	BOOK 1 주제별 교과서(가을 · 겨울)	97～100쪽	101～103쪽	104～107쪽
	확인	월 일	월 일	월 일
11주	단원명	겨울 ❷ 우리의 겨울		
	BOOK 1 주제별 교과서(가을 · 겨울)	108～109쪽	110～112쪽	113～115쪽
	확인	월 일	월 일	월 일
12주	단원명	겨울 ❷ 우리의 겨울		
	BOOK 1 주제별 교과서(가을 · 겨울)	116～119쪽	120～123쪽	124～128쪽
	확인	월 일	월 일	월 일

BOOK 2 안전한 생활

「안전한 생활」은 '바른 생활', '슬기로운 생활', '즐거운 생활'의 대주제와 연계하여 한 학년 동안 배우도록 구성되어 있습니다.

이론 중심의 평가보다 안전 생활 태도 및 활동 위주로 평가되므로, 학교 진도에 맞춰 BOOK 2로 공부하며 안전 교육의 내용과 기능을 익히도록 합니다.

특허 등록 제 10 – 0938443

절취선

BOOK 1

가을·겨울

1-2

구성과 특징

우등생 해법 가을·겨울 1-2

차근차근 공부해요.

색으로 바른 생활, 슬기로운 생활, 즐거운 생활 교과를 구분합니다.

재미있게 시작해요.

▲ 단원별로 꼭 알아야 할 개념을 한눈에 알 수 있습니다.

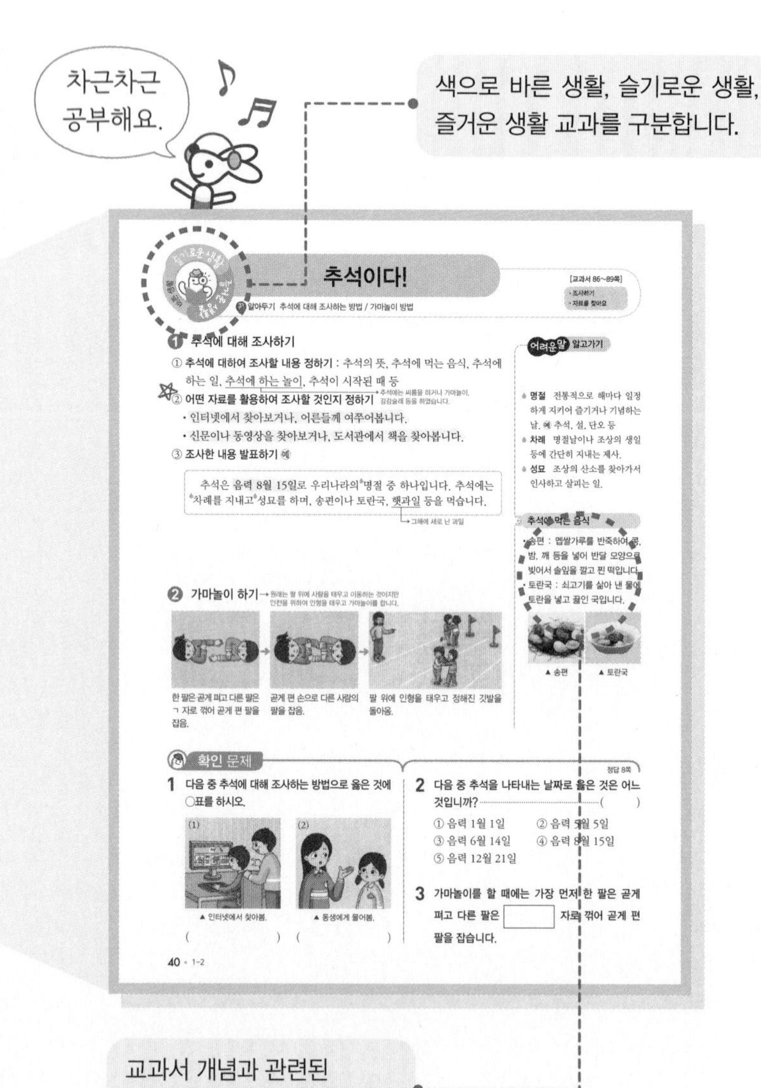

교과서 개념과 관련된 학습 자료를 정리하였습니다.

공부한 내용 마무리

활동지

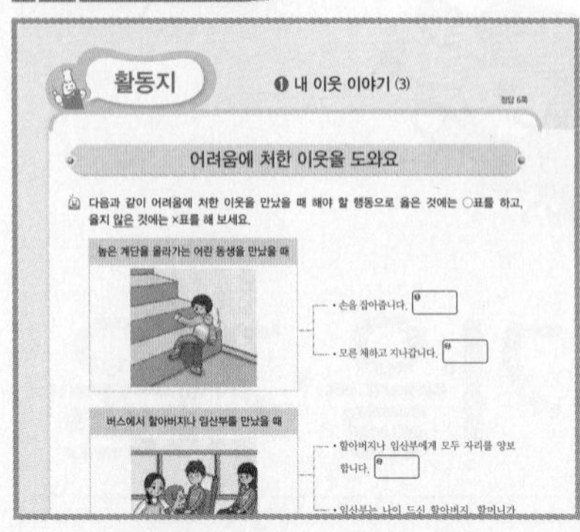

▲ 단원에서 꼭 알아야 할 내용을 다양한 유형으로 평가합니다.

단원평가

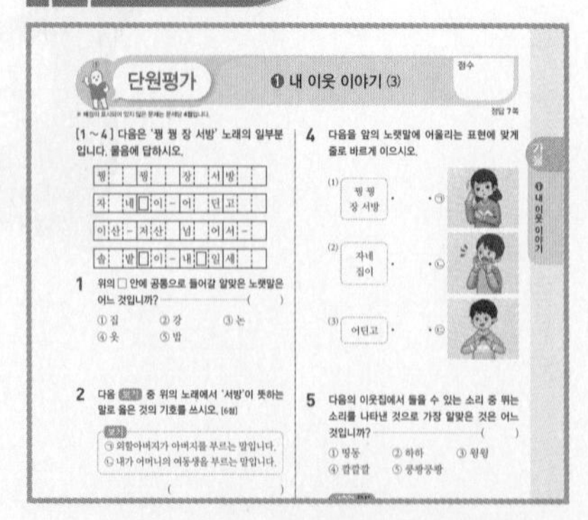

▲ 자신의 실력을 평가하는 문제로 단원 학습을 마무리합니다.

마무리해요

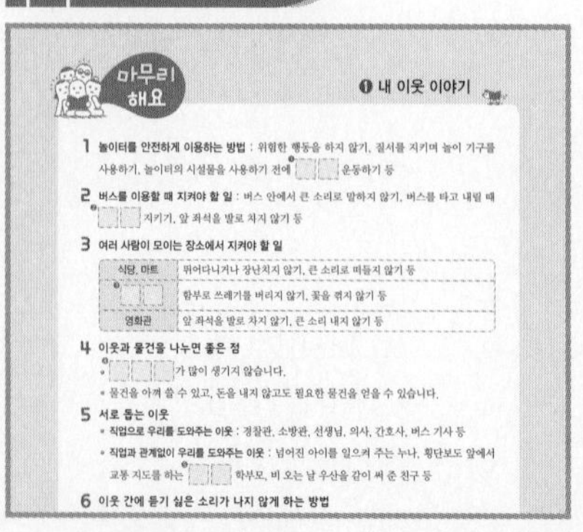

▲ 단원의 내용을 한눈에 알기 쉽게 정리하였습니다.

정답과 풀이 > 답을 확인해요

차례

가을

1 내 이웃 이야기 6쪽

2 현규의 추석 39쪽

겨울

1 여기는 우리나라 70쪽

2 우리의 겨울 97쪽

등장인물 소개

하루

명랑하고 장난기 많은
개구쟁이에요.

다희

바른 생활 소녀로 똑 부러지는
성격이에요.

동준

겉으로는 잘난 척하지만
알고 보면 허당이에요.

선생님

평소에는 차분하지만 흥분하시면
아무도 못 말리지요.

1 내 이웃 이야기

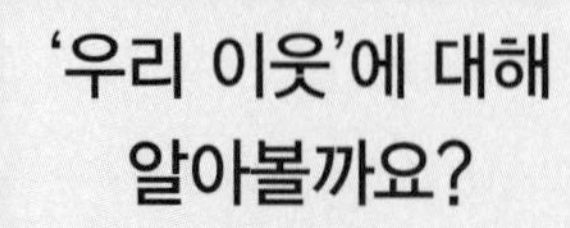

이웃은 서로의 생활에 영향을 미쳐요.

바른 생활

공공장소에서 지킬 일

버스에서 앞 좌석 발로 차지 않기

식당에서 뛰거나 장난치지 않기

슬기로운 생활

이웃들과 함께 쓰는 장소

즐거운 생활

이웃과 함께 할 수 있는 놀이하기

이웃을 모아.

앞뒤의 친구를 배려해.

2 현규의 추석

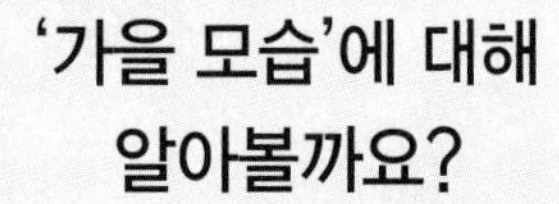

가을에는 낙엽, 고추잠자리 등을 볼 수 있고 추석을 지내면서 민속놀이를 해요.

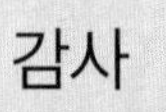

바른 생활

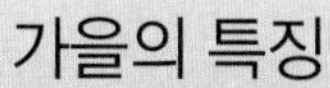

슬기로운 생활

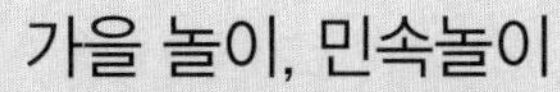

즐거운 생활

1 내 이웃 이야기

헤헤
어멋!
툭

안녕? 난 하루야.
?!
헉헉

할머니, 제가 도와드릴게요.
고맙구나.
음~
동준이라는 애, 착한 아이인가 봐.

핵심 용어

이웃
우리 집과 가까운 거리에 살면서 서로 도움을 주고받는 사람.
예 앞집에 사는 누나는 나의 **이웃**이다.

공공장소
여러 사람이 함께 이용하는 장소.
예 우리 마을에는 놀이터, 공원, 도서관, 수영장 등의 **공공장소**가 있다.

이사 온 동준이

[교과서 16~17쪽]
- 놀이하기
- 우리 함께해요

꼭 알아두기 대상과 상황에 맞게 인사하는 방법

① 대상에 따라 이웃과 인사하는 방법

어른을 만났을 때	친구나 형, 동생을 만났을 때
• 고개 숙이고 허리를 굽혀 인사함. • 존댓말을 사용하며, 공손한 태도로 이야기를 나눔. 	• 반갑게 손을 흔들며 인사함. • 반가운 마음을 전하는 인사말을 함. 

→ 말씀을 귀 기울여 듣고 큰 소리로 대답합니다.

② 다양한 상황에서 이웃과 인사하는 방법

① **심부름을 갔을 때** : 예의 바르게 인사하고, 용건(이유)을 말합니다.

② **이웃이 음식을 가져왔을 때** : 두 손으로 음식을 받고, 감사하다는 인사말을 합니다.

③ **재활용품을 분리배출하는 이웃집 아저씨를 만났을 때** : 예의 바르게 인사하고 순서를 지켜 재활용품을 분리하여 버립니다.

③ 이웃과 '인사하기' 놀이하기

1 원을 두 개 그리고 주사위 던질 사람을 정함.

2 노래를 부르며 돌다가 '땡' 소리가 나면 멈춤.

3 왕주사위를 던져서 나온 그림을 보여 줌.

4 짝과 함께 그림에 나온 대로 인사함.

어려운 말 알고가기

- **대상** 어떤 일의 상대 또는 목표나 목적이 되는 것.
- **상황** 일이 되어 가는 과정이나 형편.
- **분리배출** 종이, 유리, 캔 등의 종류별로 나누어서 버림.

'인사하기' 놀이를 하고 난 느낌 예

- 이웃이 더 친하게 느껴집니다.
- 앞으로 이웃에게 먼저 인사를 잘해야겠습니다.

확인 문제

정답 2쪽

1 다음 중 동준이가 앞집 할머니를 만나 인사하는 방법으로 알맞지 않은 것은 어느 것입니까? ( )

① 존댓말을 사용한다.
② 고개를 숙여 인사한다.
③ 반갑게 손을 흔들며 인사한다.
④ 공손한 태도로 이야기를 나눈다.
⑤ 할머니의 말씀을 귀 기울여 듣고, 큰 소리로 대답한다.

2 다음 보기 에서 "안녕? 반가워."와 같은 인사말이 어울리는 상황을 골라 기호를 쓰시오.

보기
㉠ 놀이터에서 친구를 만났을 때
㉡ 이웃집에 엄마 심부름을 갔을 때

( )

3 이웃과 인사할 때에는 [ ] 과/와 상황에 맞게 인사해야 합니다.

놀이터에서 만난 이웃

[교과서 18~19쪽]
• 관계망 그리기
• 우리 함께해요

꼭 알아두기 놀이터의 시설물을 이용하는 방법

1 **놀이터에서 만난 이웃 예** : 축구를 하는 동네 형들, 비눗방울 놀이를 하는 동생, 강아지와 산책을 하는 아랫집 언니 등
(→ 놀이터: 이웃과 함께 쓰는 장소입니다.)

2 **놀이터에서 이웃과 함께했던 경험 예**

이웃과 도움을 주고받은 경험	• 자전거를 타다가 넘어졌을 때, 이웃 아주머니께서 괜찮은지 물어보심. • 민혁이 아버지께서 공차는 방법을 알려 주심. • 은영 언니가 인라인 스케이트를 빌려주어 함께 탔음.
이웃과 함께 하며 마음이 상했던 경험	• 미끄럼틀을 탈 때 옆집 형이 거꾸로 올라와서 다칠 뻔했음. • 그네를 탈 때 옆집 동생이 앞으로 뛰어 들어와서 놀랐음.  ▲ 미끄럼틀을 탈 때

3 **놀이터의 시설물을 이용하여 놀이하기** → 미끄럼틀을 이용한 술래잡기, 철봉에서 오래 매달리기, 모래를 이용한 '모래 속 보물찾기'를 할 수도 있습니다.

① 동네 놀이터에서 만난 이웃들을 '생각그물'로 표현해 봅니다.

② **안전하게 놀이터를 이용하는 방법**
- 놀이 기구를 사용하기 전에 준비 운동을 합니다.
- 위험한 행동을 하지 않습니다. → 예 • 놀이 기구에서 뛰어내리거나 거꾸로 오르기 • 다른 사람을 밀거나 잡아당기기 • 여러 명이 동시에 사용하기
- 질서를 지켜 이용합니다.

어려운말 알고가기

- **인라인 스케이트** 바닥에 바퀴가 달려 있는 스케이트.
- **시설물** 일정한 목적으로 쓰기 위해 설치한 건물이나 장치.

빅터 게시판

놀이 시설물의 올바른 사용법을 알아볼까요?
- 그네 : 다른 사람이 타고 있을 때 앞뒤로 지나가지 않습니다.
- 미끄럼틀 : 올라갈 때는 계단을 이용하고, 앞사람이 끝까지 내려간 후에 출발합니다.
- 시소 : 내릴 때에는 친구에게 미리 말합니다.

확인 문제

정답 2쪽

1 다음 중에서 놀이 기구를 안전하게 이용하고 있는 모습을 골라 기호를 쓰시오.

㉠ ▲ 다른 사람이 그네를 탈 때, 앞으로 지나감.

㉡ ▲ 미끄럼틀을 탈 때 한 사람씩 앉아서 내려옴.

( )

2 다음 중 놀이터에서 이웃과 도움을 주고받은 경험은 어느 것입니까? ( )

① 수빈 : 그네에서 뛰어내렸어요.
② 영수 : 그네를 엎드려서 탔어요.
③ 은주 : 자전거를 타다가 넘어졌어요.
④ 재호 : 친구 아버지께서 공차는 방법을 알려 주셨어요.
⑤ 철수 : 미끄럼틀을 타고 있을 때 옆집 형이 거꾸로 올라왔어요.

버스에서 만난 이웃

[교과서 20~21쪽]
- 습관화하기
- 우리 함께해요

꼭 알아두기 이동 수단을 올바르게 이용하는 방법

❶ 버스를 이용할 때의 여러 가지 상황

올바르게 이용하는 모습	올바르지 않게 이용하는 모습	
 ▲ 학생이 할머니께 자리를 양보해 드림.	 ▲ 큰 소리로 통화를 함. 작은 소리로 통화해야 합니다.	 ▲ 통로에서 뛰어다님. 좌석에 앉거나 손잡이를 꼭 붙잡고 서 있어야 합니다.
 ▲ 학생이 아주머니의 장바구니를 들어 드림.	 ▲ 빈 좌석에 짐을 올려놓아 다른 사람이 앉지 못함.	 ▲ 아저씨가 다리를 벌리고 앉아 옆 사람이 불편함.

❷ 버스를 이용할 때 지켜야 할 일 예 : 버스 안에서 큰 소리로 떠들지 않기, 앞 좌석을 발로 차지 않기, 버스를 타고 내릴 때 차례 지키기 등

❸ 버스 외의 이동 수단을 이용할 때 지켜야 할 일

① **기차** : 줄을 서서 기다리고, 내리는 사람이 모두 내린 뒤에 탑니다.
② **지하철** : 손잡이에 매달려서 장난치지 않습니다.
③ **비행기** : 큰 소리로 떠들지 않으며, 휴대 전화를 꺼 둡니다.

버스를 이용하며 경험한 일 예

- 줄을 서서 버스를 기다릴 때 한 아저씨가 새치기를 하셔서 기분이 나빴어요.
- 할머니께 자리를 양보해 드렸는데, 고맙다고 말씀하셔서 뿌듯했어요.

이동 수단을 이용할 때 내가 지키고 싶은 일 예

- 차례를 지키겠습니다.
- 할머니께 자리를 양보해 드리겠습니다.
- 말하거나 통화할 때 작은 소리로 하겠습니다.

확인 문제

정답 2쪽

1 다음 중 버스를 이용할 때의 모습으로 올바른 것에는 ○표, 올바르지 않은 것에는 ×표를 하시오.

(1) 버스의 통로에서 뛰어다닙니다. (　　　)
(2) 버스에서 앉아 있을 때에는 다른 사람 짐을 들어 줍니다. (　　　)

2 버스나 기차 등 이동 수단을 이용할 때에는 차례를 (지킵니다 / 지키지 않습니다).

3 다음은 영수가 오른쪽 상황을 보고 버스를 이용할 때 지키고 싶은 점을 적은 것입니다. (　　) 안의 알맞은 말에 ○표를 하시오.

버스 안에서 큰 소리로 통화를 하면 다른 사람들에게 불편을 줍니다. 따라서 나는 버스 안에서는 (큰 / 작은) 소리로 통화하겠습니다.

버스 타고 가요

[교과서 22~25쪽]

• 놀이하기

꼭 알아두기 '버스놀이' 노래 알기 / '버스놀이' 방법

1 '버스놀이' 노래 부르기

① 버스를 이용한 경험을 떠올리며 노래의 분위기를 살려 노래를 부릅니다.

② **리듬 치기를 하며 '버스놀이' 노래 부르기**

손뼉치기와 발 구르기를 하면서 노래 부르기								
노랫말	뿡	뿡	뿡	뿡	버스	왔어	요	–
리듬 치기		[손뼉]		[손뼉]		[손뼉]		[손뼉]
	[발]		[발]		[발]		[발]	

발 구르기와 탬버린 치기를 하면서 노래 부르기								
노랫말	뿡	뿡	뿡	뿡	버스	왔어	요	–
리듬 치기		[탬버린]		[탬버린]		[탬버린] ~~~	~~~	~~~
	[발]		[발]		[발]			

2 운동장에서 '버스놀이' 하기

→ 승객은 차표를 뽑아 출발지와 도착지를 확인한 뒤, 해당 정류장에 줄을 서고, 버스 한 대당 다섯 명까지만 탈 수 있습니다.

1 줄 버스를 만들어 각 정류장을 돎.

2 버스가 정류장에 도착하면 차례차례 버스에 탐.

3 목적지에 도착하면 차례대로 버스에서 내림.

4 종점에 도착함.

운전사와 승객의 역할을 바꿔 놀이를 계속합니다.

3 활동 소감 이야기하기 예

① 직접 차표를 뽑고 목적지를 찾아다니는 것이 재미있었어요.

② 이동 수단을 이용할 때 차례를 지키는 일이 왜 중요한지 알게 되었어요.

'버스놀이' 노래를 들었을 때의 느낌 예

• 경쾌하고 신나요.
• 여행을 떠나고 싶어져요.

'버스놀이'에서 미리 준비할 것

• 긴 줄 끝을 묶어 줄 버스를 만들고, 버스 번호표 목걸이를 준비합니다.
• 삼각대로 버스 정류장을 세우고, 정류장 이름표를 붙입니다.
• 뽑기 상자에 출발지와 도착지를 적은 차표 쪽지를 넣어 둡니다.

어려운 말 알고가기

• **정류장** 버스나 택시가 사람을 태우거나 내려 주기 위하여 잠깐씩 머무르는 일정한 장소.
• **목적지** 찾아가려는 장소.

확인 문제

정답 2쪽

1 다음 중 '버스놀이' 노래를 들었을 때의 느낌으로 적당한 것에 ○표를 하시오.

(1) 경쾌하고 신나요. (　　)

(2) 가을 단풍이 생각나요. (　　)

2 다음 '버스놀이' 노래에서, □ 안에 알맞은 노랫말을 쓰시오.

[　　　] 버스 왔어요
내릴 손님 타실 손님 차례차례로

3 다음은 '버스놀이'를 하는 방법입니다. □ 안에 들어갈 알맞은 말을 쓰시오.

1 줄 버스를 만들어 각 정류장을 돕니다.
2 버스가 정류장에 도착하면 차례차례 버스에 탑니다.
3 [　　]에 도착하면 차례대로 버스에서 내립니다.

(　　　　)

식당에서 만난 이웃

[교과서 26~29쪽]
- 습관화하기
- 우리 함께해요

꼭 알아두기 식당에서 지킬 일 / 이웃과 함께 사용하는 장소에서 지켜야 할 일

❶ 식당에서 지켜야 할 일

▲ 뛰거나 장난치지 않음.

▲ 큰 소리로 떠들지 않고, 음식을 다 씹은 후에 이야기를 나눔.

▲ 음식을 바닥에 흘리지 않도록 조심하고, 먹을 만큼만 덜어서 먹음.

❷ 이웃과 함께했던 경험을 그림으로 표현하기

① **이웃과 함께했던 경험** 예 : 범수 형네 가족과 공원으로 소풍을 다녀왔어요, 은진이네 가족과 영화관에서 영화를 보았어요. 등

② **이웃과 함께했던 경험을 그림으로 표현하기** : 표현하고 싶은 것 정하기 → 밑그림 그리기 → 색칠하기

어려운 말 알고가기

- **영화관** 영화 상영을 하는 곳.

❸ 여러 사람이 모이는 장소에서 지켜야 할 일

→ '공공장소'라고 합니다. 예 놀이터, 공원, 영화관, 도서관, 전시장 등

▲ 마트 : 뛰어다니거나 장난을 치지 않음.

▲ 공원 : 함부로 쓰레기를 버리지 않고 나무나 꽃을 꺾지 않음.

→ 음식은 정해진 장소에서 먹고, 남은 음식은 집으로 가져옵니다.

→ 영화관에서는 휴대 전화를 꺼 둡니다.

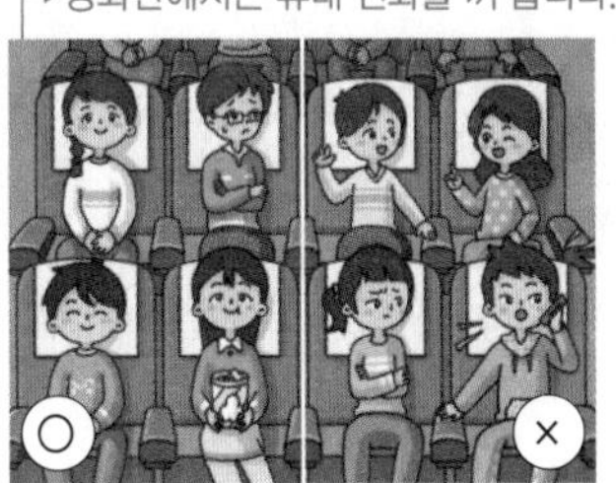
▲ 영화관 : 앞 좌석을 발로 차지 않고, 큰 소리를 내지 않음.

도서관, 전시장, 공중화장실에서 지켜야 할 일을 알아볼까요?
- 도서관 : 큰 소리로 떠들지 않기
- 전시장 : 전시 작품을 만지지 않기, 떠들지 않기 등
- 공중화장실 : 들어가기 전에 반드시 문을 두드리기, 용변 후에 물 내리기 등

확인 문제

정답 2쪽

1 다음 중 식당에서 지켜야 할 일로 옳은 것에는 ○표, 옳지 않은 것에는 ×표를 하시오.

(1) 큰 소리로 떠들고 뛰어다닙니다. (　　)

(2) 음식은 먹을 만큼만 덜어서 먹습니다. (　　)

2 (공원 / 친구네 집)은 이웃과 함께 사용하는 장소입니다.

3 다음 중 여러 사람이 모이는 장소에서 바르게 행동하고 있는 친구의 모습을 골라 기호를 쓰시오.

㉠
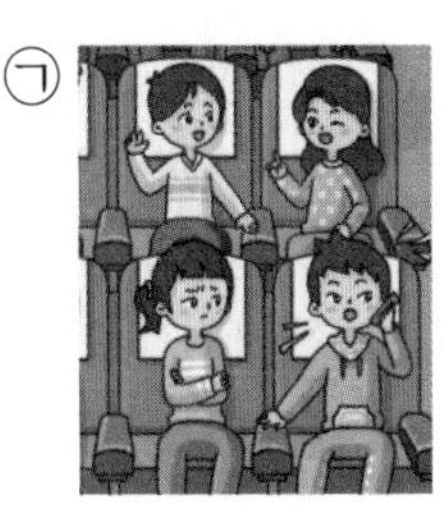
▲ 영화관에서 큰 소리로 말함.

㉡

▲ 공원에서 음식은 정해진 장소에서 먹음.

(　　　　)

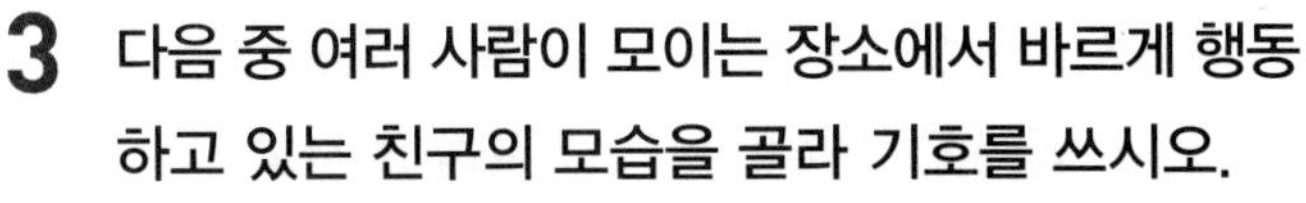

길에서 만난 이웃

[교과서 30~31쪽]

• 놀이하기

꼭 알아두기 '길로 길로 가다가' 노래 알기 / 꼬리 잇기 놀이하는 방법

1 '길로 길로 가다가' 노래를 움직이면서 부르기

길로 길로 가다가

전래 동요

길 로	길 로	가 다	가
못 을	하 나	주 웠	네
주 운	못 을	남 줄	까
낫 이	나	만 들	지

만 든	낫 을	남 줄	까
꼴 이	나	베	지
벤	꼴 을	남 줄	까
말 이	나	먹 이	지

어려운말 알고가기

• **낫** 풀이나 나무를 벨 때 쓰는 'ㄱ'자 모양의 기구. 낫의 날 부분은 쇠붙이로 만듦.

• **꼴** 가축의 먹이 중에서 풀이나 채소 등을 이르는 말.

2 '꼬리 잇기' 놀이하기

→ 놀이를 마치면 앞사람의 어깨를 가볍게 안마해 주고, 목, 허리, 무릎, 발목을 돌려 줍니다.

① **'꼬리 잇기' 놀이하기**

→ 진 사람은 이긴 사람의 허리를 잡습니다.

1 노래를 부르며 움직이다가 만난 친구와 가위바위보를 함.

2 가위바위보에서 진 친구가 이긴 친구의 뒤에 서서 이웃이 됨.

3 같은 방법으로 계속해서 이웃을 모음.

② **'꼬리 잇기' 놀이의 규칙** : 정해진 장소 안에서만 놀이를 하고, 놀이 도중 꼬리가 끊어진 모둠은 1분간 기다렸다가 다시 놀이에 참가합니다.

'꼬리 잇기' 놀이에 대한 느낌 예

• 규칙을 잘 지켜야 해요.

• 앞뒤의 친구들을 배려하고 위험한 행동은 하지 않아요.

확인 문제

정답 2쪽

1 다음은 '길로 길로 가다가'의 노랫말입니다. □ 안에 공통으로 들어갈 노랫말을 쓰시오.

> 길로 길로 가다가 못을 하나 주웠네
> 주운 못을 남 줄까 □(이)나 만들지
> 만든 □을/를 남 줄까 꼴이나 베지
> 벤 꼴을 남 줄까 말이나 먹이지

( )

2 다음은 '꼬리 잇기' 놀이를 하는 방법입니다. □ 안에 알맞은 말을 쓰시오.

> 노래를 부르며 움직이다가 만난 친구와 □을/를 합니다.

3 '꼬리 잇기' 놀이를 할 때, 가위바위보에서 (진 / 이긴) 친구는 (진 / 이긴) 친구의 뒤에 서서 이웃이 됩니다.

옛날 사람들은 어디에서 모였을까?

[교과서 32~33쪽]
- 표현하기
- 우리 함께해요

꼭 알아두기 옛날 사람들이 이웃들과 함께했던 생활 모습 / 점묘화 그리기

1 옛날 사람들이 이웃들과 함께했던 생활 모습 알아보기

→ 이 그림은 '단오 추천'이라는 작품입니다.

구분	결혼식장	그네 뛰는 곳
사람들이 무엇을 하고 있나요?	함께 음식을 만듦, 결혼식 준비를 함, 음식을 먹음, 신부를 봄. 등	그네를 탐, 그네 타는 것을 구경함, 음식을 먹음, 함께 이야기를 나눔. 등
장소 예	집, 동네 공터 등	공원, 놀이터 등
주고받은 이야기 상상해 보기 예	결혼을 축하한다고 말한다, 음식을 나눠 먹자고 말한다, 음식을 맛있게 먹는 방법을 가르쳐 준다. 등	그네를 빨리 타고 싶다고 말한다, 그네를 높이 타는 방법을 알려 준다. 등

→ 축하: 남의 좋은 일에 기쁘고 즐거운 마음으로 인사한다는 뜻입니다.

2 점을 찍어서 그림을 나타내기

→ 점묘화라고 합니다.

→ 카드: 교과서 학습 도움 자료 이용

카드 ❶을 준비하고, 밑그림 위에 붓펜이나 유성 펜으로 진한 선을 그림. → 종이컵에 색깔별로 물감을 조금씩 짜 넣고 면봉을 하나씩 넣음. → 면봉에 물감을 묻혀 콕콕 찍어 나타냄.

→ 물감이 묻은 면봉을 다른 색 물감의 종이컵에 넣지 않도록 주의합니다.

빅터 게시판

'단옷날'에 대하여 알아볼까요?
- 단옷날은 우리나라 명절의 하나로, 음력 5월 5일입니다.
- 「단오 추천」에는 없지만, 단옷날에는 씨름도 했고, 수리취떡을 만들어 먹었습니다.

확인 문제

정답 2쪽

1 위 ❶의 그림을 보면서 다음과 같은 때 옛날 사람들이 이웃과 함께했던 모습을 줄로 바르게 이으시오.

(1) 단옷날 • 　　• ㉠ 음식을 만들고 결혼식 준비를 함.

(2) 결혼식 잔칫날 • 　　• ㉡ 그네를 타고 서로 이야기를 나눔.

2 옛날 사람들은 단옷날 함께하면서 무슨 이야기를 나누었을지 어울리는 것에 ○표를 하시오.

(1) 결혼을 축하한다고 말합니다. ( )

(2) 그네를 높이 타는 방법을 알려 줍니다. ( )

3 점을 찍어서 그림을 나타낼 때, 종이컵에 색깔별로 물감을 짜 넣고 면봉을 (하나 / 여러 개)씩 넣습니다.

활동지

❶ 내 이웃 이야기 (1)

정답 3쪽

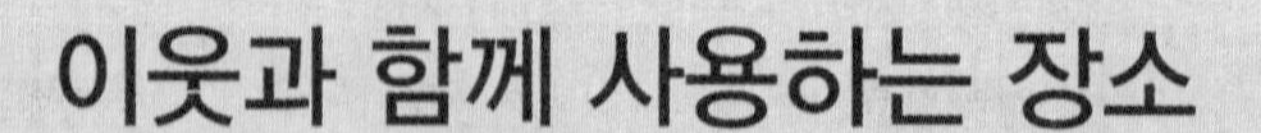

이웃과 함께 사용하는 장소

다음 중 이웃들과 함께 쓰는 장소에는 ○표를 하고, 함께 쓰는 장소가 아닌 것에는 ×표를 해 보세요.

마트는 이웃과 함께 사용하는 장소입니다. 마트에서 지켜야 할 일을 써 보세요.

큰 소리로 떠들거나 뛰어다니지 않고, ❼ (   ) 을/를 치지 않는다.

단원평가 ❶ 내 이웃 이야기 (1)

점수

※ 배점이 표시되어 있지 않은 문제는 문제당 **4점**입니다.

정답 3쪽

1 다음 중 동준이가 옆집 아저씨께 인사하는 모습으로 알맞지 않은 것은 어느 것입니까? (　　　)

① 존댓말을 사용한다.
② 손을 흔들어 인사한다.
③ 고개를 숙여 인사한다.
④ 허리를 굽혀 인사한다.
⑤ 공손한 태도로 이야기를 나눈다.

2 다음은 '인사하기' 놀이 방법을 순서에 관계없이 나타낸 것입니다. 순서대로 기호를 쓰시오.

㉠ 짝과 함께 그림에 나온 대로 인사합니다.
㉡ 왕주사위를 던져서 나온 그림을 보여 줍니다.
㉢ 노래를 부르며 돌다가 '땡' 소리가 나면 멈춥니다.
㉣ 원을 두 개 그리고 주사위를 던질 사람을 정합니다.

(　　　) → (　　　) → (　　　) → ㉠

3 '인사하기' 놀이에서, 왕주사위에 나온 그림이 오른쪽과 같을 때, 알맞은 인사 방법을 보기에서 골라 기호를 쓰시오.

보기
㉠ 안녕? 반가워.
㉡ 감사합니다. 맛있게 먹겠습니다.
㉢ 안녕하세요? 무엇을 사러 오셨어요?

(　　　)

4 다음 중 동네 놀이터에서 만나기 쉬운 이웃을 골라 기호를 쓰시오.

▲ 물건을 고르는 사람들

▲ 비눗방울 놀이를 하는 옆집 동생

(　　　)

5 다음을 이웃과 함께하며 도움을 주고받은 경험인지, 마음이 상했던 경험인지에 따라 줄로 바르게 이으시오. [6점]

(1) 도움을 주고받은 경험 •　　• ㉠ 그네를 타고 있을 때, 친구가 앞쪽으로 지나가서 깜짝 놀랐음.

(2) 마음이 상했던 경험 •　　• ㉡ 자전거를 타다가 넘어졌을 때 옆집 누나가 일으켜 주고 걱정해 주었음.

6 다음 중 미끄럼틀을 안전하게 이용하고 있는 모습에 ○표를 하시오.

▲ 미끄럼틀을 계단으로 올라감.

(　　　)

▲ 미끄럼틀을 거꾸로 올라감.

(　　　)

7 버스를 올바르게 이용하는 모습에 맞게 다음 글의 (   ) 안의 알맞은 말에 ○표를 하시오.

> 버스에서 서 계시는 할머니를 발견하고 (못 본 체를 / 자리를 양보) 하였습니다.

서술형 문제

8 오른쪽의 ㉠은 버스를 올바르지 않게 이용하는 모습입니다. 올바르게 이용하는 방법을 쓰시오. [8점]

좌석이 있을 때에는 ❶[   ], 좌석이 없으면 서서 ❷[   ]을/를 꼭 잡고 있도록 한다.

9 다음 중 이동 수단을 바르게 이용하고 있는 친구는 누구인지 이름을 쓰시오.

> 은수 : 기차 통로에서 뛰어다녔어요.
> 명수 : 버스를 탈 때 차례를 지켰어요.
> 우영 : 비행기 안에서 큰 소리로 떠들었어요.

(   )

[10 ~ 11] 다음은 '버스놀이'의 노랫말입니다. 물음에 답하시오.

> 빵 빵 빵 빵 버스 왔어요
> 내릴 손님 타실 손님 차례차례로
> 다들 타셨어요 어서 타세요
> 빽 빽 갑시다 뿡 빵 빵

10 리듬 치기를 하면서 위의 '버스놀이' 노래를 부를 때, 이용하기에 알맞은 악기를 한 가지 쓰시오.

(   )

11 앞의 '버스놀이' 노래를 들었을 때의 느낌을 가장 적당하게 말한 친구는 누구입니까? ······(   )

① 명호 : 잠이 올 것 같아요.
② 재영 : 그네를 타고 싶어요.
③ 은미 : 여행을 떠나고 싶어져요.
④ 여주 : 함박눈이 내리는 것 같아요.
⑤ 은규 : 힘든 일은 이웃과 함께해야겠어요.

12 다음 보기 에서 이웃과 함께했던 경험이 아닌 것을 골라 기호를 쓰시오.

> 보기
> ㉠ 아버지와 청소 하기
> ㉡ 옆집 형과 영화 보기
> ㉢ 명수네 가족과 함께 수영장에 가기

(   )

13 다음 중 공공장소를 골라 기호를 쓰시오.

㉠

▲ 수영장

▲ 할머니댁

(   )

14 다음과 같은 방법으로 사용해야 하는 공공장소는 어디입니까? [6점] ··························(   )

> • 나무나 꽃을 꺾지 않습니다.
> • 음식은 정해진 장소에서 먹습니다.

① 마트　　② 공원　　③ 도서관
④ 전시장　　⑤ 박물관

서술형 문제

15 다음의 ㉠과 ㉡ 중 영화관을 이용하는 모습이 올바르지 않은 사람을 골라 기호를 쓰고, 고른 답의 사람이 고쳐야 할 점을 쓰시오. [12점]

____

____

16 다음 '길로 길로 가다가'의 노랫말에서 ㉠에 들어갈 알맞은 노랫말은 어느 것입니까? ·····(　　　)

만	든		낫	을		남		줄	까		
꼴	이		나			㉠					

① 줍지　② 베지　③ 만들지
④ 담그지　⑤ 먹이지

17 다음과 같은 방법으로 하는 놀이의 이름은 무엇입니까? ·····(　　　)

1 노래를 부르며 움직이다가 만난 친구와 가위바위보를 합니다.
2 가위바위보에서 진 친구가 이긴 친구의 뒤에 서서 이웃이 됩니다.
3 같은 방법으로 계속해서 이웃을 모읍니다.

① 버스놀이
② 모여라 놀이
③ 인사하기 놀이
④ 꼬리 잇기 놀이
⑤ 여름이 꼭 필요해 놀이

18 다음 중 앞의 17번 놀이의 규칙으로 옳은 것에는 ○표, 옳지 않은 것에는 ×표를 하시오.

(1) 정해진 장소 안에서만 놀이를 합니다. (　　　)

(2) 놀이 도중 꼬리가 끊어지면 곧바로 꼬리를 이어 놀이를 계속합니다. (　　　)

19 다음은 옛날 사람들의 결혼식장의 모습입니다. 그림에서 볼 수 있는 사람들이 이웃과 함께하는 모습이 아닌 것은 어느 것입니까? [6점] ···(　　　)

① 엿을 파는 모습
② 신부를 보는 모습
③ 음식을 만드는 모습
④ 결혼식 준비를 하는 모습
⑤ 음식을 나누어 먹는 모습

20 위 19번의 그림 속 사람들의 말소리가 들린다면 그 내용으로 가장 적당한 것은 무엇인지 보기 에서 골라 기호를 쓰시오. [6점]

보기
㉠ 날씨가 추워요.
㉡ 결혼을 축하해요.
㉢ 그네를 빨리 타고 싶어요.

(　　　　　　　　)

하루 동안 동준이가 본 이웃

[교과서 38~39쪽]
• 조사하기

꼭 알아두기 하루 동안 만난 이웃의 모습

1 동준이가 하루 동안 만난 이웃의 모습 예

아침에 만난 이웃	• 아침에 학교에 가는 옆집 형 • 가게 문을 열고 있는 슈퍼마켓 주인 • 횡단보도에서 교통 안내를 해 주시는 교통 봉사자
낮(점심)에 만난 이웃	• 집집마다 편지를 넣어 주시는 집배원 • 아파서 병원에 갔을 때 진료해 주신 의사 • 도로에서 교통 지도를 하시는 경찰관
저녁에 만난 이웃	• 놀이터에서 놀고 있는 옆집 동생 • 승강기에서 만난 윗집 사시는 아주머니 • 음식을 배달해 주시는 ○○식당 주인

▲ 교통 봉사자가 횡단보도에서 교통 안내를 함.

▲ 슈퍼마켓 주인이 가게 문을 열고 있음.

▲ 집배원이 집집마다 편지를 넣어 줌.

▲ ○○식당 주인이 음식 배달을 함.

2 동준이가 하루 동안 만난 이웃들을 떠올려 보면서 느낀 점 예

① 매일 만나는 이웃이 많다는 것을 알게 되었어요.
② 이웃들에게 인사를 잘해야겠다고 생각했어요.
③ 이웃들과 더 친하게 지내고 싶어요.

어려운 말 알고가기

- **진료** 의사가 환자를 살피고 치료함.
- **승강기** 전기 등을 이용하여 사람이나 물건을 아래나 위로 실어 나르는 장치.

나의 이웃 지도를 만드는 방법을 알아볼까요?
1 큰 마을 지도를 준비합니다.
2 내가 자주 만나는 이웃을 도화지에 그립니다.
3 그린 이웃 모습을 오려서 자주 만나던 장소 위에 붙입니다.

확인 문제

정답 4쪽

1 다음 중 동준이가 점심에 만난 이웃으로 가장 적당한 사람은 누구입니까? ··························· (   )

① 학교에 가는 옆집 형
② 출근하시는 윗집 아저씨
③ 가게 문을 여는 슈퍼마켓 주인
④ 학교에 갈 때 교문 앞에서 만난 교장 선생님
⑤ 아파서 병원에 갔을 때 진료해 주신 의사

2 동준이는 점심에 집집마다 편지를 넣어 주시는 [   ]을 만났습니다.

3 다음은 동준이의 일기입니다. (   ) 안의 알맞은 말에 ○표를 하시오.

> 매일 만나는 이웃들이 많다. 이웃들과 (친하게 / 서먹하게) 지내고 싶다.

나눔 장터에서 찾은 이웃

[교과서 40~43쪽]
• 놀이하기
• 우리 함께해요

꼭 알아두기 나눔 장터에서 나눌 수 있는 것

❶ 나눔 장터에서 나눌 수 있는 것

① **물건** : 안 쓰는 장난감들이나 학용품들, 작아서 못 입는 옷들, 다 읽은 책들, 국수(음식) 등

▲ 안 쓰는 장난감

▲ 작아서 못 입는 옷

▲ 많이 사용하지 않은 학용품

▲ 다 읽은 책

② **재능** : 머리를 예쁘게 잘라 주는 능력, 노래를 잘하는 능력 등

❷ 내가 나눌 물건과 그 이유 예 : 동화책 – 내가 재미있어서 여러 번 본 책인데, 다른 친구가 읽어도 재미있을 것 같아 나누고 싶어요.

❸ 나눔 장터에서 사용할 가게 이름표(간판) 만들기

대문 접기를 하고, 가게 이름을 지음. → 가게 이름을 크게 쓰고, 예쁘게 꾸밈. → 가게 앞에 이름표를 놓음.

→ 동화책 제목이나 등장인물, 영화 등에서 아이디어를 얻을 수도 있습니다.

어려운 말 알고가기

- **장터** 많은 사람이 모여 여러 가지 물건을 사고파는 곳.
- **학용품** 공책, 연필 따위의 학습에 필요한 물건.

나눔 가게를 준비하는 방법

- 내가 나눌 물건들을 잊지 않고 가져옵니다.
- 가게 이름표와 돗자리를 챙깁니다.
- 물건마다 물건 이름, 물건에 담긴 사연을 적은 꼬리표를 붙입니다.
- 물건 목록판을 준비합니다.
  → 다양한 물건이 섞여 있을 때 손님이 필요한 물건을 찾기 쉽습니다.

확인 문제

정답 4쪽

1 다음 중 나눔 장터에서 나눌 물건으로 알맞은 것을 골라 기호를 쓰시오.

㉠
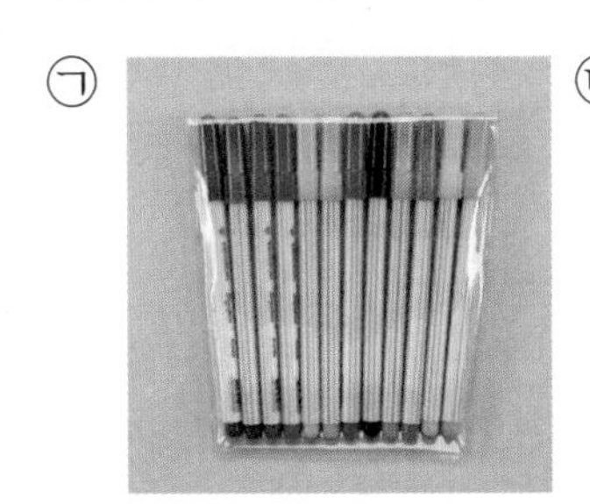
▲ 오늘 새로 산 사인펜

㉡

▲ 쓰지 않는 모자

( )

2 나눔 장터에서는 머리를 예쁘게 잘라 주는 능력과 같은 [ ] 도 이웃과 나눌 수 있습니다.

3 다음 중 나눔 가게를 준비하는 방법으로 적당한 것에 ○표를 하시오.

(1) 가게 이름을 크게 씁니다. ( )
(2) 가게 이름표를 꾸미지는 않습니다. ( )
(3) 물건의 종류가 많을 때에는 물건 목록판을 준비합니다. ( )

이웃과 나눠요

[교과서 44~45쪽]
• 놀이하기
• 우리 함께해요

꼭 알아두기 나눔 장터 활동 방법 / 이웃과 물건을 나누면 좋은 점

1 나눔 장터 열기

→ • 같은 종류끼리 모아 놓습니다.
• 작은 장난감은 상자에 담아 진열합니다.

① 나눔 장터 준비하기

1 책상이나 돗자리를 재배치합니다.
2 물건을 진열하고, 가게 이름표, 물건 목록판, 포스터 등을 알맞게 배치합니다.

② 나눔 장터 역할놀이 하기

→ 가게 주인과 손님 모두 고운 말을 쓰고, 친절하게 대하며, 정해진 시간이 되면 역할을 바꿉니다.

가게 주인	물건의 용도와 사용 방법, 물건에 담긴 사연 등을 설명해 줌.
손님	• 여러 나눔 가게를 다니며 자신에게 꼭 필요한 물건을 얻음. • 물건에 크게 흠집이 난 곳은 없는지 물건의 상태를 살핌. • 물건의 좋은 점과 불편한 점, 사용 방법 등을 물어봄.

어려운 말 알고가기

• **나눔 장터** 내가 쓰지 않게 된 물건들을 다른 사람들에게 나누어 주고, 다른 사람들이 쓰지 않지만 나에게 필요한 물건들을 얻을 수 있는 곳.

빅터 게시판

나눔 장터에서 이웃과 나눌 수 있는 것은 무엇일까요?
물건 나눔, 재능 나눔, 먹을거리 나눔, 봉사 나눔 등이 있습니다.
예 내가 잘하는 것을 동네 동생들에게 가르쳐 주기, 저금통에 동전을 저금했다가 '어려운 이웃돕기' 모금이 있을 때 가져다 주기 등

2 이웃과 물건을 나누면 좋은 점

① 돈을 내지 않고도 필요한 물건을 얻을 수 있습니다.
② 물건을 아껴 쓸 수 있고, 쓰레기가 많이 생기지 않습니다.
③ 이웃과 더 친해지는 것 같습니다.

확인 문제

정답 4쪽

1 다음 중 나눔 장터를 열 때 준비하지 않아도 되는 것은 어느 것입니까? ( )

① 돗자리 ② 빈 유리병
③ 나눌 물건 ④ 물건 목록판
⑤ 가게 이름표

2 (가게 주인 / 손님)은 여러 나눔 가게를 다니며 필요한 물건을 찾고, 물건을 발견하면 물건의 상태를 살펴봅니다.

3 다음 중 이웃과 물건을 나누면 좋은 점으로 옳지 않은 것은 어느 것입니까? ( )

① 물건을 아껴 쓸 수 있다.
② 이웃과 더 친해질 수 있다.
③ 쓰레기의 양을 줄일 수 있다.
④ 이웃과 사이가 나빠질 수 있다.
⑤ 돈을 내지 않고도 필요한 물건을 얻을 수 있다.

정다운 이웃

[교과서 46~47쪽]
• 표현하기

꼭 알아두기 '정다운 이웃' 노래 알기 / 리듬 악기를 연주하는 방법

❶ **'정다운 이웃' 노래 부르기** : 한 박에 한 번씩 손뼉을 치며 노래합니다.

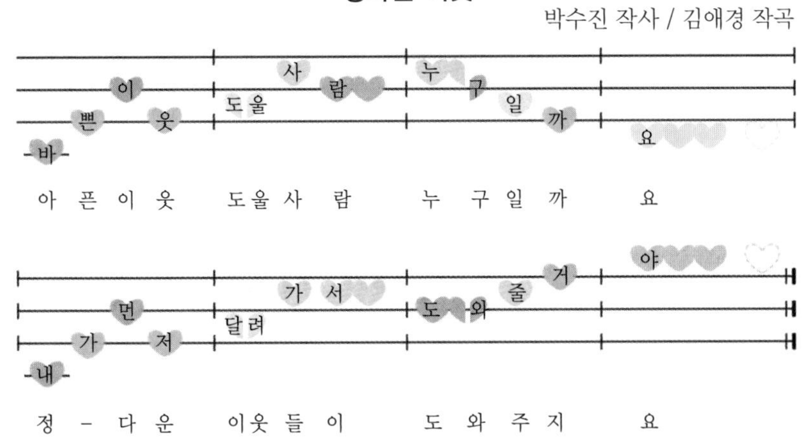

'정다운 이웃' 노래를 부르며 리듬 합주하기

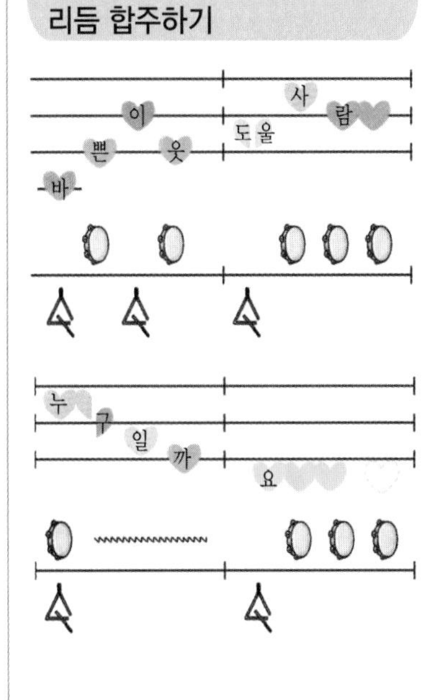

❷ **'정다운 이웃' 노래를 듣고 느낌 이야기해 보기** 예 : 이웃을 도와주고 싶어요, 이웃에게 도움을 받으면 고마울 것 같아요. 등

❸ **리듬 악기를 연주하는 방법 익히기** (→ 마라카스, 나무관북 등도 있습니다.)

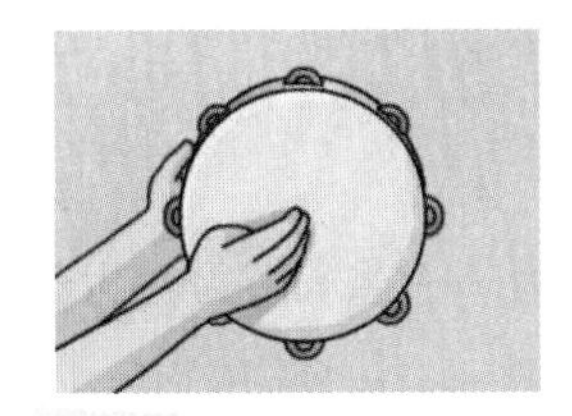

▲ 탬버린 : 한 손으로 테두리를 잡고 다른 손바닥에 가볍게 침.
→ 트레몰로 주법에서는 탬버린을 가볍게 쥐고 손목을 좌우로 흔듭니다.

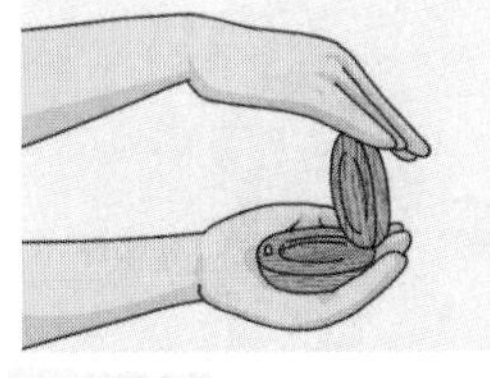

▲ 캐스터네츠 : 한 손바닥 위에 올려놓고 다른 손으로 가볍게 침.

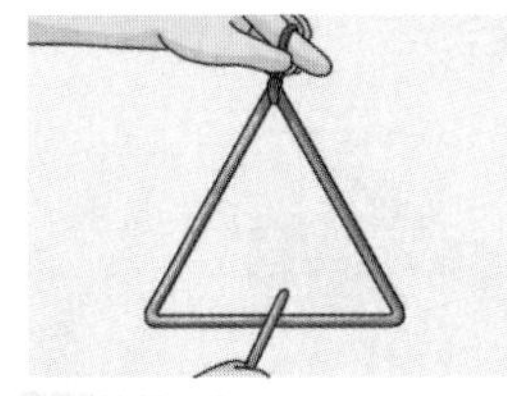

▲ 트라이앵글 : 한 손으로 끈을 쥐고 다른 손으로 채를 잡은 다음 가볍게 침.

어려운 말 알고가기

• **트레몰로** 빨리 규칙적으로 떨리는 듯이 연주하는 방법.

확인 문제

정답 4쪽

1 다음은 '정다운 이웃' 노래입니다. □ 안에 들어갈 알맞은 말은 어느 것입니까? ....( )

> 바쁜 이웃 도울 사람 누구일까요
> 내가 먼저 달려가서 □

① 팔 거야　② 노래할 거야
③ 도와줄 거야　④ 알려 줄 거야
⑤ 함께 놀 거야

2 오른쪽 트라이앵글을 연주하는 방법으로 알맞은 것에 ○표를 하시오.

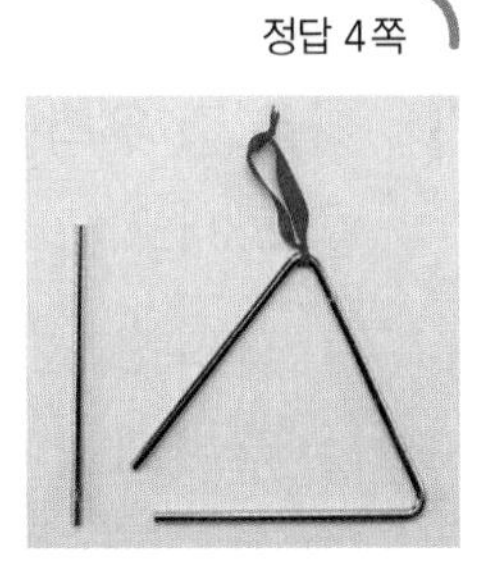

(1) 한 손으로 쇠를 쥐고 다른 손으로 채를 잡은 다음 세게 칩니다. ( )

(2) 한 손으로 끈을 쥐고 다른 손으로 채를 잡은 다음 가볍게 칩니다. ( )

서로 돕는 이웃

[교과서 48~49쪽]
• 무리 짓기
• 우리 함께해요

꼭 알아두기 고마운 이웃의 다양한 모습

1 직업으로 우리를 돕는 이웃과 직업과 관계없이 우리를 돕는 이웃

직업으로 우리를 돕는 이웃	선생님, 경찰관, 소방관, 주민센터 공무원, 의사, 간호사, 버스 기사, 집배원, 환경미화원, 급식실 조리원 등
직업과 관계없이 우리를 돕는 이웃	넘어진 아이를 일으켜 주는 누나, 횡단보도 앞에서 교통 지도를 하시는 녹색 학부모, 나눔 장터를 여시는 부녀회, 비 오는 날 우산을 같이 써 준 친구 등

→우편물을 모아 배달해 줍니다.
→우리를 돕는 이웃의 모습은 다양합니다.
→등·하굣길에 교통안전을 위한 봉사 활동을 합니다.

2 위험을 무릅쓰고 우리를 돕는 이웃과 위험하지 않게 우리를 돕는 이웃

① **위험을 무릅쓰고 우리를 돕는 이웃** : 소방관, 경찰관, 거리에서 교통정리를 해 주시는 모범택시 기사님 등이 있습니다.

② **위험하지 않게 우리를 돕는 이웃** : 나눔 장터를 여시는 부녀회, 화단을 정리하시는 경비원, 녹색 학부모, 청소를 하시는 환경미화원, 버스 기사, 집배원, 의사, 선생님 등이 있습니다.

▲ 소방관

▲ 경찰관

▲ 환경미화원

▲ 집배원

▲ 의사

어려운말 알고가기

소방관 불이 났거나, 지진, 태풍 등이 생겼을 때 구조나 구급 활동을 하는 사람.

우리가 따라 할 수 있는 도움과 따라 하기 어려운 도움

• 학생들이 따라 할 수 있는 일 : 넘어진 동생 일으켜 주기, 음식 나누어 먹기 등
• 학생들이 따라 하기 어려운 일 : 교통 지도 하기, 아픈 사람 치료하기, 불 끄기 등

고마운 마음을 표현하는 방법

• 고맙다고 직접 말합니다.
• 고마운 마음을 표현하는 편지나 카드를 써서 보냅니다.

확인 문제

정답 4쪽

1 다음 중 우리를 도와주는 이웃을 모두 골라 ○표를 하시오.

(1) 급식실 조리원 ( )
(2) 주민센터 공무원 ( )
(3) 청소를 하시는 환경미화원 ( )
(4) 횡단보도에서 교통 지도를 하시는 녹색 학부모 ( )

2 다음 중 위험을 무릅쓰고 우리를 돕는 이웃을 골라 기호를 쓰시오.

㉠

▲ 집배원

㉡

▲ 소방관

( )

옛날 이웃들은 이렇게 지냈어요

[교과서 50~53쪽]
• 감상하기
• 우리 함께해요

꼭 알아두기 조상들이 이웃들과 함께하는 모습 / 협동화 그리기

❶ 옛날 사람들은 이웃과 어떻게 지냈는지 살펴보기 : 그림을 통하여 옛날 사람들은 이웃과 무엇을 함께했는지 살펴봅니다.

타작

• 하는 일 : 타작, 벼에서 알곡을 떨어뜨리고 있음, 벼를 도구로 치고 있음, 함께 일을 하고 있음. 등
• 사람들 생각을 상상해 보기 예 : 같이 일하니까 힘이 덜 드는 걸, 쌀이 많이 나오겠군. 등

씨름

• 하는 일 : 씨름을 하고 있음, 엿을 팔고 있음. 등
• 사람들 생각을 상상해 보기 예 : 내 친구가 이기면 좋겠어.

어려운말 알고가기

• **타작** 곡식의 이삭을 두들기거나 훑어서 낟알을 거두는 일.
• **알곡** 쭉정이가 섞이지 않은 곡식.
• **씨름** 두 사람이 샅바를 잡고 힘과 재주를 겨루는 경기.
• **엿** 밥을 삭히고 끓여 걸러 낸 다음, 끈끈해질 때까지 고아 만든 음식.

빅터 게시판

옛날 사람들은 왜 모여서 일했을까요?
• 함께하면 심심하지 않기 때문에
• 일을 빨리 끝낼 수 있기 때문에
• 서로 돕고 싶어서

옛날 사람들이 함께하던 놀이에는 어떤 것이 있을까요?
씨름, 강강술래, 풍물놀이, 줄다리기, 비사치기, 윷놀이 등

❷ 투명 종이(OHP) 필름을 대고 따라 그리기

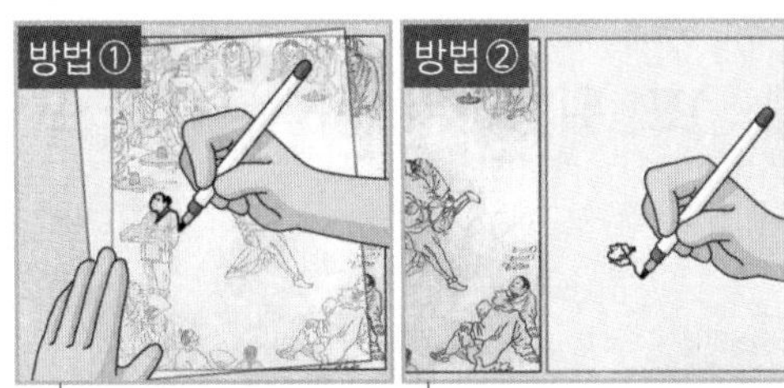

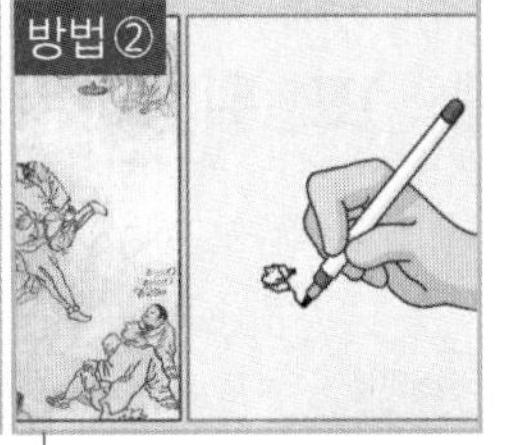

1 그림 속 사람들 모습을 유성 펜으로 따라 그림.
→ 그림에 필름을 올리고 따라 그립니다.
→ 필름을 그림 옆에 놓고 따라 그립니다.

2 따라 그린 그림을 가위로 오림.

3 오린 그림을 붙여서 작품을 완성함.

확인 문제

정답 4쪽

1 위 왼쪽의 「타작」 그림에서 볼 수 있는 옛날 사람들의 생활 모습으로 옳은 것에 ○표를 하시오.

(1) 음식을 함께 먹고 있습니다. ( )
(2) 벼를 도구로 치고 있습니다. ( )
(3) 여럿이 함께 일하고 있습니다. ( )

2 옛날 우리 조상들은 힘든 일을 (모여서 / 혼자서) 했습니다.

3 다음은 옛날 사람들이 타작과 같은 일을 함께했던 이유에 대해 나눈 대화입니다. 적당하지 <u>않은</u> 내용을 말한 친구를 쓰시오.

영준 : 힘이 덜 들기 때문이야.
민수 : 빨리 끝낼 수 있기 때문이야.
은수 : 함께 일하면 곡식이 더 많이 생기기 때문이야.

( )

활동지

❶ 내 이웃 이야기 (2)

정답 4쪽

서로 돕는 이웃

다음 중 직업으로 우리를 돕는 이웃에는 ○표, 직업과 관계없이 우리를 돕는 이웃에는 ☆표를 해 보세요.

▲ 음식을 만드시는 급식실 조리원 ▲ 거리 청소를 하시는 환경미화원 ▲ 나눔 장터를 여시는 부녀회 ▲ 버스 기사

❶ ❷  ❸ 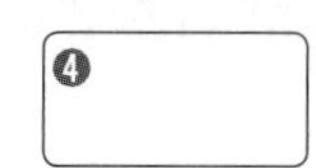 ❹

다음의 이웃 중에서 위험을 무릅쓰고 우리를 도와주는 이웃에 ○표, 위험하지 않게 우리를 도와주는 이웃에 △표를 해 보세요.

▲ 불을 꺼 주시는 소방관 ▲ 우편물을 배달해 주시는 집배원 ▲ 교통 안내를 하시는 교통 봉사자 ▲ 교통정리를 하시는 경찰관

❺ ❻ 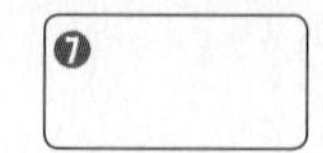 ❼ ❽

우리를 도와주는 이웃에게 고마운 마음을 전하는 방법을 써 보세요.

고맙다고 직접 말씀드리거나, 고마운 마음을 전하는  ❾ 을/를 써서 보낸다.

단원평가 ❶ 내 이웃 이야기 (2)

점수

정답 5쪽

※ 배점이 표시되어 있지 않은 문제는 문제당 **4점**입니다.

1 다음은 지영이가 아침에 학교 오는 길에 만난 이웃을 나타낸 것입니다. (　　) 안의 알맞은 말에 ○표를 하시오.

(1) 아침에 (학교 / 유치원)에 가는 옆집 언니

(2) (놀이터 / 횡단보도)에서 교통 안내를 해 주시는 교통 봉사자

2 오른쪽은 윤상이가 낮에 만난 이웃의 모습입니다. 윤상이가 만난 이웃은 누구입니까? ………………… (　　　)

① 옆집 동생　② 슈퍼마켓 주인

③ 빵집 주인　④ 경찰관

⑤ 집배원

3 다음은 친구들이 하루 동안 만난 주변 이웃들을 떠올려 보면서 느낀 점을 나타낸 것입니다. 바르게 말하지 않은 친구의 이름을 쓰시오.

주미 : 매일 만나는 이웃이 많아요.
병천 : 이웃들과 더 친하게 지내고 싶어요.
규식 : 이웃들에게 인사를 하지 않아야겠어요.

(　　　　　　　　　　)

4 다음 보기 중 나눔 장터에 내놓을 물건으로 알맞은 것의 기호를 쓰시오. [6점]

보기
㉠ 짝이 맞지 않는 장갑
㉡ 작동하지 않는 로봇 장난감
㉢ 작아져서 못 입게 된 깨끗한 바지

(　　　　　　　　　　)

5 다음 중 '알뜰 학용품 가게'라고 가게 이름을 짓고 나눔 장터를 열 때 준비해야 할 물건으로 알맞은 것을 두 가지 고르시오. [6점] ……… (　　　,　　　)

① 
색연필

② 
모자

③ 
인형

④ 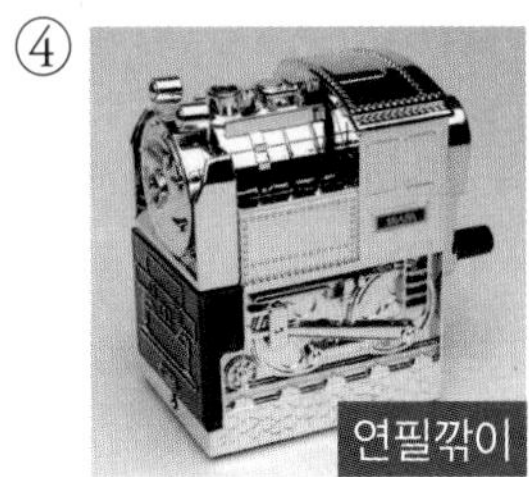
연필깎이

6 다음은 민호가 나누고 싶은 물건과 이유를 설명한 것입니다. □ 안에 알맞은 물건을 쓰시오.

내가 나누고 싶은 물건	□
나누고 싶은 이유	내가 재미있어서 여러 번 본 것인데, 이제는 더 이상 읽지 않기 때문에 다른 친구가 읽으면 재미있을 것 같아 나누고 싶어요.

7 다음 중 나눔 장터를 열 때 여러 가지 장난감을 파는 가게의 이름으로 가장 알맞은 것은 어느 것입니까? ……………………………………………(　　　)

① 상상 서점
② 빛나라 머리핀
③ 재미 충전 장난감
④ 기분이 좋아지는 옷
⑤ 쓱싹쓱싹 연필 나라

가을
❶ 내 이웃 이야기

8 다음 중 나눔 장터를 준비하는 모습으로 옳은 것에는 ○표, 옳지 않은 것에는 ×표를 하시오.

(1) 작은 장난감은 상자에 담아 진열합니다. (　　)

(2) 나눔 장터에서 나눌 물건을 가지런히 진열합니다. (　　)

(3) 물건은 찾기 쉽도록 다른 종류끼리 섞어 놓습니다. (　　)

9 다음을 나눔 장터를 열 때 각 역할을 맡은 사람이 해야 할 일에 맞게 줄로 바르게 이으시오.

(1) 손님 • 　　• ㉠ 물건의 사용법에 대해 설명해 줌.

(2) 가게 주인 • 　　• ㉡ 가게를 돌아보며 물건들을 살펴봄.

서술형 문제

10 다음과 같이 나눔 장터에서 이웃과 물건을 나눌 때 좋은 점을 두 가지 쓰시오. [8점]

❶ (　　　) 이/가 많이 생기지 않는다.

❷ (　　　) 을/를 아껴 쓸 수 있다.

11 다음은 어떤 노래의 일부분을 나타낸 것입니다. 노래 제목의 □ 안에 들어갈 알맞은 말은 어느 것입니까? (　　)

> □ 이웃
> 바쁜 이웃 도울 사람 누구일까요
> 내가 먼저 달려가서 도와줄 거야

① 나쁜 ② 용감한
③ 정다운 ④ 이상한
⑤ 재미있는

12 다음의 리듬 악기 중 탬버린을 연주하는 모습의 기호를 쓰시오.

㉠ 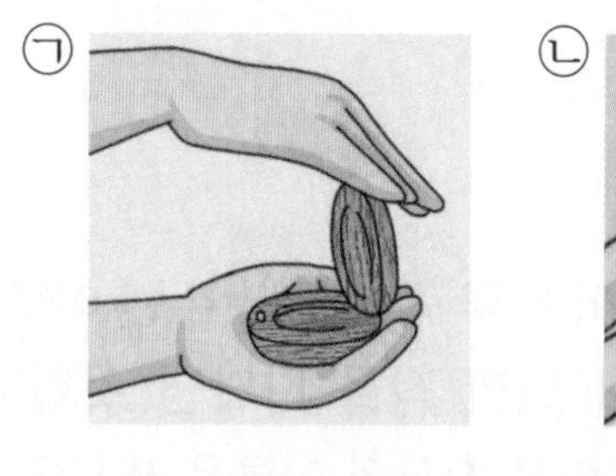

㉡ 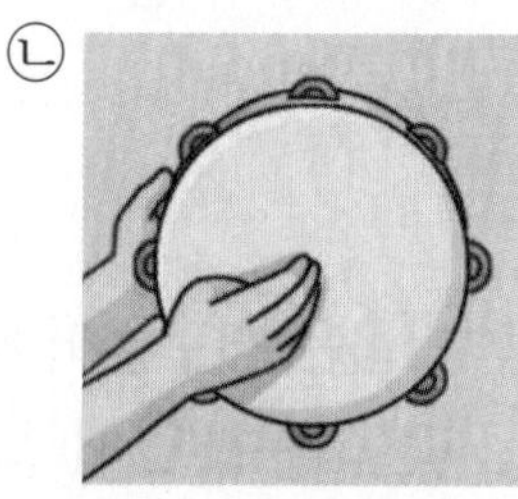

(　　　)

13 다음 보기 중 오른쪽의 트라이앵글을 연주하는 방법으로 옳은 것의 기호를 쓰시오. [6점]

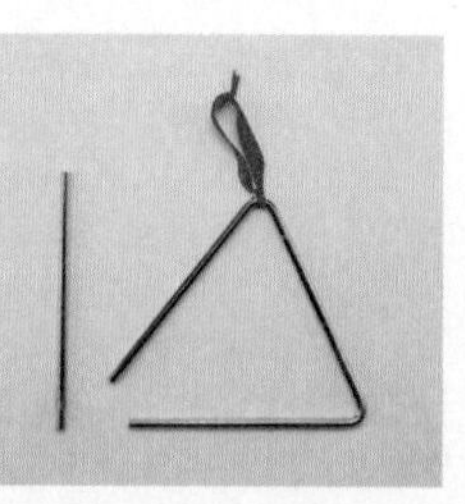

보기

㉠ 한 손바닥 위에 올려놓고 다른 손으로 가볍게 칩니다.

㉡ 한 손으로 끈을 쥐고 다른 손으로 채를 잡은 다음 가볍게 칩니다.

(　　　)

14 다음 중 우리에게 도움을 주는 이웃으로 알맞지 않은 사람은 누구입니까? ……………………( )

① 청소를 하시는 환경미화원
② 맛있는 과자를 나누어 준 친구
③ 넘어진 아이를 일으켜 주는 형
④ 학교 운동장에서 수업을 하시는 선생님
⑤ 횡단보도가 아니라 차도로 길을 건너는 친구

서술형 문제

15 다음 중 우리를 도와주는 직업을 가진 이웃의 기호를 쓰고, 우리에게 어떤 도움을 주는지 쓰시오. [10점]

㉠ 
▲ 나눔 장터를 여시는 부녀회

㉡ 
▲ 소방관

____

____

16 다음 중 고마운 이웃의 도움 가운데 우리가 따라 할 수 있는 일은 어느 것입니까? [8점]
……………………………………………………( )

① 버스 운전하기
② 학생 가르치기
③ 교통 지도 하기
④ 아픈 사람 치료하기
⑤ 비 오는 날 우산 같이 쓰기

17 다음 중 우리가 이웃에게 고마운 마음을 표현하는 방법으로 알맞은 것에 ○표를 하시오.

(1) 고맙다고 직접 말합니다. ( )
(2) 비싼 선물을 사 드립니다. ( )
(3) 고마운 마음을 담아 편지를 씁니다. ( )

18 다음은 옛날 사람들이 무엇을 하는 그림을 나타낸 것인지 줄로 바르게 이으시오.

(1)  • • ㉠ 씨름

(2)  • • ㉡ 타작

19 다음은 옛날 사람들이 함께 모여서 일을 한 이유를 나타낸 것입니다. ( ) 안의 알맞은 말에 ○표를 하시오.

여럿이 함께 일하면 일을 더 (빨리 / 늦게) 끝낼 수 있기 때문입니다.

20 다음 중 옛날 사람들이 함께 모여서 하던 놀이가 아닌 것은 어느 것입니까? ……………………( )

① 바둑
② 윷놀이
③ 줄다리기
④ 강강술래
⑤ 컴퓨터 게임

이웃들과 노래를 불러요

[교과서 58~59쪽]

• 표현하기

꼭 알아두기 '꿩 꿩 장 서방' 노랫말에 어울리는 표현

1 '꿩 꿩 장 서방' 노래 부르기

→ 노랫말을 살펴보면 장 서방의 집이 어디인지, 무엇을 먹고 사는지, 무엇을 하고 살고 있는지를 알 수 있습니다.

꿩 꿩 장 서방

전래 동요

꿩 꿩 장 서방
자네 집이 어딘고
이산 저산 넘어서
솔밭 집이 내 집일세

꿩 꿩 장 서방
무얼 먹고 살았나
이웃 집에 콩 한 되
아랫집에 팥 한 되

꿩 꿩 장 서방
무얼 하고 살았나
아들 낳고 딸 낳고
미역국에 밥 한 술

2 모둠별로 역할을 나누어 '꿩 꿩 장 서방' 노래 불러 보기

: 앞부분 '꿩 꿩 장 서방 자네 집이 어딘고' 부분은 전체 학생들이 다같이 부르고 나머지 노랫말은 모둠별로 돌아가면서 한 절씩 불러 봅니다.

> **이웃집을 떠올리며 노랫말을 바꾸어 보기 ㉑**
>
> 안녕 박혜원 너네 집이 어딘고 / 이길 저길 건너서 아파트가 내집일세 /

3 노랫말에 어울리는 표현과 함께 '꿩 꿩 장 서방' 노래 불러 보기 ㉑

꿩 꿩 장 서방	자네 집이	어딘고
두 손을 입에 대고 큰 소리로 부르는 자세를 함.	두 손을 세워서 집 모양을 표현함.	검지 손가락을 머리에 대고 생각하는 표정을 지음.

> **어려운 말 알고가기**
>
> • **서방** 외할아버지나 외할머니가 아버지를 부르는 말로, 성 뒤에 붙여 사용함.

확인 문제

정답 6쪽

1 다음은 어떤 노래의 일부분을 나타낸 것인지 노래 제목을 쓰시오.

꿩 꿩 장 서방
자네 집이 어딘고
이산 저산 넘어서
솔밭 집이 내 집일세

( )

2 앞 1번 노랫말을 통해 장 서방의 (집 / 하는 일)을 알 수 있습니다.

3 앞 1번의 노랫말 중 '꿩 꿩 장 서방' 부분에 어울리는 표현에 ○표를 하시오.

(1) ( ) (2) ( )

이웃집에서 소리가 들려요

[교과서 60~63쪽]
• 무리 짓기
• 우리 함께해요

꼭 알아두기 이웃 간에 듣기 싫은 소리가 나지 않게 하는 방법

❶ 이웃집에서 들리는 소리 중에서 듣기 좋은 소리

→ 이웃 사람들이 모여 함께 운동을 하면서 이야기 나누는 소리도 듣기 좋은 소리입니다.

▲ 새로운 소식을 알려 주는 소리

▲ 반가운 사람이 누르는 초인종 소리

▲ 아이들이 즐겁게 웃는 소리

❷ 이웃집에서 들리는 소리 중에서 듣기 싫은 소리

→ 늦은 시간에 청소를 하거나 세탁기를 돌리는 소리도 듣기 싫은 소리입니다.

▲ 밤에 피아노를 치는 소리

▲ 뛰어다니면서 쿵쿵대는 소리

▲ 큰소리로 떠들거나 혼내는 소리

❸ 이웃 간에 듣기 싫은 소리가 나지 않게 하는 방법

① 집에서 뛰어다니지 않습니다.
② 늦은 시간에는 악기를 연주하지 않습니다.
③ 밤에는 세탁기나 청소기를 사용하지 않습니다.

이웃집에서 들을 수 있는 소리 예

• 초인종 소리 : '띵동'
• 청소기 소리 : '윙윙'
• 웃는 소리 : '하하', '깔깔깔'
• 뛰는 소리 : '쿵쾅쿵쾅', '우다다다'

어려운 말 알고가기

초인종 집의 문밖에서 누르면 집 안에서 소리가 나게 되어 있어 사람을 부르는 역할을 하는 것.

확인 문제

정답 6쪽

1 다음 이웃집에서 들리는 소리 중 듣기 좋은 소리의 기호를 쓰시오.

㉠

▲ 아이들이 즐겁게 웃는 소리

㉡

▲ 밤에 뛰어다니면서 쿵쿵대는 소리

(　　　　　)

2 다음 중 이웃 간에 듣기 싫은 소리가 나지 않게 하는 방법으로 옳은 것은 어느 것입니까? (　　　)

① 집에서 뛰어다닌다.
② 밤에 세탁기를 돌린다.
③ 밤에 청소기로 청소를 한다.
④ 밤에 큰소리로 소리를 지른다.
⑤ 늦은 시간에는 피아노와 같은 악기를 연주하지 않는다.

이웃과 만나면 하하 호호 놀아요

[교과서 64~65쪽]
• 놀이하기
• 우리 함께해요

꼭 알아두기 이웃집에 방문했을 때 지켜야 할 예절

❶ 이웃들과 함께 할 수 있는 놀이

→안쪽 칸에 우리 모둠과 다른 모둠 친구들의 이름을 적습니다.

놀이	방법	그림
동서남북	• 동서남북 종이접기를 하고, 가위바위보를 해서 이긴 사람이 1~5 중에서 한 가지 숫자를 부름. • 친구가 부른 숫자만큼 손가락에 낀 동서남북을 움직임.	
종이컵 쌓기	• 한 사람이 네 개를 쌓고, 다음 사람이 그 위에 세 개, 그 다음 사람이 그 위에 두 개를 쌓음. • 마지막 사람이 제일 위에 한 개를 쌓고 다시 종이컵을 처음처럼 포개 놓음.	

→모둠별로 종이컵 열 개를 포개 놓은 채로 준비합니다.

빅터 게시판

놀이 활동을 할 때에 지켜야 할 점에 대해 알아볼까요?

• 정해진 순서에 따라 놀이를 합니다.
• 서로 먼저 하겠다고 친구들과 싸우지 않습니다.

빨대 던져 넣기

기준선에 순서대로 선 후 빨대를 통 안으로 던져 넣습니다.

❷ 이웃집에 방문했을 때 지켜야 할 예절

→이웃집에 놀러갈 때는 전화를 하여 미리 알립니다.

① 어른을 만나면 내가 먼저 공손히 인사합니다.
② 집에 들어가면 먼저 손을 씻습니다.
③ 늦은 시간까지 놀지 않습니다.
④ 집 안의 물건을 만질 때는 허락을 받습니다.
⑤ 장난감을 가지고 논 다음에는 정리를 합니다.

어려운 말 알고가기

• **방문** 사람을 찾아가 만남.
• **허락** 어떤 사람의 부탁을 받아 들여 좋다고 함.

확인 문제

정답 6쪽

1 이웃들과 함께 할 수 있는 놀이의 이름에 맞게 줄로 바르게 이으시오.

(1)  • • ㉠ 빨대 던져 넣기

(2)  • • ㉡ 종이컵 쌓기

2 다음 중 이웃집에 방문했을 때 지켜야 할 예절로 옳은 것에는 ○표, 옳지 않은 것에는 ×표를 하시오.

(1) 늦은 시간까지 놉니다. (　　)
(2) 집에 들어가면 먼저 손을 씻습니다. (　　)

3 이웃집에 방문했을 때 장난감을 가지고 논 다음에는 [　　　] 을/를 합니다.

‘도와주세요’ 소리를 들었어요

[교과서 66~69쪽]

- 내면화하기
- 우리 함께해요

꼭 알아두기 어려움에 처한 이웃을 만났을 때 해야 할 일

❶ 어려움에 처한 이웃을 만났을 때 해야 할 일

→ 넘어진 사람을 보면 부축해 주고, 한글을 잘 모르는 친구에게는 친절하게 한글을 가르쳐 줍니다.

▲ 턱을 잘 올라갈 수 있도록 휠체어를 밀어줌.

▲ 시각 장애인이 길을 물으면 방향을 자세하게 알려 줌.

▲ 받침대를 놓아 주거나 다른 사람이 대신 승강기 버튼을 눌러 줌.

▲ 계단을 잘 올라갈 수 있도록 손을 잡아 줌.

▲ 버스에서 할아버지나 할머니, 임산부를 만나면 자리를 양보함.

어려운 말 알고가기

- **시각 장애인** 눈을 통하여 보고 느낄 수 있는 감각에 이상이 생겨 눈이 보이지 않는 사람.
- **승강기** 높은 건물에서 전기를 이용하여 사람이나 물건을 오르고 내리게 할 수 있는 기계.

❷ 운동장에서 ○, × 놀이하기

줄을 서서 문제를 듣고 바른 행동이면 ○, 아니면 ×로 걸어감.

정답을 맞힌 친구들은 만세를 부르고, 틀린 친구들은 손뼉을 치며 다시 모임.

→ 어려움에 처한 이웃을 만났을 때 어떻게 해야 하는지에 대한 문제입니다.

운동장에서 ○, × 놀이 후 느낀 점 예

- 서로서로 도우면 좋겠다는 생각이 들었습니다.
- 이웃 사람들에게 관심을 가져야겠다는 생각이 들었습니다.

확인 문제

정답 6쪽

1 다음과 같이 어려움에 처한 이웃을 만났을 때 해야 할 행동으로 옳은 것에 ○표를 하시오.

(1) 방향을 자세하게 알려 줍니다. (　　)
(2) 모르는 척하고 그냥 지나갑니다. (　　)

2 다음 중 버스에서 나이 드신 할머니를 만났을 때 해야 할 일로 옳은 것은 어느 것입니까? (　　)

① 자는 척한다.
② 핸드폰만 본다.
③ 자리를 양보한다.
④ 창밖만 바라본다.
⑤ 책을 읽는 척한다.

3 높은 계단을 혼자 올라가는 어린 동생을 만나면 계단을 잘 올라갈 수 있도록 [　　　] 을/를 잡아 줍니다.

우리 가족과 이웃

[교과서 70~71쪽]

• 표현하기

꼭 알아두기 우리 가족을 통해 알게 된 이웃 / 손가락 도장을 찍어 이웃을 표현하는 방법

1 우리 가족을 통해 알게 된 이웃 알아보기 예

→ 옆집, 윗집, 아랫집 등 가까운 곳에 살고 있지 않아도 자주 오고 가며 서로 도움을 주고받고 친한 관계를 맺으며 살아가는 사람들도 우리의 이웃이 될 수 있습니다.

아빠를 통해 알게 된 이웃	엄마를 통해 알게 된 이웃
• 아빠의 친구들과 그 가족들 • 아빠와 같은 회사를 다니는 사람들	• 엄마의 친구들 • 엄마가 자주 들르는 빵집 아주머니
언니(형)를 통해 알게 된 이웃	**동생을 통해 알게 된 이웃**
• 언니의 단짝 친구 지영이 언니 • 형이 다니는 피아노 학원 선생님	• 동생이 다니는 어린이집 선생님 • 동생이 다니는 태권도 학원 관장님

어려운말 알고가기

• **잉크** 글씨를 쓰거나 인쇄하는 데 쓰는, 빛깔이 있는 액체.

2 우리 가족을 통해 알게 된 이웃과 함께 했던 경험 예

① 오빠 친구들과 공원에서 술래잡기를 했어요.

② 엄마와 가장 친한 윤주 이모네와 함께 캠핑을 했어요.

빅터 게시판

캠핑이란 무엇일까요?

산이나 강가, 바닷가 등에서 텐트를 치고 밖에서 먹고 자며 지내는 일을 말합니다.

3 손가락 도장을 찍어 이웃 표현하기

→ 종이 접시나 종이접기를 이용해 표현할 수도 있습니다.

1 스탬프잉크와 사인펜을 준비함.

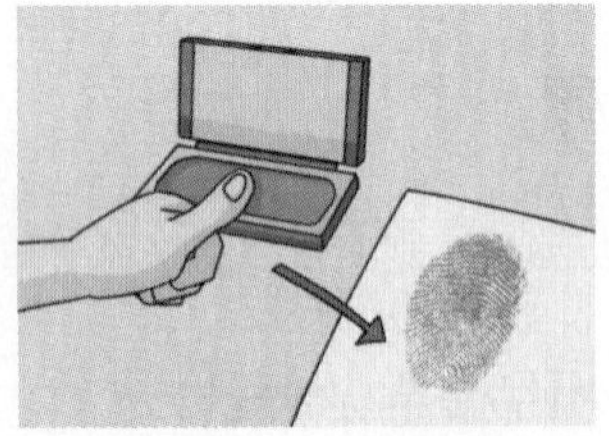

2 손가락에 잉크를 묻히고 종이에 손가락 도장을 찍음.

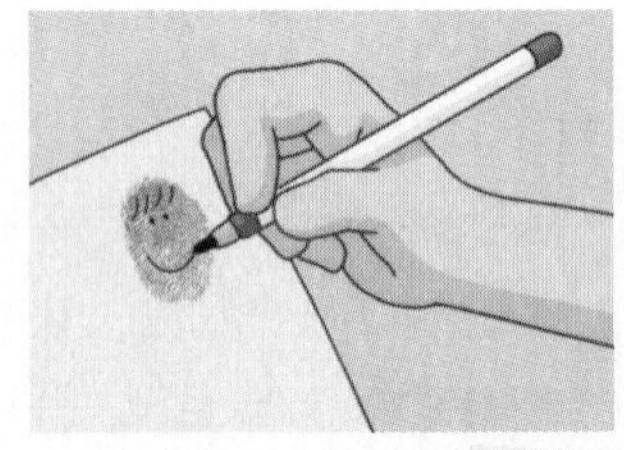

3 손가락 도장 위에 이웃의 얼굴을 꾸밈.

내가 표현한 이웃에 대하여 친구들에게 설명하기 예

이 분은 엄마가 자주 다니시는 미용실 아주머니인데, 늘 저에게 친절하게 대해 주십니다.

확인 문제

정답 6쪽

1 다음 중 손가락 도장을 찍어 이웃을 표현할 때 필요한 것을 두 가지 고르시오. ······(　　,　　)

①

②

③

④

2 다음을 손가락 도장을 찍어 표현한 이웃의 모습에 맞게 줄로 바르게 이으시오.

(1)

• 　　　• ㉠ 미용실 아주머니

(2)

• 　　　• ㉡ 옆집 할아버지

이웃과 함께해요

[교과서 72~73쪽]

• 감상하기

꼭 알아두기 이웃과 더불어 생활하는 모습

1 그림을 보면서 이웃들이 무엇을 하고 있는지 알아보기 예

옛날 이웃들의 생활 모습을 알 수 있습니다.

① **사람들이 모여 있는 장소** : 시장

② **사람들이 모여서 하고 있는 것**

- 계란과 멍석을 팔고 있습니다.
- 소싸움을 구경하고 있습니다.
- 엿장수가 엿을 팔고 있습니다.
- 음식을 먹고 있고, 아는 사람을 만나 반가워하고 있습니다.

그림을 보고 생각나는 것 말해 보기 예

- 부모님과 마트에 가서 물건을 샀던 일이 기억에 남아요.
- 시장에서 인사를 잘해서 물건 값을 깎아주셨던 일이 있었어요.

어려운말 알고가기

- **멍석** 사람이 앉거나 곡식을 너는 데 쓰는, 짚을 네모지게 엮어 만든 큰 자리.

마무리 활동 • 교과서 74~75쪽

- 내 이웃 이야기와 관련된 단어를 이용하여 생각 그물로 나타냅니다.
- 이웃들과 함께 할 수 있는 놀이를 해 봅니다.

2 그림처럼 이웃들과 어떤 음식을 나눌지 생각하여 식탁 꾸미기

주고 싶은 음식을 생각함.  음식 그림이나 사진을 오림.  내가 주고 싶은 음식을 소개함.

확인 문제

정답 6쪽

1 위 ①의 그림 속 사람들이 모여 있는 장소는 (시장 / 빨래터)입니다.

2 다음 중 위 ①의 그림 속 사람들이 하고 있는 것으로 알맞지 않은 것은 어느 것입니까? (　　　)

① 계란을 팔고 있다.
② 음식을 먹고 있다.
③ 텔레비전을 팔고 있다.
④ 소싸움을 구경하고 있다.
⑤ 아는 사람을 만나 반가워하고 있다.

3 다음은 진영이가 이웃들과 나누고 싶은 음식 중 어떤 음식에 대한 설명인지 기호를 쓰시오.

> 오늘은 내 생일이기 때문에 친구들을 초대해서 이 음식을 나누어 먹고 싶어.

㉠ 

㉡ 

(　　　　　　　　　　)

정답 6쪽

어려움에 처한 이웃을 도와요

다음과 같이 어려움에 처한 이웃을 만났을 때 해야 할 행동으로 옳은 것에는 ○표를 하고, 옳지 않은 것에는 ×표를 해 보세요.

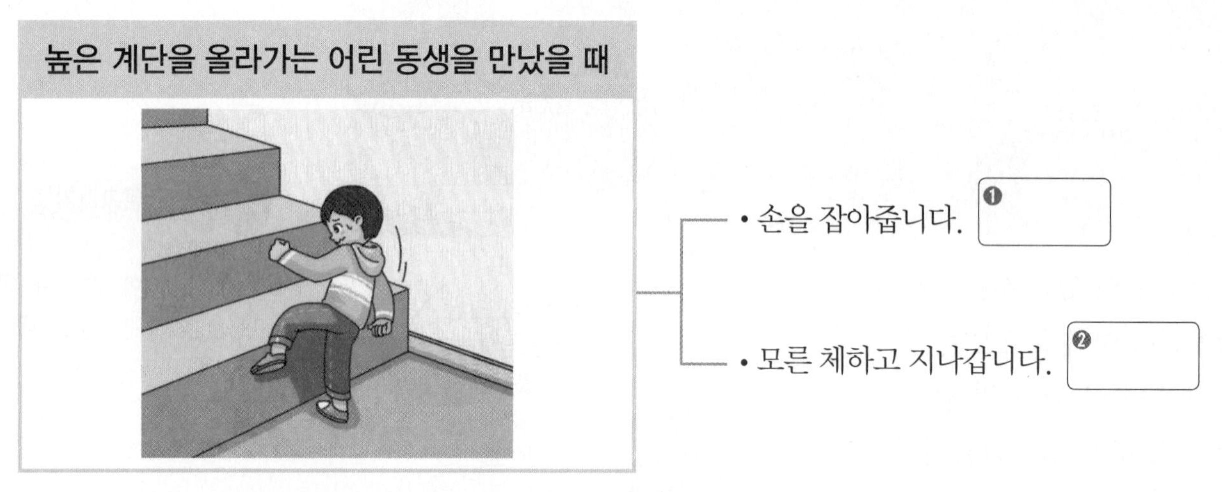

높은 계단을 올라가는 어린 동생을 만났을 때

- 손을 잡아줍니다. ❶
- 모른 체하고 지나갑니다. ❷

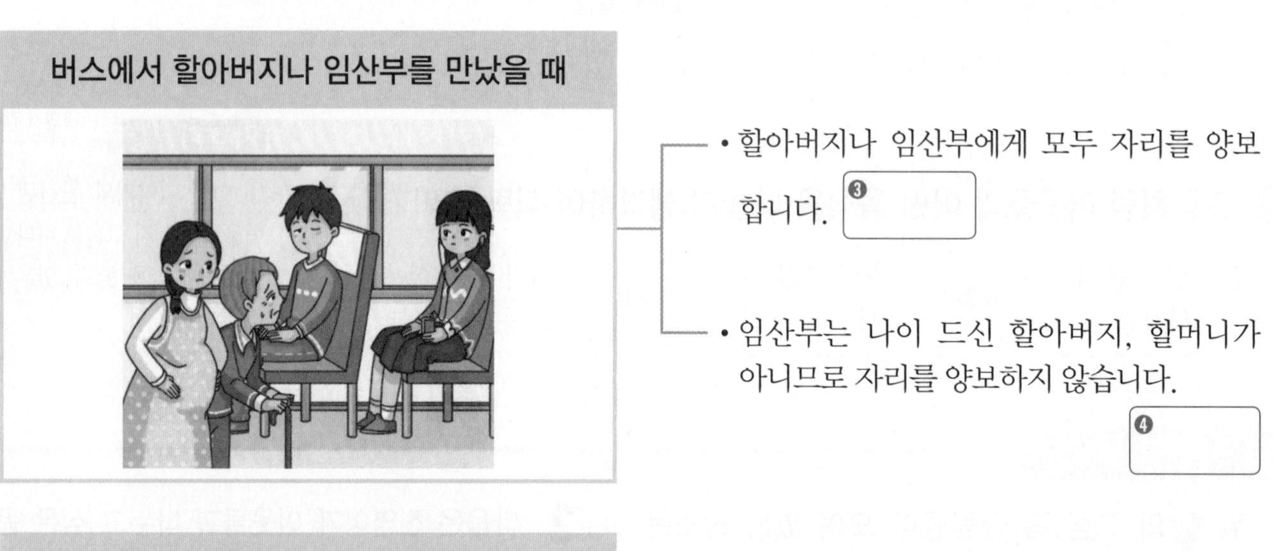

버스에서 할아버지나 임산부를 만났을 때

- 할아버지나 임산부에게 모두 자리를 양보합니다. ❸
- 임산부는 나이 드신 할아버지, 할머니가 아니므로 자리를 양보하지 않습니다. ❹

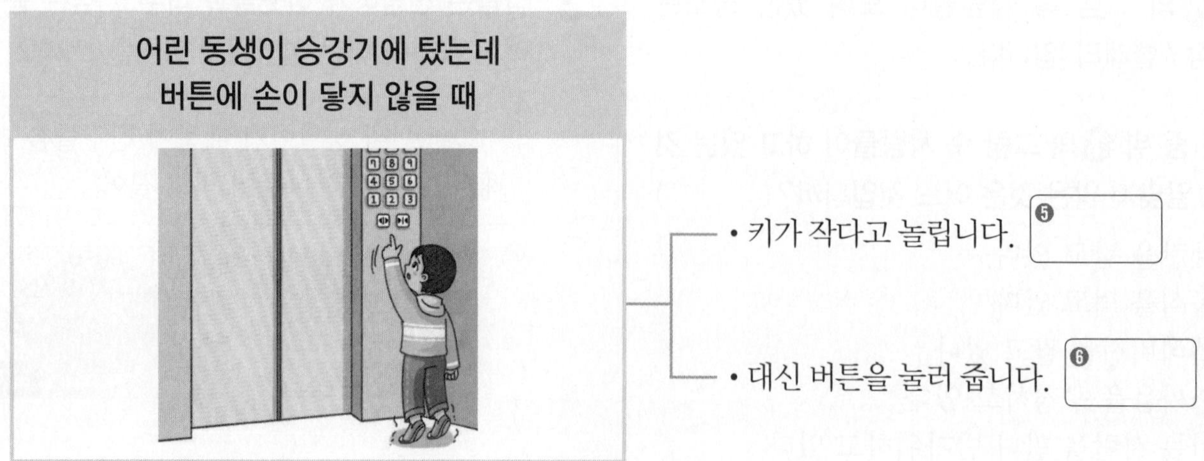

어린 동생이 승강기에 탔는데 버튼에 손이 닿지 않을 때

- 키가 작다고 놀립니다. ❺
- 대신 버튼을 눌러 줍니다. ❻

점수

※ 배점이 표시되어 있지 않은 문제는 문제당 **4점**입니다.

정답 7쪽

[1 ~ 4] 다음은 '꿩 꿩 장 서방' 노래의 일부분입니다. 물음에 답하시오.

꿩			꿩			장		서	방		
자		네	□	이	–	어		딘	고		
이	산	–	저	산		넘		어	서	–	
솔		밭	□	이	–	내	□	일	세		

1 위의 □ 안에 공통으로 들어갈 알맞은 노랫말은 어느 것입니까? ( )

① 집 ② 강 ③ 논
④ 옷 ⑤ 밥

2 다음 보기 중 위의 노래에서 '서방'이 뜻하는 말로 옳은 것의 기호를 쓰시오. [6점]

보기
㉠ 외할아버지가 아버지를 부르는 말입니다.
㉡ 내가 어머니의 여동생을 부르는 말입니다.

( )

3 이웃집을 떠올리며 위 노래의 노랫말을 다음과 같이 바꾸어 부르려고 합니다. □ 안에 들어갈 알맞은 노랫말에 ○표를 하시오.

안녕 박초롱 너희 집이 어디냐
□

(1) 자장면 치킨 피자 아무거나 다 좋네 ( )

(2) 이길 저길 건너서 3층 집이 내 집일세 ( )

4 다음을 앞의 노랫말에 어울리는 표현에 맞게 줄로 바르게 이으시오.

(1)
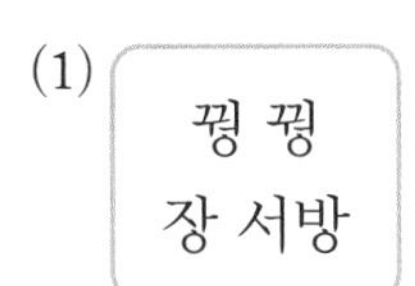
꿩 꿩
장 서방 •

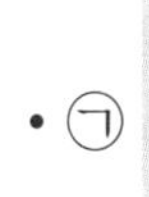
• ㉠

(2) 자네 집이 •

• ㉡

(3) 어딘고 •

• ㉢

5 다음의 이웃집에서 들을 수 있는 소리 중 뛰는 소리를 나타낸 것으로 가장 알맞은 것은 어느 것입니까? ( )

① 띵동 ② 하하 ③ 윙윙
④ 깔깔깔 ⑤ 쿵쾅쿵쾅

서술형 문제

6 다음은 이웃집에서 들리는 소리를 어떻게 나눈 것인지 쓰시오. [10점]

㉠	• 아이들이 즐겁게 웃는 소리 • 반가운 사람이 누르는 초인종 소리
㉡	• 밤에 뛰어다니며 쿵쿵대는 소리 • 늦은 시간에 청소기로 청소를 하는 소리

이웃집에서 들리는 소리 중 ㉠은 듣기 ❶ [ ] 소리이고, ㉡은 듣기 ❷ [ ] 소리이다.

7 다음 중 이웃 간에 듣기 싫은 소리가 나지 않게 하기 위해 바르게 행동한 모습의 기호를 쓰시오.

㉠
▲ 집에서 뛰어다니지 않음.

㉡
▲ 밤에 피아노를 침.

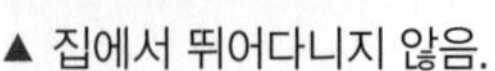

( )

8 이웃들과 함께 할 수 있는 다음 놀이의 이름은 어느 것입니까? ( )

① 동서남북 ② 딱지치기
③ 지우개 싸움 ④ 빨대 던져 넣기
⑤ 신문지 위에 올라서기

9 다음은 이웃들과 함께 할 수 있는 종이컵 쌓기 놀이 방법을 나타낸 것입니다. □ 안에 들어갈 알맞은 숫자를 쓰시오.

> 1 모둠별로 종이컵 열 개를 포개 놓습니다.
> 2 한 사람이 □개를 쌓습니다.
> 3 다음 사람이 그 위에 세 개를 쌓습니다.
> 4 그 다음 사람이 그 위에 두 개를 쌓습니다.
> 5 마지막 사람이 제일 위에 한 개를 쌓고 다시 종이컵을 처음처럼 포개 놓습니다.

( )

10 다음 보기 중 놀이 활동을 할 때 지켜야 할 점으로 옳은 것의 기호를 쓰시오.

> 보기
> ㉠ 정해진 순서에 따라 놀이를 합니다.
> ㉡ 서로 먼저 하겠다고 친구들과 싸웁니다.

( )

11 다음 중 이웃집에 방문했을 때 지켜야 할 예절로 옳은 것은 어느 것입니까? [6점] ( )

① 늦은 시간까지 논다.
② 집에 들어가면 먼저 손을 씻는다.
③ 어른을 만나도 인사를 하지 않는다.
④ 친한 이웃집에는 알리지 않고 아무 때나 방문한다.
⑤ 장난감을 가지고 논 뒤 어질러 둔 채로 집에 온다.

12 다음은 이웃집에 방문해서 집 안의 물건을 만질 때 해야 할 일을 나타낸 것입니다. ( ) 안의 알맞은 말에 ○표를 하시오.

> 이웃집에 방문해서 물건을 만질 때에는 마음대로 만지지 않고 (허락 / 양보)을/를 받습니다.

13 다음 보기 중 어려움에 처한 이웃을 만났을 때 해야 할 일로 옳지 않은 것의 기호를 쓰시오. [6점]

> 보기
> ㉠ 모르는 척하고 지나갑니다.
> ㉡ 내가 할 수 있는 일을 찾아 도와줍니다.
> ㉢ 주변에 있는 어른들에게 도와주자고 이야기합니다.

( )

서술형 문제

14 오른쪽과 같이 높은 계단을 혼자 올라가는 어린 동생을 만났을 때에는 어떻게 해야 하는지 쓰시오. [10점]

____

____

15 다음 중 어린 동생이 승강기에 탔을 때 버튼에 손이 닿지 않는 경우에 해야 할 행동을 바르게 말한 친구의 이름을 쓰시오. [6점]

민수 : 모르는 척해.
현아 : 대신 버튼을 눌러 줘.
지영 : 승강기에서 내리라고 해.

( )

16 다음 중 이웃을 도와준 경험으로 옳은 것을 두 가지 고르시오. (,)

① 친구에게 준비물을 빌려주었다.
② 한글을 잘 모르는 친구를 놀렸다.
③ 지팡이를 짚고 가는 할머니를 도와드렸다.
④ 비를 맞으며 가는 친구를 모르는 척 그냥 지나쳤다.
⑤ 버스에서 나이 드신 할머니를 만났을 때 자는 척했다.

17 다음 중 시각 장애인이 길을 물었을 때 해야 할 행동으로 옳은 것에 ○표를 하시오.

(1) 모르는 척 그냥 지나갑니다. ( )
(2) 방향을 왼쪽, 오른쪽 등으로 자세하게 알려 줍니다. ( )

18 다음은 손가락 도장을 찍어 이웃을 표현하는 방법입니다. 순서에 맞게 바르게 나타낸 것은 어느 것입니까? ( )

㉠ 스탬프잉크와 사인펜을 준비합니다.
㉡ 손가락 도장 위에 이웃의 얼굴을 꾸밉니다.
㉢ 손가락에 잉크를 묻히고 종이에 손가락 도장을 찍습니다.

① ㉠ → ㉡ → ㉢
② ㉠ → ㉢ → ㉡
③ ㉡ → ㉠ → ㉢
④ ㉢ → ㉠ → ㉡
⑤ ㉢ → ㉡ → ㉠

19 다음은 수호가 손가락 도장을 찍어 표현한 이웃에 대해 설명한 것입니다. 수호가 표현한 이웃으로 가장 알맞은 것의 기호를 쓰시오.

나와 동생이 감기에 걸렸을 때마다 치료를 해 주시는 분인데, 만날 때마다 친절하게 대해 주십니다.

㉠

▲ 미용실 아주머니

㉡

▲ 자주 다니는 병원의 의사 선생님

㉢
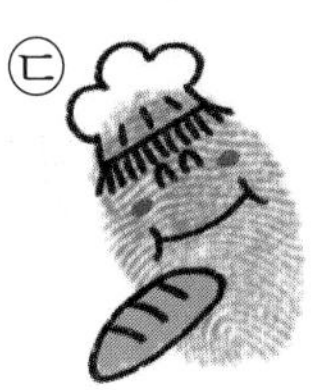
▲ 빵집 아저씨

( )

20 다음의 그림에서 사람들이 모여 있는 장소는 어디인지 쓰시오.

( )

❶ 내 이웃 이야기

1 놀이터를 안전하게 이용하는 방법 : 위험한 행동을 하지 않기, 질서를 지키며 놀이 기구를 사용하기, 놀이터의 시설물을 사용하기 전에 ❶ ☐☐ 운동하기 등

2 버스를 이용할 때 지켜야 할 일 : 버스 안에서 큰 소리로 말하지 않기, 버스를 타고 내릴 때 ❷ ☐☐ 지키기, 앞 좌석을 발로 차지 않기 등

3 여러 사람이 모이는 장소에서 지켜야 할 일

식당, 마트	뛰어다니거나 장난치지 않기, 큰 소리로 떠들지 않기 등
❸ ☐☐	함부로 쓰레기를 버리지 않기, 꽃을 꺾지 않기 등
영화관	앞 좌석을 발로 차지 않기, 큰 소리 내지 않기 등

4 이웃과 물건을 나누면 좋은 점

- ❹ ☐☐☐가 많이 생기지 않습니다.
- 물건을 아껴 쓸 수 있고, 돈을 내지 않고도 필요한 물건을 얻을 수 있습니다.

5 서로 돕는 이웃

- **직업으로 우리를 도와주는 이웃** : 경찰관, 소방관, 선생님, 의사, 간호사, 버스 기사 등
- **직업과 관계없이 우리를 도와주는 이웃** : 넘어진 아이를 일으켜 주는 누나, 횡단보도 앞에서 교통 지도를 하는 ❺ ☐☐ 학부모, 비 오는 날 우산을 같이 써 준 친구 등

6 이웃 간에 듣기 싫은 소리가 나지 않게 하는 방법

- 집에서 뛰어다니지 않습니다.
- 밤에는 세탁기나 청소기를 사용하지 않습니다.
- 늦은 시간에는 ❻ ☐☐를 연주하지 않습니다.

7 어려움에 처한 이웃을 만났을 때 해야 할 일

▲ 어린 동생이 승강기에 탔을 때 버튼에 손이 닿지 않으면 대신 버튼을 눌러 줌.

▲ 높은 계단을 혼자 올라가는 어린 동생을 보면 손을 잡아 줌.

▲ 버스에서 할아버지나 임산부를 만나면 자리를 ❼ ☐☐함.

정답 ❶ 준비 ❷ 예 차례 ❸ 예 공원 ❹ 쓰레기 ❺ 녹색 ❻ 악기 ❼ 양보

2 현규의 추석

핵심 용어

추석
우리나라의 명절 중 하나로, 음력 8월 15일이며 송편이나 햇과일 등을 먹음.
예 **추석**에 할아버지 댁에 가면 많은 친척들을 만나 즐거운 시간을 보낼 수 있다.

성묘
조상의 산소를 찾아가 인사하고 살피는 일.
예 **성묘**하러 가는 사람들이 많아 고속 도로가 꽉 막혀 가는 데 시간이 오래 걸렸다.

추석이다!

[교과서 86~89쪽]
- 조사하기
- 자료를 찾아요

꼭 알아두기 추석에 대해 조사하는 방법 / 가마놀이 방법

1 추석에 대해 조사하기

① **추석에 대하여 조사할 내용 정하기** : 추석의 뜻, 추석에 먹는 음식, 추석에 하는 일, 추석에 하는 놀이, 추석이 시작된 때 등

→ 추석에는 씨름을 하거나 가마놀이, 강강술래 등을 하였습니다.

② **어떤 자료를 활용하여 조사할 것인지 정하기**
- 인터넷에서 찾아보거나, 어른들께 여쭈어봅니다.
- 신문이나 동영상을 찾아보거나, 도서관에서 책을 찾아봅니다.

③ **조사한 내용 발표하기** 예

> 추석은 음력 8월 15일로 우리나라의 명절 중 하나입니다. 추석에는 차례를 지내고 성묘를 하며, 송편이나 토란국, 햇과일 등을 먹습니다.

→ 햇과일: 그해에 새로 난 과일

2 가마놀이 하기

→ 원래는 팔 위에 사람을 태우고 이동하는 것이지만 안전을 위하여 인형을 태우고 가마놀이를 합니다.

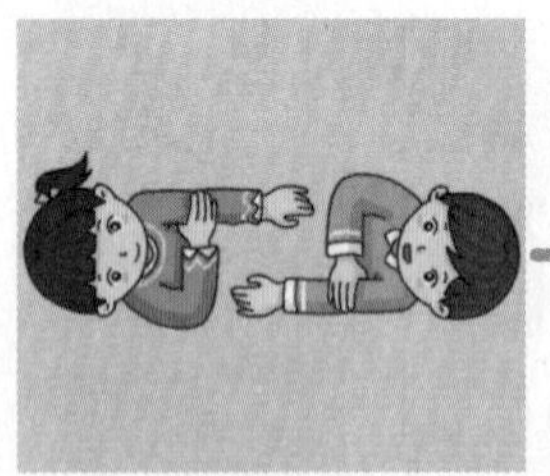
한 팔은 곧게 펴고 다른 팔은 ㄱ 자로 꺾어 곧게 편 팔을 잡음.

곧게 편 손으로 다른 사람의 팔을 잡음.

팔 위에 인형을 태우고 정해진 깃발을 돌아옴.

어려운 말 알고가기

- **명절** 해마다 일정하게 지키어 즐기거나 기념하는 날.
- **차례** 명절날이나 조상의 생일 등에 간단히 지내는 제사.
- **성묘** 조상의 산소를 찾아가서 인사하고 살피는 일.

추석에 먹는 음식

- 송편 : 쌀가루에 뜨거운 물을 살짝살짝 부어 가며 반죽하여 콩, 밤, 깨 등을 넣어 반달 모양으로 빚어서 솔잎을 깔고 찐 떡입니다.
- 토란국 : 쇠고기를 삶아 낸 물에 토란을 넣고 끓인 국입니다.

▲ 송편

▲ 토란국

확인 문제

정답 8쪽

1 다음 중 추석에 대해 조사하는 방법으로 옳은 것에 ○표를 하시오.

(1)

▲ 인터넷에서 찾아봄.
(   )

(2)

▲ 동생에게 물어봄.
(   )

2 다음 중 추석을 나타내는 날짜로 옳은 것은 어느 것입니까? ……………… (   )

① 음력 1월 1일 ② 음력 5월 5일
③ 음력 6월 14일 ④ 음력 8월 15일
⑤ 음력 12월 21일

3 가마놀이를 할 때에는 가장 먼저 한 팔은 곧게 펴고 다른 팔은 [   ] 자로 꺾어 곧게 편 팔을 잡습니다.

큰 명절, 추석

[교과서 90~93쪽]
• 조사하기
• 자료를 찾아요

꼭 알아두기 추석과 설날의 다른 점 / 추석과 설날의 같은 점

❶ 추석과 설날 비교하기

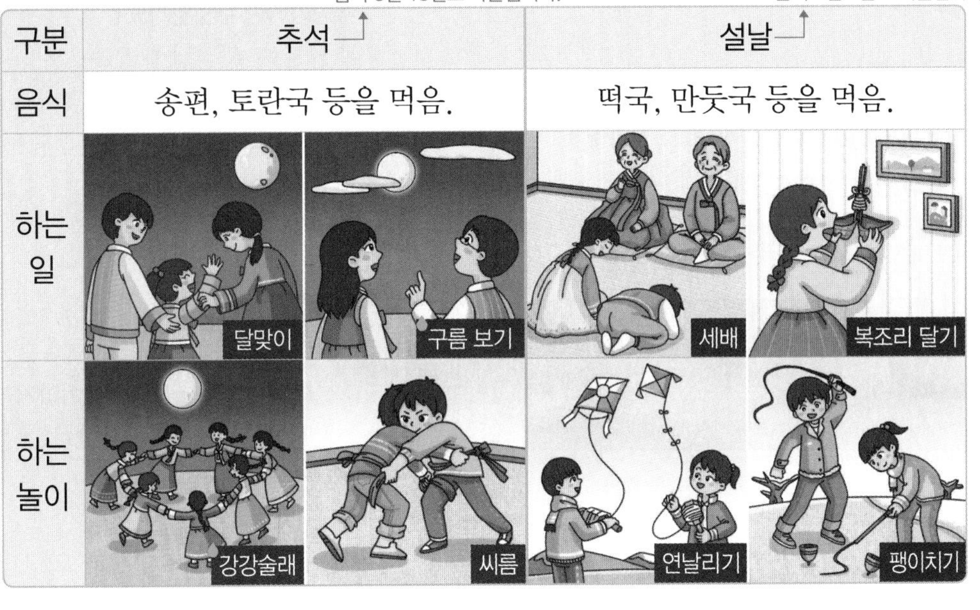

구분	추석 (음력 8월 15일로 가을입니다.)		설날 (음력 1월 1일로 겨울입니다.)	
음식	송편, 토란국 등을 먹음.		떡국, 만둣국 등을 먹음.	
하는 일	달맞이	구름 보기	세배	복조리 달기
하는 놀이	강강술래	씨름	연날리기	팽이치기

❷ 추석과 설날을 비교하며 카드놀이 하기 : 카드를 모두 섞은 뒤 엎어 놓음. → 순서를 정하여 두 장씩 카드를 뒤집음. → 두 장 모두 추석 또는 설날 카드가 나오면 가져감.

→ 교과서 학습 도움 자료 카드 ②(추석 카드)와 카드 ③(설날 카드)을 이용합니다.

❸ 추석과 설날을 비교하면서 알게 된 점

① **다른 점** : 먹는 음식, 하는 일, 하는 놀이 등이 다릅니다.

② **같은 점** : 오랜만에 가족과 친척을 만나서 정을 나눕니다. / 추석에도 설날에도 차례나 성묘를 하거나 추도 예배를 드립니다.

종교적 이유로 차례나 성묘를 드리지 않고 추도 예배를 드리기도 합니다.

어려운 말 알고가기

• **구름 보기** 추석 전날의 저녁이나 추석 당일의 날씨를 보아 농사가 잘될지, 잘 안 될지를 미리 알아보는 것.

• **강강술래** 여자들이 손을 잡고 원을 그리며 추는 춤.

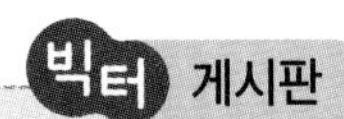

추석과 설날 말고 다른 명절에는 무엇이 있을까요?

• 정월 대보름 : 음력 1월 15일로, 오곡밥을 먹고 쥐불놀이, 더위 팔기 등을 합니다.

• 단오 : 음력 5월 5일로, 수리취떡이나 쑥떡을 먹고, 씨름, 그네뛰기 등을 합니다.

확인 문제

정답 8쪽

1 음력 1월 1일은 (추석 / 설날), 음력 8월 15일은 (추석 / 설날)입니다.

2 다음 중 추석에 하는 일의 기호를 쓰시오.

㉠

㉡
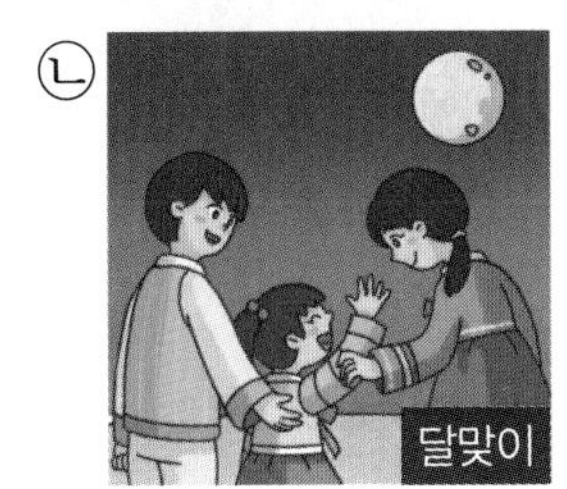

(　　　　　　　　)

3 다음 중 추석과 설날의 같은 점으로 옳은 것은 어느 것입니까? .... (　　　)

① 겨울이다.
② 강강술래나 씨름을 한다.
③ 떡국이나 만둣국을 먹는다.
④ 송편이나 토란국을 먹는다.
⑤ 오랜만에 가족과 친척들을 만나서 정을 나눈다.

추석빔

[교과서 94~95쪽]
• 표현하기

꼭 알아두기 베 짜기 방법

1 색이 주는 느낌

① 각각의 색이 주는 느낌 예
• 빨강이나 노랑 : 따뜻한 느낌입니다.
• 파랑이나 남색 : 차가운 느낌입니다.

② 두 가지 색이 함께 있을 때의 느낌 예 → 노랑과 검정이 함께 있으면 두 색깔이 눈에 확 띕니다.

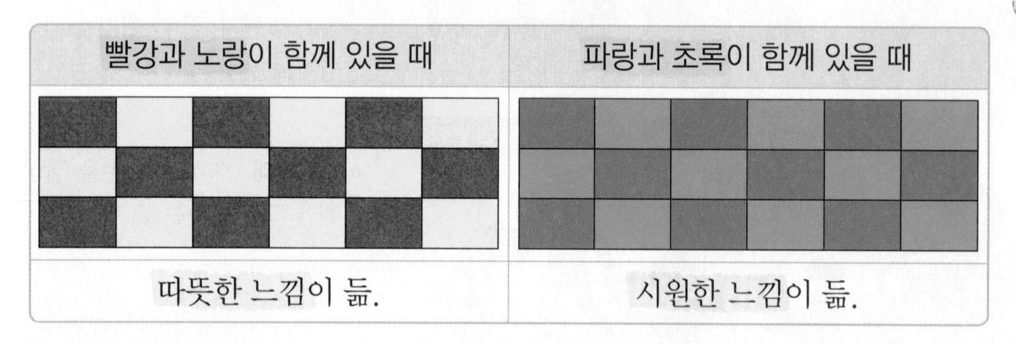

빨강과 노랑이 함께 있을 때	파랑과 초록이 함께 있을 때
따뜻한 느낌이 듦.	시원한 느낌이 듦.

2 베 짜기 방법 → 다양한 색깔의 색지와 맞대어 보면서 자신이 표현하고 싶은 느낌을 잘 나타낼 수 있는 색깔을 찾아봅니다.

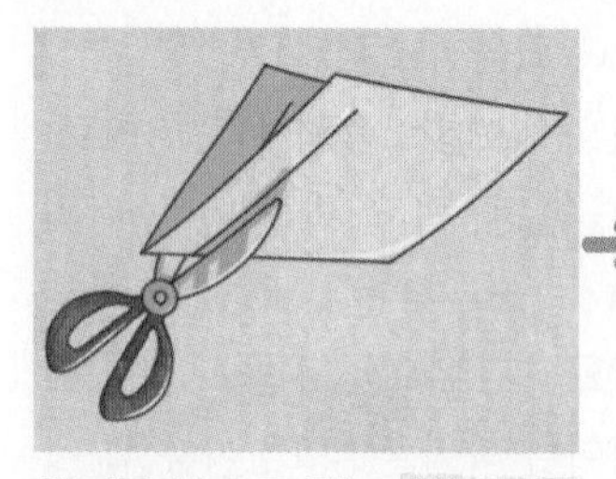
색지를 반으로 접고 위를 조금 남긴 후에 같은 크기로 자름.

다른 색지에 선을 그어 자름.

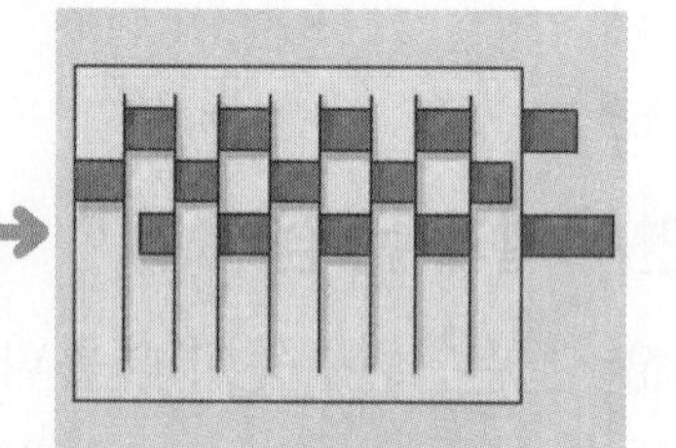
두 색지를 서로 엇갈리게 끼우고 끝부분에 풀칠하여 마무리함.

빅터 게시판

추석빔이란 무엇일까요?
추석빔은 추석날에 입는 새 옷이나 신발 등을 이르는 말입니다. 요즈음에도 추석빔으로 한복을 많이 입습니다.

어려운말 알고가기

• **짜다** 실이나 짚 등을 이리저리 엮어서 옷감이나 가마니 등을 만드는 것.

가위 사용법

• 가윗날에 손을 다치지 않도록 조심하여 오립니다.
• 손잡이가 받는 사람을 향하도록 건네줍니다.

확인 문제

정답 8쪽

1 다음 중 따뜻한 느낌을 주는 색깔을 두 가지 골라 ○표를 하시오.

파랑 노랑 남색 빨강

2 파랑과 초록이 함께 있을 때에는 (따뜻한 / 시원한) 느낌이 듭니다.

3 다음 중 베 짜기를 할 때 색지를 자르기 위해 필요한 도구는 어느 것입니까? ( )

① 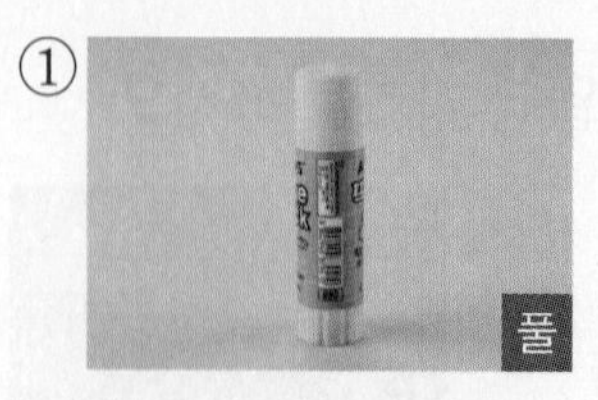
풀

② 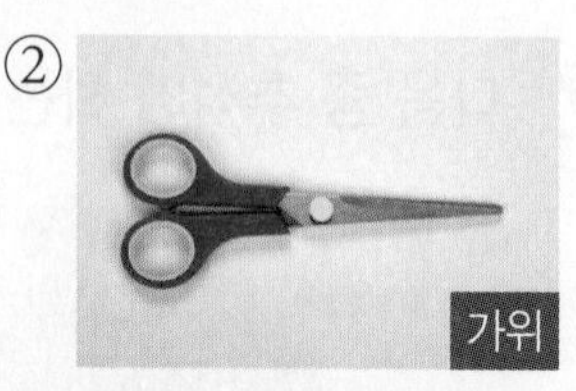
가위

③ 
자

④ 
지우개

추석을 준비해요

[교과서 96~99쪽]
- 조사하기
- 자료를 찾아요

꼭 알아두기 추석을 준비하는 모습

1 추석을 준비하는 모습 → 추석날에는 친척 집을 방문하거나 친척들이 우리 집을 방문합니다.

① 우리 가족이나 친척들이 추석을 준비하는 모습 예

▲ 한복을 준비함.

▲ 차표를 예매함.

▲ 선물을 준비함.

▲ 음식을 만들기 위해 장을 봄.

▲ 제기를 닦고 차례를 준비함.

▲ 벌초를 함.

② 내가 추석 준비를 위해 하는 일 예
- 장보기나 제기 닦는 것을 돕습니다.
- 옷장에서 한복을 꺼내 정리해 놓습니다.

2 추석을 준비하는 모습을 역할극으로 꾸미기

① 모둠 친구들과 추석을 준비하는 모습을 역할극으로 꾸며봅니다.
② 역할을 정하여 연습한 후 역할극을 발표해 봅니다.

어려운말 알고가기

- **예매** 차표나 입장권 등을 정해진 시간이 되기 전에 미리 삼.

벌초

조상들의 산소에 찾아가 잡초를 베어 내고 다듬어서 깨끗이 하는 일을 벌초라고 합니다.

- **장** 많은 사람이 모여 물건을 사고 파는 일. 또는 그런 일을 하는 장소.
- **제기** 제사에 쓰는 그릇.

가을 ❷ 현규의 추석

확인 문제

정답 8쪽

1 추석을 준비하기 위해 한복을 준비하거나 차표를 [　　　　] 합니다.

2 내가 추석 준비를 위해 할 일로 옳은 것에 ○표를 하시오.

(1) 제기 닦는 것을 돕습니다. (　　　)
(2) 차례상에 올릴 음식을 먼저 집어 먹습니다. (　　　)

3 추석을 준비하는 모습 중 다음과 같이 조상들의 산소에 찾아가 잡초를 베어 내고 다듬어서 깨끗이 하는 일을 무엇이라고 하는지 쓰시오.

(　　　　　　　　　　)

할머니, 할아버지 댁에 왔어요

[교과서 100~103쪽]

• 놀이하기

꼭 알아두기 '칙칙폭폭 기차놀이' 방법 / '추석날' 노래

1 '칙칙폭폭 기차놀이' → 운동장, 체육관, 교실 등에서 할 수 있습니다.

① **'칙칙폭폭 기차놀이'를 하기 전에 할 일 :** 역 이름 정하기, 기관사 정하기 등

② **'칙칙폭폭 기차놀이' 방법**

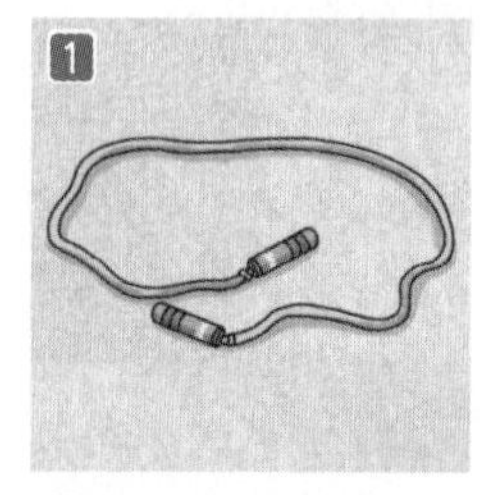

1 줄을 이어 길게 타원형을 만듦.
→ 새끼줄, 빨랫줄, 줄넘기 줄, 고무줄 등이 있습니다.

2 가위바위보를 하여 이긴 사람을 기관사로 정함.

3 역을 표시하고 기찻길을 그림.

4 기관사는 역을 돌며 모둠원을 태우고 출발선으로 돌아옴.

2 '추석날' 노래 부르기 : 세 박자 리듬을 치며 노래를 부릅니다.

→ 추석에 하는 일 : 밤, 대추, 송편을 먹습니다, 달맞이를 갑니다. 등

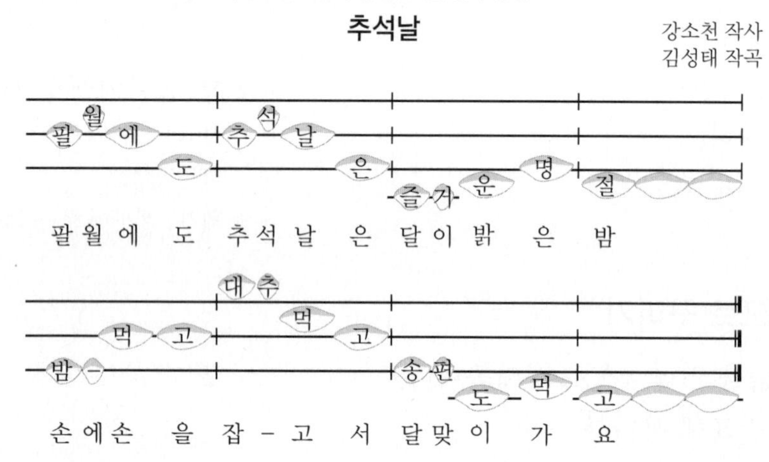

할머니, 할아버지 댁에 가면서 가족들과 함께 했던 놀이 예

- 빙고 놀이를 했습니다.
- 끝말잇기 놀이를 했습니다.
- 아빠 차 안에서 동요를 따라 불렀습니다.

'칙칙폭폭 기차놀이'를 할 때 필요한 준비물

- 기찻길을 그려야 합니다.
- 역을 표시하는 깃발이나 푯말이 필요합니다.
- 여러 명의 친구들이 들어가는 줄이 필요합니다.

어려운 말 알고가기

- **기관사** 열차, 지하철, 배 등을 다루거나 조종하는 사람.
- **달맞이** 정월 대보름날 또는 팔월 보름날 저녁에 산이나 들에 나가 달이 뜨기를 기다려 맞이하는 일.

확인 문제

정답 8쪽

1 다음 중 '칙칙폭폭 기차놀이'에서 더 먼저 해야 할 일을 골라 기호를 쓰시오.

㉠ 

▲ 역을 표시하고 기찻길을 그림.

㉡ 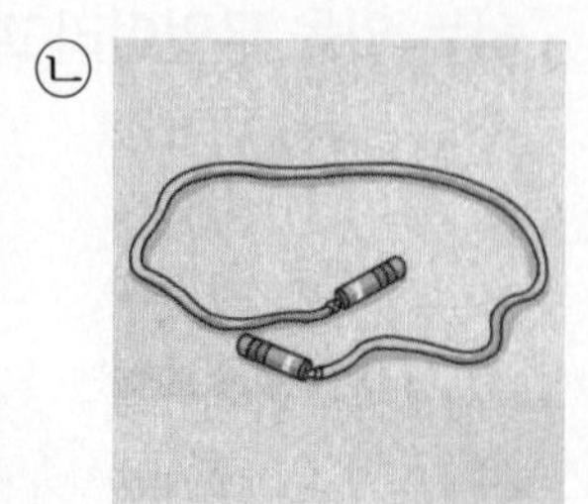

▲ 줄을 이어 길게 타원형을 만듦.

( )

2 '칙칙폭폭 기차놀이'에서는 각각의 모둠에서 가위바위보를 하여 이긴 사람을 (기관사 / 선생님)(으)로 정합니다.

3 '추석날' 노래를 부를 때에는 몇 박자 리듬을 치면서 불러야 하는지 쓰시오.

( )

맛있는 음식이 한가득

[교과서 104~105쪽]
• 내면화하기

꼭 알아두기 농사짓는 사람들의 수고에 감사하는 태도

❶ 농사짓는 사람들

※ 농사짓는 분들을 볼 때 드는 생각
• 힘들게 일하시는 것 같습니다.
• 농작물을 가꾸는 것이 어려워 보입니다.
• 먹을 것을 길러 주셔서 감사한 마음이 듭니다.

① 가을에 추수하는 분들의 모습 예

▲ 논에서 기계로 벼를 추수함.

▲ 밭에서 고추를 땀.

▲ 산에서 밤을 땀.

▲ 과수원에서 여러 가지 과일을 땀.
→ 사과, 감 등

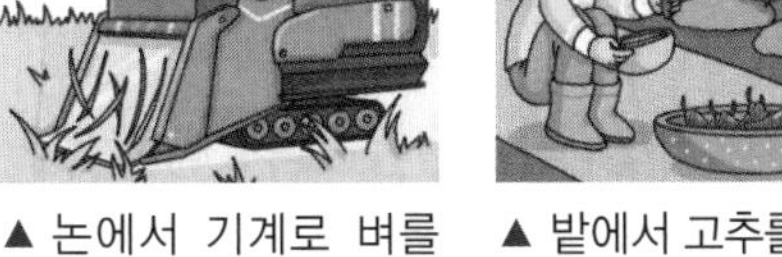

② 농사짓는 분들이 사라지면 일어날 수 있는 일 예

• 늘 배가 고플 것 같습니다.
• 통조림 음식만 먹을 것 같습니다.
• 식탁 위에 빈 그릇만 있을 것 같습니다.
• 마트에 가면 먹을 것이 없을 것 같습니다.
• 들판에 벼도 없고, 나무에 과일도 열리지 않을 것 같습니다.

❷ 농사짓는 사람들의 수고에 감사하는 태도

① **농사짓는 분들을 대하는 바른 마음가짐 :** 항상 감사하는 마음을 가집니다, 농사짓는 분들이 계셔서 우리가 먹을 것을 얻을 수 있습니다. 등

② **고마운 마음을 전할 수 있는 일 :** 음식을 남기지 않고 맛있게 먹습니다, 편식하지 않습니다. 등

어려운말 알고가기

• **추수**(秋 가을 추, 收 거둘 수) 가을에 익은 곡식을 거두어들이는 일.

• **과수원** 먹을 수 있는 열매를 얻기 위하여 나무를 심은 밭.

추석 명절(가을)에 볼 수 있는 햇과일과 햇곡식

햇과일	사과, 배, 감, 대추 등
햇곡식	쌀, 콩, 메밀, 기장, 수수, 옥수수 등

• **편식** 어떤 특정한 음식만을 가려서 즐겨 먹는 것.

확인 문제

정답 9쪽

1 다음 중 가을에 추수하는 모습으로 옳은 것을 골라 기호를 쓰시오.

㉠

▲ 가게에서 물건을 팖.

㉡

▲ 감나무에서 감을 땀.

( )

2 [ ]짓는 분들이 사라지면 들판에 벼도 없고, 나무에 과일도 열리지 않을 것 같습니다.

3 다음 중 추석 명절에 볼 수 있는 햇과일로 가장 적당하지 않은 것은 어느 것입니까? ······( )

① 감 ② 배
③ 대추 ④ 사과
⑤ 복숭아

추석 상차림

[교과서 106~107쪽]
• 표현하기

꼭 알아두기 다양한 재료를 이용하여 추석 음식 만들기

① 추석날 먹는 음식

① **추석에 주로 먹는 음식** : 송편, 과일, 전 등

② **추석 명절에 볼 수 있는 음식**

- 감, 밤, 배, 사과 등의 과일이 있습니다.
- 햅쌀로 지은 밥, 나물, 토란탕, 송편 등을 볼 수 있습니다.

어려운말 알고가기

- **전** 고기, 채소 등을 썰거나 다진 다음, 밀가루를 묻혀 기름에 지진 음식.
- **햅쌀** 그해에 새로 난 쌀.
- **소** 송편 속에 넣는 재료.

② 추석 음식 만들기 예

구분	모습	만드는 과정
송편		1 점토(찰흙)를 이용하여 소를 준비함. 2 점토를 적당한 크기로 떼어 낸 후 잘 굴려 동그란 모양을 만듦. 3 동그란 모양의 한 곳을 손가락으로 눌러 소를 넣을 수 있게 만듦. 4 적당량의 소를 넣고 잘 감싸 송편을 완성함.
과일		1 만들고 싶은 과일 선정함. 2 과일의 색에 맞는 재료(→ 색점토, 고무찰흙 등)를 골라 적당량의 크기로 떼어 낸 후 동그란 모양으로 만듦. 3 과일의 표면은 과일의 종류에 따라 다르게 함. 4 열매 부분이 완성되면 과일의 꼭지 부분을 만들어 열매 부분에 붙임.

산적(꼬치)은 어떻게 만들까요?

산적에 들어갈 재료를 선택함. ➜ 재료의 모양과 색깔에 맞게 색점토나 고무찰흙을 선택하고, 산적에 들어갈 재료를 완성함. ➜ 이쑤시개에 각각의 재료를 꽂아 산적을 완성함.

확인 문제

정답 9쪽

1 송편, 과일 등은 (설날 / 추석)에 주로 먹는 음식입니다.

2 오른쪽과 같이 송편 모형을 만들 때 사용한 재료를 한 가지 쓰시오.

( )

3 다음 추석 음식의 이름과 만든 모습을 줄로 바르게 이으시오.

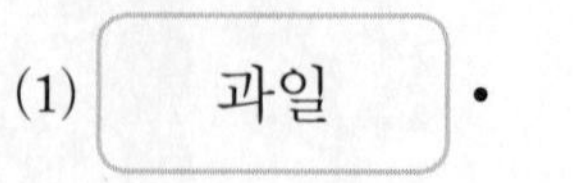

(1) 과일 • • ㉠

(2) 산적(꼬치) • • ㉡

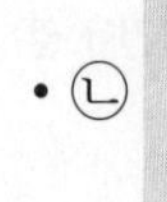

즐거운 생활 · 우리들은 1학년 · 기본 생활 습관

밤 따러 가자

[교과서 108~109쪽]

• 놀이하기

꼭 알아두기 콩 주머니 모으기 놀이

1 콩 주머니 모으기 놀이 규칙 → 놀이에서 졌다고 화내지 않습니다.

① 경기장 밖으로 나가지 않습니다.
② 콩 주머니는 한 번에 한 개씩만 옮깁니다.
③ 콩 주머니를 우리 편 바구니에 던져서 넣지 않습니다.
④ 구역 안에서 이동할 때 다른 친구와 부딪치거나 넘어지지 않도록 주의합니다.
⑤ 가운데에 놓은 콩 주머니가 모두 없어지면 다른 편 바구니에서 가져올 수 있습니다. → 다른 편이 우리 편 바구니에서 콩 주머니를 가져간다고 소리치거나 싸우지 않습니다.
⑥ 다른 편이 우리 편 바구니에서 콩 주머니를 가져갈 경우 가져가지 못하도록 막을 수 없습니다.

2 콩 주머니 모으기 놀이

① 놀이 방법

1 네 편으로 나눔.

2 콩 주머니를 가운데에 모두 놓음.

3 콩 주머니를 한 개씩 우리 편으로 옮김.

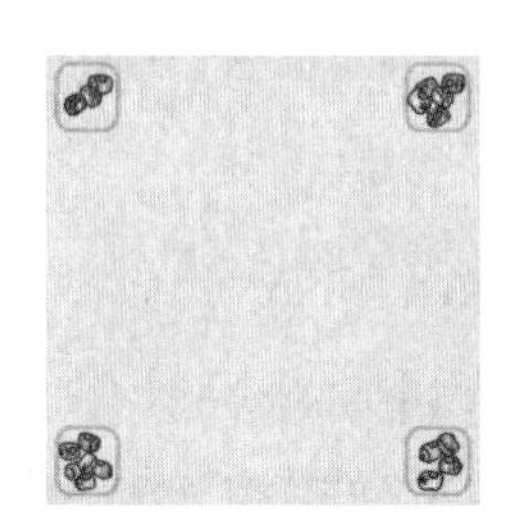

4 정한 시간이 끝나면 더 많이 모은 편이 이김.

② 이긴 편에게는 칭찬의 박수를 보내고, 진 편에게는 응원의 박수를 보냅니다.

콩 주머니 모으기 놀이 준비하기

• 동요에 맞추어 간단한 준비 운동을 합니다.
• 콩 주머니와 관련된 경험이나 느낌을 이야기합니다.
예 흔들면 소리가 납니다, 콩 주머니로 박 터뜨리기 놀이를 해 봤습니다. 등

콩 주머니 모으기 놀이 정리하기

• 동요에 맞춰 정리 운동을 합니다.
• 콩 주머니 모으기 놀이 후 느낌을 이야기해 봅니다.
예 우리 편이 이겨서 좋습니다, 콩 주머니를 계속 모으는 것이 힘들었습니다. 등

가을 ❷ 현규의 추석

확인 문제

정답 9쪽

1 다음의 콩 주머니 모으기 놀이 결과에서 이긴 경우를 골라 기호를 쓰시오.

㉠

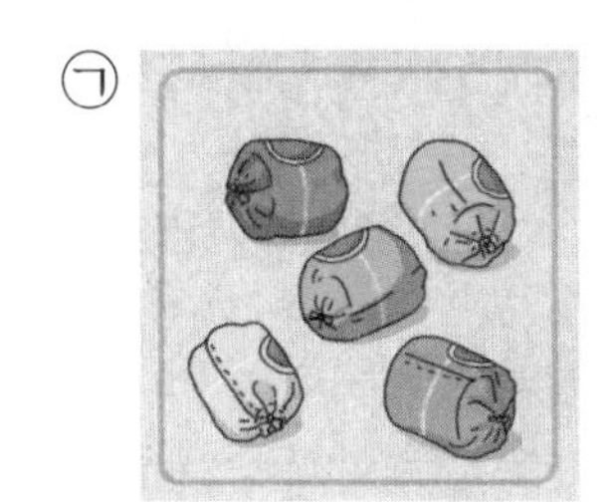

▲ 콩 주머니 5개를 모음.

㉡

▲ 콩 주머니 7개를 모음.

(　　　　　　)

2 다음 중 콩 주머니 모으기 놀이 규칙으로 옳은 것은 어느 것입니까? ·················· (　　　)

① 놀이에서 지면 화낸다.
② 콩 주머니는 한 번에 세 개씩 옮긴다.
③ 콩 주머니를 바구니에 던져서 넣는다.
④ 다른 편이 우리 편 바구니에서 콩 주머니를 가져갈 경우 가져가지 못하게 막는다.
⑤ 가운데에 놓은 콩 주머니가 모두 없어지면 다른 편 바구니에서 가져올 수 있다.

감사합니다

[교과서 110~113쪽]

• 내면화하기

꼭 알아두기 가을이 되어 감사한 것

1 추석 음식을 만드는 데 사용된 열매 : 예 국에 무가 들어갔습니다, 밥은 쌀로 만들었습니다, 송편을 만드는 데 밤이 사용되었습니다, 갈비에 은행이 들어 있습니다. 등

2 가을이 우리에게 준 열매 예 → 도토리, 은행 등도 있습니다.

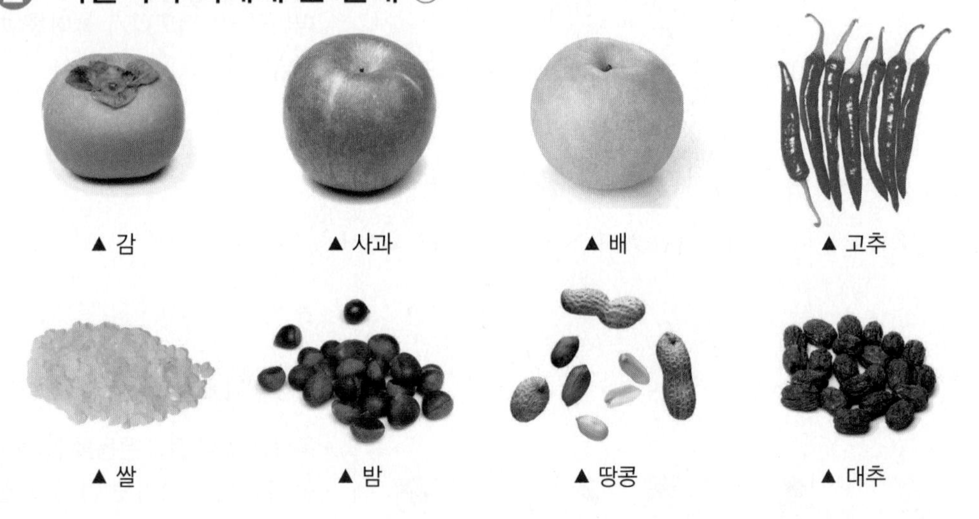

▲ 감 ▲ 사과 ▲ 배 ▲ 고추

▲ 쌀 ▲ 밤 ▲ 땅콩 ▲ 대추

3 풍성한 가을이 되어 감사할 대상 예

① 해, 땅, 바람, 비에 감사하는 마음이 들었습니다. → 열매가 잘 자라도록 도와주었습니다.

② 수확한 곡식과 과일을 준 가을에게 감사하는 마음이 들었습니다.

③ 곡식을 열심히 키워 주신 농부 아저씨께 감사하는 마음이 들었습니다.

④ 봄, 여름, 가을 동안 잘 자라준 사과, 벼, 감, 밤 등에게 고마운 마음이 들었습니다.

가을 열매들을 먹기까지의 과정

• 사과 : 나무 ➡ 작은 사과 ➡ 탐스러운 사과
• 햅쌀 : 모 ➡ 어린 벼 ➡ 무르익은 벼

어려운말 알고가기

• **풍성** 넉넉하고 많음.

• **수확** 익은 농작물을 거두어들이는 일 또는 거두어들인 농작물.

확인 문제

정답 9쪽

1 다음 열매 중 송편을 만드는 데 사용되는 열매로 가장 적당한 것은 어느 것입니까? ………… ( )

① 밤 ② 배
③ 수박 ④ 키위
⑤ 토마토

2 (여름 / 가을)이 우리에게 준 열매에는 감, 사과, 배, 밤, 땅콩 등이 있습니다.

3 다음 중 오른쪽의 쌀이 있기까지 도움을 준 대상에게 감사의 마음을 갖는 경우로 바른 것에 ○표를 하시오.

(1) 곡식이 자라는 데 도움을 준 해충에게 감사하는 마음을 갖습니다. ( )

(2) 곡식을 열심히 키워 주신 농부 아저씨께 감사하는 마음을 갖습니다. ( )

활동지

❷ 현규의 추석 (1)

정답 9쪽

가을이 우리에게 준 열매를 알아보아요

다음 중 가을이 우리에게 준 열매에는 ○표를 하고, 그렇지 않은 열매에는 ×표를 해 보세요.

단원평가

② 현규의 추석 (1)

점수

※ 배점이 표시되어 있지 않은 문제는 문제당 **4점**입니다.

정답 10쪽

1 다음 중 추석에 대하여 조사하는 방법으로 가장 적당하지 <u>않은</u> 것은 어느 것입니까? ····· (　　　)

① 신문에서 찾아본다.
② 동생에게 물어본다.
③ 어른들께 여쭈어 본다.
④ 인터넷에서 검색해 본다.
⑤ 도서관에 가서 책을 찾아본다.

2 다음은 가마놀이의 모습입니다. 보기 의 가마놀이 방법 중 가장 먼저 해야 하는 것을 골라 기호를 쓰시오. [6점]

보기
㉠ 곧게 편 손으로 다른 사람의 팔을 잡습니다.
㉡ 팔 위에 인형을 태우고 정해진 깃발을 돌아옵니다.
㉢ 한 팔은 곧게 펴고 다른 한 팔은 ㄱ자로 꺾어 곧게 편 팔을 잡습니다.

(　　　　　)

3 다음 명절과 관계있는 날짜를 줄로 바르게 이으시오.

(1) 설날 •　　　• ㉠ 음력 1월 1일

(2) 추석 •　　　• ㉡ 음력 8월 15일

4 다음 중 추석의 모습으로 가장 적당한 것은 어느 것입니까? ····· (　　　)

①

▲ 팽이치기

②

▲ 달맞이

③

▲ 세배

④

▲ 연날리기

5 다음 중 추석과 설날에 대한 설명으로 옳은 것을 두 가지 고르시오. [6점] ····· (　　　,　　　)

① 우리나라의 명절이다.
② 추석과 설날에 하는 일이 같다.
③ 추석과 설날에 하는 놀이가 같다.
④ 추석과 설날에 먹는 음식이 같다.
⑤ 추석과 설날에 차례나 성묘를 한다.

6 다음 한복의 색이 주는 느낌에 대한 내용에서 ㉠, ㉡에 들어갈 알맞은 말을 각각 쓰시오.

한복에 두 가지 색이 함께 있을 때, 빨강과 노랑이 함께 있으면 [㉠] 느낌이 들고, 파랑과 초록이 함께 있으면 [㉡] 느낌이 듭니다.

㉠ (　　　　　)
㉡ (　　　　　)

서술형 문제

7 다음은 베 짜기 과정입니다. □ 안에 들어갈 알맞은 과정을 쓰시오. [10점]

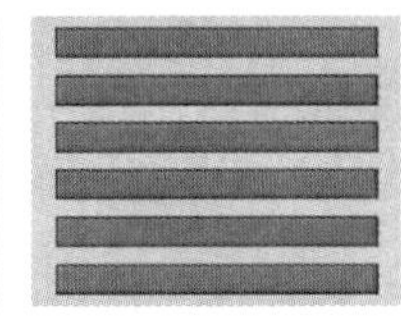
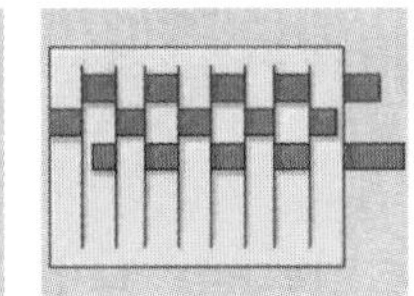

1 색지를 반으로 접고 위를 조금 남긴 후에 같은 크기로 자름.
2 다른 색지에 선을 그어 자름.
3 □

두 색지를 서로 ❶ □ 끼우고, 끝부분에 ❷ □ 을/를 하여 마무리한다.

8 다음의 추석을 준비하는 모습 중 벌초를 하는 모습을 골라 기호를 쓰시오.

㉠ ㉡

( )

9 다음 내가 할 수 있는 추석 준비에 대한 내용에서 ( ) 안의 알맞은 말에 ○표를 하시오.

> 내가 할 수 있는 추석 준비에는 장보기를 도와드리는 것, 옷장에서 (한복 / 운동복)을 꺼내 정리해 놓는 것 등이 있습니다.

10 다음 중 '칙칙폭폭 기차놀이'를 할 때 필요한 준비물을 두 가지 고르시오. ……… (,)

① 자 ② 줄
③ 풀 ④ 색지
⑤ 깃발이나 푯말

[11 ~ 12] 다음 노래를 보고 물음에 답하시오.

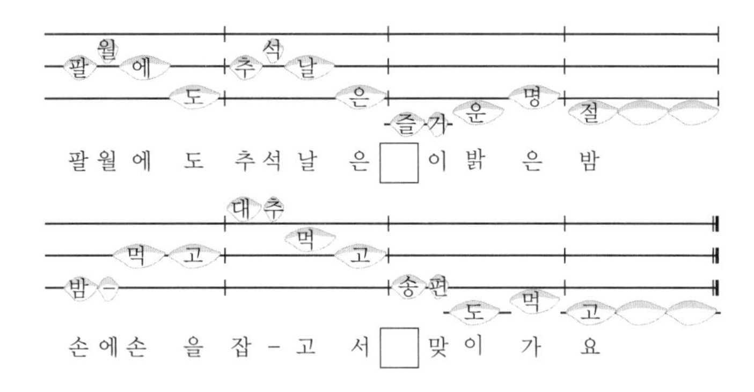

11 위 노래의 제목은 무엇인지 쓰시오.

( )

12 위 노래에서 □ 안에 공통으로 들어갈 노랫말은 어느 것입니까? ……… ( )

① 해 ② 달
③ 구름 ④ 바람
⑤ 파도

13 다음 중 가을에 볼 수 있는 햇과일로 적당하지 <u>않은</u> 것을 두 가지 고르시오. ……… (,)

① 감 ② 배
③ 대추 ④ 수박
⑤ 참외

서술형 문제

14 다음과 같은 추수하는 분들이 사라진다면 어떤 일이 생길지 두 가지를 쓰시오. [10점]

____

____

15 오른쪽은 점토(찰흙)를 이용하여 추석 음식을 만든 모습입니다. 어떤 음식을 만든 것인지 쓰시오.

(　　　　　　　　　　　)

16 다음 보기 는 점토(찰흙)로 과일을 만드는 과정을 순서에 관계없이 나열한 것입니다. 순서에 맞게 기호를 쓰시오. [6점]

보기
㉠ 만들고 싶은 과일을 선정합니다.
㉡ 과일의 표면은 과일의 종류에 따라 다르게 합니다.
㉢ 열매 부분이 완성되면 과일의 꼭지 부분을 만들어 열매 부분에 붙입니다.
㉣ 과일의 색에 맞는 재료를 골라 적당량의 크기로 떼어 낸 후 동그란 모양으로 만듭니다.

(　　,　　,　　,　　)

17 다음 보기 중 콩 주머니 모으기 놀이를 하기 전에 해야 할 것으로 옳은 것을 골라 기호를 쓰시오.

보기
㉠ 정리 운동을 합니다.
㉡ 준비 운동을 합니다.
㉢ 놀이의 느낌을 이야기합니다.

(　　　　　　　　)

18 다음 중 콩 주머니 모으기 놀이의 규칙으로 옳은 것에 ○표, 옳지 않은 것에 ×표를 하시오. [6점]

(1) 정해진 구역 밖으로 나가지 않습니다. (　　)

(2) 콩 주머니는 한 번에 한 개씩만 옮깁니다. (　　)

(3) 콩 주머니를 우리 편 바구니에 던져서 넣습니다. (　　)

19 다음 중 가을이 우리에게 준 것으로 가장 적당하지 않은 것은 어느 것입니까? ·········· (　　)

① 밤　② 대추
③ 햅쌀　④ 도토리
⑤ 토마토

20 다음 가을이 되어 감사할 대상에 대한 내용에서 (　　) 안의 알맞은 말에 ○표를 하시오.

가을까지 잘 자라준 열매들에게 고마운 마음을 갖고, 곡식을 열심히 키워 주신 (농부 / 경찰관)에게 감사하는 마음을 갖습니다.

파란 가을 하늘이 좋아요

[교과서 116~119쪽]
• 관찰하기
• 자료를 찾아요

꼭 알아두기 '파란 가을 하늘' 노래 / 가을의 특징

1 '파란 가을 하늘' 노래 부르기

① 노랫말을 읽어 보고, 노랫말에 담긴 내용과 느낌을 이야기하여 봅니다.
② 세 박자를 치며 노래를 불러 봅니다.

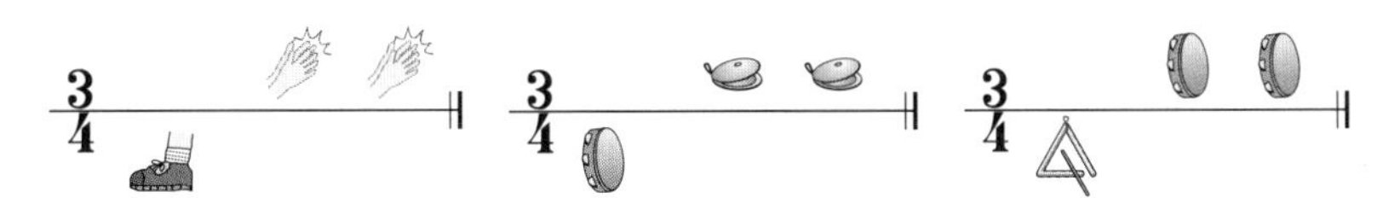

2 가을 산과 들의 변화된 모습 → 허수아비가 들판에 서 있고 잠자리가 날아다닙니다.

① 단풍이 들어 산이 온통 울긋불긋합니다. → 은행잎은 노랗게, 단풍잎은 빨갛게 물들었습니다.
② 코스모스나 국화 같은 가을꽃이 피었습니다.
③ 곡식과 열매가 익어 가고, 하늘이 더욱 푸르게 보입니다. → 감나무에 감이 빨갛게 익었습니다.
④ 가을 들판은 누렇게 익은 벼로 황금물결을 이루었습니다.

3 가을 풍경 사진전

① 과정

1 달력, 신문, 잡지 등에서 가을 풍경 사진을 모음.

2 스케치북에 가을 풍경 사진을 붙임.

② 가을 풍경 사진의 모습 예

• 마당에 빨간 고추를 말리고 있습니다.
• 억새가 바람에 흔들리는 사진입니다.
• 수풀 속에 메뚜기, 귀뚜라미 등이 있습니다.

'파란 가을 하늘' 노랫말

파란 가을 하늘 아래
단풍잎을 밟으며
바구니 끼고서 밤을 줍네
가을도 밤처럼 익어 가네

파란 가을 맑은 바람
따슨 햇빛 받으며
장대를 들고서 감을 따네
가을도 감처럼 익어 가네

어려운말 알고가기

- **단풍** 가을에 나뭇잎의 색깔이 변화하는 현상.
- **풍경** 산이나 들, 강, 바다 등의 자연이나 지역의 모습.

확인 문제

정답 11쪽

1 다음 '파란 가을 하늘' 노랫말에서 □ 안에 들어갈 알맞은 말을 쓰시오.

> 파란 가을 하늘 아래
> 단풍잎을 밟으며
> 바구니 끼고서 밤을 줍네
> □도 밤처럼 익어 가네

(　　　　　　)

2 다음 중 가을 산과 들의 변화된 모습으로 옳은 것은 어느 것입니까? (　　)

① 노란 개나리가 보인다.
② 꽃샘추위가 오거나 황사가 온다.
③ 들판이 누렇게 익은 벼로 황금물결을 이룬다.
④ 날씨가 더워 간편한 옷을 입고, 바닷가에서 물놀이를 한다.
⑤ 길에 쌓인 눈을 치우고, 사람들이 빙판길을 주의하며 걷는다.

반가워요! 가을 친구들

꼭 알아두기 가을에 볼 수 있는 동식물

[교과서 120~121쪽]
- 무리짓기
- 자료를 찾아요

1 가을에 볼 수 있는 친구들 → 여치, 기러기, 나비, 억새, 감나무, 밤나무 등도 있습니다.

▲ 단풍잎 ▲ 은행잎 ▲ 국화 ▲ 사마귀

▲ 잠자리 ▲ 도토리 ▲ 코스모스 ▲ 메뚜기

(도토리 → 도토리나무에서 열립니다.)

2 가을 친구들 무리 짓기 예 → 볼 수 있는 장소에 따라 풀밭(메뚜기, 여치, 사마귀), 하늘(잠자리, 나비) 등으로 무리 지을 수 있습니다.

① **색깔**
- 빨간색 : 단풍잎
- 노란색 : 국화, 은행잎

② **모양**
- 둥근 모양 : 도토리, 코스모스, 국화, 은행잎
- 길쭉한 모양 : 잠자리, 여치, 메뚜기, 사마귀

③ **동물과 식물**
- 동물 : 사마귀, 메뚜기, 여치, 잠자리, 다람쥐, 귀뚜라미, 나비, 기러기
- 식물 : 단풍잎, 은행잎, 국화, 코스모스, 도토리나무, 억새, 감나무, 밤나무

어려운 말 알고가기

- **억새** 크기는 1~2m이며, 잎은 긴 선 모양으로, 7~9월에 누런 갈색 꽃이 피는 식물.

가을 친구들을 무리 짓는 기준 예
- 움직이는 것과 움직이지 못하는 것에 따라 무리 지을 수 있습니다.
- 크기에 따라 무리 지을 수 있습니다.

확인 문제

정답 11쪽

1 다음 중 가을에 볼 수 있는 친구로 가장 적당하지 <u>않은</u> 것은 어느 것입니까? ························ ( )

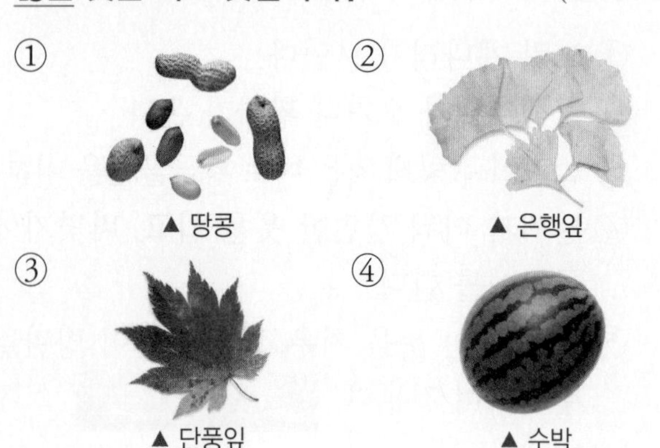

① ▲ 땅콩 ② ▲ 은행잎 ③ ▲ 단풍잎 ④ ▲ 수박

2 다음의 가을 친구들 중 동물인 것은 어느 것입니까? ························ ( )

① 국화 ② 억새
③ 감나무 ④ 밤나무
⑤ 잠자리

3 국화와 은행잎은 [ ] 색이고, 단풍잎은 빨간색입니다.

가을 잠자리

[교과서 122~123쪽]

• 표현하기

꼭 알아두기 잠자리 모형 만드는 방법

1 잠자리를 직접 본 경험 예

① 공원에서 잠자리를 보았습니다.
② 잠자리 눈은 특이하게 생겼습니다.
③ 날개가 너무 얇아서 찢어질 것 같습니다.
④ 작년에 잠자리 채로 잠자리를 잡았습니다.

잠자리 살펴보기 예

• 날개가 아주 큽니다.
• 어떤 잠자리는 꼬리가 빨갛습니다.
• 눈 두 개, 날개 네 장, 꼬리가 한 개입니다.

2 여러 가지 재료로 잠자리 모형 구상하기 예

① **잠자리 몸체** : 도화지, 부직포, 투명 종이, 한지 등
② **잠자리 꾸미기** : 크레파스, 색연필, 사인펜, 색종이, 붙임 딱지, 물감 등
③ **표현하여 보고 싶은 재료 정하기** 예
• 색종이를 사용할 것입니다.
• 부직포를 준비하여 왔습니다.
• 큰 도화지에 그리고 색칠할 것입니다.

어려운말 알고가기

• **모형** 실물을 모방하여 만든 물건.
• **구상** 하려는 일의 내용, 방법, 순서 등을 생각하는 것.
• **부직포** 실 등을 평평하게 놓고 접착제를 발라 천 모양으로 만든 것.

3 잠자리 모형 만들기

1 준비물을 준비함.

2 잠자리를 그린 뒤 오림.

3 잠자리에 고무줄을 닮.

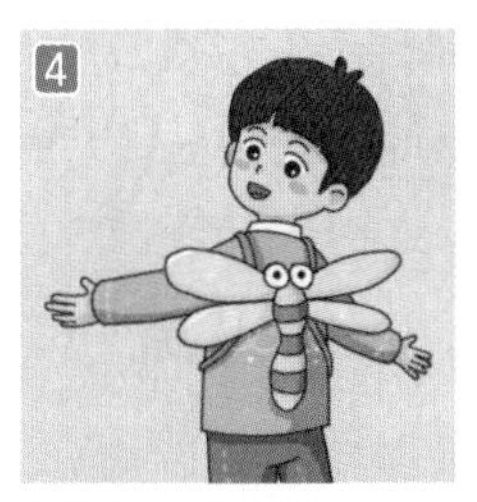
4 어깨에 메어 봄.

확인 문제

정답 11쪽

1 다음 중 잠자리의 모습으로 옳은 것을 골라 기호를 쓰시오.

㉠

㉡

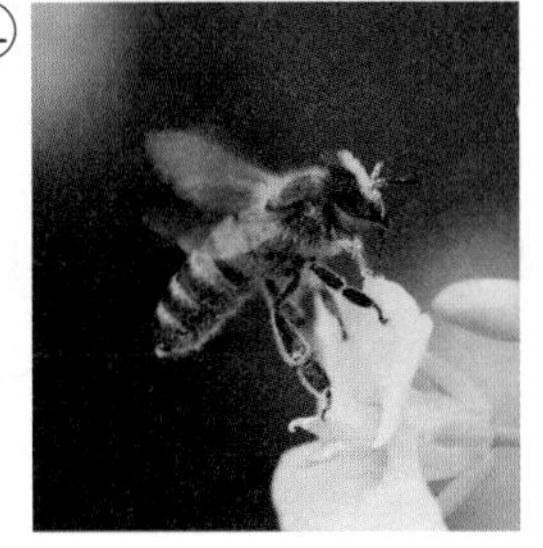

( )

2 잠자리는 두 개의 눈과 [ ] 장의 날개, 한 개의 꼬리가 있습니다.

3 다음 중 잠자리 모형을 만들 때 가장 먼저 해야 하는 과정에 ○표를 하시오.

(1) 준비물을 준비합니다. ( )
(2) 잠자리에 고무줄을 답니다. ( )
(3) 잠자리를 그린 뒤 오립니다. ( )

잠자리를 잡아라

[교과서 124~125쪽]

• 놀이하기

꼭 알아두기 '잠자리 꽁꽁' 노래 / 잠자리 잡기 놀이

1 '잠자리 꽁꽁' 노래 부르기 : 한 장단씩 손뼉이나 무릎으로 박을 치면서 따라 불러 봅니다.

잠자리 꽁꽁

전래 동요

잠 자	리	꽁 -	꽁
이 리	와 라	꽁 -	꽁

꼼 자	리	꽁 -	꽁
저 리	가 라	꽁 -	꽁

잠 자	리	꽁 -	꽁
이 리	오 면	살 -	고

꼼 자	리	꽁 -	꽁
저 리	가 면	죽 는	다

• 앉은 자리에서 꼼짝하지 말라는 뜻입니다.
• 잠자리를 잡고 싶은 마음이 담겨 있습니다.

◎ '잠자리 꽁꽁' 노래 부르기

• 장구나 소고 장단에 맞추어 노래를 불러 봅니다.
• 소고로 박을 치며 노래를 불러 봅니다.
• 모둠별로 나와 소고로 기본 박을 치면서 노래를 불러 봅니다.

2 잠자리 잡기 놀이

① **준비 운동** : 잠자리가 나는 모양을 흉내 내며 몸의 긴장을 풀어 봅니다.

② **잠자리 잡기 놀이**

1 두 편으로 나눔.

2 한 편이 잠자리가 됨.

3 다른 편이 잠자리를 잡음.

4 잡히면 잠자리 집에 들어감.

③ **정리 운동** : 목, 허리, 어깨, 손목, 발목 등을 충분하게 풀어 줍니다.

'잠자리 잡기 놀이'를 즐겁게 하는 방법은 무엇일까요?

• 친구와 어울려 즐겁게 놀이합니다.
• 승패에 지나치게 집착하지 않도록 주의합니다.
• 놀이 방법과 규칙을 이해하며 놀이에 참가합니다.

확인 문제

정답 11쪽

1 다음 □ 안에 들어갈 알맞은 노랫말을 쓰시오.

□	꽁 -	꽁
꼼 자	리	꽁 -	꽁
이 리	와 라	꽁 -	꽁
저 리	가 라	꽁 -	꽁

( )

2 잠자리 잡기 놀이는 (두 / 다섯) 편으로 나누어 하는 놀이입니다.

3 잠자리 잡기 놀이에서 잠자리가 다른 친구에게 잡혔을 때 들어가는 곳은 어디입니까? ( )

① 교실 ② 과학실
③ 미술실 ④ 체육관
⑤ 잠자리 집

낙엽을 밟으며

[교과서 126~127쪽]

• 놀이하기

꼭 알아두기 낙엽으로 할 수 있는 여러 가지 놀이

1 낙엽 살펴보기

① **낙엽 살펴보기** : 낙엽을 직접 살펴보고, 나만의 낙엽, 가장 예쁜 낙엽을 찾아봅니다.

② **낙엽이 떨어지는 소리 표현하기** : 또르르르, 스르륵, 팽그르르 등

③ **낙엽에서 나는 소리 표현하기** : 바삭바삭, 바스락, 바스르르 등

어려운 말 알고가기

낙엽 나뭇잎이 말라서 떨어지는 것 또는 떨어진 나뭇잎.

2 다양한 낙엽 놀이

▲ 낙엽 밟기 놀이 : 떨어져 있는 낙엽을 모으고, 낙엽을 밟아 봄.

▲ 낙엽 모으기 놀이 : 모둠별로 나누어 낙엽 모으기 놀이를 함.

▲ 낙엽으로 무늬 만들기 놀이 : 다양한 낙엽을 주워 다양한 무늬를 만들어 봄.

→ 낙엽의 모양과 색을 잘 살펴보고, 어울림을 생각하여 여러 가지 무늬를 만들어 봅니다.

▲ 낙엽 뿌리기 놀이 : 낙엽을 주워 뿌려 봄.

다양한 낙엽 놀이 예

• 다양한 낙엽으로 동물 만들기 : 다양한 낙엽 모양을 이용하여 여러 가지 동물을 나타내 봅니다.

• 낙엽 상상화 그리기 : 낙엽을 붙이고, 사인펜 등으로 다양한 모양을 만들어 봅니다.

• 낙엽 찍기 : 낙엽에 물감을 묻혀, 도화지에 찍어 봅니다.

확인 문제

정답 11쪽

1 다음 중 나뭇잎이 말라서 떨어지는 것 또는 떨어진 나뭇잎을 뜻하는 것은 어느 것입니까? ······ (　　　)

① 꽃　　② 낙엽　　③ 뿌리　　④ 새싹　　⑤ 줄기

2 '바삭바삭', '바스락', '바스르르' 등은 낙엽에서 나는 (소리 / 향기)를 표현한 것입니다.

3 다음은 낙엽을 이용하여 어떤 놀이를 하고 있는 모습인지 쓰시오.

(　　　　　　　　　　)

흥겨운 소리가 울려 퍼져요

[교과서 130~131쪽]
• 감상하기

꼭 알아두기 풍물놀이 악기 소리 표현하기

1 풍물놀이

① 악기, 노래, 춤이 한데 어우러져 있습니다.
② 주로 힘든 일을 할 때나 명절날에 합니다.
③ 풍장, 풍물, 두레, 매구, 매굿 등 지방마다 다르게 부릅니다.
④ **풍물놀이에 쓰이는 악기** : 대부분이 타악기로 구성되어 있고, 태평소만 관악기로 이루어져 있습니다.

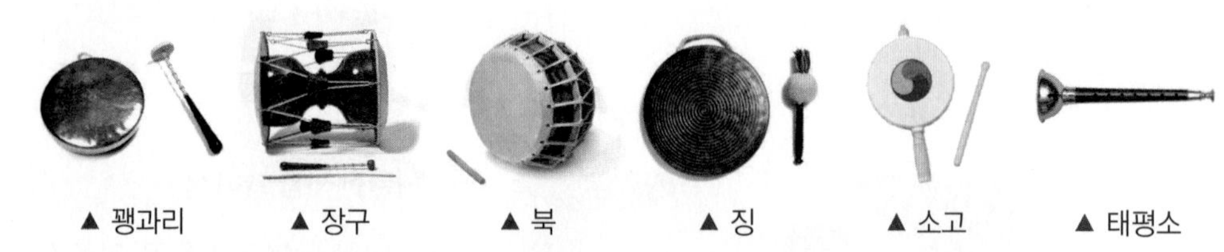

▲ 꽹과리 ▲ 장구 ▲ 북 ▲ 징 ▲ 소고 ▲ 태평소

2 풍물놀이에 쓰이는 악기의 소리 표현하기 예

장구의 소리가 마치 빗소리 같아서 비로 표현했습니다.

어려운 말 알고가기

- **풍물놀이** 농촌에서 농부들 사이에 행하여지는 우리나라 고유의 놀이 음악.
- **타악기** 두드려서 소리를 내는 악기.
- **관악기** 입으로 불어서 관 안의 공기를 진동시켜 소리를 내는 악기.

악기 소리 특징

- 꽹과리 : 큰 소리가 납니다.
- 징 : 웅장한 소리가 납니다.
- 북 : 두껍고 낮은 소리가 납니다.
- 장구 : 경쾌하면서도 낮은 소리가 납니다.
- 태평소 : 높고 날카로운 소리가 납니다.

확인 문제

정답 12쪽

1 풍물놀이는 악기, 노래, 춤이 한데 어우러져 있으며, 주로 힘든 일을 할 때나 [ ]날에 합니다.

2 풍물놀이에 쓰이는 악기 중 '갠지 개갱'과 같이 표현할 수 있으며, 큰 소리가 나는 악기의 이름을 쓰시오.

( )

3 다음 중 풍물놀이에 쓰이는 악기는 어느 것입니까? ( )

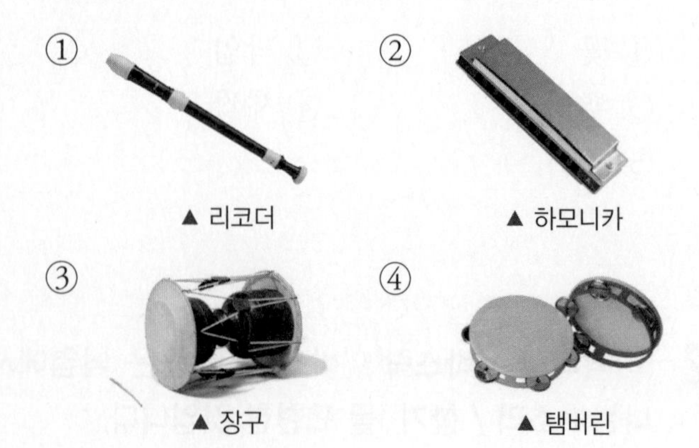

① ▲ 리코더 ② ▲ 하모니카 ③ ▲ 장구 ④ ▲ 탬버린

투호야, 비사야 놀자!

[교과서 132~133쪽]

• 놀이하기

꼭 알아두기 투호 놀이 / 비사치기

1 투호 놀이와 비사치기의 규칙

투호 놀이	• 출발선을 넘지 않아야 함. • 통 속으로 들어갔다가 튕겨져 나오는 화살은 무효임.
비사치기	• 상대방의 납작한 돌을 손이나 발로 넘어뜨리지 않아야 함. • 납작한 돌을 떨어뜨리거나 상대방의 납작한 돌을 넘어뜨리지 못하면 다시 출발선으로 가야 함.

2 투호 놀이와 비사치기 방법 예

→ 발등, 무릎 사이, 배, 주먹, 겨드랑이, 어깨, 턱, 이마의 순서대로 모두 성공하면 됩니다.

놀이	투호 놀이	비사치기
모습 예		
놀이 방법	네 명이 한 편이 됨. → 출발선 5~6m 앞에 통을 놓고 화살을 집어 넣음. → 가장 많은 화살을 집어 넣는 편이 승리함.	두 편으로 나눔. → 한 편은 납작한 돌을 세워 놓음. → 다른 편은 신체 부위에 납작한 돌을 놓고 다른 편의 납작한 돌을 쓰러뜨림.

어려운 말 알고가기

- **투호** 통을 일정한 거리에 놓고 그 속에 화살을 던져 승부를 가리는 놀이.
- **비사치기** 일정한 거리에서 손바닥만한 납작한 돌을 발로 차거나 던져서 상대의 납작한 돌을 쓰러뜨리는 놀이.

투호 놀이와 비사치기를 하기 전에 주의할 점

- 모둠끼리 협동합니다.
- 친구와 장난치지 않습니다.
- 잘 못하는 친구를 놀리지 않습니다.
- 화살이나 납작한 돌을 친구에게 던지지 않습니다.
- 규칙을 지키고 최대한 안전하게 놀이해야 합니다.

확인 문제

정답 12쪽

1 투호 놀이에서 통 속으로 들어갔다가 튕겨져 나오는 화살은 [　　　　] 입니다.

2 비사치기에서 납작한 돌을 떨어뜨리거나 상대방의 납작한 돌을 넘어뜨리지 못하면 (결승선 / 출발선) 으로 갑니다.

3 다음 중 비사치기를 하는 모습을 골라 기호를 쓰시오.

㉠

㉡

(　　　　　　　　)

달두 달두 밝다

[교과서 134~135쪽]
• 놀이하기

꼭 알아두기 '달두 달두 밝다' 노래 / 강강술래

1 '달두 달두 밝다'

달두 달두 밝다

전래 동요

달 두	달 두	밝	다
명 -	달 두	밝	다
남 호 장	저 고 리	어 화	둥
백 항 라	저 고 리	어 화	둥

저고리의 겨드랑이로부터 소매까지 남색으로 된 저고리를 말합니다.

씨를 세 올이나 다섯 올씩 걸러서 구멍이 송송 뚫어진 것으로 여름 옷감에 적당한 저고리입니다.

어려운 말 알고가기

- **항라** 명주, 모시, 무명실 등으로 짠 천을 말함.
- **씨** 천, 돗자리, 짚신 등을 짤 때에 가로로 놓는 실.
- **올** 실이나 줄의 가닥.

2 강강술래

→ 강강술래 대신 '달두 달두 밝다'를 부르며 강강술래처럼 돕니다.

① 손에 손을 잡고 원을 만듭니다.
② 한 사람이 '강강술래'를 부르면 다른 사람들도 '강강술래'를 따라 부르면서 돕니다.
③ 시작 부분에서는 느리게 진행되다가 차츰 빨라지고, 끝부분에서는 다시 느려집니다.
④ 춤도 처음에는 천천히 시작하여 차츰 빨라지고, 끝날 무렵에는 다시 느리게 진행됩니다. → 너무 빠르게 돌다가 넘어지거나 잡은 손이 끊어지지 않게 주의합니다.
⑤ 방향을 바꾸어 돌면서 노래를 부릅니다.

강강술래를 해 본 소감 예

- 추석 때 가족들과 함께 해 보고 싶습니다.
- 친구들이 빨리 돌 때 넘어질 것 같았습니다.
- 강강술래 노래를 따라하면서 둥글게 도는 것이 재미있었습니다.

확인 문제

정답 12쪽

1 다음 전래 동요의 제목은 무엇인지 쓰시오.

달 두	달 두	밝	다
명 -	달 두	밝	다
남 호 장	저 고 리	어 화	둥
백 항 라	저 고 리	어 화	둥

( )

2 다음 중 강강술래에 대한 설명으로 옳은 것은 어느 것입니까? ( )

① 혼자서 하는 놀이이다.
② 노래는 하지 않고 춤만 춘다.
③ 노래는 정해진 한 가지만 해야 한다.
④ 한 방향으로만 돌며, 방향은 절대로 바꾸지 않아야 한다.
⑤ 여러 명이 손을 잡고 원을 만든 다음, 노래를 따라 부르며 둥글게 돈다.

달을 보며

[교과서 136~137쪽]

• 내면화하기

꼭 알아두기 감사의 마음을 표현하는 방법

1 달맞이에서 추수해 주신 분들께 감사하는 마음 갖기 예

2 추수해 주신 분들께 감사의 마음을 표현할 수 있는 방법 예

① 시를 지어 드립니다.

② 감사의 마음을 담아 편지를 씁니다.

③ 제가 좋아하는 노래에 감사의 마음을 담은 노랫말로 바꾸어 노래를 불러 드립니다.

④ 이번 추석에 시골집에 갔을 때 농사하시느라 수고하신 큰아버지 어깨를 주물러 드립니다.

어려운말 알고가기

• **농사** 곡류, 채소 등의 씨를 심어 기르고 거두어들이는 일.

추수해 주신 분을 위해 우리가 할 수 있는 일

• 음식을 남기지 않고 먹습니다.
• 항상 감사하는 마음을 가집니다.
• 내년 농사도 잘 되도록 기도해 드립니다.

확인 문제

정답 12쪽

1 달맞이를 하면서 가족의 건강, [　　　　] 하는 마음 등을 가집니다.

2 추수해 주신 분들께 감사하는 마음을 표현하는 방법에는 시를 지어 드리기, (편지 / 반성문) 쓰기 등이 있습니다.

3 다음 보기 중 추수해 주신 분을 위해 우리가 할 수 있는 일로 옳지 않은 것을 골라 기호를 쓰시오.

보기
㉠ 음식을 남기지 않고 먹습니다.
㉡ 내년 농사도 잘 되도록 기도해 드립니다.
㉢ 추수해 주신 분들께 감사하는 마음은 가을에만 갖도록 합니다.

(　　　　　　　　)

㉯ 추석을 보내고 / ㉰ 현규의 추석 이야기

[교과서 138~141쪽]
- 내면화하기
- 조사하기/자료를 찾아요

꼭 알아두기 감사의 마음 표현 / 추석 정보 책 만들기

1 추석 때 고마웠던 분들

추석 때 고마웠던 분들 : ㊉ 좋은 말씀을 많이 해 주신 할아버지, 맛있는 음식을 만들어 주신 고모, 함께 감을 따며 즐거운 시간을 보낸 큰아버지 등

2 감사의 마음을 표현하는 방법

① 아빠, 엄마 어깨를 주물러 드립니다.
② 할아버지, 할머니께 자주 전화를 드립니다.
③ 감사의 마음을 담아 편지를 쓰거나, 직접 찾아 뵙고 감사의 말을 전합니다.

3 추석 정보 책 만들기

① **추석에 대한 정보 조사하기**

조사 방법	웃어른께 여쭈어 보기, 추석 관련 책 찾아보기, 인터넷으로 검색하기 등
조사할 것	추석의 의미, 추석 음식, 추석 놀이, 세계 여러 나라의 추석 등

② **추석 정보 책 만들기** ㊉ → 추석 정보 책을 전시하고, 돌아가며 작품을 살펴보고 내 작품과는 어떻게 다른지 생각해 봅니다.

추석을 즐겁게 보낼 수 있게 해 준 분들께 감사한 마음을 표현하는 방법

- 감사하는 마음을 가집니다.
- 바른 어린이가 되도록 노력합니다.
- 우리가 잘 되기를 바라는 가족, 친척들의 마음을 헤아립니다.

어려운 말 알고가기

- **정보** 관찰, 수집 등을 통해 얻은 것들을 도움이 될 수 있도록 정리한 것.

마무리 활동 • 교과서 142~143쪽

- 추석에 했던 일 중 기억에 남는 것을 그림일기로 나타냅니다.
- 추석에 한 일들을 떠올려 보며, 부모님께 감사의 편지를 씁니다.

확인 문제

정답 12쪽

1 다음 중 감사의 마음을 표현하는 방법으로 옳지 <u>않은</u> 것은 어느 것입니까? .... (　　　)

① 감사의 마음을 담아 편지를 쓴다.
② 아빠, 엄마 어깨를 주물러 드린다.
③ 직접 찾아 뵙고 감사의 말을 전한다.
④ 할아버지, 할머니께 자주 전화를 드려 고마운 마음을 표현한다.
⑤ 우리가 잘 되기를 바라는 가족, 친척들의 마음은 헤아리지 않는다.

2 다음과 같이 추석에 대한 정보를 조사하여 만든 것을 무엇이라고 하는지 쓰시오.

(　　　　　　　　　　　　)

❷ 현규의 추석 (2)

정답 12쪽

가을 친구들을 무리 지어요

가을에 볼 수 있는 친구들을 비슷한 것끼리 무리 지어 써 보세요.

가을에 볼 수 있는 친구들

▲ 메뚜기 ▲ 코스모스 ▲ 도토리 ▲ 잠자리

▲ 사마귀 ▲ 국화 ▲ 은행잎 ▲ 단풍잎

• **분류 기준** : 동물과 식물에 따라

• **분류 기준** : ❸ ( ) 에 따라

둥근 모양	길쭉한 모양	뾰족한 모양
코스모스, 도토리, 국화, 은행잎	메뚜기, 잠자리, 사마귀	❹

단원평가 ❷ 현규의 추석 (2)

점수

※ 배점이 표시되어 있지 않은 문제는 문제당 **4점**입니다.

정답 13쪽

[1 ~ 2] 다음은 가을 풍경 사진전을 준비하는 모습입니다. 물음에 답하시오.

▲ □에서 가을 풍경 사진을 모음.

▲ 스케치북에 가을 풍경 사진을 붙임.

1 위 □ 안에 들어갈 알맞은 말을 한 가지 쓰시오.

( )

2 위 가을 풍경 사진전에 사용할 사진으로 바르지 않은 것은 어느 것입니까? ( )

① 억새가 바람에 흔들리는 사진
② 누렇게 익은 벼를 수확하는 사진
③ 운동장에서 눈사람을 만드는 사진
④ 마당에 빨간 고추를 말리고 있는 사진
⑤ 수풀 속에 있는 메뚜기와 귀뚜라미 사진

서술형 문제

3 다음의 가을 친구들을 동물과 식물에 따라 무리 지어 쓰시오. [10점]

사마귀, 코스모스, 감나무, 다람쥐

사마귀와 다람쥐는 ❶ ( ) 이고, 코스모스와 감나무는 ❷ ( ) 이다.

4 다음 중 하늘에서 볼 수 있는 가을 친구를 두 가지 고르시오. (,)

① 여치
② 나비
③ 메뚜기
④ 사마귀
⑤ 잠자리

5 다음 중 잠자리의 생김새에 대한 설명으로 옳지 않은 것은 어느 것입니까? [6점] ( )

① 눈은 두 개이다.
② 꼬리는 두 개이다.
③ 날개는 네 장이다.
④ 날개가 크고 얇다.
⑤ 꼬리가 빨간 것도 있다.

6 다음은 잠자리 모형을 만드는 방법을 순서에 관계없이 나타낸 것입니다. 순서대로 기호를 쓰시오. [6점]

㉠ 어깨에 메어 봅니다.
㉡ 준비물을 준비합니다.
㉢ 잠자리에 고무줄을 답니다.
㉣ 잠자리를 그린 뒤 오립니다.

(㉡ → → →)

7 다음은 잠자리를 잡고 싶은 마음이 담긴 전래 동요입니다. 다음 전래 동요의 제목을 쓰시오.

잠	자		리	꽁	-	꽁		꼼	자		리	꽁	-	꽁
이	리	와	라	꽁	-	꽁		저	리	가	라	꽁	-	꽁
잠	자		리	꽁	-	꽁		꼼	자		리	꽁	-	꽁
이	리	오	면	살	-	고		저	리	가	면	죽	는	다

( )

8 다음은 잠자리 잡기 놀이의 모습입니다. 잠자리가 된 친구의 이름을 쓰시오.

(　　　　　　　　)

9 다음 중 낙엽을 밟을 때 나는 소리로 가장 어울리는 것은 어느 것입니까? ·········· (　　　)

① 짹짹　② 멍멍
③ 바스락　④ 우당탕
⑤ 덜커덩

10 다음을 낙엽을 이용한 놀이에 맞게 줄로 바르게 이으시오.

(1)  • 　　• ㉠ 낙엽으로 무늬 만들기 놀이

(2)  • 　　• ㉡ 낙엽 밟기 놀이

11 다음 중 풍물놀이에 대한 설명으로 옳은 것에 ○표를 하시오. [6점]

(1) 주로 힘든 일을 할 때나 명절날에 합니다. (　　)

(2) 기타, 바이올린, 피아노, 하모니카 등의 악기가 사용됩니다. (　　)

(3) 농촌에서 농부들 사이에 행하여지는 우리나라 고유의 놀이 음악입니다. (　　)

12 다음 중 악기 소리를 가장 바르게 표현한 것은 어느 것입니까? [6점] ·········· (　　　)

① 징 : 경쾌한 소리가 난다.
② 꽹과리 : 작은 소리가 난다.
③ 북 : 얇고 높은 소리가 난다.
④ 장구 : 웅장하고 높은 소리가 난다.
⑤ 태평소 : 높고 날카로운 소리가 난다.

13 다음은 투호 놀이를 하면서 모둠별로 통 안에 집어넣은 화살의 개수입니다. 놀이에서 어느 모둠이 승리하였는지 쓰시오.

모둠	통 안에 넣은 화살의 개수
미혜네 모둠	4개
민수네 모둠	6개
유미네 모둠	2개
한아네 모둠	7개

(　　　　　　　　)

14 오른쪽은 어떤 놀이를 하는 모습입니까? ······ (　　　)

① 씨름　② 닭싸움
③ 윷놀이　④ 강강술래
⑤ 비사치기

15 다음 전래 동요에 나오는 밝은 달이 가장 잘 보이는 때를 보기에서 골라 기호를 쓰시오.

달두 달두 밝다

전래 동요

달 두	달 두	밝	다
명 -	달 두	밝	다
남 호 장	저 고 리	어 화	둥
백 항 라	저 고 리	어 화	둥

보기
㉠ 설날 아침
㉡ 추석날 저녁
㉢ 어린이날 점심

( )

16 다음은 우리나라의 민속놀이에 대한 설명입니다. □ 안에 공통으로 들어갈 민속놀이의 이름을 쓰시오.

여러 사람이 손을 잡고 원을 만든 다음에 한 사람이 '□'을/를 부르면 다른 사람들이 '□'을/를 따라 부르면서 도는 놀이입니다.

( )

서술형 문제

17 다음과 같이 추수해 주신 분을 위해 우리가 할 수 있는 일을 한 가지 쓰시오. [10점]

18 다음 중 추석을 즐겁게 보낼 수 있게 해 준 분들께 감사의 마음을 표현하는 방법을 바르게 말한 친구의 이름을 쓰시오.

성민 : 감사의 마음을 담아 편지를 써.
다은 : 직접 찾아뵙고 용돈을 달라고 말씀드려야 해.
민우 : 감사의 마음은 속으로만 생각하고 겉으로는 표현하지 않아도 돼.

( )

[19 ~ 20] 다음은 추석에 대하여 알게 된 것을 책으로 만든 추석 정보 책의 모습입니다. 물음에 답하시오.

19 위 추석 정보 책을 만들 때의 조사 방법으로 알맞은 것을 보기에서 골라 기호를 쓰시오.

보기
㉠ 인터넷으로 검색합니다.
㉡ 과학사전을 찾아봅니다.
㉢ 식물도감을 찾아봅니다.

( )

20 위 추석 정보 책을 만들 때 조사할 것으로 바르지 않은 것은 어느 것입니까? ( )

① 추석 음식
② 추석 놀이
③ 추석의 의미
④ 추석에 받고 싶은 선물
⑤ 세계 여러 나라의 추석

❷ 현규의 추석

1 추석에 대해 알아보기

- **추석에 대하여 조사할 내용** : 추석의 뜻, 추석에 먹는 음식, 추석에 하는 일, 추석에 하는 놀이, 추석의 유래 등
- **조사 방법** : 도서관에서 ❶[ ]을 찾아보기, 어른들께 여쭈어 보기, 인터넷에서 찾아보기 등

2 추석과 설날을 비교하기

- **다른 점**

구분	추석	설날
날짜	음력 8월 15일(가을)	음력 1월 ❷[ ]일(겨울)
먹는 음식	송편, 토란국 등	떡국, 만둣국 등
하는 일	달맞이, 구름 보기 등	세배, 복조리 달기 등
하는 놀이	강강술래, 씨름 등	연날리기, 팽이치기 등

- **같은 점** : 오랜만에 가족과 친척을 만나서 정을 나눕니다, 차례나 성묘를 하거나 추도 예배를 드립니다. 등

3 우리 가족과 친척들의 추석 준비 모습 ㉦

▲ ❸[ ][ ]를 함.

▲ 차표를 예매함.

▲ 음식을 만들기 위해 장을 봄.

▲ 한복을 준비함.

4 ❹[ ][ ] 풍경 사진전 열기 : 달력, 신문, 잡지 등에서 가을 풍경 사진을 모음. → 스케치북에 가을 풍경 사진을 붙임.

5 가을 친구들을 무리 짓기

- **가을에 볼 수 있는 친구들** : 단풍잎, 은행잎, 국화, 여치, 사마귀, 잠자리, 도토리, 메뚜기 등
- **가을 친구들을 무리 짓는 분류 기준** : 동물과 ❺[ ][ ], 볼 수 있는 장소, 색깔, 모양 등

정답 ❶ 책 ❷ 1 ❸ 벌초 ❹ 가을 ❺ 식물

1 여기는 우리나라

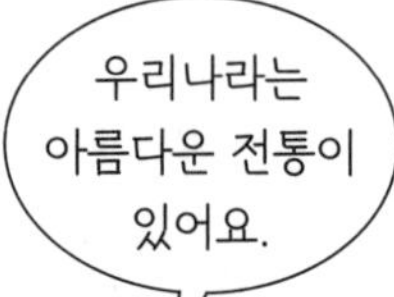

'우리나라'에 대해
알아볼까요?

나라 사랑

바른 생활

우리나라의 문화

우리 조상들이 살던 집은
여름철에는 시원하고,

겨울철에는
따뜻해.

슬기로운 생활

우리나라의 상징

즐거운 생활

2 우리의 겨울

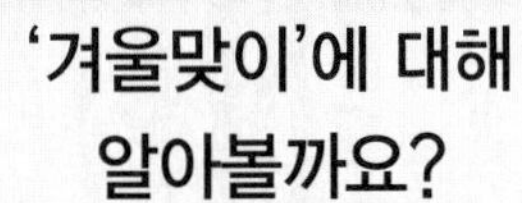

'겨울맞이'에 대해
알아볼까요?

사람들은 겨울의 자연환경에 어울리는 생활을 해요.

바른 생활

배려와 나눔

슬기로운 생활

겨울 날씨와 생활

즐거운 생활

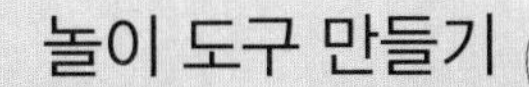

놀이 도구 만들기

1 여기는 우리나라

핵심 용어

태극기
우리나라의 국기.
예 **태극기**는 잘 접어서 국기함에 보관하고, 눈에 잘 보이는 곳에 둔다.

통일
남한과 북한으로 갈려 있는 우리 땅과 민족이 하나로 되는 일.
예 국민들의 생명과 재산을 보호하기 위해서 빨리 **통일**이 되어야 한다.

재미난 우리 놀이

[교과서 18~19쪽]
• 놀이하기

꼭 알아두기 전통 놀이

❶ 땅따먹기

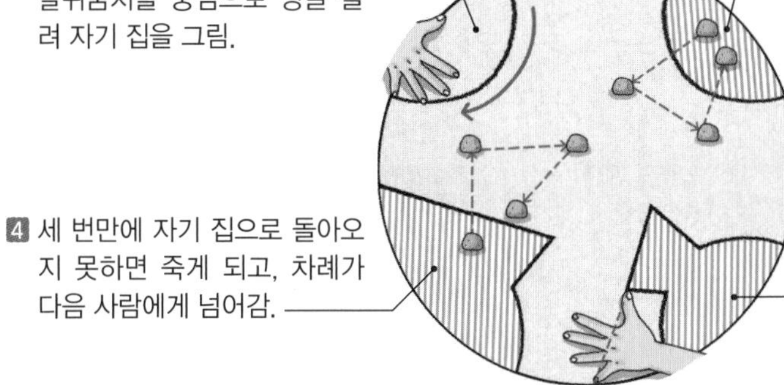

❷ 술래잡기(숨바꼭질) : 여러 사람이 가위바위보를 하여 진 사람을 술래로 정함. → 술래의 집을 정하고, 술래가 눈을 가리고 열을 세는 동안 다른 사람들은 보이지 않는 곳에 숨음. → 술래가 숨은 사람을 찾아내면 재빨리 찾은 사람의 이름과 숨은 장소를 크게 부르며 집을 짚음.

숨은 사람이 술래 몰래 먼저 집을 짚으면 계속 술래를 해야 합니다.

❸ 사방치기

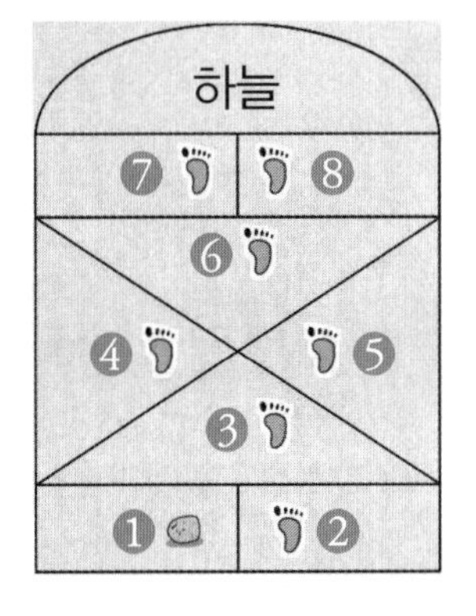

1 ❶번 칸에 돌을 던진 다음, ❽번까지 한 발 또는 두 발로 뜀.
2 출발선으로 돌아오는 길에 자신의 돌을 주움.
3 ❷번 칸에 돌을 던져 계속 함.
4 ❽번까지 끝나면 출발선에서 뒤로 돌아 돌을 머리 위로 던져서 '하늘'에 돌이 들어가도록 함.
5 마지막으로 한 바퀴 돌아 나오면 이김.

돌을 주울 때는 한 발입니다.

어려운 말 알고가기

• **뼘** 엄지손가락과 다른 손가락을 완전히 펴서 벌렸을 때에 두 끝 사이의 거리.

사방치기 놀이 규칙

- 돌이 ❸이나 ❻에 있을 때는 ❶과 ❷, ❹와 ❺, ❼과 ❽은 두 발로 뜁니다.
- ❼과 ❽에서 되돌아올 때는 그 자리에서 뛰어 뒤로 돕니다.
- 돌이나 발이 선에 닿으면 상대편이 놀이를 합니다.

확인 문제

정답 14쪽

1 땅따먹기 놀이는 가장 (적은 / 많은) 땅을 차지한 사람이 이깁니다.

2 술래잡기 놀이를 할 때 술래가 숨은 사람을 찾아내면 재빨리 찾은 사람의 [   ] 과/와 숨은 장소를 크게 부르며 집을 짚습니다.

3 다음은 어떤 전통 놀이에 대한 설명입니까? ....( )

땅에 판 모양을 그린 다음, 일정한 순서에 따라 돌을 던지거나 주우면서 노는 놀이입니다.

① 땅따먹기 ② 술래잡기 ③ 사방치기
④ 비사치기 ⑤ 투호 놀이

색이 고운 우리 옷

[교과서 20~23쪽]
• 관찰하기
• 생각을 나누어요

꼭 알아두기 한복의 아름다움

1 한복 살펴보기 → 윗옷과 아래옷으로 분리되어 있습니다.

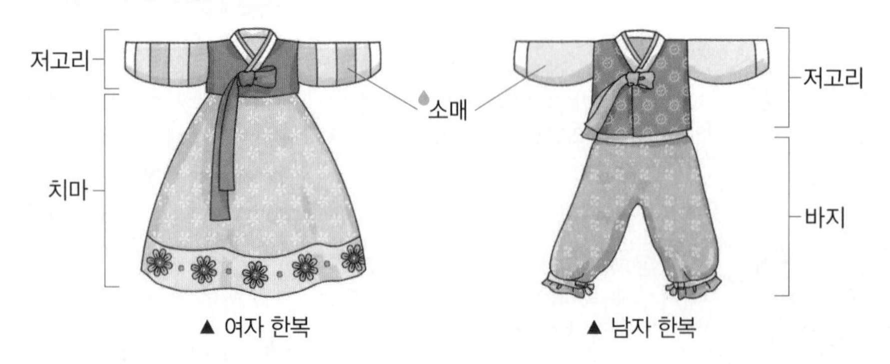

▲ 여자 한복 ▲ 남자 한복

어려운 말 알고가기

- **한복** 우리나라의 고유한 옷으로, 색깔, 모양, 선 등이 아름다움.
- **소매** 윗옷의 좌우에 있는 두 팔을 감싸는 부분.

2 색종이로 한복 접기 → 세 가지 크기의 둥근 색종이와 풀이 필요합니다.

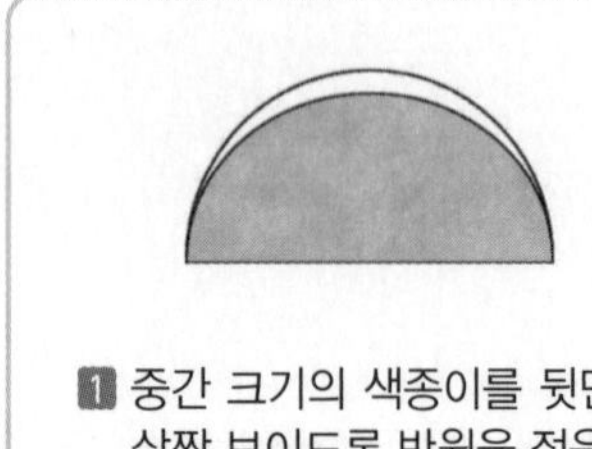

1 중간 크기의 색종이를 뒷면이 살짝 보이도록 반원을 접음.

2 가운데 부분으로 모이도록 접음.

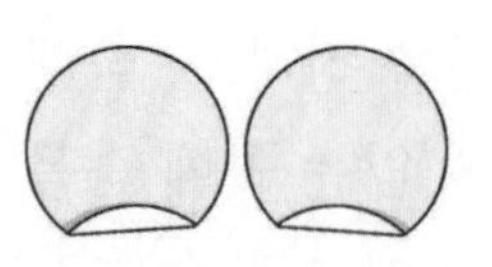

3 작은 색종이를 약간 접어 올림.

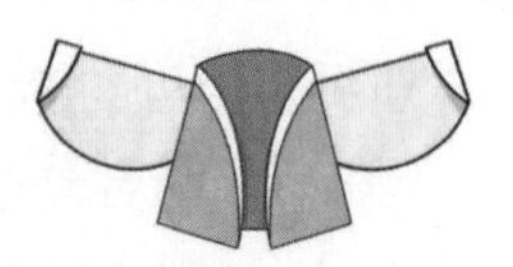

4 반으로 접어 저고리에 풀로 붙임.

여자 한복

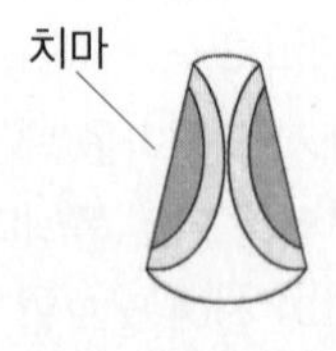

5 큰 색종이의 양쪽을 비스듬하게 접음.

6 접은 치마를 뒤집어 저고리 밑에 넣고 풀로 붙임.

남자 한복

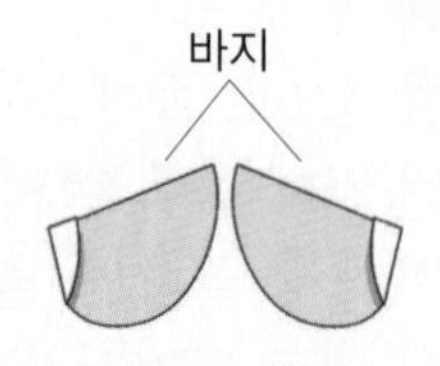

5 작은 색종이를 저고리 소매 접기와 같은 방법으로 접음.

6 접은 바지를 저고리 밑에 넣고 풀로 붙임.

확인 문제

정답 14쪽

1 다음 중 남자 한복을 골라 기호를 쓰시오.

( )

2 다음과 같은 한복을 만들 때 필요한 준비물은 어느 것입니까? ( )

① 털실 ② 빨대 ③ 수수깡
④ 종이컵 ⑤ 둥근 색종이

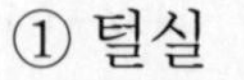

얼씨구나 우리 노래

[교과서 24~25쪽]

• 표현하기

꼭 알아두기 '남생아 놀아라' 노래 / 남생이 놀이

1 '남생아 놀아라' 노래 부르기 : 손장단, 소고, 윷가락, 징 등으로 한 장단에 박을 두 번 치며 노래를 불러 봅니다.

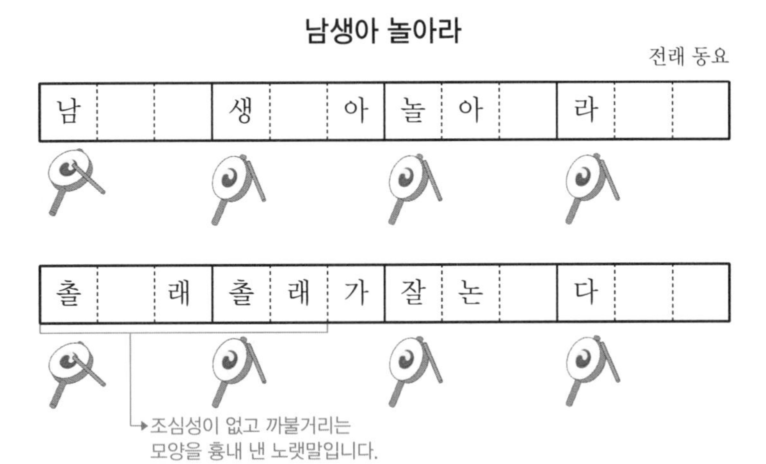

조심성이 없고 까불거리는 모양을 흉내 낸 노랫말입니다.

2 남생이 놀이

① 큰 원을 그리면서 돌다가 앞소리꾼이 "남생아 놀아라."라고 말하면 몇몇 사람이 원 안으로 들어와 "촐래촐래가 잘 논다."라고 받으며 남생이 흉내를 내면서 노는 놀이입니다.

② 다른 동물의 모습이나 행동, 친구의 특징 등으로 노랫말을 바꾸어 불러 봅니다.

선생님이나 희망하는 학생들이 돌아가며 앞소리꾼 역할을 합니다.

어려운말 알고가기

• **남생이** 자라와 함께 우리나라를 대표하는 민물 거북.

• **앞소리꾼** 민요 등의 주고받는 노래를 부를 때 먼저 부르면서 놀이 현장을 주도하는 사람.

남생이 놀이 활동 예

1 선생님, 학생들 : (각자 덩실덩실 춤을 추며) "남생아 놀아라, 촐래촐래가 잘 논다."

2 선생님 : "안경 쓴 사람 놀아라."

3 안경 쓴 학생들 : (재미있는 동작을 하며) "촐래촐래가 잘 논다."

확인 문제

정답 14쪽

1 다음 노래의 제목으로 옳은 것에 ○표를 하시오.

(잠자리 꽁꽁 / 남생아 놀아라)

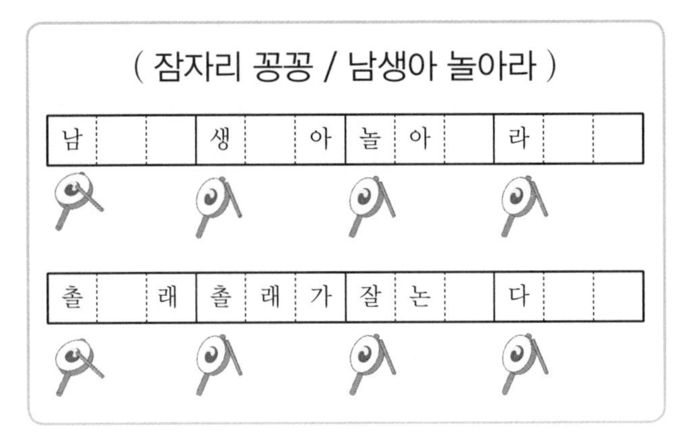

2 다음 중 남생이 놀이를 할 때 남생이의 모습이나 행동은 어떻게 흉내 내야 하는지 바르게 설명한 친구의 이름을 쓰시오.

대한 : 깡충깡충 뛰는 모습을 흉내 내.
민국 : 기우뚱기우뚱 느리게 걷는 모습을 흉내 내.
만세 : 날개를 펴고 하늘을 훨훨 나는 모습을 흉내 내.

(　　　　　　　　　　)

맛나고 정겨운 우리 음식

[교과서 26~27쪽]
- 조사하기
- 생각을 나누어요

꼭 알아두기 전통 음식의 의미 / 우리나라의 전통 음식 소개

1 우리나라의 전통 음식

① **전통 음식** : 오래전부터 자연과 환경의 영향을 받으며 자연스럽게 만들어져 온 음식입니다.

② **전통 음식의 종류** →전통 음식을 밥과 죽, 국과 찌개, 반찬, 떡, 한과, 음료 등으로 무리 지어 봅니다.

밥, 죽	국, 찌개	반찬
비빔밥, 팥죽 등	삼계탕, 미역국 등	김치, 잡채 등
떡	한과	음료
인절미, 절편 등	약과, 강정 등	식혜, 수정과 등

▲ 비빔밥

▲ 잡채

▲ 인절미

▲ 약과

꿀과 참기름을 섞은 밀가루 반죽을 기름에 튀겨 낸 과자입니다.

2 우리나라의 전통 음식을 소개하기

1 소개할 음식을 정함.

2 사진이나 그림을 찾음.

3 사진을 붙이거나 그림을 그림.

어려운말 알고가기

- **절편** 무늬를 찍어내는 판으로 눌러 만든 떡.

- **강정** 찹쌀가루를 반죽하여 썰어 말렸다가 기름에 튀긴 과자.
- **수정과** 생강과 계피를 달인 물에 설탕이나 꿀을 넣고 곶감과 잣을 띄워 먹는 음료.

확인 문제

정답 14쪽

1 오래전부터 자연과 환경의 영향을 받으며 자연스럽게 만들어져 온 음식을 [ ] 음식이라고 합니다.

2 다음 중 우리나라의 전통 음식이 아닌 것은 어느 것입니까? ( )

① 김치 ② 식혜 ③ 비빔밥
④ 햄버거 ⑤ 삼계탕

3 다음 중 우리나라의 전통 음식을 소개할 때 가장 먼저 해야 하는 과정을 골라 기호를 쓰시오.

㉠ ▲ 소개할 음식을 정함.
㉡ ▲ 사진을 붙이거나 그림을 그림.

( )

아름다운 우리 그릇

[교과서 28~29쪽]
- 표현하기
- 생각을 나누어요

꼭 알아두기 아름다운 우리 그릇을 만드는 방법

1 우리나라 도자기 살펴보기

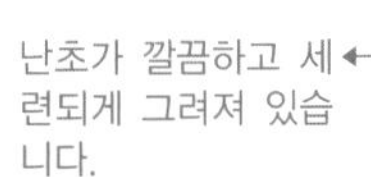

난초가 깔끔하고 세련되게 그려져 있습니다.

▲ 백자 청화초화문 필통
*출처 : 문화재청.

덩굴과 국화꽃 무늬가 잘 조화되어 있습니다.

▲ 청자 상감당초문 완
*출처 : 문화재청.

2 아름다운 우리 그릇 만들기

지점토로 둥근 밑판을 만듦.

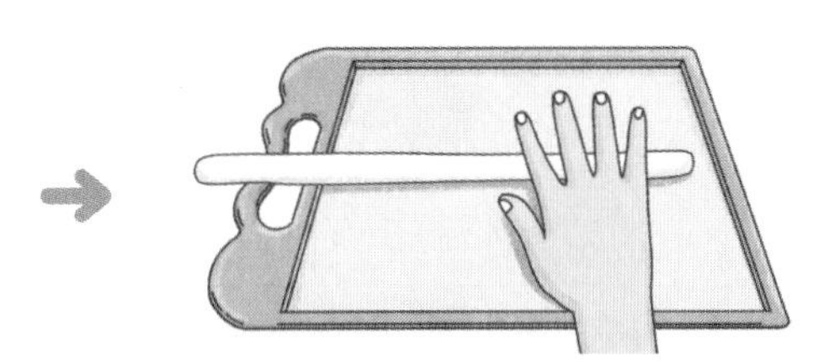

공처럼 만든 지점토를 손바닥으로 굴려 뱀처럼 길게 늘임.

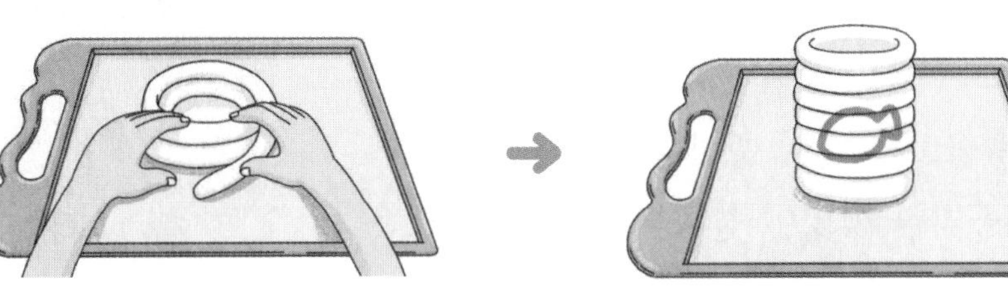

길게 늘인 지점토를 말아 올리며 다듬음.

색점토로 무늬를 만들어 붙임.

어려운말 알고가기

- **도자기** 흙이나 점토를 빚어 높은 온도의 불에서 구워낸 그릇.

그릇을 만들기 전에 생각할 점

- 만들고 싶은 그릇을 생각하여 밑그림을 그립니다.
- 사용할 재료를 정합니다.
- 그릇을 말아 올리는 방법을 생각합니다.
- 넣을 무늬를 생각합니다.

겨울 ❶ 여기는 우리나라

확인 문제

정답 14쪽

1 오른쪽과 같이 흙을 빚어 높은 온도의 불에서 구워낸 그릇이나 장식물을 무엇이라고 합니까?
( )

① 저고리
② 도자기
③ 풍물놀이
④ 전통 놀이
⑤ 전래 동요

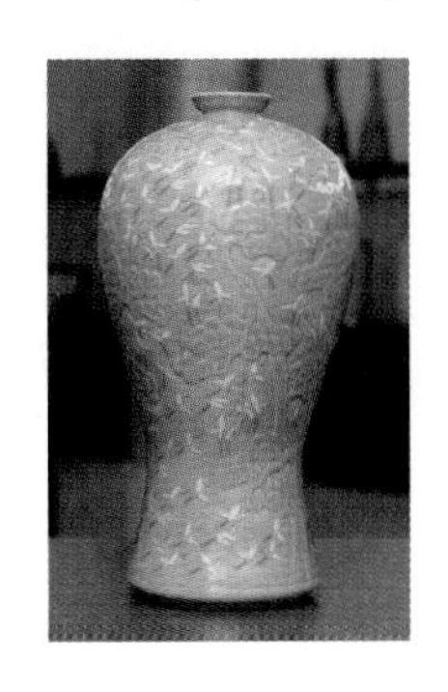

2 다음은 그릇을 만드는 방법을 순서에 관계없이 나타낸 것입니다. 순서대로 기호를 쓰시오.

㉠ 지점토로 둥근 밑판을 만듭니다.
㉡ 색점토로 무늬를 만들어 붙입니다.
㉢ 길게 늘인 지점토를 말아 올리며 다듬습니다.
㉣ 공처럼 만든 지점토를 손바닥으로 굴려 뱀처럼 길게 늘입니다.

( → → →)

조상의 지혜가 담긴 우리 집

[교과서 30~31쪽]
• 조사하기
• 생각을 나누어요

꼭 알아두기 우리 조상들이 살던 집의 특징과 우수성

1 우리의 전통 집

→창호지

2 우리 조상들이 살던 집과 지금 우리가 살고 있는 집 비교하기 예

구분	우리 조상들이 살던 집	우리가 살고 있는 집
재료	나무, 흙, 종이, 짚, 돌 등	시멘트, 유리, 돌, 나무 등
구조	1층이고, 마당과 화장실이 집 밖에 있음.	여러 층이고, 마당이 없으며, 화장실이 집 안에 있음.

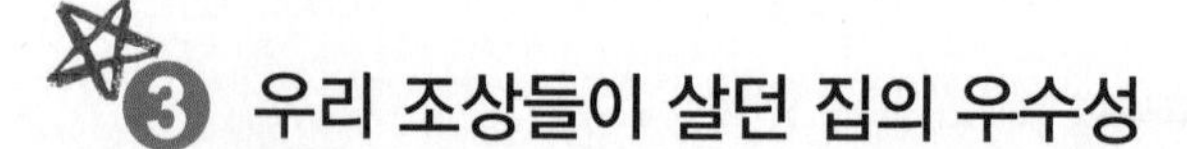
→주변에서 쉽게 구할 수 있고, 집에서 사는 것이 건강에 도움이 됩니다.

→집마다 구조는 다를 수 있습니다.

3 우리 조상들이 살던 집의 우수성

① **온돌** : 습기가 차지 않고, 방바닥을 골고루 데워 줍니다.

② **창호지 문** : 습도를 조절해 주고, 공기와 햇빛이 통과되어 사람들의 건강에 좋습니다.

③ **황토벽** : 습도 조절이 쉽고, 자연적으로 환기가 이루어집니다.

→여름철에는 시원하고 겨울철에는 따뜻합니다.

어려운 말 알고가기

- **기와** 지붕을 덮는 데 쓰이는 건축 재료.
- **짚** 벼, 보리, 밀, 조 등의 곡식을 제거하고 남은 줄기와 잎.
- **온돌** 아궁이에서 불을 때면 열이 방 밑을 지나 방바닥 전체를 덥히는 장치.

▲ 아궁이

- **습도** 공기 중에 수증기가 포함된 정도.

확인 문제

정답 14쪽

1 다음 중 우리의 전통 집의 모습을 골라 기호를 쓰시오.

㉠ 

㉡ 

(　　　　　　　　　　　　)

2 우리 조상들이 살던 집은 마당과 화장실이 집 (안 / 밖)에 있습니다.

3 다음은 우리 조상들이 살던 집의 우수성에 대한 설명입니다. □ 안에 들어갈 알맞은 말을 쓰시오.

> □을/를 사용하면 습기가 차지 않고, 방바닥을 골고루 데워 줍니다.

(　　　　　　　　　　　　)

알록달록 우리 문양

[교과서 32~33쪽]

· 표현하기
· 생각을 나누어요

꼭 알아두기 문양을 색칠하여 족자를 만드는 방법

❶ 우리나라 전통 문양

① 우리 주변에서 여러 가지 전통 문양을 볼 수 있습니다.

② 전통 문양에서 많이 볼 수 있는 빨강, 파랑, 노랑, 하양, 검정의 다섯 가지 색을 오방색(오방 정색)이라고 합니다.

▲ 떡

▲ 복주머니

▲ 한옥의 처마

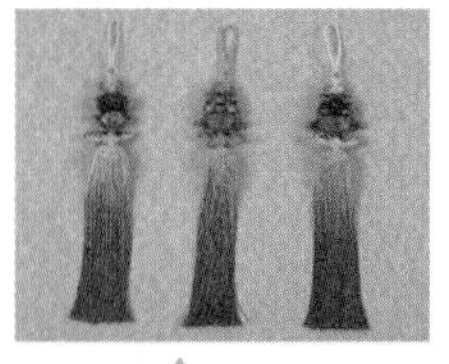
▲ 노리개

❷ 문양을 색칠하여 족자 만들기

→색연필, 가위, 풀, 색도화지, 수수깡, 접착제, 실 등이 필요합니다.

문양을 색칠함.

문양을 오려 색도화지에 붙임.

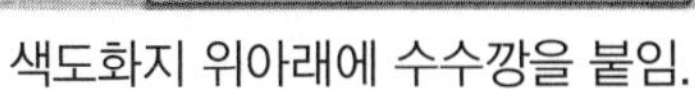
접착제를 이용합니다.

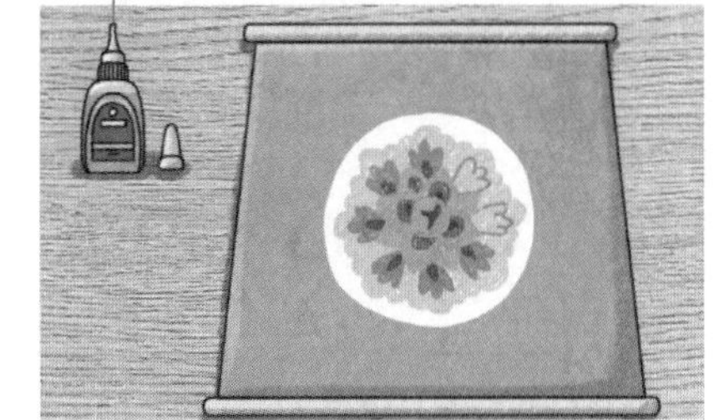
색도화지 위아래에 수수깡을 붙임.

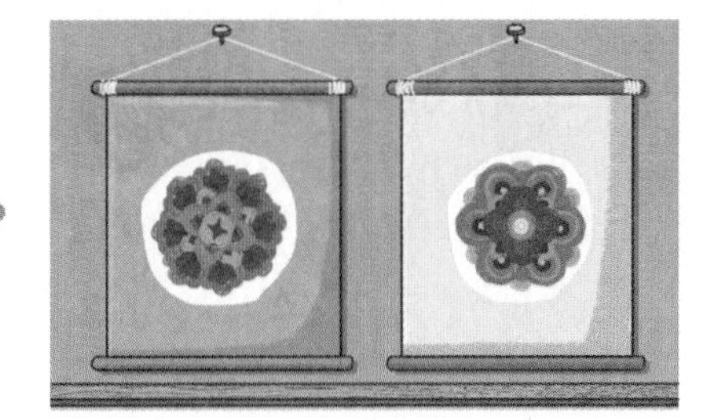
수수깡에 실을 매어 전시함.

어려운 말 알고가기

- **문양** 옷감이나 조각품 등을 장식하기 위한 여러 가지 모양.
- **복주머니** 한자를 무늬처럼 수놓아 만든 주머니로, 복을 불러들이는 의미를 담고 있음.
- **노리개** 저고리의 고름이나 치마허리에 차는 여성용 장신구.
- **족자** 그림이나 글씨 등을 벽에 걸어서 늘어뜨리거나 말아 둘 수 있게 만든 것.

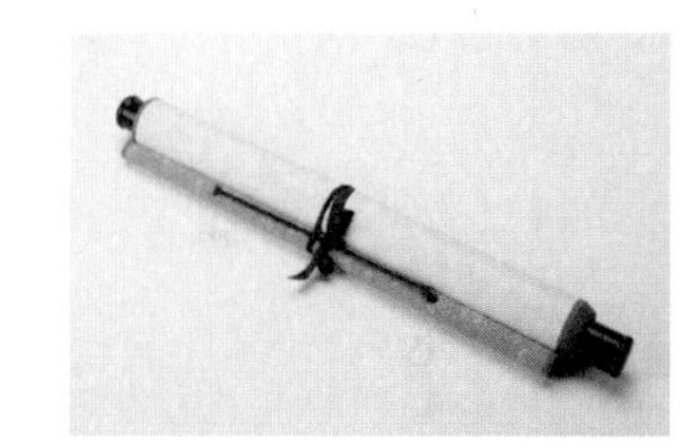

확인 문제

정답 15쪽

1 전통 문양에서 많이 볼 수 있는 빨강, 파랑, 노랑, 하양, 검정의 다섯 가지 색을 [ ] (이)라고 합니다.

2 다음 중 우리나라 전통 문양을 볼 수 있는 물체로 가장 적당한 것은 어느 것입니까? ····( )

① 풀 ② 색연필 ③ 주사위
④ 복주머니 ⑤ 색도화지

3 다음은 문양을 색칠하여 무엇을 만든 모습인지 쓰시오.

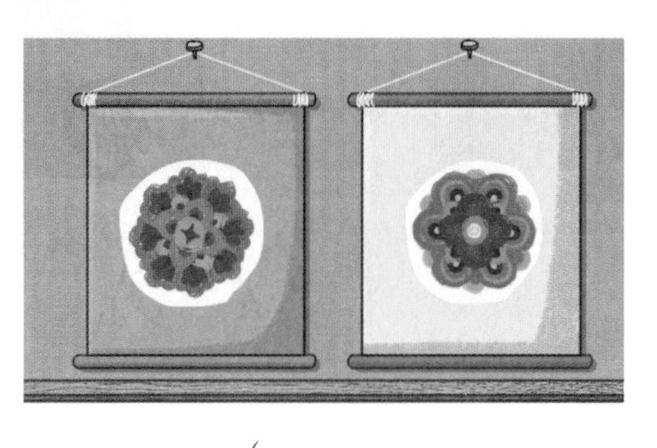

( )

❶ 여기는 우리나라 (1)

정답 15쪽

우리의 전통 집을 알아보아요

우리의 전통 집은 어떤 재료로 되어 있는지 써 보세요.

기와집

지붕은 ❶ (으)로 덮여 있습니다.

바닥은 돌로 되어 있습니다.

마루는 ❷ (으)로 되어 있어서 여름철에 시원하게 지낼 수 있습니다.

초가집

지붕은 짚으로 덮여 있습니다.

문은 ❸ (으)로 되어 있어서 습도를 조절해 줍니다.

벽은 ❹ (으)로 되어 있어서 여름철에는 시원하고 겨울철에는 따뜻합니다.

단원평가 ❶ 여기는 우리나라 (1)

점수

※ 배점이 표시되어 있지 않은 문제는 문제당 **4점**입니다.

정답 15쪽

1 다음은 땅따먹기 놀이를 할 때 처음에 자기 집을 그리는 방법입니다. ㉠, ㉡에 들어갈 신체 부위로 알맞은 곳을 두 가지 고르시오. [6점] (,)

> 각자 한구석을 정한 뒤 ㉠(이)나 ㉡을/를 중심으로 빙글 돌려 자기 집을 그립니다.

① 코 ② 뼘 ③ 양팔
④ 엉덩이 ⑤ 발뒤꿈치

2 다음은 어떤 놀이에 대한 설명인지 쓰시오.

> 여러 친구 중에서 한 친구가 술래가 되어 숨은 친구를 찾아내는 놀이입니다.

( )

3 다음은 사방치기 놀이의 판 모양입니다. ㉠에 들어갈 알맞은 말은 어느 것입니까? ( )

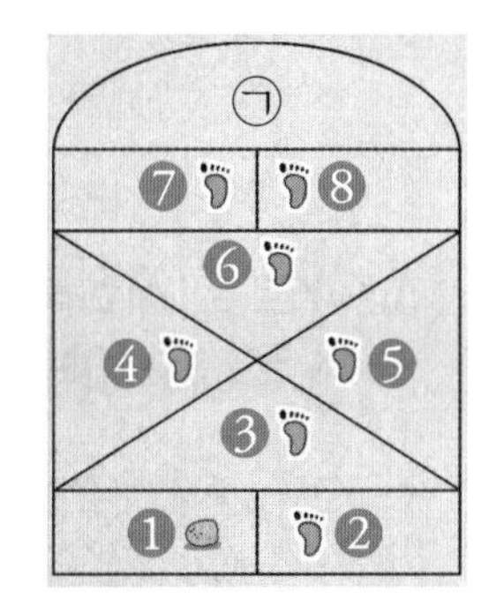

① 물 ② 불
③ 땅 ④ 하늘
⑤ 나무

4 다음은 어떤 옷에 대한 설명입니까? ( )

> 우리나라의 고유한 옷으로, 색깔, 모양, 선 등이 아름답습니다.

① 한복 ② 양복 ③ 잠옷
④ 수영복 ⑤ 체육복

5 오른쪽 한복에서 ㉠ 부분을 무엇이라고 하는지 쓰시오.

( )

6 다음은 색종이로 각각 어떤 한복을 접은 모습인지 줄로 바르게 이으시오.

(1) 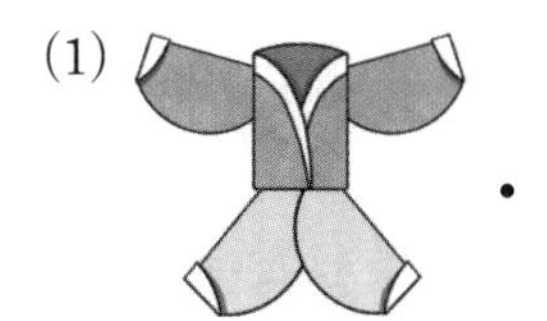 • • ㉠ 남자 한복

(2) 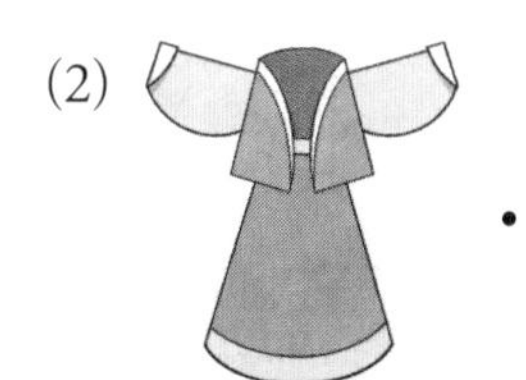 • • ㉡ 여자 한복

7 다음은 '남생아 놀아라' 노래입니다. ㉠에 들어갈 노랫말로 가장 적당한 것은 어느 것입니까? ( )

남			생		아	놀	아		라		
㉠					가	잘	논		다		

① 깡충깡충 ② 반짝반짝 ③ 촐래촐래
④ 주렁주렁 ⑤ 철썩철썩

8 다음 중 남생이 놀이를 하는 모습을 골라 기호를 쓰시오.

㉠ 

㉡ 

( )

겨울 ❶ 여기는 우리나라

서술형 문제

9 다음과 같이 전통 음식을 무리 지은 기준은 무엇인지 쓰시오. [10점]

김치, 잡채	식혜, 수정과

김치와 잡채는 ❶ ______ 과/와 관련된 전통 음식이고, 식혜와 수정과는 ❷ ______ 과/와 관련된 전통 음식이다.

10 다음 중 떡에 해당하는 전통 음식을 골라 기호를 쓰시오.

㉠ 
▲ 잡채

㉡ 
▲ 약과

㉢ 
▲ 인절미

(　　　　)

11 다음은 외국에서 온 사촌에게 우리나라의 전통 음식을 소개하는 글입니다. 어떤 음식에 대한 내용인지 쓰시오.

> 내가 가장 좋아하는 우리나라의 전통 음식을 소개해 줄게. 이 음식은 대표적인 우리나라의 전통 음식으로, 큰 그릇에 밥과 여러 가지 나물, 고기, 달걀부침, 고추장 등을 넣고 섞어서 먹어.

(　　　　)

12 다음은 우리나라 도자기의 모습입니다. 다음과 같은 도자기를 만들 때 사용된 재료로 알맞은 것은 어느 것입니까? ············ (　　　)

▲ 청자 상감당초문 완
*출처 : 문화재청.

① 철　② 유리
③ 고무　④ 흙이나 점토
⑤ 플라스틱

13 다음 중 지점토를 이용하여 그릇을 만들 때 미리 생각할 점으로 옳지 않은 것은 어느 것입니까? ············ (　　　)

① 어떤 재료를 사용할지 정한다.
② 그릇에 넣을 무늬를 생각한다.
③ 그릇을 팔 장소와 가격을 생각한다.
④ 그릇을 말아 올리는 방법을 생각한다.
⑤ 만들고 싶은 그릇을 생각하여 밑그림을 그린다.

14 다음 중 지점토를 이용하여 그릇을 만들 때 가장 먼저 해야 하는 과정을 골라 기호를 쓰시오. [6점]

㉠ 
▲ 길게 늘인 지점토를 말아 올려 다듬음.

㉡ 
▲ 지점토로 둥근 밑판을 만듦.

㉢ 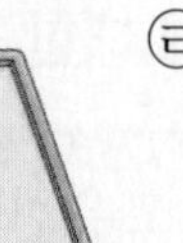
▲ 색점토로 무늬를 만들어 붙임.

㉣ ▲ 공처럼 만든 지점토를 손바닥으로 굴려 뱀처럼 길게 늘임.

(　　　　)

15 다음은 초가집의 모습입니다. 짚으로 되어 있는 부분을 골라 기호를 쓰시오.

( )

16 다음은 우리의 전통 집의 우수성에 대한 설명입니다. 어느 부분에 대한 설명인지 보기에서 골라 기호를 쓰시오.

> 습도를 조절해 주고, 공기와 햇빛이 통과되어 사람들의 건강에 좋습니다.

보기
㉠ 창호지 문
㉡ 돌로 된 바닥
㉢ 나무로 된 마루

( )

서술형 문제

17 다음은 우리 조상들이 살던 집과 지금 우리가 살고 있는 집의 재료를 비교한 것입니다. 다음을 통하여 알 수 있는 우리 조상들이 살던 집의 장점을 한 가지 쓰시오. [10점]

구분	우리 조상들이 살던 집	우리가 살고 있는 집
재료	나무, 흙, 종이, 짚, 돌 등	시멘트, 유리, 돌, 나무 등

____

____

18 다음 물체의 공통점으로 옳은 것은 어느 것입니까? [6점] ( )

▲ 떡

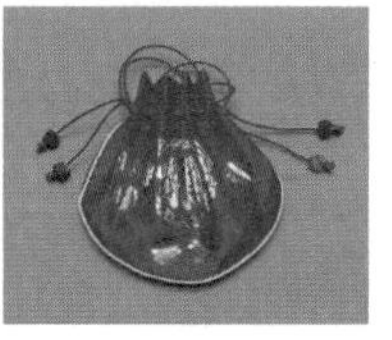
▲ 복주머니

▲ 노리개

① 도자기이다.
② 전통 음식이다.
③ 전통 문양을 볼 수 있다.
④ 한 가지 색으로 되어 있다.
⑤ 우리 주변에서 볼 수 없다.

[19 ~ 20] 다음은 문양을 색칠하여 족자를 만드는 방법을 순서에 관계없이 나타낸 것입니다. 물음에 답하시오.

㉠

▲ 문양을 오려 색도화지에 붙임.

㉡
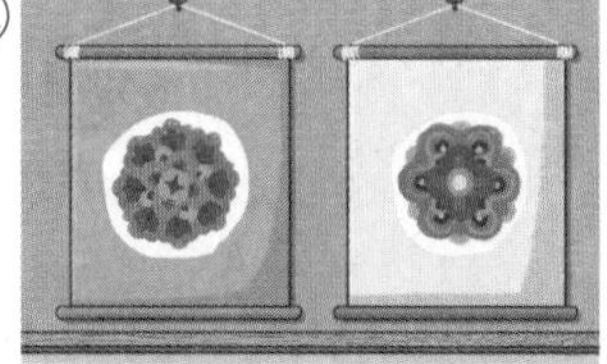

▲ [ ]에 실을 매어 전시함.

㉢

▲ 문양을 색칠함.

㉣

▲ 색도화지 위아래에 [ ]을/를 붙임.

19 위의 □ 안에 공통으로 들어갈 알맞은 재료를 쓰시오.

( )

20 위의 족자 만들기 과정을 순서대로 바르게 나타낸 것은 어느 것입니까? [6점] ( )

① ㉠, ㉡, ㉢, ㉣
② ㉠, ㉢, ㉡, ㉣
③ ㉠, ㉣, ㉡, ㉢
④ ㉢, ㉣, ㉠, ㉡
⑤ ㉢, ㉠, ㉣, ㉡

우리나라 국기, 태극기

[교과서 36~39쪽]
- 관찰하기
- 생각을 나누어요

꼭 알아두기 태극기의 각 요소의 의미

1 태극기에 대하여 알아보기

흰 바탕	밝음과 순수, 평화를 사랑하는 우리의 민족성을 나타냄.
태극 문양	음(파랑)과 양(빨강)의 조화를 상징함. ↳서로 반대되는 두 가지 기운입니다.
4괘	건(하늘), 곤(땅), 감(물), 이(불)

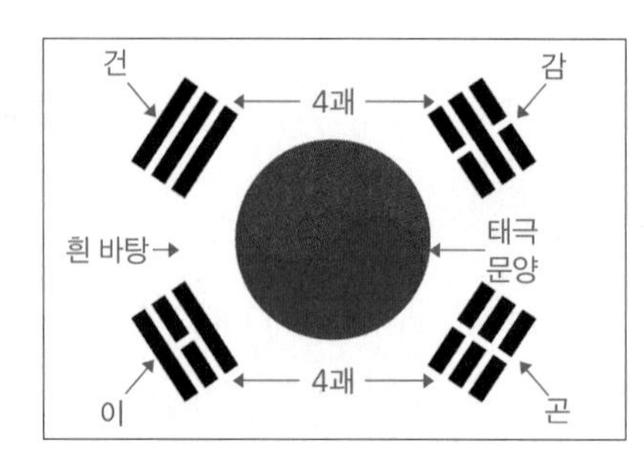

→우주만물이 서로 반대되는 두 가지 기운의 상호 작용으로 이루어진다는 대자연의 진리를 나타냅니다.

2 태극기 게양하는 날과 방법

→나라의 축하할 만한 기쁜 일을 기념하기 위하여 정한 날입니다.

게양하는 날	국경일(3.1절, 제헌절, 광복절, 개천절, 한글날) 등	조의를 표하는 날(현충일 등)
방법	깃봉과 깃대 사이를 떼지 않고 게양함. (깃봉, 깃대)	태극기를 한 폭만큼 내려 조기로 게양함.

3 태극기 바람개비 만들어 보기

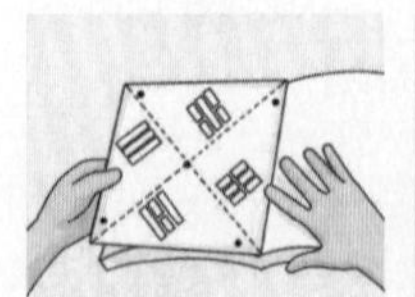
1 점선을 따라 종이를 뜯음.

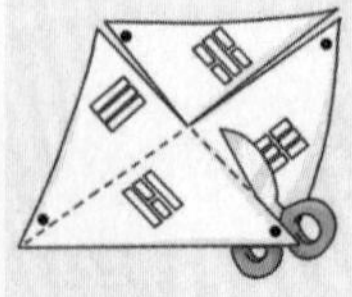
2 가운데 부분을 남기고 오림.

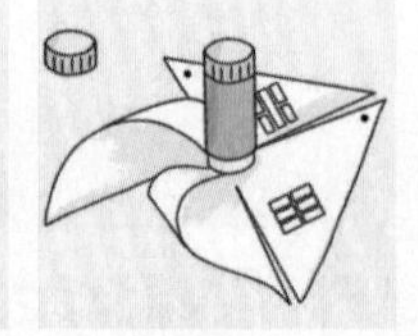
3 날개 한쪽을 가운데 부분에 붙임.

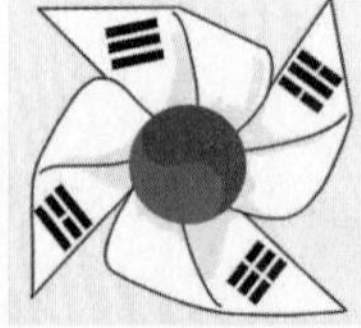
4 태극 무늬와 4괘를 붙임.

5 수수깡에 핀으로 고정함.

어려운 말 알고가기

- **평화** 전쟁, 분쟁 등이 없이 평온하고 화목한 상태.
- **민족성** 한 민족의 고유한 성질.
- **게양** 국기 등을 높이 거는 것을 말함.
- **조의** 남의 죽음을 슬퍼하는 것.
- **현충일** 나라를 위하여 싸우다 돌아가신 분들을 기리기 위하여 정한 날로, 6월 6일임.

태극기를 볼 수 있는 장소

공공기관, 학교, 군부대, 공항, 호텔, 공원, 올림픽 경기장 등

태극기를 소중히 해야 하는 까닭

- 태극기는 우리나라의 상징이기 때문입니다.
- 태극기를 소중히 하는 것은 우리나라를 사랑하는 것이기 때문입니다.

확인 문제

정답 16쪽

1 다음 중 태극기의 모습으로 옳은 것에 ○표를 하시오.

(1) 4괘가 있습니다. ( )

(2) 바탕이 검은색입니다. ( )

(3) 가운데는 대나무 문양으로 되어 있습니다. ( )

2 다음 중 태극기를 게양하는 날에 ○표를 하시오.

한글날 어린이날 크리스마스

3 다음은 태극기 바람개비를 만드는 방법입니다. 순서에 맞게 기호를 쓰시오.

㉠ 
▲ 날개 한쪽을 가운데 부분에 붙임.

㉡ 
▲ 가운데 부분을 남기고 오림.

㉢ 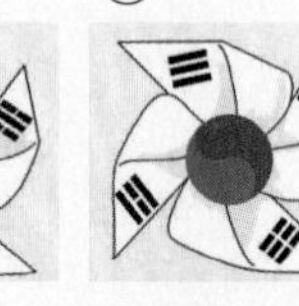
▲ 수수깡에 핀으로 고정함.

㉣ 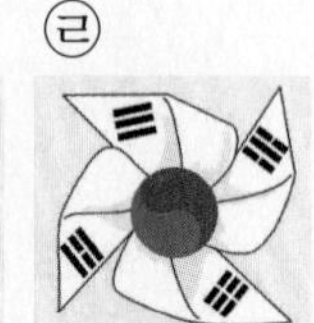
▲ 태극 무늬와 4괘를 붙임.

( )

우리나라 노래, 애국가

[교과서 40~41쪽]
· 표현하기

꼭 알아두기 애국가를 부를 때의 바른 태도

❶ 애국가 불러 보기

→ '나라를 사랑하는 노래'라는 뜻입니다.

1절 동해물과 백두산이 마르고 닳도록
하느님이 보우-하사 우리나라 만세
(→ 보호하고 도와주는 것.)

후렴 무-궁화 삼-천리 화려 강-산
대한 사람 대한-으로 길이 보전하세
(→ 온전하게 보호하여 유지하는 것.)

❷ 애국가 노랫말의 의미

1절	'우리나라가 영원히 발전하기를 바란다'는 의미	2절	'우리의 뜻과 힘은 늘 푸르고 신선하기를 바란다'는 의미
3절	'우리의 꿈과 희망은 늘 한결같다'는 의미	4절	'마음으로 나라에 충성하고, 늘 나라를 사랑하자'는 의미

❸ 애국가를 부를 때의 태도 알아보기

① 바른 자세로 서서 부릅니다.
② 태극기를 바라보며 부릅니다.
④ 큰 소리로 씩씩하게 부릅니다.
⑤ 노랫말을 정확하게 알고 부릅니다.
⑥ 나라를 사랑하는 마음으로 부릅니다.
⑦ 친구와 장난치거나 두리번거리지 않습니다.

애국가를 4절까지 듣고 어려운 노랫말 찾아보기

보우, 보전, 철갑, 서리, 불변, 기상, 공활, 일편단심, 충성 등

(서리 → 공기 중의 물이 차가운 물체 표면에 닿아 얼어붙은 것.)
(공활 → 텅 비고 매우 넓은 것.)

애국가를 부른 후의 자신의 느낌 예

- 우리나라를 사랑하는 마음이 들었습니다.
- 노랫말을 외워 쓰기가 힘들었습니다.

빅터 게시판

애국가의 역사를 알아볼까요?

애국가 노랫말은 1907년 전후에 만들어진 것으로 보이며, 처음에는 다른 나라 민요에 노랫말을 붙여 불렀지만, 작곡가 안익태 선생이 이를 안타깝게 여겨 1935년 오늘날의 애국가를 작곡하였습니다.

확인 문제

정답 16쪽

1 다음은 애국가 1절의 노랫말입니다. □ 안에 들어갈 알맞은 노랫말은 어느 것입니까? (　　　)

> 동해물과 □이 마르고 닳도록
> 하느님이 보우하사 우리나라 만세
> 무궁화 삼천리 화려 강산
> 대한 사람 대한으로 길이 보전하세

① 두만강　② 남해물　③ 백두산
④ 칠갑산　⑤ 금강산

2 애국가 1절의 노랫말은 우리나라가 영원히 □하기를 바란다는 의미입니다.

3 다음 중 애국가를 바르게 부르고 있는 친구를 골라 기호를 쓰시오.

㉠ 
㉡ 
㉢ 

(　　　　　　)

우리나라 꽃, 무궁화

[교과서 42~43쪽]

• 표현하기
• 생각을 나누어요

꼭 알아두기 무궁화의 특징

1 무궁화에 대해 알아보기

무궁화는 '영원히 피고 또 피어서 지지 않는 꽃'이라는 뜻을 지니고 있습니다.

① 꽃잎이 다섯 장입니다.
② 꽃의 크기는 7.5cm 정도입니다.
③ 꽃잎의 색은 분홍색, 흰색, 보라색, 자주색, 청색 등 다양합니다.
④ 석 달 동안 피는 꽃으로 우리 민족의 근면한 면과 닮아 우리나라의 상징이 되었습니다.

세(3) 달

중국에서는 우리나라를 오래 전부터 '무궁화가 피고 지는 군자의 나라'라고 칭송하였습니다.

어려운말 알고가기

- **근면** 부지런히 일하며 힘씀.
- **상징** 어떠한 것을 기호나 물건 등의 사물로 나타내는 일.

2 지점토로 무궁화 장식품 만들기

빨간색 지점토와 흰색 지점토를 1:4로 준비함. → 잘 섞어 분홍색 지점토를 만듦. → 손으로 굴려 뱀처럼 만들어 다섯 개로 자름. → 공 모양을 만든 후 엄지손가락으로 눌러 다섯 장의 꽃잎을 만들어 둥글게 모음. → 노란색 지점토로 둥근 기둥 모양을 만들어 가운데에 붙임. → 만든 무궁화 꽃을 자석이나 나무 막대에 붙임.

빅터 게시판

무궁화를 활용하는 곳에는 무엇이 있을까요?

• 훈장, 상장, 배지, 모표 등
• 국기를 게양하는 깃대의 깃봉
• 대통령이 탑승하는 항공기, 기차, 자동차 등
• 국경일 행사의 행사장을 장식하는 무궁화 화분, 경축 현판 등

3 종이접기로 무궁화 만들기

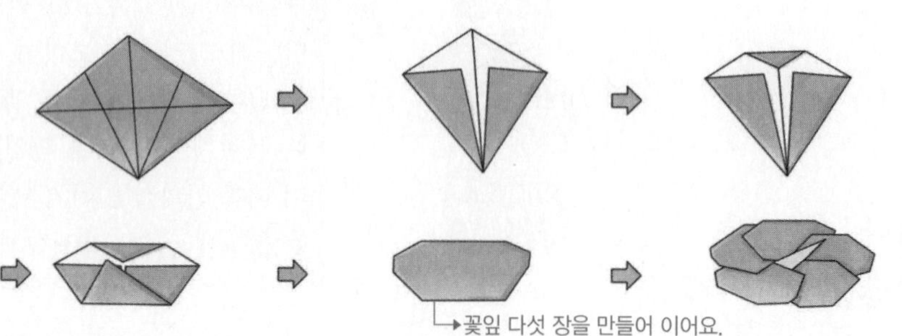

꽃잎 다섯 장을 만들어 이어요.

확인 문제

정답 16쪽

1 다음 중 무궁화에 대한 설명으로 옳은 것은 어느 것입니까? ( )

① 우리나라 꽃이다.
② 꽃잎이 두 장이다.
③ 겨울에만 꽃이 핀다.
④ 흰색과 분홍색의 두 종류만 있다.
⑤ 꽃을 볼 수 있는 기간이 매우 짧다.

2 다음은 종이접기로 무궁화를 만드는 모습입니다. 순서에 맞게 기호를 쓰시오.

㉠ 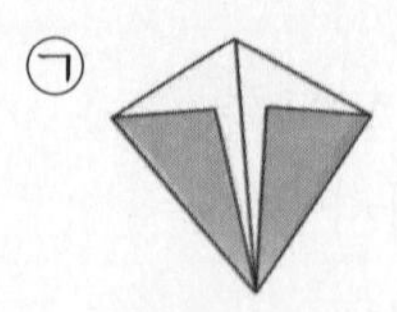

㉡  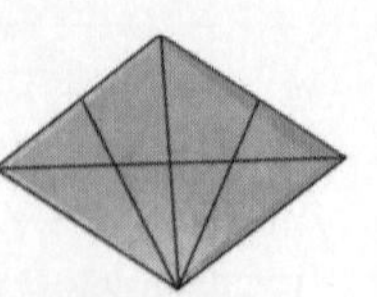

㉢ 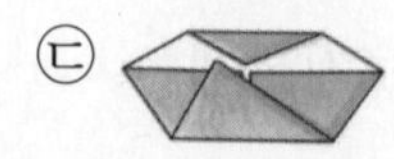

㉣ 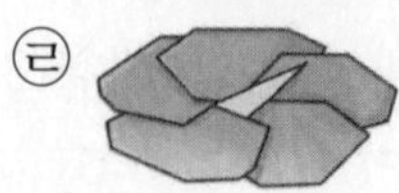

( )

노래로 부르는 우리나라

[교과서 44~45쪽]

• 표현하기

꼭 알아두기 '아름다운 나라' 노래를 통해 알 수 있는 우리나라를 상징하는 것

1 '아름다운 나라' 노래 불러 보기

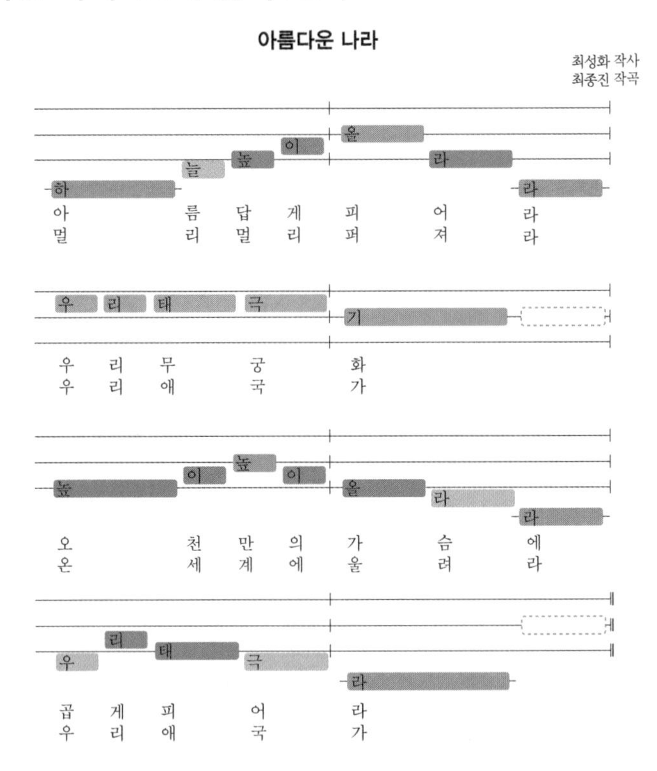

우리나라의 상징 찾아보기 ㉮

- 길가에 무궁화가 피어 있습니다.
- 도로변에 태극기가 걸려 있습니다.
- 축구 경기 전에 애국가를 부릅니다.

2 노랫말을 소리 내어 읽어 보기

① 1절은 '태극기', '올라라' 부분을 강조하여 읽습니다.
② 2절은 '무궁화', '피어라' 부분을 강조하여 읽습니다.
③ 3절은 '애국가', '퍼져라', '울려라' 부분을 강조하여 읽습니다.

3 '아름다운 나라' 노래 부르기 : 선생님의 노래를 듣고 두 마디씩, 네 마디씩 따라 부름, 노랫말을 음미하며 처음부터 끝까지 부름. 등

음미: 내용을 새겨서 느끼거나 생각하는 것입니다.

빅터 게시판

'아름다운 나라' 노랫말을 신체 활동으로 표현해 볼까요?

노랫말	신체 활동
하늘 높이 올라라 우리 태극기	손바닥을 위로 향하게 해서 점점 위로 올림.
오 천만의 가슴에 곱게 피어라	손바닥을 엇갈리게 해서 가슴에 댐.
온 세계에 울려라 우리 애국가	양 손바닥을 오므려서 입 근처에서 앞과 위의 방향으로 뻗음.

오 천만: 남한의 인구수가 약 5천만 명입니다.

확인 문제

정답 16쪽

1 다음은 우리나라의 상징에 대한 노래의 노랫말입니다. 이 노래의 제목은 무엇인지 쓰시오.

> 1. 하늘 높이 올라라 우리 태극기
> 높이 높이 올라라 우리 태극기
> 2. 아름답게 피어라 우리 ㉠
> 오 천만의 가슴에 곱게 피어라

( )

2 앞의 1번의 ㉠에 들어갈 알맞은 말을 쓰시오.

( )

3 앞의 1번 노래를 듣고 알 수 있는 점으로 옳은 것에 ○표를 하시오.

(1) 우리나라의 꽃은 장미꽃입니다. ( )
(2) 우리나라의 국기는 태극기입니다. ( )
(3) 우리나라에는 산이 매우 많습니다. ( )

우리나라를 소개해요

[교과서 46~47쪽]

• 표현하기
• 생각을 나누어요

꼭 알아두기 우리나라의 상징과 문화 등 소개 자료 만드는 방법

1 우리나라를 소개할 계획 세우기 : 무궁화, 태극기, 김치, 한글, 석굴암, 이순신 장군, 세종 대왕, 태권도, 한복, 제주도 등에 대하여 조사하고 우리나라를 소개할 자료를 정합니다.

→ 한복: 우리나라 전통 옷으로, 남자 한복은 저고리와 바지로 되어 있고, 여자 한복은 저고리와 치마로 되어 있습니다.

2 우리나라의 상징과 문화를 소개할 자료 정하기

① 내가 소개하고 싶은 자료를 정합니다.
② 짝에게 소개할 내용을 말해 봅니다.
③ 짝과 의논하여 소개할 자료를 정리합니다.

3 소개할 방법 정하기 : 예 병풍으로 소개하기, 전시판으로 소개하기, 족자로 소개하기 등

→ 족자: 그림이나 글씨 등을 벽에 걸거나 말아 둘 수 있도록 만든 물건입니다.

▲ 병풍으로 소개하기

4 병풍으로 우리나라를 소개하는 자료 만들어 보기

1 도화지를 길게 자름.

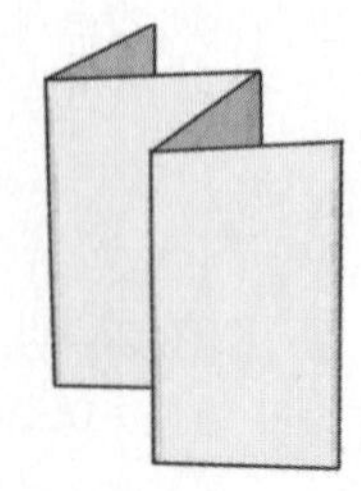
2 반으로 두 번 접음.

3 조사한 내용으로 꾸밈.

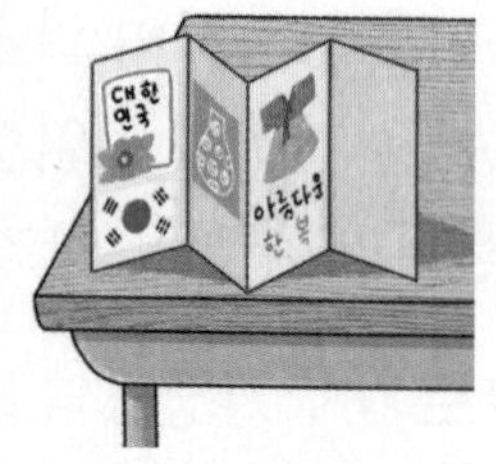
4 세워서 전시함.

우리나라의 자랑거리 이야기해 보기 예

김치	배추와 무, 파, 마늘, 고춧가루 등을 버무려 만든 전통 음식.
태권도	우리나라 무술로 발로 차는 기술이 많음.
한글	우리나라 글자로 세종 대왕이 만듦.
제주도	우리나라 아래쪽에 있는 가장 큰 섬으로 명승지가 많음.

→ 김치: 배추김치, 물김치 등이 있습니다.
→ 명승지: 경치가 좋기로 소문난 곳입니다.

우리나라를 빛내신 분

• 이순신 장군 : 조선의 장군으로, 거북선을 만들어 전쟁을 승리로 이끈 것으로 유명합니다.
• 세종 대왕 : 조선 제 4대 왕으로, 이름은 이도이며, 한글(훈민정음)을 만든 것으로 유명합니다.

확인 문제

정답 16쪽

1 다음 중 우리나라를 소개하는 자료를 만들 때 조사해야 할 것으로 알맞지 않은 것은 어느 것입니까? ( )

① 김치 ② 한복 ③ 하와이
④ 태극기 ⑤ 세종 대왕

2 [ ] 은/는 세종 대왕이 만든 우리나라의 글자입니다.

3 다음 중 우리나라를 소개하는 자료를 잘못 만든 부분을 골라 기호를 쓰시오.

( )

무엇이 똑같을까

[교과서 52~55쪽]

• 조사하기

꼭 알아두기 남북한 생활의 차이점

❶ 남북한 학생의 하루 생활 모습

① **남한 학생** : ㉠ 아침에 일어나서 학교 갈 준비를 하고 학교에서 친구들과 공부도 하고 점심도 먹으며, 학교를 마치고 학원에 갑니다.

→ 북한에는 학원이 없습니다.

▲ 등교 준비 모습

▲ 수업 모습

▲ 점심 식사

▲ 방과 후

② **북한 학생** : ㉠ 교복을 입고, 친구들과 함께 줄을 서서 가고 학교에서 친구들과 공부를 하며, 점심은 집에서 먹고 학교를 마치고 친구들과 놉니다.

→ 농촌 학교의 경우 도시락을 싸 오는 경우도 있습니다.

▲ 등교 모습

▲ 수업 모습

▲ 점심 식사

▲ 방과 후

❷ 남한과 북한의 같은 점과 다른 점

→ 남한은 어린이날이 5월 5일이고, 북한은 어린이날이 6월 1일과 6월 6일이며, 남한과 북한은 서로 다른 모양의 국기를 사용합니다.

같은 점	• 씨름, 윷놀이, 제기차기 등 전통 놀이를 함. • 한글을 사용하고, 김치, 밥, 냉면처럼 같은 음식을 먹음. • 전통 의상인 한복이 같고, 설날, 추석과 같은 명절이 있음.
다른 점	• 북한은 남한보다 지하자원이 풍부함. → 남한은 수출하는 물건이 많습니다. • 북한은 지정해 준 곳에서 일을 해야 함. → 남한은 자기가 하고 싶은 일을 합니다. • 북한은 소년단 간부를 선생님이 임명함. • 북한은 여행 증명서가 있어야 여행을 할 수 있음. → 남한은 여행이 자유롭습니다.

북한 학생들의 생활 모습

- 등교 : 학교에 갈 때는 함께 모여 행진 대열을 만들어 노래를 부르며 등교합니다.
- 업간 체조 : 2교시나 3교시가 끝나면 전교생이 모여서 체조를 합니다.
- 옷차림 : 교복을 입습니다.
- 방과 후 시간 : 농사철에는 일손을 돕기도 하고 친구들과 놀이를 하기도 합니다.
- 소조 활동 : 학교가 끝난 후에 배우는 보충 수업으로 수학, 외국어, 예체능 등을 배웁니다.

어려운 말 알고가기

- **지정** 가리켜 확실하게 정함.
- **소년단** 소년으로 되어 있는 단체로 남한에서의 보이 스카우트와 비슷함.
- **간부** 기관이나 조직 등의 대표.

겨울 ❶ 여기는 우리나라

확인 문제

정답 17쪽

1 다음은 남한 학생과 북한 학생 중 어느 학생의 하루 생활을 나타낸 것인지 쓰시오.

▲ 친구들과 함께 학교에 감. ▲ 쉬는 시간에 체조를 함. ▲ 점심은 집에서 먹음.

(　　　　　) 학생

2 다음 중 남한의 모습에 '남', 북한의 모습에 '북'이라고 쓰시오.

(1)
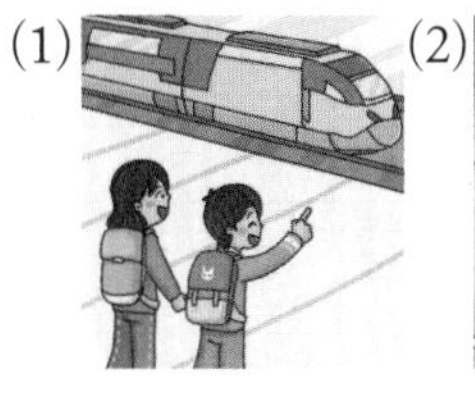

▲ 여행을 자유롭게 다님.
(　　　　)

(2)

▲ 지하자원이 많음.
(　　　　)

(3)

▲ 어린이날이 5월 5일임.
(　　　　)

같은 놀이, 다른 노래

[교과서 56~57쪽]
- 놀이하기
- 생각을 나누어요

꼭 알아두기 '다리 빼기' 놀이 방법

1 '파주 다리 빼기' 노래의 노랫말과 해석

(파주 → 남한)

노랫말	해석
이거리 저거리 각거리	이 거리 저 거리 여러 거리
천 석 만 석 사만 석	천 섬 만 섬 사만 섬
도리 김치 장독간에	도리 : 쌀을 이는 데 쓰는 도구
벅하고 앉은뱅이	앉은뱅이 : 잠자리의 방언
도리아 줍세	특정한 의미 없이 다리를 세며 외치는 말

2 '황해도 다리 빼기' 노래의 노랫말과 해석

(황해도 → 북한)

노랫말	해석
한알대 두알대 세알대 네알대	하나, 둘, 셋, 넷으로 세어가는 것을 의미
단자 연자 임금 나라 (단자 → 꿀과 잣가루를 묻힌 찹살떡)	연자 : '연자매'의 북한말
칭칭 백사 이엉 저엉	윤기가 흐르는 흰 명주실을 칭칭 감음
말부리 통탕	특정한 의미 없이 다리를 세며 외치는 말

3 '다리 빼기' 놀이 방법

1 두 모둠이 마주 앉아 다리를 번갈아 폄.

2 다리를 차례로 짚어 가며 노래를 부름.

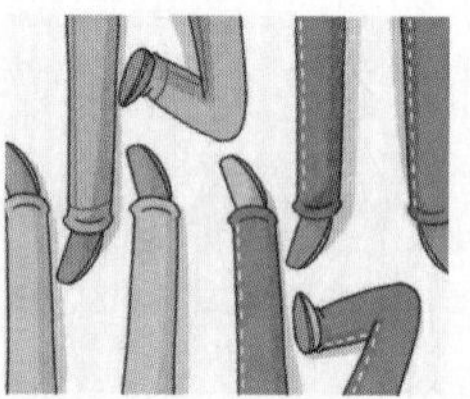
3 노랫말 끝말에 짚은 다리를 접음.

4 두 다리를 먼저 접는 사람이 이김.

어려운 말 알고가기

- **섬** 곡식의 크기를 재기 위한 단위.
- **황해도** 북한의 중서부에 있는 지역으로, 쌀, 사과 등이 나고, 황해남도와 황해북도로 나뉨.
- **연자매** 소나 말을 이용하여 돌리는 맷돌.

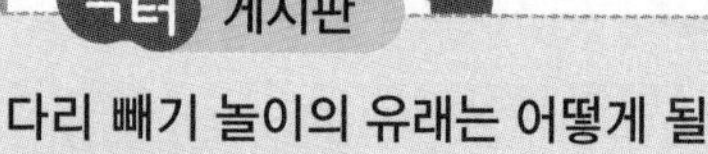

다리 빼기 놀이의 유래는 어떻게 될까요?
여럿이 마주 보고 앉아 다리를 쭉 뻗어 맞물리게 한 다음, 노래에 맞추어 다리를 세면서 노는 놀이로, 주로 10세 전후의 여아들이 날씨가 추운 겨울철에 방 안에서 많이 했던 놀이입니다.

확인 문제

정답 17쪽

1 다음은 파주(남한)와 황해도(북한) 중 어디의 다리 빼기 노래인지 쓰시오.

이거리저거리각 거리
천 석만 석사 만석
도 리김 치장 독간 에
벅 하 고앉 은뱅 이
도 리 아 줍
세

( )

2 다음은 '다리 빼기' 놀이 방법입니다. 순서에 맞게 기호를 쓰시오.

㉠ 
▲ 두 다리를 먼저 접는 사람이 이김.

㉡ 
▲ 다리를 차례로 짚어 가며 노래를 부름.

㉢ 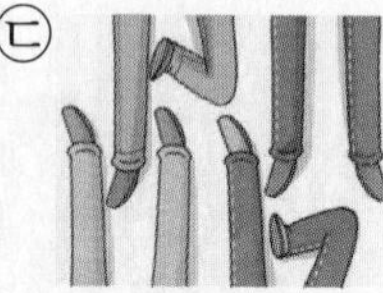
▲ 노랫말 끝말에 짚은 다리를 접음.

( )

우리는 한민족

[교과서 58~59쪽]

• 관계 맺기
• 생각을 나누어요

꼭 알아두기 남한과 북한이 한민족인 까닭

1 남한과 북한이 같은 민족임을 알기

① **민족의 의미** : 한 조상의 핏줄을 같이 이어 온 혈연 공동체로 오랜 세월 동안 일정한 지역에서 공동 생활을 하였습니다.

② **남한과 북한의 조상** : 단군 할아버지 → 우리 민족의 첫 번째 임금님으로, 기원전 2333년 아사달에 도읍을 정하고 고조선을 세웠다고 전해집니다.

③ **우리나라 이름의 변천 과정** : 고조선, 고려, 조선의 순서로 같은 이름을 사용해 왔습니다.

④ **남한과 북한이 함께 살아온 이 땅의 이름** : 한반도

2 남한과 북한이 같은 민족인 이유 알아보기

① 문자가 같습니다. → 한글 → 조선의 임금인 세종 대왕이 만든 우리 민족의 고유 문자입니다.

② 사는 곳이 같습니다. → 한반도

③ 문화가 같습니다. → 한복, 김치 등

④ 조상이 같습니다. → 단군 할아버지

⑤ 이름이 비슷합니다. → 예 김소희, 이정수, 박수진 등

⑥ 풍습이 같습니다. → 풍물놀이, 태권도, 탈춤, 연날리기 등

▲ 한복

▲ 태권도

▲ 탈춤

▲ 연날리기

어려운 말 알고가기

- **혈연** 같은 핏줄에 의하여 연결된 인연.
- **공동체** 생활이나 행동 또는 목적 따위를 같이하는 집단.
- **변천** 세월의 흐름에 따라 바뀌고 변함.

빅터 게시판

발음이 같지만 다른 뜻으로 사용되는 북한 말을 알아볼까요?

구분	남한 말	북한 말
"견디다."	어려운 상황에서 버티는 것.	상대편을 이기거나 누름.
"깔끔하다."	매끈하고 깨끗함.	속으로 생각하는 것이 깜찍함.

확인 문제

정답 17쪽

1 한 조상의 핏줄을 같이 이어 온 혈연 공동체를 [ ](이)라고 합니다.

2 우리나라 이름의 변천 과정의 순서에 맞게 기호를 쓰시오.

㉠ 조선 ㉡ 고려 ㉢ 고조선

( )

3 다음 중 남한과 북한이 같은 민족인 까닭을 잘못 말한 친구를 쓰시오.

윤희 : 한복, 김치 등 문화가 같기 때문입니다.
민혁 : 남한과 북한 모두 영어를 사용하기 때문입니다.
예리 : 풍물놀이, 태권도, 탈춤, 연날리기 등 풍습이 같기 때문입니다.

( )

통일이 된 우리나라

[교과서 60~61쪽]

• 표현하기
• 생각을 나누어요

꼭 알아두기 통일이 되면 할 수 있는 일

1 통일이 된 우리나라의 모습

① 북한으로 놀러 갈 수 있습니다.
② 우리나라가 힘이 더 강해집니다.
③ 북한에서 친구가 전학을 옵니다.
④ 헤어진 가족이 다시 함께 살 수 있습니다.

▲ 통일이 되면 할 수 있는 일

2 통일이 된 우리나라에서 하고 싶은 일 예

평양에 가서 평양냉면을 먹고 싶다, 금강산에 가보고 싶다, 북한 친구들과 함께 공부하고 싶다, 기차타고 유럽까지 가보고 싶다 등

3 통일이 된 우리나라에서 하고 싶은 것 그리기

표현하고 싶은 주제를 정함. → 그림으로 표현하기 위한 준비물을 확인함. → 선택한 주제를 어떻게 표현할 것인지 생각함. → 밑그림을 그림. → 그림을 색칠함. → 그림에 대한 설명을 적음.

- 밑그림을 그림: 인물 표정과 동작, 강조하고 싶은 부분 등을 생각하며 그립니다.
- 색칠함: 연한 색부터 칠합니다.

통일이란 무엇인지 알아보기

• 같은 나라가 되는 것입니다.
• 우리와 북한이 서로 하나가 되어 돕고 사는 것입니다.
• 우리와 북한이 옛날처럼 다시 친해지고 만나는 것입니다.

- **평양** 북한의 수도로 정치·행정·경제·문화 중심지임.
- **금강산** 북한에 있는 산으로 곳곳에 폭포와 못이 있어 경치가 매우 아름다움.

통일을 위해 내가 할 수 있는 일 예

• 북한에 대해 관심을 가집니다.
• 북한과 우리가 같은 민족임을 잊지 않습니다.
• 통일 행사에 적극적으로 참여합니다.

확인 문제

정답 17쪽

1 다음 중 통일이 된 우리나라의 모습을 바르게 말한 친구 두 명을 쓰시오.

지성 : 북한으로 놀러 갈 수 있습니다.
유희 : 도로에서 차가 다니지 않게 됩니다.
정구 : 학교에서 점심을 먹지 못하게 됩니다.
미나 : 남한과 북한의 헤어진 가족이 다시 함께 살 수 있습니다.

(,)

2 다음 중 통일이 된 우리나라에서 하고 싶은 일을 그린 것으로 옳은 것에 ○표를 하시오.

(1)

▲ 남북 통일 운동회하기

( )

(2) ▲ 친구와 영화 보기

( )

통일 비행기

[교과서 62~63쪽]
- 내면화하기
- 생각을 나누어요

꼭 알아두기 통일을 해야 하는 까닭 / 통일 비행기 접는 방법

1 통일을 해야 하는 까닭 알아보기

① 서로 싸우지 않아도 되기 때문입니다.
② 헤어진 가족을 만날 수 있기 때문입니다.
③ 같은 민족이 서로 헤어져 사는 것은 슬픈 일이기 때문입니다.

2 '비행기' 노래 불러 보기

비행기

윤석중 작사
외국 곡

1. 떴다 떴다 비행기 날아라 날아라 높이 높이 날아라 우리 비행기
2. 내가 만든 비행기 날아라 날아라 멀리 멀리 날아라 우리 비행기

3 통일 비행기 접어 보기

① 16절지 색지를 준비합니다.
② 통일을 위한 나의 다짐이나 바람을 간단하게 적습니다.
③ 통일 비행기를 2개~3개를 접습니다.

예 공부를 열심히 한다, 북한 친구들에게 편지를 쓴다, 북한 친구들과 함께 놀고 싶다, 백두산에 가 보고 싶다 등

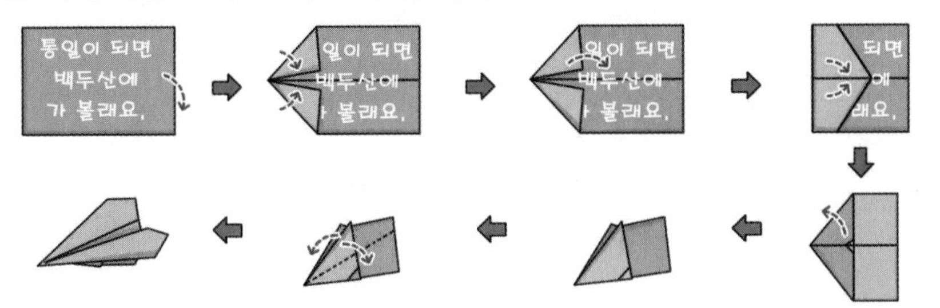

비행기를 날릴 때 주의해야 할 점

- 친구를 향해 비행기를 날리지 않습니다.
- 통일 비행기가 원안에 들어가면 비행기를 펴서 적힌 다짐이나 바람을 큰 소리로 외칩니다.
- 비행기를 펼친 종이는 선생님께 드리고 새로운 비행기를 날립니다.

마무리 활동 • 교과서 64~65쪽

- **통일 한반도 지도 만들기** : 통일이 되면 할 수 있는 일들을 그림과 글을 이용하여 나타낸 다음, 이것을 한반도 지도 안에 붙이고 자신의 생각을 이야기합니다.
- **우리나라 빙고 게임** : 우리나라와 관련된 단어를 이용하여 빙고 게임을 합니다.

확인 문제

정답 17쪽

1 다음 중 통일을 해야 하는 까닭으로 알맞은 것에 ○표를 하시오.

(1) 통일이 되면 일을 하지 않아도 되기 때문입니다. ( )
(2) 통일이 되면 학교에 다니지 않아도 되기 때문입니다. ( )
(3) 통일이 되면 헤어진 가족을 만날 수 있기 때문입니다. ( )

2 다음 중 통일 비행기를 접을 때 적을 통일을 위한 나의 다짐이나 바람으로 가장 알맞은 것은 어느 것입니까? ( )

① 수영을 잘하고 싶다.
② 제주도에 가 보고 싶다.
③ 북한 친구들과 함께 놀고 싶다.
④ 좋아하는 만화책을 실컷 보고 싶다.
⑤ 방학 동안에 줄넘기를 열심히 하고 싶다.

활동지

❶ 여기는 우리나라 (2)

정답 17쪽

남한과 북한이 한민족인 이유

남한과 북한이 한민족임을 그림으로 표현하고, 내가 그린 그림과 관련하여 남한과 북한이 한민족인 이유에 대해서 적어 보세요.

남한

북한

- 전통 의상인 ❶ [   ] 을/를 입습니다.
- 설날, 추석 등의 명절이 같습니다.
- 유명한 무술이 ❷ [   ] (으)로 같습니다.
- 조상이 ❸ [   ] 할아버지로 같습니다.
- 새종 대왕이 만든 우리 문자인 ❹ [   ] 을/를 사용합니다.
- 풍물놀이, 탈춤, 연날리기 등의 풍습이 같습니다.
- 배추와 고춧가루 등을 이용해서 만든 전통 음식인 ❺ [   ] 을/를 먹습니다.

단원평가 ❶ 여기는 우리나라 (2)

점수

※ 배점이 표시되어 있지 않은 문제는 문제당 **4점**입니다.

정답 18쪽

1 다음은 태극기의 모습입니다. ㉠~㉢ 중 다음에 해당하는 것을 골라 기호를 쓰시오.

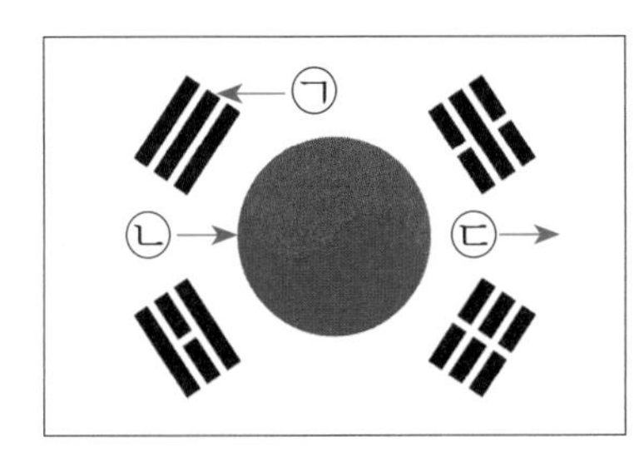

(1) 태극 문양 : (　　　　　　　　)

(2) 밝음과 순수 : (　　　　　　　　)

2 다음 중 태극기에 대한 설명으로 옳은 것을 세 가지 고르시오. [6점] …… (　　,　　,　　)

① 태극기에는 4괘가 있다.
② 태극기는 우리나라의 상징이다.
③ 올림픽에서 태극기를 볼 수 있다.
④ 학교에는 태극기를 달면 안 된다.
⑤ 태극기에 있는 색에는 빨간색, 파란색, 노란색, 초록색, 검은색 등이 있다.

[3~4] 다음의 노랫말을 보고 물음에 답하시오.

> 동해물과 백두산이 마르고 닳도록
> 하느님이 보우하사 우리나라 만세
> [㉠] 삼천리 화려 강산
> 대한 사람 대한으로 길이 보전하세

3 위 노래의 제목은 무엇인지 쓰시오.

(　　　　　　　　)

4 위 노래의 ㉠에 들어갈 알맞은 노랫말을 쓰시오.

(　　　　　　　　)

5 다음 중 애국가를 부르는 태도로 옳은 것은 어느 것입니까? …… (　　)

① 눈을 감고 엎드려 부른다.
② 태극기를 바라보며 부른다.
③ 소리가 들리지 않게 매우 작게 부른다.
④ 고개를 숙이고 자신의 발을 보며 부른다.
⑤ 친구와 장난치거나 두리번거리며 부른다.

서술형 문제

6 오른쪽의 무궁화가 우리나라 꽃이 된 까닭은 무엇인지 쓰시오. [8점]

무궁화는 [❶　　　] 달 동안 피는 꽃으로 우리 민족의 [❷　　　]한 면과 닮아 우리나라의 꽃이 되었다.

7 다음 보기 중 무궁화에 대한 설명으로 옳은 것을 골라 기호를 쓰시오.

> 보기
> ㉠ 꽃잎의 개수가 다섯 장입니다.
> ㉡ 꽃잎의 색이 빨간색 한 종류만 있습니다.
> ㉢ 물속에서 자라며 한 달 동안 꽃이 핍니다.

(　　　　　　　　)

겨울 ❶ 여기는 우리나라

8 다음은 '아름다운 나라'의 노랫말입니다. ㉠~㉢에 들어갈 알맞은 말을 각각 쓰시오. [6점]

> 1. 하늘 높이 올라라 우리 ㉠
> 높이 높이 올라라 우리 ㉠
> 2. 아름답게 피어라 우리 ㉡
> 오 천만의 가슴에 곱게 피어라
> 3. 멀리 멀리 퍼져라 우리 ㉢
> 온 세계에 울려라 우리 ㉢

㉠ (　　　　) ㉡ (　　　　)
㉢ (　　　　)

9 다음 중 우리나라를 소개할 자료의 조사 내용이 잘못된 것은 어느 것입니까? ············ (　　　)

① 세종 대왕은 태권도를 만드신 것으로 유명하다.
② 불고기는 외국에도 많이 알려진 우리나라 음식이다.
③ 제주도는 우리나라 남쪽에 있는 섬으로 매우 아름답다.
④ 김치는 우리나라의 전통 음식으로 배추김치, 물김치 등이 있다.
⑤ 이순신 장군은 전쟁에서 우리나라를 위해 큰 공을 세우신 분이다.

10 오른쪽과 같은 우리나라를 소개하는 자료를 만드는 방법을 순서에 맞게 기호를 쓰시오.

> ㉠ 도화지를 길게 자릅니다.
> ㉡ 도화지를 반으로 두 번 접습니다.
> ㉢ 다 정리한 후 도화지를 세워 전시합니다.
> ㉣ 우리나라 소개 자료를 붙이고 설명을 적습니다.

(　　　　)

11 다음 보기 중 북한 학생의 하루 생활로 옳지 않은 것의 기호를 쓰시오.

> 보기
> ㉠ 친구들과 함께 학교에 갑니다.
> ㉡ 학교를 마치고 친구들과 놉니다.
> ㉢ 학교에서 짝이랑 같이 점심을 먹습니다.

(　　　　)

12 다음 중 남한과 북한의 같은 점이 아닌 것은 어느 것입니까? ························ (　　　)

① 전통 의상인 한복이 같다.
② 설날, 추석과 같은 명절이 있다.
③ 세종 대왕이 만든 한글을 사용한다.
④ 같은 모양의 국기인 태극기를 사용한다.
⑤ 씨름, 윷놀이, 제기차기 등의 전통 놀이를 한다.

서술형 문제

13 다음은 남한과 북한의 다른 점을 나타낸 것입니다. 이외에 남한과 북한의 다른 점을 두 가지 쓰시오. [12점]

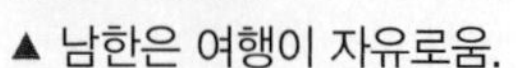
▲ 남한은 여행이 자유로움.

▲ 북한은 여행 증명서가 있어야 여행을 할 수 있음.

____

____

14 다음은 '황해도 다리 빼기'의 노랫말입니다. 노랫말과 의미를 줄로 바르게 이으시오.

(1) 한알대 두알대 세알대 네알대 • • ㉠ 하나, 둘, 셋, 넷으로 세어 가는 것

(2) 칭칭 백사 이엉 지엉 • • ㉡ 윤기가 흐르는 흰 명주실을 칭칭 감음

15 다음은 어떤 놀이에 대한 설명입니까? (　　　)

- 여럿이 마주 보고 앉아 다리를 쭉 뻗어 맞물리게 한 다음, 노래에 맞추어 다리를 세면서 노는 놀이입니다.
- 주로 10세 전후의 여자 아이들이 날씨가 추운 겨울철에 방 안에서 많이 했던 놀이입니다.

① 술래잡기　② 사방치기　③ 딱지치기
④ 팽이치기　⑤ 다리 빼기

16 다음 중 우리나라 이름의 변천 과정을 순서대로 바르게 나타낸 것은 어느 것입니까? ··· (　　　)

① 조선 → 고려 → 고조선
② 조선 → 고조선 → 고려
③ 고려 → 고조선 → 조선
④ 고려 → 조선 → 고조선
⑤ 고조선 → 고려 → 조선

17 다음 보기 중 남한과 북한이 같은 민족인 까닭으로 옳지 않은 것의 기호를 쓰시오.

보기
㉠ 피자를 먹기 때문입니다.
㉡ 명절이 같기 때문입니다.
㉢ 같은 글과 말을 사용하기 때문입니다.
㉣ 조상이 같고 같이 한반도에 살고 있기 때문입니다.

(　　　)

18 다음 중 통일이 되면 할 수 있는 일로 옳은 것에 ○표를 하시오. [6점]

(1) 금강산으로 여행을 갈 수 있습니다. (　　)
(2) 유럽까지 기차를 타고 갈 수 있습니다. (　　)
(3) 학교가 계속 방학을 하여 학교에 가지 않아도 되게 됩니다. (　　)
(4) 우리나라의 위치를 한반도가 아닌 미국으로 옮길 수 있게 됩니다. (　　)

19 다음 중 통일에 대하여 바르게 말한 친구를 쓰시오.

현정 : 헤어진 가족의 수를 조사하는 것입니다.
광민 : 남한에서 북한으로 갈 때 배를 타고 가는 것입니다.
나은 : 우리와 북한이 서로 하나가 되어 돕고 사는 것입니다.
민석 : 우리와 북한이 운동 경기에서 결승전에서 맞붙는 것입니다.

(　　　)

20 다음 중 통일을 위한 나의 다짐이나 바람을 잘못 말한 친구를 쓰시오.

지훈 : 백두산에 가 보고 싶다.
병국 : 컴퓨터 게임을 잘하고 싶다.
수지 : 북한 친구들과 함께 놀고 싶다.

(　　　)

❶ 여기는 우리나라

1 우리나라를 대표하는 옷, 한복 : 여자는 저고리와 ❶[ ][ ]를 입고, 남자는 저고리와 ❷[ ][ ]를 입습니다.

2 우리나라 전통 음식 알아보기

▲ 김치

▲ 비빔밥

▲ 삼계탕

▲ 잡채

▲ 식혜

3 아름다운 우리 그릇 만드는 방법 : 지점토로 둥근 밑판을 만듦. → 공처럼 만든 지점토를 손바닥으로 굴려 뱀처럼 길게 늘임. → 길게 늘인 지점토를 밑판에 쌓아 올려 다듬음. → 색점토로 무늬를 만들어 붙임.

4 우리나라 국기, 태극기

- **모양** : 흰 바탕에 ❸[ ][ ] 문양과 4괘로 되어 있습니다.
- **태극기를 게양하는 날** : 3.1절, 제헌절, 광복절, 개천절, 한글날, 현충일, 국군의 날 등이 있습니다.

5 우리나라 꽃, 무궁화 : 꽃잎이 ❹[ ][ ] 장으로 되어 있고 꽃잎의 색은 분홍색 등 다양하며, 오랫동안 꽃이 피어 우리 민족의 근면한 면과 닮아 우리나라의 나라꽃이 되었습니다.

6 남한과 북한의 같은 점과 다른 점

같은 점	다른 점
• 세종 대왕이 만든 ❺[ ][ ]을 사용함. • 씨름, 윷놀이, 제기차기 등 전통놀이를 함. • 김치, 밥, 냉면처럼 같은 음식을 먹음.	• 북한은 남한보다 지하자원이 풍부함. • ❻[ ]한은 여행 증명서가 있어야 여행을 함. • 남한은 공장이 많아서 수출하는 물건이 많음.

7 ❼[ ][ ]이 필요한 이유

- 서로 싸우지 않아도 되기 때문입니다.
- 헤어진 가족을 만날 수 있기 때문입니다.
- 같은 민족이 서로 헤어져 사는 것은 슬픈 일이기 때문입니다.

정답 ❶ 치마 ❷ 바지 ❸ 태극 ❹ 다섯 ❺ 한글 ❻ 북 ❼ 통일

2 우리의 겨울

딱지치기

딱지 한 장을 땅바닥에 놓고, 다른 딱지로 쳐서 뒤집히면 따먹는 아이들 놀이.

예 겨울이 되면 많은 아이들이 **딱지치기**를 하며 논다.

환기

공기를 맑은 공기로 바꾸는 것.

예 아침에 일어나서 **환기**를 위해 창문을 활짝 열었다.

꽁꽁꽁, 땅이 얼었어요

[교과서 78~79쪽]
- 관찰하기
- 다르게 생각해요

꼭 알아두기 우리 주변의 얼음을 관찰한 내용

1 겨울철에 얼음을 볼 수 있는 곳 예 : 처마 밑의 고드름, 얼어 있는 호수, 나뭇가지의 얼음, 도로의 얼음 등

2 얼음이 생기는 까닭 예 : 겨울이 되어 날씨가 추워졌기 때문입니다.

3 조각 얼음 관찰하기 → 얼음의 크기와 모양, 색깔 변화, 새롭게 생겨나는 것을 살펴봅니다.

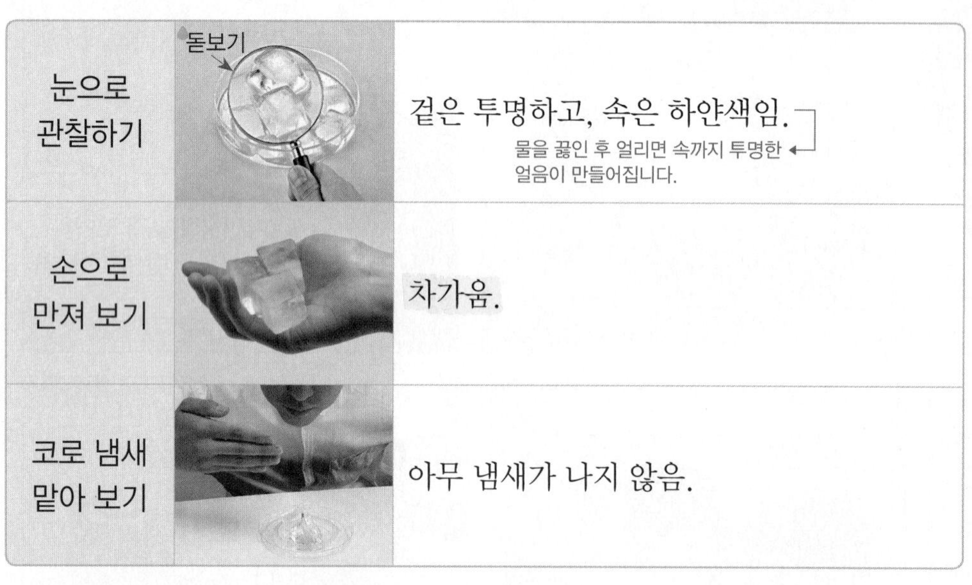

관찰 방법	관찰 내용
눈으로 관찰하기	겉은 투명하고, 속은 하얀색임. (물을 끓인 후 얼리면 속까지 투명한 얼음이 만들어집니다.)
손으로 만져 보기	차가움.
코로 냄새 맡아 보기	아무 냄새가 나지 않음.

4 얼음이 녹는 모습 관찰하기

① 얼음의 크기가 작아집니다.
② 얼음이 녹으면서 물이 생깁니다.

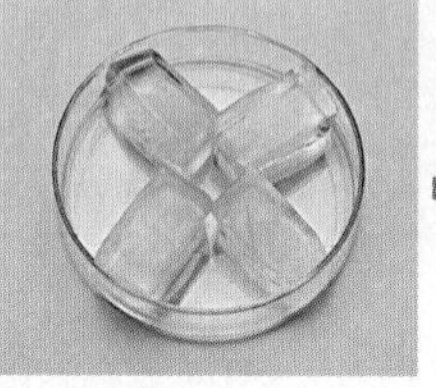
→
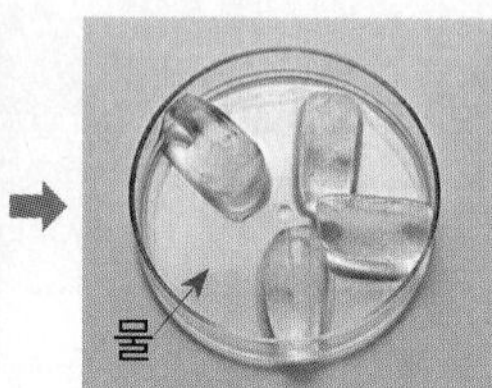

어려운 말 알고가기

- **고드름** 물이 밑으로 떨어지며 흐르다가 길게 얼어붙은 얼음.

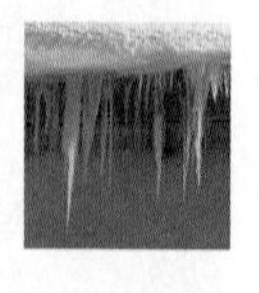

- **돋보기** 물체를 크게 볼 수 있게 해 주는 도구.

얼음을 관찰할 때 유의할 점

- 얼음을 맛보지 않도록 유의합니다.
- 냉장고 등에서 꺼낸 얼음을 바로 손으로 만지지 않습니다.
- 냄새를 맡을 때 코에 대지 않고 손으로 바람을 일으켜 맡습니다.

얼음을 녹이는 방법을 알아볼까요?
- 머리말리개의 뜨거운 바람을 이용하거나 불로 얼음을 가열하여 녹일 수 있습니다.
- 얼음 표면에 천천히 압력을 가하여 녹일 수도 있습니다.

확인 문제

정답 19쪽

1 다음의 조각 얼음을 관찰한 내용으로 옳은 것에 ○표를 하시오.

(1) 차갑습니다. ( )
(2) 검은색입니다. ( )
(3) 달콤한 냄새가 납니다. ( )

2 얼음을 관찰할 때에는 손으로 바람을 일으켜 [ ]을/를 맡습니다.

3 다음 중 얼음이 녹을 때의 변화로 옳은 것은 어느 것입니까? ( )

① 물이 생긴다.
② 파란색으로 변한다.
③ 노란색으로 변한다.
④ 얼음의 크기가 커진다.
⑤ 얼음이 점점 더 차가워진다.

추워도 신나요

[교과서 80~81쪽]
· 표현하기
· 다르게 생각해요

꼭 알아두기 딱지와 팽이 만들기

1 딱지 만들기

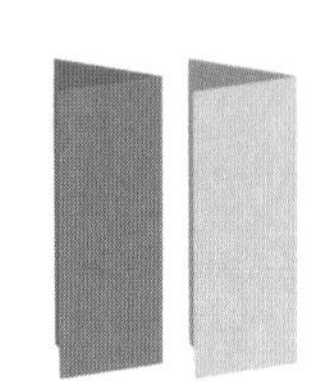
1 두꺼운 종이 두 장을 반으로 접음.

2 종이 두 장을 엇갈리게 놓음.

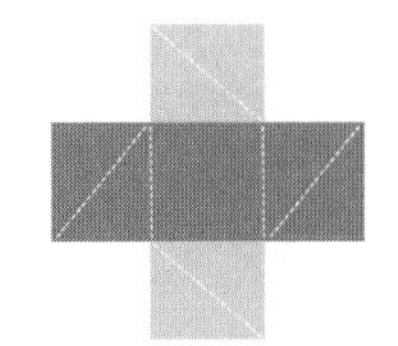
3 종이를 각각 같은 방향으로 접음.

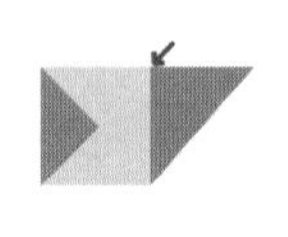
4 마지막 칸에 끼움.

2 팽이 만들기 → 색종이 팽이 : 색종이 3장을 접어 합체를 하여 팽이를 만듭니다.

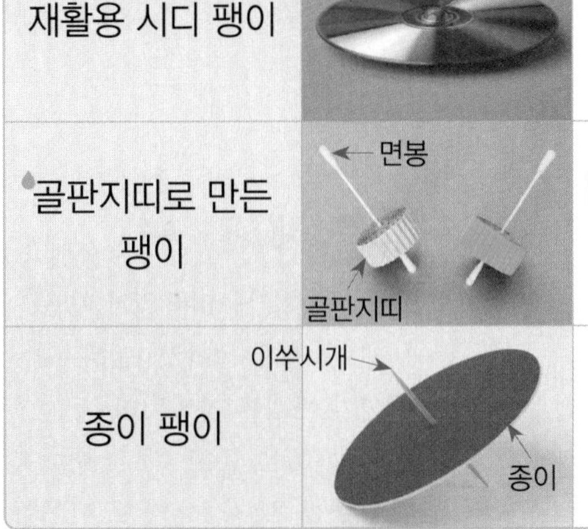

재활용 시디 팽이		사용하지 않는 시디와 작은 유리구슬을 이용하여 만듦.
골판지띠로 만든 팽이		골판지띠 위에 목공풀을 바르고 면봉을 대고 돌돌 말아서 만듦.
종이 팽이		흰색 도화지 위에 종이컵을 대고 원을 그려 색칠한 후 오린 뒤 이쑤시개를 꽂아 만듦.

3 딱지와 팽이를 만들면서 어떤 생각이 들었는지 이야기해 보기

① 팽이 중심 잡는 것이 어려웠습니다.
② 딱지를 만들어서 꾸미는 것이 재미있었습니다.

딱지치기나 팽이치기와 관련된 경험 말해 보기 예

- 아빠가 딱지를 접어 주셔서 쳐 봤습니다.
- 유치원 때 현장학습 가서 팽이를 봤습니다.
- 우리 형과 딱지를 접어 봤습니다.

딱지와 팽이의 종류

- 딱지의 종류 : 고무 딱지, 종이 딱지 등
- 팽이의 종류 : 종이 팽이, 나무 팽이, 줄팽이 등

어려운 말 알고가기

- **골판지** 두 장의 판지 사이에 물결 모양으로 골이 진 종이를 붙인 판지.
- **이쑤시개** 이에 낀 것을 쑤셔 파내는 데에 쓰는 물건으로 보통 나무의 끝을 뾰족하게 하여 만듦.

확인 문제

정답 19쪽

1 다음은 딱지를 만드는 방법입니다. 순서에 맞게 기호를 쓰시오.

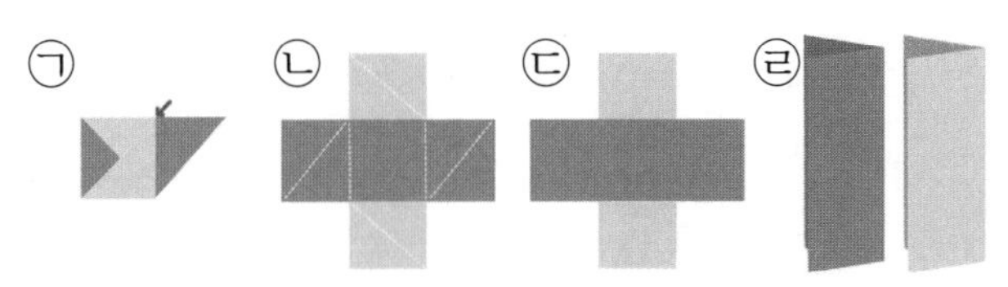

㉠ ▲ 마지막 칸에 끼움.
㉡ ▲ 종이를 각각 같은 방향으로 접음.
㉢ ▲ 종이 두 장을 엇갈리게 놓음.
㉣ ▲ 종이 두 장을 반으로 접음.

( )

2 다음 팽이를 만드는 데 이용한 재료를 두 가지 고르시오. (,)

① 시디 ② 종이
③ 구슬 ④ 면봉
⑤ 골판지띠

겨울 놀이터에서

[교과서 82~83쪽]
• 놀이하기

꼭 알아두기 딱지치기와 팽이치기 방법

1 딱지치기 방법 → 바람을 일으켜서 쳐야 합니다.

1 가위바위보로 순서를 정함.
2 진 사람이 땅바닥에 딱지 한 장을 놓음.
3 이긴 사람은 상대방의 딱지를 내리침.
4 상대의 딱지가 넘어가면 내가 갖고 다시 계속함. → 잃은 사람은 다시 딱지 한 개를 바닥에 놓습니다.
5 뒤집기에 실패하면 기회가 넘어감.

딱지치기와 팽이치기 비법 알아보기

• 딱지가 잘 넘어가게 하는 방법 : 얇은 딱지는 옆 모퉁이를 비스듬히 내리치고 두꺼운 딱지는 위에서 힘껏 내리칩니다.
• 팽이를 오래 돌게 하는 방법 : 처음 시작할 때 균형을 잘 잡아 줍니다.

2 팽이치기 방법 → 팽이의 중심을 잘 잡아야 하고, 힘껏 돌려야 합니다.

종이 팽이	이쑤시개의 끝을 잡고 똑바로 세워 힘껏 돌림.
골판지띠로 만든 팽이	면봉의 끝부분을 잡고 똑바로 세워서 힘껏 돌림.
재활용 시디 팽이	시디의 중심에 붙인 구슬을 잡고 힘껏 돌림.
나무 팽이	팽이를 손으로 잡고 돌리거나 팽이채를 감아서 돌림.

→ 팽이채: 팽이를 돌리는 채로 나무 끝에 끈을 매달아 만듭니다.

빅터 게시판

다양한 팽이치기 놀이를 알아볼까요?
• 오래 돌리기 : 가장 오래 도는 팽이가 이기는 것입니다.
• 팽이 싸움 : 돌고 있는 팽이를 맞부딪쳐 먼저 상대편 팽이를 쓰러뜨리는 쪽이 이깁니다.
• 목표 돌아오기 : 팽이를 치면서 목표 지점을 먼저 돌아오는 쪽이 이깁니다.

3 놀이를 즐겁게 할 수 있는 방법

① 규칙을 잘 지킵니다.
② 서로 양보하면서 친구들과 즐거운 시간을 보내야 합니다.
③ 무조건 이기는 것이 중요한 게 아니라는 것을 알아야 합니다.

확인 문제

정답 19쪽

1 다음은 딱지치기 방법입니다. ( ) 안의 알맞은 말에 ○표를 하시오.

> 자기 딱지로 상대방의 딱지를 내리쳤을 때 딱지가 (넘어가면 / 그대로 있으면) 내가 갖고, 뒤집기에 실패하면 다음 사람에게 기회가 넘어갑니다.

2 나무 팽이는 팽이를 손으로 잡고 돌리거나 [ ] 을/를 감아서 돌립니다.

3 다음에서 여러 가지 종류의 팽이를 치는 방법을 줄로 바르게 이으시오.

(1) 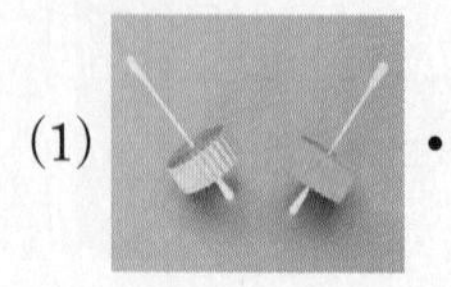 • • ㉠ 시디의 중심에 붙인 구슬을 잡고 힘껏 돌림.

(2)  • • ㉡ 면봉의 끝부분을 잡고 똑바로 세워서 힘껏 돌림.

얼음 위에서 빙글빙글

[교과서 84~85쪽]
- 감상하기
- 다르게 생각해요

꼭 알아두기 팽이처럼 균형을 잡는 방법

❶ 팽이의 모습을 떠올리며 '팽이치기' 노래 감상하기

↳ 옛날 겨울철의 대표적인 놀이입니다.

> 팽이치기
> 최경진 작사 · 작곡
>
> 쌩쌩쌩쌩 바람이 바람이 불어오면
> 펄펄펄펄 눈이 온다 팽이를 치러 가자

- **떠오르는 장면** : 예 팽이가 도는 모습이 떠오릅니다.

❷ 여러 가지 방법으로 팽이처럼 균형 잡기 놀이하기

① 한쪽 다리로만 균형 잡기

▲ 한 발을 들고 팔을 양옆으로 뻗어 몸의 중심이 흔들리지 않도록 함.

② 엉덩이로 V자 균형 잡기

▲ 엉덩이를 중심으로 배에 힘을 주고, 몸의 모양이 V자가 되게 함.

③ 두 명이서 함께 균형 잡기

▲ 두 명이서 발을 맞댐.

④ 세 명이서 함께 균형 잡기

▲ 가운데 사람이 중심이 되어 부채처럼 몸을 펼침.

팽이

- 둥근 나무의 한쪽 끝을 뾰족하게 깎아 쇠구슬과 같은 심을 박아 만든 것입니다.
- 채로 치거나 끈을 몸통에 감았다가 끈을 잡아당겨 돌립니다.

어려운말 알고가기

- **균형** 어느 한쪽으로 기울거나 치우치지 않고 고른 상태.

균형 잡기를 활용한 놀이

- 머리에 책을 올리고 균형을 잡으며 이어달리기를 합니다.
- 신체 각 부위에 물건을 올리고 균형을 잡으며 이동합니다.

확인 문제

정답 19쪽

1 오른쪽은 옛날 겨울철의 대표적인 놀잇감 중 무엇인지 이름을 쓰시오.

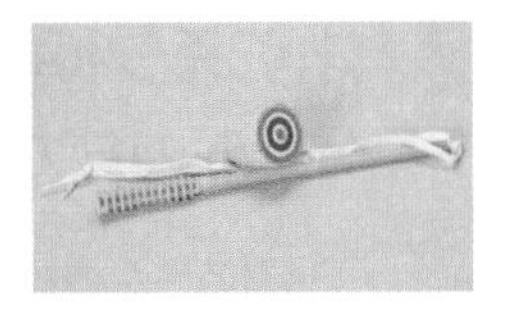

( )

2 '팽이치기' 노래를 들었을 때 떠오르는 장면에 ○표를 하시오.

(1) 팽이가 도는 모습 ( )
(2) 팽이가 한 곳에 멈춰 있는 모습 ( )

3 다음 중 엉덩이로 V자 균형 잡기를 한 것을 골라 기호를 쓰시오.

( )

동장군이 왔어요

[교과서 86~89쪽]

• 관계망 그리기
• 다르게 생각해요

꼭 알아두기 겨울 날씨에 알맞은 생활 도구의 종류

1 겨울 날씨의 특징 : 춥고 바람이 심하게 불며, 얼음이 얼고 건조합니다.

2 겨울철 사람들의 생활 모습 예

① **실내** : 가습기나 온풍기를 틀고, 김장을 하거나 두꺼운 이불을 꺼냅니다.
(→ 온풍기: 기계에서 나오는 데워진 공기로 실내를 따뜻하게 합니다.)

② **거리** : 어묵을 사 먹고, 제설함을 설치하며 나무를 짚으로 싸맵니다.

3 겨울 날씨에 알맞은 생활 도구

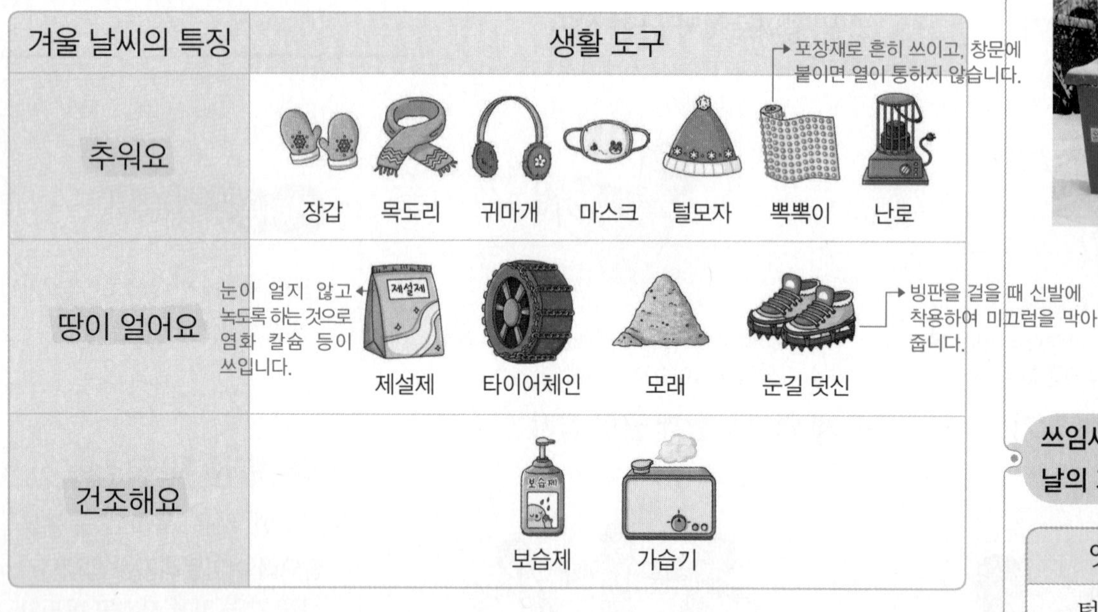

겨울 날씨의 특징	생활 도구
추워요	장갑, 목도리, 귀마개, 마스크, 털모자, 뽁뽁이, 난로
땅이 얼어요	제설제, 타이어체인, 모래, 눈길 덧신
건조해요	보습제, 가습기

→ 뽁뽁이: 포장재로 흔히 쓰이고, 창문에 붙이면 열이 통하지 않습니다.

→ 제설제: 눈이 얼지 않고 녹도록 하는 것으로 염화 칼슘 등이 쓰입니다.

→ 눈길 덧신: 빙판을 걸을 때 신발에 착용하여 미끄럼을 막아 줍니다.

4 옛날의 겨울철 생활 도구가 오늘날과 같이 변화한 까닭 : 더 따뜻하고 편리한 생활 도구가 필요했기 때문입니다. → 기술이 발달하였기 때문이기도 합니다.

어려운 말 알고가기

- **동장군** '겨울 장군'이라는 뜻으로, 몹시 심한 겨울 추위를 나타내는 말.
- **김장** 겨울을 맞이하여 김치를 한 번에 많이 담그는 일.
- **제설함** 쌓인 눈을 치우는 데 필요한 것을 넣어 두는 곳.

쓰임새가 비슷한 옛날과 오늘날의 겨울철 생활 도구 예

옛날	오늘날
털방석	전기방석
화로	전기난로
솜옷	오리털 점퍼

확인 문제

정답 19쪽

1 다음 보기 에서 겨울 날씨의 특징이 아닌 것을 골라 기호를 쓰시오.

보기
㉠ 춥습니다.
㉡ 건조합니다.
㉢ 비가 많이 내립니다.

( )

2 다음 중 겨울철 사람들의 생활 모습으로 보기 어려운 것은 어느 것입니까? ( )

① 김장을 한다.
② 온풍기를 튼다.
③ 두꺼운 이불을 꺼낸다.
④ 나무를 짚으로 싸맨다.
⑤ 모기장 안에서 잠을 자기도 한다.

3 겨울철에 땅이 얼었을 때에 필요한 생활 도구는 (제설제 / 가습기)입니다.

추운 겨울을 건강하게

[교과서 90~93쪽]
• 관계망 그리기
• 다르게 생각해요

꼭 알아두기 겨울을 건강하게 보내기 위한 방법

1 겨울에 생길 수 있는 건강 문제

① 건조해서 피부와 목이 아프고, 감기에 걸리기 쉽습니다.
② 춥다고 실내에만 있다 보면 운동을 자주 못하게 됩니다.

감기와 추위의 관계

추위는 몸의 온도를 낮춰 감기에 걸리기 쉬운 조건을 만드는 것이지 춥다고 무조건 감기에 걸리는 것은 아닙니다.

2 겨울을 건강하게 보내기 위한 방법

① 물을 자주 마십니다. → 겨울은 공기가 건조하기 때문입니다.
② 하루에 세 번 이상 창문을 열어 환기를 합니다.
③ 피부가 건조하지 않도록 보습제를 바릅니다.
④ 춥다고 실내에만 있지 않고, 밖에 나가서 활동을 합니다. → 밖에 나갈 때에는 옷을 따뜻하게 입습니다.

어려운 말 알고가기

- **환기** 탁한 공기를 맑은 공기로 바꿈.
- **습도** 공기 가운데 수증기가 들어 있는 정도.

3 가습기 만들기

① **겨울에 젖은 수건을 실내에 거는 이유** : 건조함을 막기 위해서입니다.
② **가습기** : 공기 중으로 작은 물방울을 내뿜어 실내 습도를 조절합니다.
③ **가습기 만들기**

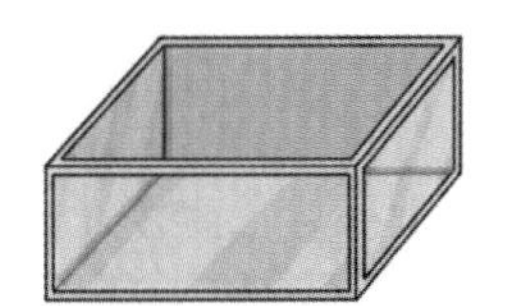
1 플라스틱 통을 준비함.

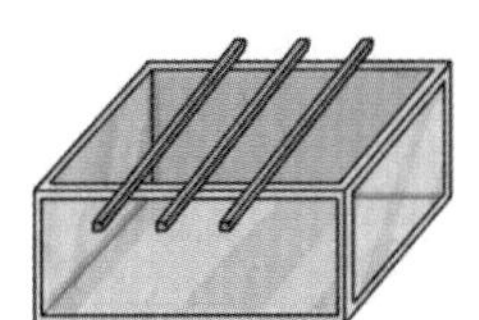
2 플라스틱 통 위에 나무젓가락을 놓음.

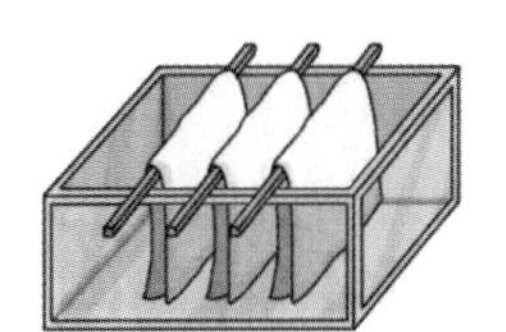
3 나무젓가락에 휴지나 천조각을 걺.

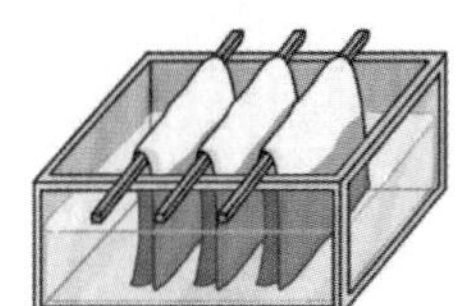
4 반쯤 잠기게 통에 물을 넣음.

빅터 게시판

친환경 실내 가습기를 만들어 볼까요?
물을 담은 그릇에 숯을 넣고 실내에 두면 가습 효과뿐만 아니라 공기를 깨끗하게 할 수도 있습니다.

▲ 숯

확인 문제

정답 19쪽

1 다음 보기에서 겨울을 건강하게 보내기 위한 방법으로 옳지 않은 것을 골라 기호를 쓰시오.

보기
㉠ 물을 적당히 마십니다.
㉡ 밖은 추우므로 나가지 않습니다.
㉢ 피부가 건조하지 않도록 보습제를 바릅니다.

( )

2 겨울을 건강하게 보내기 위해 되도록 창문을 열지 않습니다. (○ / ×)

3 오른쪽의 가습기를 만드는 데 필요한 재료를 두 가지 고르시오. ······ (,)

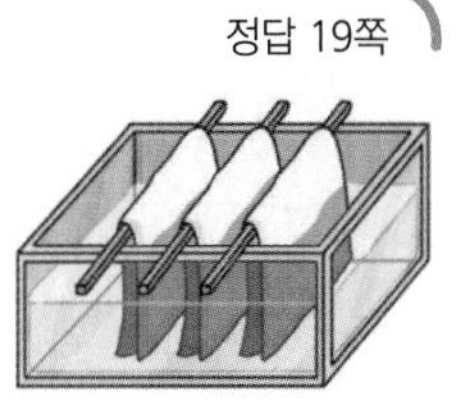

① 실
② 휴지
③ 비닐
④ 종이 접시
⑤ 나무젓가락

활동지

❷ 우리의 겨울 (1)

정답 20쪽

겨울철에 사용하는 생활 도구

겨울철에 사용하는 생활 도구의 종류와 쓰임에 대해 알아보고 표 안에 들어갈 내용을 써 보세요.

겨울 날씨의 특징	생활 도구	쓰임
추워요.	▲ 뽁뽁이	❶ ( ) 을/를 막을 수 있어요.
	▲ 난로	실내 온도를 높일 수 있어요.
땅이 얼어요.	▲ ❷ ( )	미끄러운 도로를 안전하게 달릴 수 있어요.
	▲ 제설함 속 제설제	❸ ( ) 이/가 미끄러운 것을 막을 수 있어요.
❹ ( ) 해요.	▲ 가습기	실내 ❺ ( ) 을/를 높일 수 있어요.

단원평가 ❷ 우리의 겨울 (1)

점수

※ 배점이 표시되어 있지 않은 문제는 문제당 **4점**입니다.

정답 20쪽

1 다음에서 설명하는 '나'는 누구인지 보기에서 찾아 쓰시오.

- 나는 물로 만들어졌습니다.
- 나는 여러 가지 모양으로 만들 수 있습니다.
- 나는 음료수에 넣으면 음료수가 시원해 집니다.

보기
얼음 수증기

( )

2 다음은 겨울에 주변에서 얼음이 생기는 이유입니다. □ 안에 들어갈 알맞은 말을 쓰시오. [6점]

겨울이 되어서 날씨가 □ 때문에 얼음이 생깁니다.

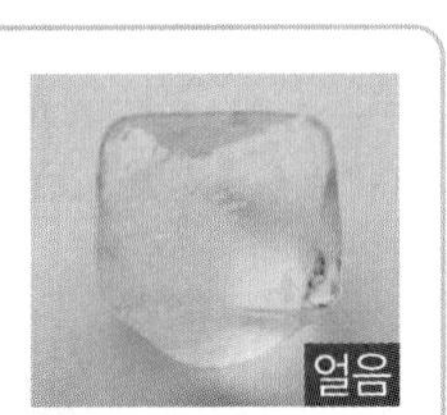
얼음

( )

3 다음 중 얼음을 살펴본 결과로 옳지 않은 것을 두 가지 고르시오. (,)

① 덩어리 모양이다.
② 손으로 만져 보면 차갑다.
③ 손으로 만져 보면 따뜻하다.
④ 코로 냄새를 맡아 보면 달달한 냄새가 난다.
⑤ 눈으로 관찰하면 색이 없거나 하얀 것도 있다.

4 오른쪽과 같이 얼음이 녹으면서 생기는 ㉠은 무엇인지 쓰시오.

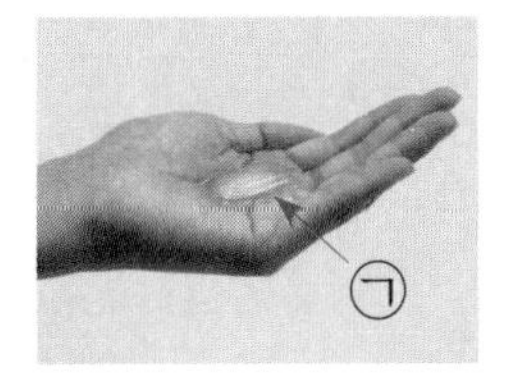

( )

5 다음 중 딱지를 만들 때 가장 먼저 해야 하는 과정은 어느 것입니까? ( )

①
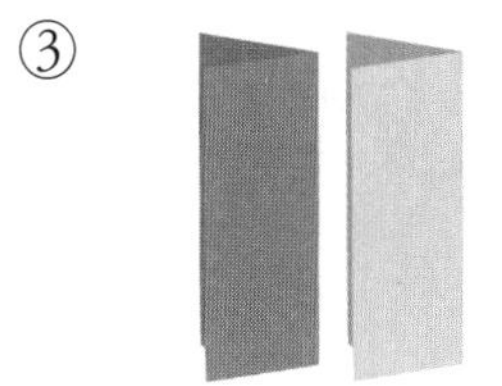
▲ 종이 두 장을 엇갈리게 놓음.

②
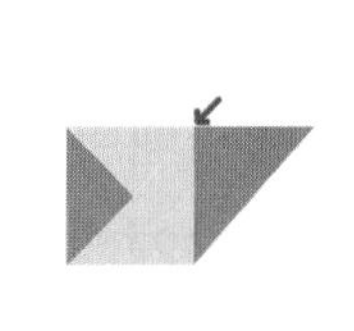
▲ 마지막 칸에 끼움.

③
▲ 두꺼운 종이 두 장을 반으로 접음.

④
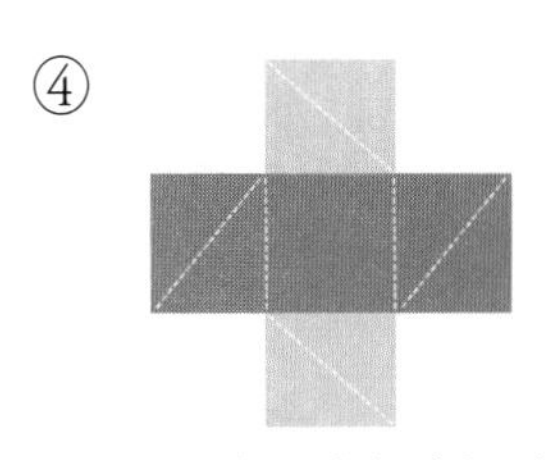
▲ 종이를 각각 같은 방향으로 접음.

6 다음의 팽이를 만드는 데 이용한 재료를 두 가지 고르시오. (,)

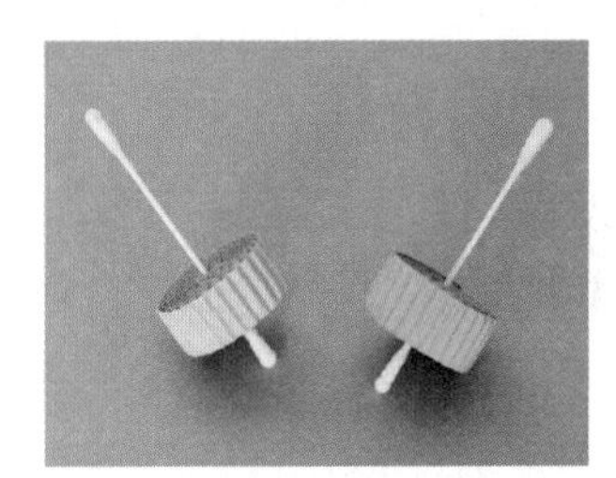

① 실
② 면봉
③ 색종이
④ 골판지
⑤ 누름못

7 다음 중 사용하지 않는 시디를 이용하여 만든 팽이를 골라 기호를 쓰시오.

㉠
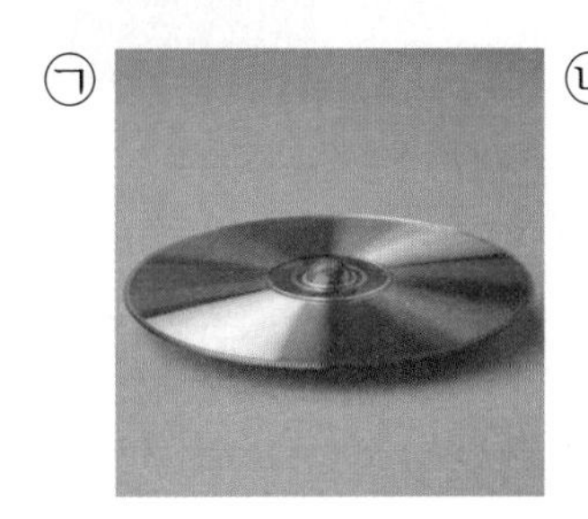

㉡
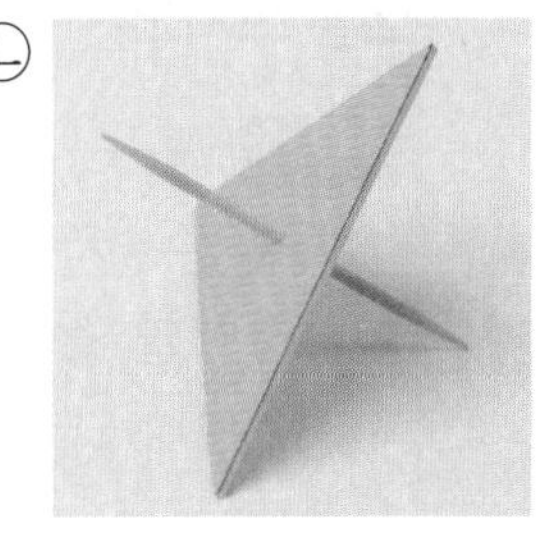

( )

겨울 ❷ 우리의 겨울

8 **다음 중 딱지치기 방법에 대한 설명으로 옳지 않은 것은 어느 것입니까?** [6점] ············ (　　　)

① 가위바위보를 해서 진 친구가 바닥에 딱지 한 장을 놓는다.
② 이긴 친구는 자기 딱지를 들고 상대방의 딱지를 내리친다.
③ 상대방의 딱지가 넘어가면 내 딱지를 상대방에게 건네준다.
④ 딱지를 잃은 친구는 다시 딱지 한 개를 바닥에 놓는다.
⑤ 뒤집기에 실패하면 자기 딱지는 그 자리에 둔 채 다음 사람에게 기회가 넘어간다.

서술형 문제

9 **오른쪽은 딱지치기를 하는 모습입니다. 딱지가 잘 넘어가게 하려면 어떻게 해야 하는지 쓰시오.** [8점]

얇은 딱지는 ❶(　　　　) 을/를 비스듬히 내리치고, 두꺼운 딱지는 ❷(　　　　) 에서 힘껏 내리치면 잘 넘어간다.

10 **오른쪽과 같이 팽이를 오래 돌게 하려면 어떻게 해야 하는지 보기 에서 골라 기호를 쓰시오.**

보기
㉠ 팽이의 중심을 잘 잡아서 힘껏 돌립니다.
㉡ 팽이를 돌릴 때에는 힘을 주지 않아야 합니다.

(　　　　　　)

11 **다음은 무엇을 떠올리며 균형을 잡는 모습인지 (　　) 안의 알맞은 말에 ○표를 하시오.**

엉덩이를 중심으로 배에 힘을 주고 균형을 잡는 것은 (딱지 치는 / 팽이가 도는) 모습을 떠올리며 균형을 잡는 모습입니다.

12 **다음 중 한쪽 다리로만 균형 잡기를 한 것은 어느 것입니까?** ······························ (　　　)

13 **다음은 신체 부위 중 무엇을 맞대어 균형을 잡는 모습인지 쓰시오.**

(　　　　　　　　　　)

14 다음과 같은 생활 모습을 볼 수 있는 계절은 언제인지 쓰시오.

- 김장을 합니다.
- 나무를 짚으로 싸맵니다.
- 온풍기를 틀고, 두꺼운 이불을 꺼냅니다.

(　　　　　　　　　　)

15 다음의 겨울 날씨의 특징과 날씨에 알맞은 생활 도구를 줄로 바르게 이으시오. [6점]

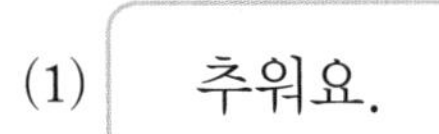

(1) 추워요. •　　　　• ㉠

▲ 가습기

(2) 건조해요. •　　　　• ㉡

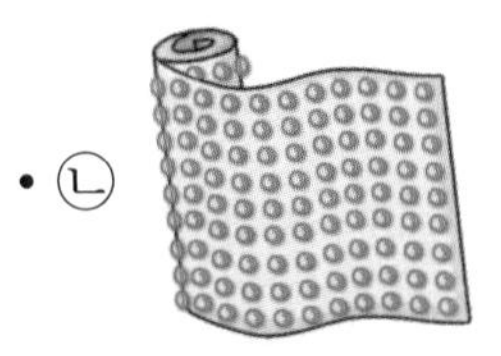

▲ 뽁뽁이

16 다음 중 겨울철에 땅이 얼었을 때 필요한 생활 도구를 두 가지 고르시오. ············(　　　,　　　)

① 목도리　② 귀마개　③ 눈길 덧신
④ 보습제　⑤ 타이어체인

서술형 문제

17 다음은 쓰임새가 비슷한 옛날의 생활 도구와 오늘날의 생활 도구입니다. 이처럼 생활 도구가 변해 온 까닭을 한 가지 쓰시오. [10점]

▲ 화로

▲ 전기 난로

____

____

18 다음 중 겨울철에 피부가 건조하지 않도록 하기 위한 방법으로 알맞은 것은 어느 것입니까?
··(　　　)

① 보습제를 바른다.
② 운동을 하지 않는다.
③ 실내에서만 활동한다.
④ 옷을 따뜻하게 입는다.
⑤ 주머니에 손을 넣고 걷지 않는다.

19 다음 중 겨울을 건강하게 보내기 위한 방법을 잘못 말한 친구의 이름을 쓰시오.

민우 : 물을 자주 마셔.
우영 : 춥다고 실내에만 있지 말고, 밖에 나가서 즐겁게 뛰어 놀아.
영주 : 밖은 추우므로 창문을 열어 환기를 하는 것은 일주일에 한 번만 해.

(　　　　　　　　　　)

20 다음을 가습기를 만드는 방법에 맞게 순서대로 기호를 쓰시오. [8점]

㉠

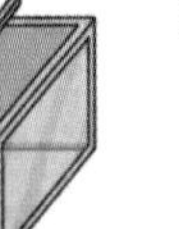

▲ 플라스틱 통 위에 나무젓가락을 놓음.

㉡

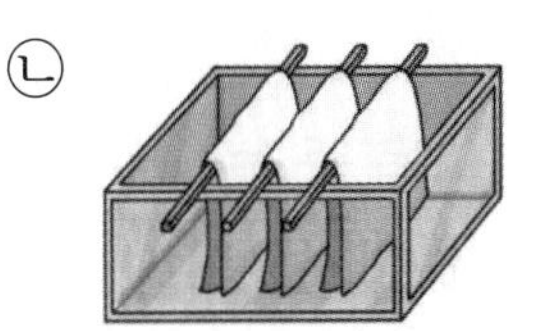

▲ 나무젓가락에 휴지나 천 조각을 걺.

㉢

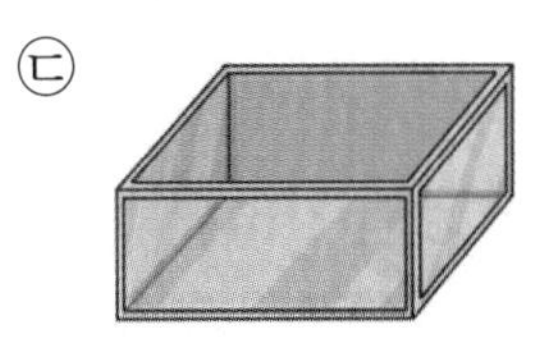

▲ 플라스틱 통을 준비함.

㉣

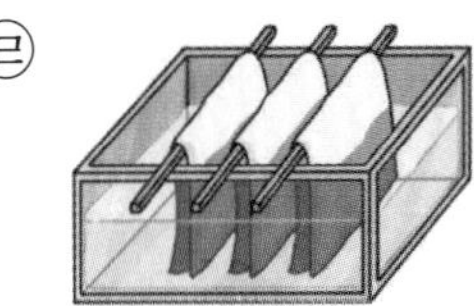

▲ 반쯤 잠기게 통에 물을 넣음.

(　　　　　　　　　　)

겨울 ❷ 우리의 겨울

송이송이 하얀 꽃송이

꼭 알아두기 눈을 관찰한 결과

[교과서 98~101쪽]
- 관찰하기
- 다르게 생각해요

❶ 눈을 살펴보기

① **내리는 눈을 눈으로 관찰하고, 돋보기로 살펴보기** : 눈의 결정 모양은 육각형으로 여러 가지입니다.
② **손으로 만져 보고, 뭉쳐 보기** : 차갑고, 뭉쳐집니다.
③ **밟아 보기** : 발자국 모양이 찍히고 푹신합니다.

▲ 눈의 결정

어려운말 알고가기

- **결정** 하나하나의 작은 조각들이 규칙적인 형태를 이루고 있는 상태.
- **육각형** 여섯 개의 곧은 선으로 둘러싸여 모양을 이룬 것.

❷ '눈 결정' 만들기

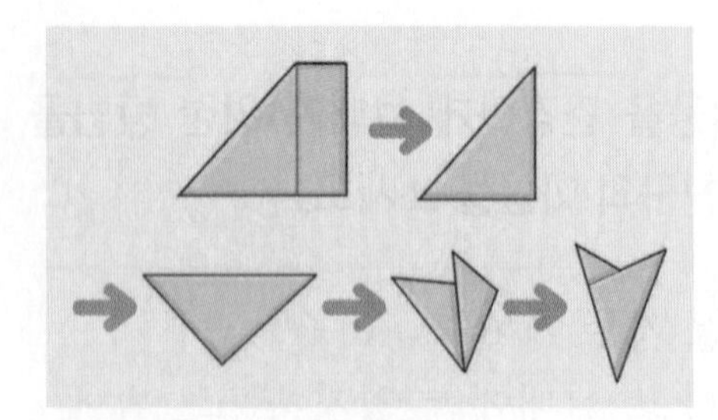

1 종이를 순서대로 접음.
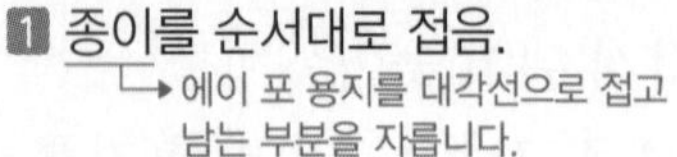

2 종이 본에 맞추어 오림.

3 다른 종이에 붙임.

❸ '나뭇가지에 내린 눈' 만들기

1 떨어진 나뭇가지를 주움.

2 스티로폼에 나뭇가지를 고정함.

3 다양한 색깔 솜을 붙임.
→ 눈을 표현한 것입니다.

4 통에 꽂을 수도 있음.

빅터 게시판

눈이 내리게 되는 과정을 알아볼까요?

① 작은 물방울로 이루어진 구름이 서로 만나 큰 구름이 됩니다.
② 구름이 커질수록 무거워집니다.
③ 무거워진 구름 속의 물방울은 아래로 떨어져 비로 내립니다.
④ 추운 날씨에는 물방울이 얼어 눈으로 내립니다.

확인 문제

정답 21쪽

1 다음 중 눈을 관찰하는 방법으로 옳은 것에 ○표를 하시오.

(1) 입으로 먹어 맛을 봅니다. ( )
(2) 돋보기로 눈의 결정을 살펴봅니다. ( )

2 오른쪽은 무엇의 결정 모양을 만든 것인지 쓰시오.

( )

3 오른쪽의 작품에서 나뭇가지에 붙인 색깔 솜은 무엇을 표현한 것입니까? ( )

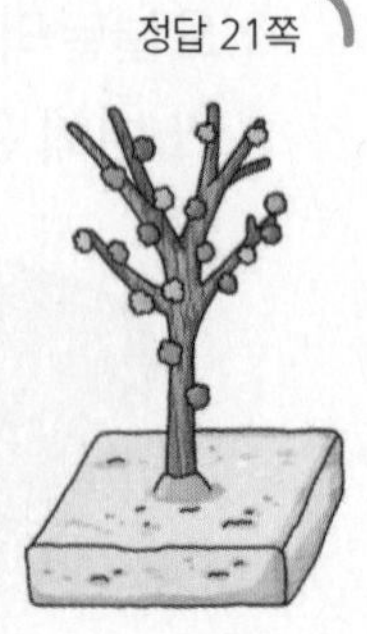

① 꽃 ② 비
③ 눈 ④ 새
⑤ 열매

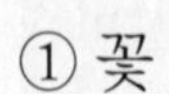

눈송이

[교과서 102~103쪽]
- 감상하기
- 다르게 생각해요

꼭 알아두기 노랫말에 맞춰 몸으로 표현하는 방법

❶ 눈이 내리는 모습 : 굵은 눈송이가 되어 내리기도 하고, 뭉쳐지지 않고 가루처럼 내리는 등 여러 가지 모습입니다.

❷ '눈송이' 노래 감상하기 : 눈이 내리는 모습을 음악으로 표현한 것입니다.

> **눈송이**
>
> 김원기 작사 / 권덕원 작곡
>
> 송이 송이 내려오는 하얀 솜눈을
> 자세히 자세히 살펴보셔요
> 하늘나라 아기들의 고운 맘씨가
> 송이마다 반짝반짝 박혀있지요

❸ '눈송이' 노래를 듣고 몸으로 표현하기

① **몸으로 표현하는 방법** : 노랫말을 표현할 수 있고, 눈이 내리는 모습을 떠올리며 표현할 수 있습니다.

② **'눈송이' 노래의 노랫말에 맞춰 몸으로 표현하기**

▲ 송이송이

▲ 살펴보셔요

▲ 반짝반짝

어려운말 알고가기

- **눈송이** 굵게 뭉쳐 꽃송이처럼 내리는 눈.

눈을 표현한 음악을 다른 방식으로 표현한 방법

- 애니메이션 : 디즈니 '판타지아' 중 '꽃의 왈츠'
- 발레 : 발레 '호두까기 인형' 중 '꽃과 눈송이의 춤'

겨울

❷ 우리의 겨울

확인 문제

정답 21쪽

1 '눈송이' 노래는 [　　　　] 오는 모습을 음악으로 표현한 것입니다.

2 오른쪽은 '눈송이' 노래를 듣고 노랫말을 몸으로 표현한 것입니다. 알맞은 노랫말에 ○표를 하시오.

(1) 내려오는 (　　)

(2) 살펴보셔요 (　　)

3 '눈송이' 노래의 노랫말 '송이송이'를 몸으로 표현한 것으로 알맞은 것을 골라 기호를 쓰시오.

㉠ 

㉡ 

(　　　　)

온 세상이 하얗게 바뀌었어요

[교과서 104~107쪽]
• 조사하기

꼭 알아두기 겨울에 하는 놀이의 종류와 놀이 도구

1 옛날에 했던 겨울 놀이 : 썰매 타기, 연날리기, 투호 놀이, 팽이치기, 윷놀이 등

→ 설 명절에는 연날리기, 윷놀이, 널뛰기, 팽이치기 등을 하였습니다.

2 겨울에 하는 놀이와 놀이 도구

① 겨울에 하는 놀이와 놀이 도구

▲ 연날리기

▲ 스케이트 타기

▲ 썰매 타기

▲ 스키 타기

② 겨울 놀이를 할 때 도구와 옷차림을 갖추어야 하는 이유 예

- 안전하게 놀이를 즐길 수 있기 때문입니다.
- 눈이 묻어서 녹으면 옷이 젖게 되어 감기에 걸릴 수 있기 때문입니다.

눈이 많이 내린 겨울철 사람들의 생활 모습 예

눈싸움을 해요, 눈사람을 만들어요, 썰매를 타요 등

동계올림픽

- 겨울 종합 운동 대회로 4년마다 개최하고 보통 2월에 열립니다.
- 종목 : 피겨(스피드) 스케이팅, 쇼트트랙, 스키 등

어려운 말 알고가기

- **투호** 병 속에 화살을 던져 승부를 가리는 놀이.

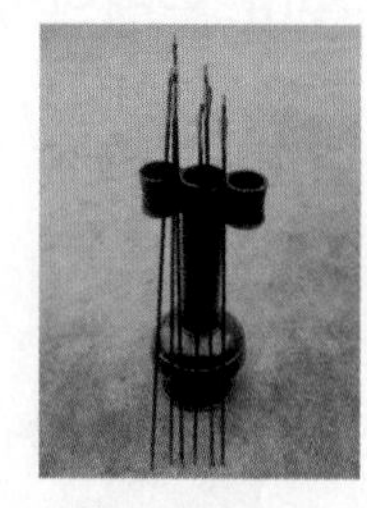

- **얼레** 연줄, 낚싯줄 따위를 감는 데 쓰는 기구.

확인 문제

정답 21쪽

1 다음 중 눈이 많이 내린 겨울철 사람들의 생활 모습으로 옳은 것에 ○표를 하시오.

(1) 눈사람을 만듭니다. ( )
(2) 우산을 쓰며, 비옷을 입습니다. ( )

2 스케이트를 타기 위해서는 스케이트 외에 (헬멧 / 스틱) 등이 필요합니다.

3 오른쪽과 같은 놀이를 하기 위해 필요한 준비물을 두 가지 고르시오. (,)

① 연
② 얼레
③ 스키복
④ 스케이트
⑤ 무릎 보호대

눈사람을 만들어요

[교과서 108~109쪽]

• 표현하기

꼭 알아두기 눈사람 만들기에 이용한 재료의 종류

1 눈사람 만들기 계획하기

→ 겨울 풍경을 나타내는 대표적인 소재입니다.

① **눈사람 만들기에 필요한 재료와 용구** : 하얀 옷, 색종이, 골판지, 스티로폼 공, 플라스틱 뚜껑과 솜, 목공용 풀, 글루 건, 가위 등

② 주변에 있는 물건을 활용하여 눈사람을 만듭니다.

2 여러 가지 재료로 눈사람 만들기 예

빅터 게시판

글루 건 사용법과 주의할 점을 알아볼까요?

• 사용법 : 글루 건 뒤쪽 구멍에 글루 스틱을 끼우고 전선을 콘센트에 연결하기 → 글루 건이 뜨거워지면 재료를 붙이고자 하는 곳에 대고 방아쇠를 당기기 → 작업이 끝나면 플러그를 뽑기

• 주의할 점 : 뜨거워진 글루 스틱이 손에 직접 닿지 않도록 합니다.

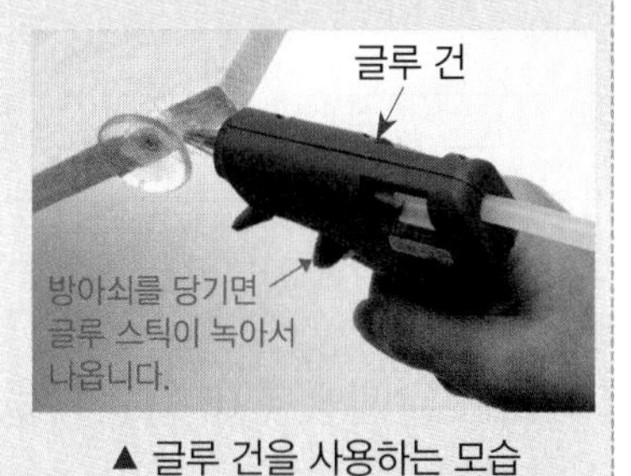

▲ 글루 건을 사용하는 모습

어려운말 알고가기

• **용구** 무엇을 하거나 만드는 데 쓰는 여러 가지 도구.

확인 문제

정답 21쪽

1 다음 중 색종이를 접어서 만든 눈사람을 골라 기호를 쓰시오.

㉠ 

㉡ 

( )

2 오른쪽은 어떤 재료를 이용하여 만든 눈사람입니까? ( )

① 비닐
② 색종이
③ 골판지
④ 스티로폼 공
⑤ 플라스틱 뚜껑

꼬마 눈사람

꼭 알아두기 '꼬마 눈사람' 노래 알기

[교과서 110~111쪽]
- 표현하기
- 다르게 생각해요

✤ 눈사람을 떠올리며 '꼬마 눈사람' 노래 부르기

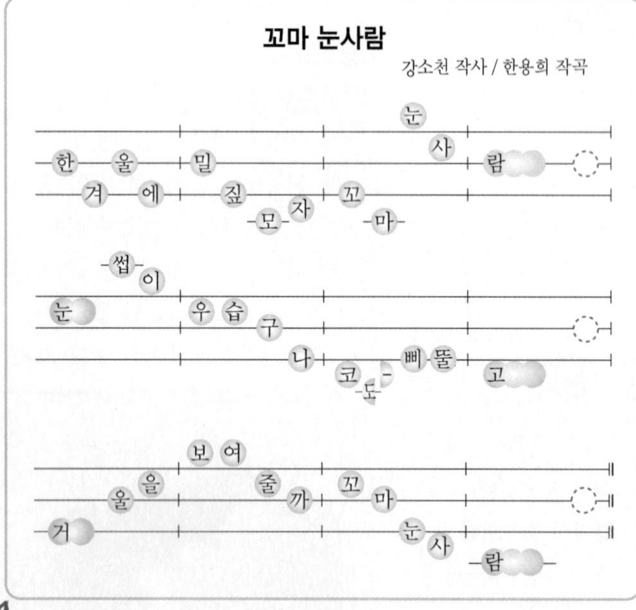

① **노래의 느낌** : 신나고 경쾌하며 재미있습니다.

② **노랫말을 바꾸어 노래 부르기** : 눈 또는 눈사람과 관련된 경험을 떠올리며 노랫말을 바꾸어 봅니다.

바른 자세와 발성으로 부르기

- 등을 세워 앉고 고개는 정면을 보며 노래를 부릅니다.
- 어깨는 바르게 펴고 가슴을 드는 듯 세워서 노래를 부릅니다.
- 몸의 중심을 약간 앞에 두고, 턱을 조금 아래 방향으로 당겨 노래를 부릅니다.
- 앉아서 노래를 부를 때 : 의자 등받이에 살짝 떨어져 앉고 발을 바닥에 평평해지게 놓습니다.

③ **노랫말에 맞추어 몸동작을 하며 노래 부르기** ㉮

눈썹이 우습구나	코도 삐뚤고	집으로 들어갈까
눈을 찌푸리거나 손가락으로 눈썹의 모양을 바꿈.	손으로 코를 비트는 동작을 함.	눈사람을 부르는 듯한 손짓을 함.

어려운말 알고가기

- **발성** 목소리를 냄.
- **정면** 똑바로 마주 보이는 면.

확인 문제

정답 21쪽

[1~2] 다음 악보를 보고 물음에 답하시오.

꼬마 □

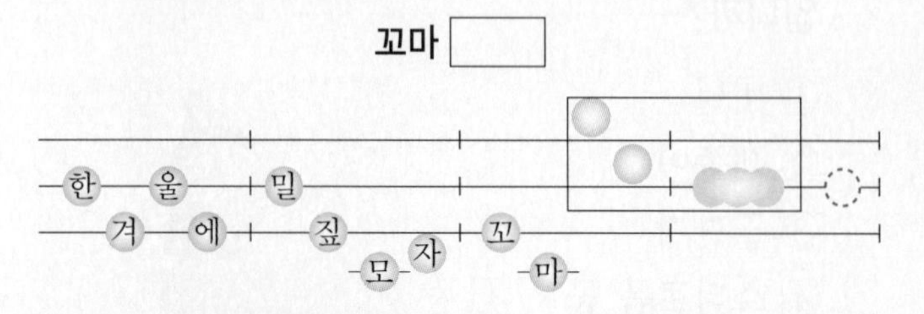

1 위 노래의 제목과 노랫말 중 □ 안에 공통으로 들어갈 알맞은 말을 쓰시오.

( )

2 앞의 노래의 '코도 삐뚤고' 노랫말에 맞추어 몸동작을 한 것을 골라 기호를 쓰시오.

㉠

( )

쌓인 눈을 치우며

[교과서 112~115쪽]

• 내면화하기

꼭 알아두기 다른 사람을 배려하는 행동

1 다른 사람을 배려하지 않는 행동과 배려하는 행동 알아보기

① 배려하지 않는 행동　　② 배려하는 행동

▲ 문을 잡아 주지 않고 그냥 감. → 뒷사람이 다칠 수 있습니다.

▲ 가게 앞의 눈을 치우지 않음.

▲ 뒷사람을 위해 문을 잡아 줌.

▲ 가게 앞의 눈을 치움.

2 교실 및 생활 속에서 배려하는 행동 예

① 쓰레기는 쓰레기통에 버립니다.

② 교실 문은 세게 여닫지 말고 살짝 열고 닫습니다.

③ 친구에게 잘못했을 때에는 먼저 사과합니다. → 친구가 사과를 하면 기분 좋게 받아 줍니다.

④ 지나가는 친구가 불편하지 않게 가방은 잠급니다.

⑤ 목이 마른 친구에게 내가 가져온 물을 나눠줍니다.

⑥ 친구가 사물함을 사용하고 있으면 기다렸다가 사용합니다. → 내 사물함 문으로 친구의 사물함을 가리지 않습니다.

3 친구를 배려하는 행동으로 역할놀이 하기 : 모둠별로 역할놀이 상황판을 하나씩 뽑기 → 모둠원들끼리 역할을 나누어 연습을 하기 → 친구들 앞에서 역할놀이를 해 보기

어려운말 알고가기

- **배려** 도와주거나 보살펴 주려고 마음을 씀.

상황에 알맞은 배려의 말과 행동 예 (배려의 말 → 웃으면서 친절하게 말합니다.)

- 두 손에 짐을 든 친구가 문 앞에서 있을 때 : "내가 문을 열어 줄까?"라고 말하고 문을 열어 줍니다.
- 복도를 지나가는데 친구들이 가로막고 있을 때 : "비켜줄래?"라고 물어보거나 그 친구들을 돌아서 옆으로 갑니다.

확인 문제

정답 21쪽

1 도와주거나 보살펴 주려고 마음을 쓰는 것을 [　　　] (이)라고 합니다.

2 배려하는 행동이 아닌 것을 골라 기호를 쓰시오.

> ㉠ 내 가게 앞의 눈을 치웁니다.
> ㉡ 건물의 문을 열고 들어갈 때 문을 잡아 주지 않습니다.

(　　　　　　)

3 다음 중 친구를 배려하는 행동은 어느 것입니까? (　　　)

① 교실 문은 세게 열고 닫는다.

② 쓰레기는 책상 위에 올려놓는다.

③ 지나가는 친구가 불편하지 않게 가방은 잠근다.

④ 친구가 사물함을 사용하고 있어도 기다리지 않는다.

⑤ 친구에게 잘못한 것이 있어도 먼저 사과하지 않는다.

겨울 ❷ 우리의 겨울

하얀 겨울을 즐겨요

[교과서 116~117쪽]

• 놀이하기

꼭 알아두기 눈싸움 놀이 방법

1 운동장에서 눈싸움 하기

① 눈싸움 놀이 방법

▲ 적당한 크기의 눈덩이를 만듦. → 눈 속에 다른 물건을 넣지 않습니다.

▲ 친구들과 뭉친 눈을 던지며 눈싸움을 함. → 얼굴에는 던지지 않습니다.

② 두 편으로 나누어 서로의 영역을 정합니다.

③ 편을 나누지 않고 눈 속을 뛰어다니다가 아무나 가만히 서 있는 사람을 보면 서로 눈덩이를 던져 맞히는 눈싸움 놀이를 할 수 있습니다.

2 교실에서 눈싸움 하기 → 눈이 오지 않을 경우에는 교실에서 신문지 눈싸움을 할 수 있습니다.

① 눈싸움 놀이 방법

▲ 책상이나 의자로 공간을 나누고, 신문지를 구겨 종이 눈덩이를 만듦.

▲ 종이 눈덩이를 던지며 눈싸움을 함.

▲ 놀이가 끝나면 신문지를 펴서 정리함.

② 한 번에 하나씩 눈덩이를 던지고, 한 사람에게 여러 번 던지면 안 됩니다.

어려운말 알고가기

- **눈덩이** 눈을 작게 뭉쳐서 이루어진 것.
- **영역** 활동, 기능, 효과, 관심 등이 미치는 일정한 범위.

빅터 게시판

교실에서 신문지 눈싸움을 하는 다른 방법을 알아볼까요?

① 두 편으로 영역을 나눕니다.
② 각 편에 빈 종이 상자를 하나씩 두고, 신호와 함께 상대편 종이 상자에 종이 눈덩이를 던져 넣습니다.
③ 각 편에서는 종이 눈덩이가 상자에 들어가지 않도록 막을 수 있습니다.
④ 상대편 종이 상자에 눈덩이를 많이 넣은 팀이 이깁니다.

확인 문제

정답 22쪽

1 눈이 내리면 운동장에서 할 수 있는 놀이를 한 가지 쓰시오.

( )

2 다음 중 운동장에서 눈싸움을 하는 방법으로 옳은 것에 ○표를 하시오.

(1) 눈을 굴려 눈사람 모양을 만듭니다. ( )

(2) 편을 나누지 않고 할 수도 있습니다. ( )

3 교실에서 눈싸움 놀이를 하는 방법으로 옳은 것은 어느 것입니까? ( )

① 공간을 나누지 않고 한다.
② 한 사람에게 여러 번 던진다.
③ 신문지 덩이를 만들어 눈싸움을 한다.
④ 테니스 공을 사용하여 눈싸움을 한다.
⑤ 찰흙으로 작은 공을 만들어 눈싸움을 한다.

도화지 속 겨울

[교과서 118~119쪽]
- 표현하기
- 다르게 생각해요

꼭 알아두기 겨울 모습을 나타내는 방법

1 여러 가지 방법으로 나타낸 겨울 모습 예

얼음낚시

흰 도화지에 그림을 그리고 색칠함.

스키장에서

사포에 크레파스로 그림을 그림.

겨울 풍경

두꺼운 도화지에 밑그림을 그리고 재료를 붙여서 콜라주처럼 표현함.

눈 오는 날

흰 도화지에 그림을 그리고 색칠한 후 오려서 검은 도화지에 붙임.

2 주제를 정하고 다양한 재료를 사용하여 겨울 모습을 표현하기

① **주제 정하기** : 겨울에 있었던 일 중 가장 기억에 남는 장면을 떠올리며 표현하고 싶은 주제를 정합니다.

② **어떤 재료를 사용하여 어떻게 표현할지 정하기** 예 : 크레파스로 사포에 그리기, 색종이나 털실, 솜, 수수깡 등을 이용하기 등

어려운 말 알고가기

- **사포** 부드러운 가루를 발라 붙인 천이나 종이.

- **콜라주** 그림에 종이, 신문, 책, 사진 등을 오려 붙임.

겨울과 관련된 경험 중 무엇을 그릴까 생각하기 예

- 겨울에 가장 기억에 남는 장면은 어떤 장면이 있나요? : 눈사람 만들기가 생각나요.
- 누구와 있었던 일인가요? : 친구와 눈사람을 만들었어요.
- 그 일이 있었던 곳의 주변에는 무엇이 있었나요? : 눈썰매장도 있었어요.

확인 문제

정답 22쪽

1 오른쪽은 지훈이가 겨울에 경험한 활동을 그림으로 나타낸 것입니다. 이 작품의 주제로 적당한 것에 ○표를 하시오.

스키장에서 / 얼음낚시 / 눈 오는 날

2 다음 보기에서 겨울의 모습을 그리기 위한 주제로 적당한 것을 골라 기호를 쓰시오.

보기
- ㉠ 바다에서 수영을 한 일
- ㉡ 친구와 눈사람을 만든 일
- ㉢ 아빠와 단풍구경을 갔던 일
- ㉣ 주말 농장에 가서 감자를 캔 일

(　　　　　　　　)

겨울철에 즐길 수 있는 놀이를 알아보아요

다음의 겨울철 놀이와 겨울 놀이 도구를 줄로 바르게 이어 보세요.

(1) 연날리기 • • ㉠

(2) 스케이트 타기 • • ㉡

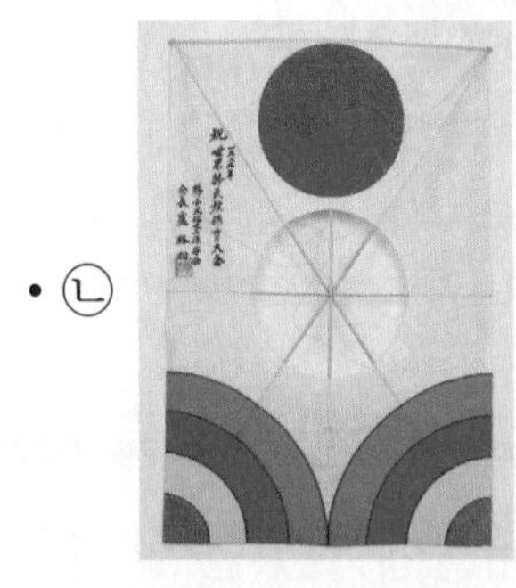

(3) 썰매 타기 • • ㉢

(4) 스키 타기 • • ㉣

단원평가 ❷ 우리의 겨울 (2)

점수

정답 22쪽

※ 배점이 표시되어 있지 않은 문제는 문제당 **4점**입니다.

1 다음 중 눈을 관찰하는 방법으로 옳은 것에는 ○표, 옳지 않은 것에는 ×표를 하시오.

(1) 눈을 손으로 만져 봅니다. ( )

(2) 쌓여 있는 눈은 발로 밟아 봅니다. ( )

(3) 눈이 내리는 모습은 살펴보지 않습니다. ( )

2 오른쪽과 같은 눈 결정에 대한 설명으로 옳은 것은 어느 것입니까? ( )

① 한 가지 모양만 있다.
② 두 가지 모양만 있다.
③ 돋보기로 관찰할 수 있다.
④ 북극에 있는 눈만 결정이 만들어진다.
⑤ 눈송이가 녹으면서 결정이 만들어진다.

3 다음은 눈 결정을 만드는 방법입니다. 빈칸에 들어갈 알맞은 과정을 보기에서 골라 기호를 쓰시오. [6점]

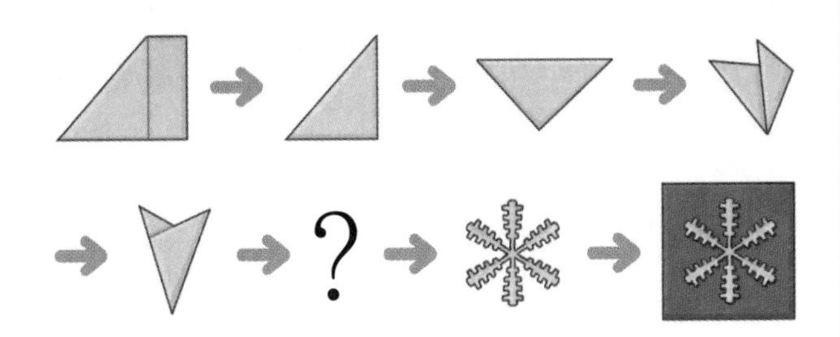

보기
㉠ 종이 본에 맞추어 오립니다.
㉡ 펜으로 눈 결정을 그립니다.

( )

4 다음 노래의 제목은 어느 것입니까? ( )

> [   ]
>
> 송이송이 내려오는 하얀 솜눈을
> 자세히 자세히 살펴보셔요
> 하늘나라 아기들의 고운 맘씨가
> 송이마다 반짝반짝 박혀있지요

① 여름날 ② 겨울날
③ 눈송이 ④ 팽이치기
⑤ 우리 형제

5 위 **4**번 노래의 노랫말 중 밑줄 친 '반짝반짝'을 몸으로 표현한 것으로 알맞은 것을 골라 기호를 쓰시오.

㉠

㉡

( )

6 다음 중 겨울철에 눈이 많이 내려야 할 수 있는 놀이를 두 가지 고르시오. (,)

① 눈싸움을 한다.
② 공기놀이를 한다.
③ 눈사람을 만든다.
④ 모래 놀이를 한다.
⑤ 수건돌리기를 한다.

7 다음의 놀이 도구를 이용하여 즐길 수 있는 겨울철 놀이는 어느 것입니까? .... (   )

① 투호 ② 윷놀이
③ 연날리기 ④ 썰매 타기
⑤ 스케이트 타기

서술형 문제

8 다음과 같이 겨울 놀이를 할 때 도구와 옷차림을 갖추어야 하는 이유를 쓰시오. [8점]

❶ [   ]이/가 묻어서 녹으면 옷이 젖게 되어 ❷ [   ]에 걸릴 수 있기 때문이다.

9 오른쪽의 눈사람은 무엇을 이용하여 만든 것입니까? .... (   )

① 비닐
② 골프공
③ 야구공
④ 배구공
⑤ 스티로폼 공

10 다음의 눈사람을 만든 재료는 무엇인지 보기 에서 찾아 각각 쓰시오.

보기
색종이, 골판지, 플라스틱 뚜껑

(   ) (   )

[11 ~ 12] 다음은 '꼬마 눈사람' 악보의 일부분입니다. 물음에 답하시오.

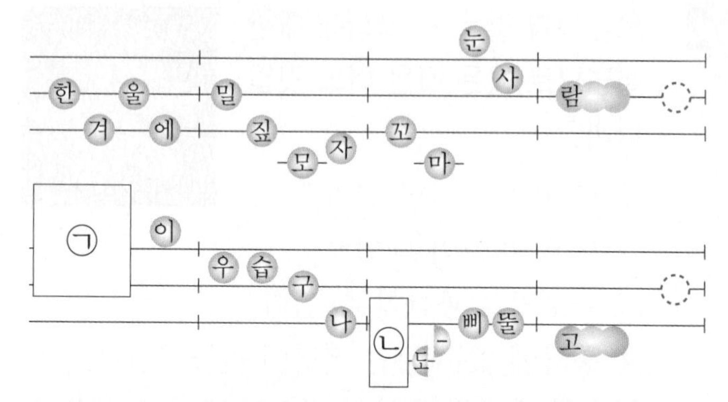

11 위의 ㉠, ㉡에 들어갈 노랫말을 쓰시오. [8점]

㉠ (   ) ㉡ (   )

12 위 노래를 들었을 때의 느낌으로 옳은 것은 어느 것입니까? [6점] .... (   )

① 슬프다. ② 무겁다. ③ 조용하다.
④ 잔잔하다. ⑤ 신나고 경쾌하다.

13 다음 보기 에서 바른 자세로 노래를 부르는 경우를 골라 기호를 쓰시오.

보기
㉠ 턱을 위로 들고 노래를 부릅니다.
㉡ 등을 세우고 고개는 정면을 보며 노래를 부릅니다.
㉢ 의자 등받이에 기대어 앉아 노래를 부릅니다.

(   )

14 다음은 배려에 대한 설명입니다. (   ) 안의 알맞은 말에 ○표를 하시오.

> 배려는 (나 / 남)을/를 생각하는 마음으로, 불편하지 않도록 미리 생각해 행동하는 것을 말합니다.

15 다음 중 배려하는 행동을 골라 기호를 쓰시오.

㉠ 
▲ 가게 앞에 있는 눈을 치우지 않음.

㉡ 
▲ 뒷사람을 위해 문을 잡아 줌.

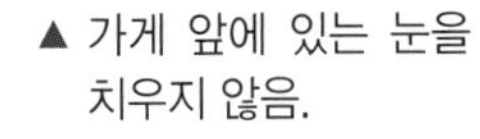

(   )

16 다음 중 교실에서 친구를 배려하는 행동으로 보기 어려운 것을 두 가지 고르시오. [6점] (,)

① 교실 문은 살짝 열고 닫는다.
② 쓰레기는 쓰레기통에 버린다.
③ 친구에게 잘못해도 모른체 한다.
④ 복도에서 친구와 술래잡기를 한다.
⑤ 지나가는 친구가 불편하지 않게 가방은 잠근다.

서술형 문제

17 다음의 교실에서 사물함을 사용할 때 친구를 배려하는 행동을 한 가지 쓰시오. [10점]

____

____

18 다음은 운동장에서 눈싸움 놀이를 하는 모습입니다. 이에 대한 설명으로 옳지 않은 것을 보기에서 골라 기호를 쓰시오.

보기

㉠ 눈덩이는 적당한 크기로 만듭니다.
㉡ 눈덩이를 던질 때에는 친구의 얼굴에 던져도 됩니다.
㉢ 눈덩이를 만들 때에는 눈 속에 다른 물건을 넣지 않습니다.

(   )

19 다음 중 교실에서 신문지 눈싸움을 할 때 놀이가 끝난 후 할 일을 골라 기호를 쓰시오.

㉠ 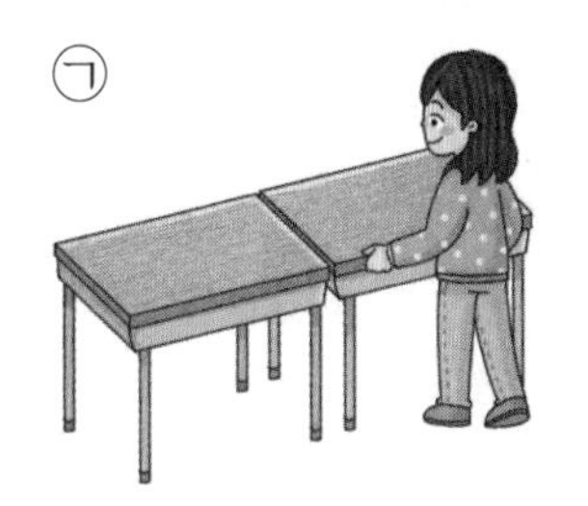
▲ 책상이나 의자로 공간을 나눔.

㉡ 
▲ 신문지를 펴서 정리함.

(   )

20 오른쪽은 어떤 방법으로 겨울의 모습을 그린 것인지 □ 안에 들어갈 알맞은 말을 쓰시오.

> 흰 도화지에 그림을 그리고 오려서 □색 도화지에 붙여서 완성한 것입니다.

(   )

우리 이웃을 둘러봐요

[교과서 124~127쪽]
• 되돌아보기

꼭 알아두기 나눔과 봉사를 실천한 사례와 방법

1 나눔과 봉사를 실천한 사람들

① **우리 주변에 도움이 필요한 사람들** : 혼자 사시는 할아버지 또는 할머니, 몸이 불편한 친구들, 전쟁이나 굶주림에 고통 받는 어린이들 등

② **나눔과 봉사를 실천한 사례** : 남몰래 거액을 기부한 사람, 김장 김치를 이웃들에게 나누어 주는 행사, 어려운 이웃에게 연탄이나 생활 용품을 전달한 사례 등 → 책이나 인터넷 등으로 조사합니다.

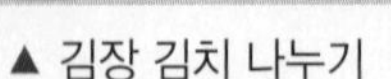

▲ 김장 김치 나누기

▲ 어려운 이웃에 연탄 전달하기

▲ 할아버지, 할머니 부축하기

③ **칭찬하기** 예 칭찬 카드
: 칭찬하는 내용을 글로 쓰거나 사진 또는 그림으로 그리기 ➡ 교실 게시판에 붙이거나 친구의 경우 직접 전달하기

어려운 말 알고가기

- **거액** 아주 큰 돈.
- **기부** 많은 사람에게 도움이 되는 일에 돈이나 재산 등을 내어 주는 것.
- **부축** 혼자서 서 있거나 걷기 어려운 사람을 옆에서 몸을 붙들어 도와줌.

2 내가 할 수 있는 나눔과 봉사 활동

① 팔을 다친 친구의 가방을 들어 주기
② 운동장 주변의 쓰레기를 줍는 활동하기
③ 무거운 물건을 들고 가는 선생님 도와 드리기
④ 할아버지, 할머니의 어깨를 주물러 드리기
⑤ 구세군 냄비에 용돈 넣기 등

▲ 구세군 냄비

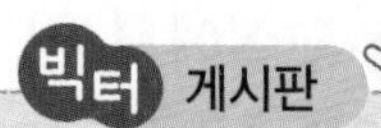

구세군 냄비는 언제, 어디서 시작된 걸까요?
1891년 미국의 샌프란시스코에서 처음 시작된 것으로 구세군 단체가 크리스마스에 어려운 이웃들에게 식사를 대접하기 위해 주방에서 사용하던 큰 솥을 거리에 걸어두고 성금을 모았다고 합니다.

확인 문제

정답 23쪽

1 우리 주변에 있는 도움이 필요한 사람을 찾아 한 명 쓰시오.

( )

2 다음을 나눔과 봉사를 실천하는 내용에 맞게 줄로 바르게 이으시오.

(1) 양로원 • • ㉠ 나누기
(2) 김장 김치 • • ㉡ 찾아가기

3 다음 중 우리가 할 수 있는 나눔과 봉사 활동으로 가장 알맞은 것을 두 가지 고르시오. (,)

① 거액을 기부한다.
② 연탄을 직접 운반하여 전달한다.
③ 학교 운동장 주변의 쓰레기를 줍는다.
④ 할아버지, 할머니의 어깨를 주물러 드린다.
⑤ 김장 김치를 직접 만들어 이웃에게 나누어 준다.

비밀 친구가 되어

[교과서 128~129쪽]

• 내면화하기

꼭 알아두기 친구를 도울 수 있는 일과 비밀 친구 활동

❶ 친구를 도와주었거나 도움을 받았던 경험

① 자신에게 도움을 주었던 친구에게 고마운 마음을 표현합니다.

② **친구에게 도움을 주거나 도움을 받았을 때의 기분 이야기하기** 예 : 기분이 좋아요. / 고마운 마음이 들어요. / 저도 다른 친구를 도와주고 싶어요.

❷ 친구를 도울 수 있는 일 : 친구 자리를 청소해 주기, 몸이 아픈 친구를 보건실에 데려다 주기, 책상을 옮길 때 같이 옮겨 주기, 우유를 가져다 주기, 친구가 속상해서 울고 있을 때 위로해 주기 등

❸ 비밀 친구 정하기

친구의 이름이 적힌 쪽지를 뽑음. → 내가 도와줄 친구를 확인함. (→ 비밀 친구 이름을 혼자서만 확인합니다.) → 정해진 시간 동안 아무도 모르게 친구를 도움. → 정해진 시간이 지나면 비밀 친구를 서로 확인함.

❹ 비밀 친구 활동을 할 때 지켜야 할 규칙

① 일정 기간을 약속합니다. 예 3일, 일주일 등

② 정해진 기간 동안 아무도 모르게 비밀 친구에게 도움을 주는 일을 실천합니다.

'우렁이 각시' 이야기

옛날 옛적 부지런한 총각이 살고 있었습니다. 총각은 논에서 우렁이를 발견하고 집으로 데리고 왔습니다. 우렁이 각시는 아무도 모르게 총각을 도와주었습니다. 총각은 깜짝 놀라긴 하였지만 고마워하였고 우렁이 각시임이 밝혀지자 감사를 표현하였습니다.

어려운말 알고가기

• **보건실** 학교에서 학생의 아픈 곳이나 다친 곳을 치료하는 곳.

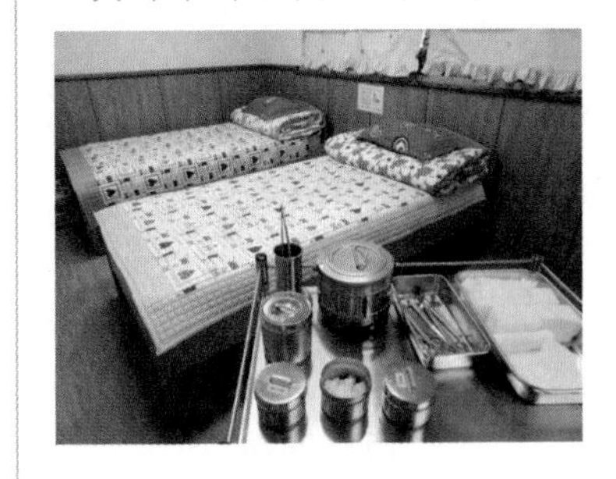

확인 문제

정답 23쪽

1 다음 중 친구가 속상해서 울고 있는 상황에서 친구를 도울 수 있는 방법으로 가장 알맞은 것은 어느 것입니까? ( )

① 위로해 주기
② 경찰에 신고하기
③ 용돈을 빌려 주기
④ 보건실에 데려다 주기
⑤ 친구 자리를 청소해 주기

2 준비물을 가져 오지 않은 비밀 친구를 위해 준비물을 (빌려 / 알려)줍니다.

3 다음 중 비밀 친구 활동을 할 때 지켜야 할 규칙으로 옳은 것에 ○표를 하시오.

(1) 일정 기간을 약속합니다. ( )
(2) 비밀 친구임을 알리고 도움을 줍니다. ( )

사랑의 마음

꼭 알아두기 '사랑의 마음' 노랫말과 몸동작

[교과서 130~131쪽]
- 표현하기
- 다르게 생각해요

① '사랑의 마음' 노래 익히기

사랑의 마음

박상문 작사·작곡

이 세상 모든 사람들이 서로 사랑한다면 / 세상은 얼마나 아름다울까
이 세상 모든 사람들이 서로 아껴준다면 / 세상은 얼마나 행복해질까
우리 함께 나누어요 따뜻한 마음 / 우리 함께 나누어요 사랑의 마음

② 노랫말 바꾸어 부르기 → 글자 수를 맞추어 노랫말을 바꾸어 봅니다.

이 세상 모든 사람들이 서로 사랑한다면	우리 함께 나누어요 따뜻한 마음
⬇	⬇
우리 반 모든 친구들이 서로 배려한다면	우리 같이 나누어요 즐거운 마음

- 시범 본보기로 해 보임.

③ 몸으로 표현하며 노래 부르기

① 선생님의 시범에 따라 몸동작을 해 봅니다.
② 노래에 맞추어 몸동작을 해 봅니다. → 사랑, 아름, 행복, 따뜻한 등의 낱말에 대한 몸동작을 탐구하여 다 함께 정해 봅니다.

서로 아껴 준다면	우리 함께	사랑의 마음

노래에 맞추어 몸동작 익히기

- 처음에는 노래를 작게 부르면서 몸동작도 아주 작게 합니다.
- 두 번째는 보통의 목소리 크기와 몸동작으로 합니다.
- 세 번째는 큰 소리로 노래를 부르면서 몸동작도 크게 합니다.
- 네 번째는 노래를 부르지 않고 몸동작만 합니다.

확인 문제

정답 23쪽

1 다음 노랫말을 읽고, 노래의 제목을 쓰시오.

이 세상 모든 사람들이 서로 [사랑]한다면 /
세상은 얼마나 아름다울까
이 세상 모든 사람들이 서로 아껴준다면 /
세상은 얼마나 행복해질까
우리 함께 나누어요 따뜻한 마음 /
우리 함께 나누어요 사랑의 마음

( )

2 앞 1번 노랫말 중 □ 부분의 노랫말을 글자 수에 맞추어 어울리는 낱말로 바꾸시오.

( )

3 몸으로 표현하며 노래를 부를 때 오른쪽 몸동작이 어울리는 노랫말에 ○표를 하시오.

(나누어요 / 사랑의 마음)

다 함께 즐겨요

[교과서 132~133쪽]
• 놀이하기

꼭 알아두기 '눈덩이를 굴려라' 놀이 하는 방법과 지켜야 할 점

1 모두가 즐거운 시간이 되기 위해 노력해야 할 점

① 반칙하지 말고 규칙을 지킵니다.
② 지는 것을 속상해하지 않고, 이겼다고 친구를 약 올리지 않습니다.
③ 친구에게 비난 말고 응원을 보냅니다.

어려운 말 알고가기

- **반칙** 운동 경기나 놀이 등에서 규칙을 어김.
- **비난** 남의 잘못이나 모자란 점을 나쁘게 말함.

2 '눈덩이를 굴려라' 놀이 하기 → 공을 '눈덩이'라고 생각합니다.

① 교실 바닥에 원을 그리고 반 전체 학생을 두 편으로 나눕니다.
② 공격 편은 원 바깥에 둥그렇게 앉고 수비 편은 원 안에 들어가 섭니다.
③ 공격 편은 공을 굴려서 수비 편을 맞추고 수비 편은 공을 피합니다.
④ 공에 맞은 사람은 원 밖으로 나와 한 줄로 앉아 있습니다.
⑤ 한 번에 5분 정도씩 공격과 수비를 바꿔 가며 놀이를 합니다. → 5분 동안 많이 살아남은 편이 이깁니다.

→ 수비가 공에 맞으면 원 밖으로 나갑니다

공격 편이 지켜야 할 사항

- 공을 던지지 않습니다.
- 무릎 위는 맞추지 않습니다.
- 규칙을 어기면 수비 편 1명을 부활시킵니다.

수비 편이 지켜야 할 사항

- 절대로 공을 만지지 않습니다.
- 공에 맞으면 원 밖으로 나가 앉아 있습니다.

확인 문제

정답 24쪽

1 다음은 친구들과 함께 놀이를 할 때 모두가 즐거운 시간이 되기 위해 노력해야 할 점입니다. □ 안에 알맞은 말을 쓰시오.

□ 하지 말고 규칙을 지킵니다.

2 '눈덩이를 굴려라' 놀이를 할 때 '눈덩이'라고 생각하고 굴리는 것은 무엇인지 쓰시오.

(　　　　　　)

3 다음 중 '눈덩이를 굴려라' 놀이에서 공격 편이 지켜야 할 사항으로 옳은 것은 어느 것입니까? (　　　)

① 공을 던지지 않는다.
② 규칙을 어겨도 된다.
③ 절대로 공을 만지지 않는다.
④ 수비하는 친구의 무릎 위를 맞춘다.
⑤ 공에 맞으면 원 밖으로 나가 앉아 있도록 한다.

마음을 전해요

[교과서 134~135쪽]

• 습관화하기

꼭 알아두기 비밀 친구에게 줄 편지 만드는 방법

1 비밀 친구에게 줄 편지 만들기

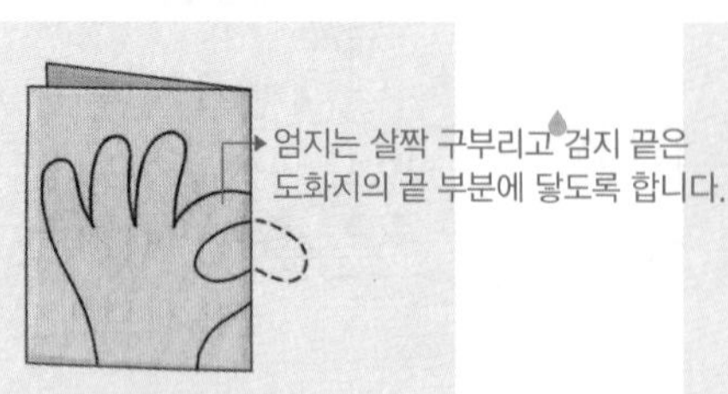

1 도화지를 반으로 접어 막힌 부분을 오른쪽으로 가게 해서 놓고 왼손을 올려놓고 그림.

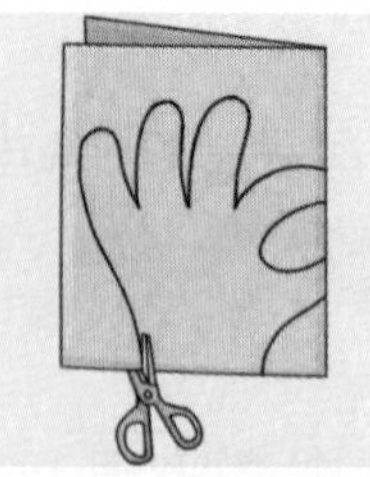

2 도화지가 겹쳐진 채로 가위로 손 모양을 오림. → 엄지와 검지 부분이 잘려지지 않도록 조심합니다.

→ 하트 모양(♡)이 됩니다.

3 한 쪽 면에는 편지를 쓰고 반대쪽 면에는 털장갑 꾸미기를 함.

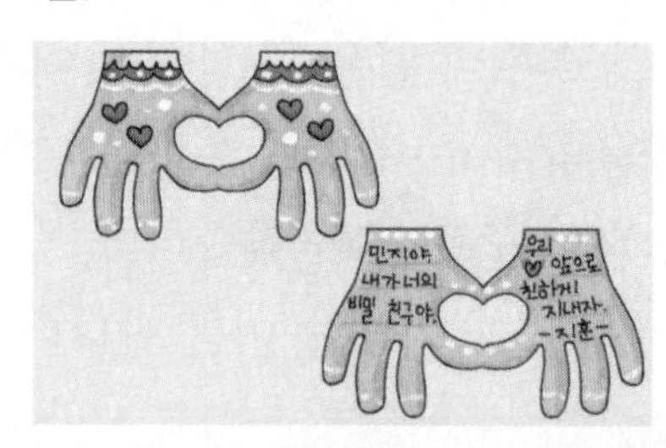

4 완성

어려운 말 알고가기

- **검지** 집게손가락. 엄지손가락과 가운뎃손가락 사이에 있는 손가락.

비밀 친구에게 줄 편지에 쓸 내용

- 비밀 친구를 칭찬하거나 친구에게 하고 싶었던 말을 씁니다.
  예 너는 웃는 모습이 예뻐, 넌 그림을 정말 잘 그려, 우리 앞으로 친하게 지내자. 등

2 비밀 친구 확인 및 활동 내용 발표하기

① 학급 전체 학생들의 비밀 친구를 확인합니다.

② 비밀 친구에게 편지를 전해 주고, 편지를 받으면 친구에게 인사를 합니다.

③ **비밀 친구에게 실천한 활동 발표하기** 예 : 비밀 친구 ○○에게 지우개를 빌려 주었어요. / ○○이가 고맙다고 해서 기분이 좋았어요.

④ **비밀 친구 활동을 열심히 한 친구를 칭찬하기** : 나에게 도움을 주었던 친구에게 고마움을 표현합니다.

마무리 활동 • 교과서 136~137쪽

내가 살고 있는 곳과 다른 곳에서 사는 사람들의 겨울 모습 예

- 농촌 : 비닐하우스 농사 짓기 등
- 산촌 : 스키 타기 등
- 어촌 : 생선 말리기 등
- 도시 : 구세군 모금하기 등

확인 문제

정답 24쪽

1 다음과 같이 가위로 손 모양을 오린 후 펼쳤을 때 엄지와 검지 사이(㉠)는 어떤 모양이 됩니까? ( )

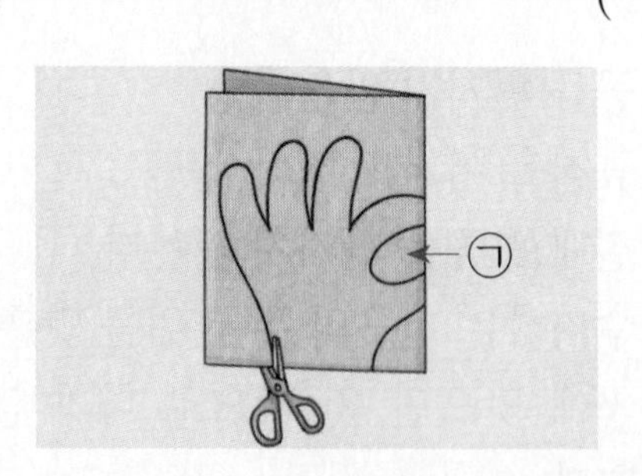

① ♡ ② □ ③ △ ④ ○

2 다음 중 비밀 친구에게 줄 편지에 쓸 내용으로 알맞은 것을 두 가지 고르시오. (,)

① 우리 앞으로 친하게 지내자.
② 넌 그림을 정말 멋지게 잘 그려.
③ 선생님께 내 칭찬 좀 많이 해 줘.
④ 심부름과 청소를 나 대신 해 줄래?
⑤ 나한테 잘 하면 비밀 친구를 알려 줄게.

3 나에게 도움을 주었던 친구에게 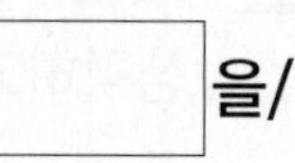 을/를 표현합니다.

❷ 우리의 겨울 (3)

정답 24쪽

나눔과 봉사에 대한 신문 기사 만들기

우리 주변의 어려운 이웃들에 대해 나눔과 봉사, 기부의 사례들을 조사하여 보고 신문 기사로 쓴 내용입니다. □ 안에 알맞은 말을 쓰시오.

천재 신문

20△△년 12월 ○○일

[이웃 사랑 열기 후끈]

이름을 밝히지 않은 누군가가

큰 돈의 성금을 ❶ [   ] 하였습니다.

[어린이 봉사 활동]

○○초등학교 친구들이 ❷ [   ] 에 찾아가

할아버지, 할머니를 기쁘게 해 드렸습니다.

[❸ [   ] 수록 행복해요]

△△시에 사는 ○○○씨는 혼자 사시는 분께 직접

뜨개질한 목도리를 선물하였습니다.

단원평가 ❷ 우리의 겨울 (3)

점수

※ 배점이 표시되어 있지 않은 문제는 문제당 **7점**입니다.

정답 **24**쪽

1 다음 중 나눔과 봉사를 실천하는 모습으로 옳지 않은 것은 어느 것입니까? ( )

① 어려운 이웃에게 연탄을 전해 준다.
② 모아 놓은 용돈을 자선 단체에 기부한다.
③ 입지 않는 옷을 어려운 이웃에게 전달한다.
④ 어려운 이웃에게 안 쓰는 물건을 비싸게 판다.
⑤ 양로원에 찾아가 할아버지, 할머니를 기쁘게 해 드린다.

2 보기 에서 내가 할 수 있는 나눔과 봉사 활동을 두 가지 찾아 기호를 쓰시오.

보기
㉠ 아픈 친구의 가방 들어 주기
㉡ 병원을 세워 환자를 치료하기
㉢ 할머니의 어깨를 주물러 드리기
㉣ 어려운 이웃에게 집을 지어 드리기

(,)

3 다음은 비밀 친구를 정하는 방법입니다. 순서에 맞게 차례대로 번호를 쓰시오. [10점]

1 정해진 시간 동안 아무도 모르게 친구를 도움.

2 정해진 시간이 지나면 비밀 친구를 서로 확인함.

3 친구의 이름이 적힌 쪽지를 뽑음.

4 내가 도와줄 친구를 확인함.

( ) → ( ) → ( ) → ( )

4 다음 중 비밀 친구를 기쁘게 해 준 친구는 누구인지 이름을 쓰시오.

종현 : 비밀 친구의 우유를 몰래 먹었어.
시은 : 비밀 친구의 자리를 청소해 주었어.
은서 : 비밀 친구의 가방에 무거운 돌을 넣어 놓았어.

( )

5 다음 중 비밀 친구 활동을 할 때 지켜야 할 규칙을 두 가지 고르시오. (,)

① 비밀 친구 활동은 정해진 기간이 없다.
② 아무도 모르게 비밀 친구에게 도움을 준다.
③ 비밀 친구가 되면 친구를 기쁘게 해 준다.
④ 친구의 이름이 적힌 쪽지를 뽑은 후 비밀 친구의 이름을 모두에게 알린다.
⑤ 친구의 이름이 적힌 쪽지를 뽑을 때 여러 장을 뽑은 후 비밀 친구를 고른다.

6 다음은 '사랑의 마음' 노랫말의 한 부분입니다. □ 안에 들어갈 알맞은 말은 어느 것입니까? ( )

우리 함께 나누어요 □ 마음
우리 함께 나누어요 사랑의 마음

① 차가운
② 지겨운
③ 따뜻한
④ 질투의
⑤ 미움의

서술형 문제

7 다음 '사랑의 마음' 노랫말 중 밑줄 친 부분을 글자 수에 맞춰 알맞은 낱말로 바꾸시오. [10점]

이 세상 모든 사람들이 서로 사랑한다면
세상은 얼마나 아름다울까?

세상은 얼마나 [　　　　]?

8 '사랑의 마음' 노래에 맞추어 다음 몸동작을 할 때 관계있는 노랫말을 줄로 바르게 이으시오. [10점]

(1)  • 　　• ㉠ 사랑의 마음

(2)  • 　　• ㉡ 서로 아껴 준다면

9 다음 중 '눈덩이를 굴려라'와 같은 놀이를 할 때 모두가 즐거운 시간이 되기 위해 노력해야 할 점으로 옳지 않은 것은 어느 것입니까? (　　　)

① 반칙하지 않는다.
② 규칙을 잘 지킨다.
③ 지면 친구 탓을 한다.
④ 친구에게 응원을 보낸다.
⑤ 이겼다고 상대편을 약 올리지 않는다.

10 다음 중 '눈덩이를 굴려라' 놀이를 할 때 공격 편 친구들이 지켜야 할 사항은 어느 것입니까? (　　　)

① 공을 만지지 않는다.
② 공을 던지지 않고 굴린다.
③ 무릎 아래는 맞추지 않는다.
④ 공에 맞으면 원 밖으로 나간다.
⑤ 규칙을 어기면 수비 편으로 자리를 옮긴다.

11 다음의 비밀 친구에게 줄 편지를 만드는 방법에서 가장 마지막 과정은 어느 것입니까? (　　　)

① ▲ 한쪽 면에는 편지를 쓰고 반대쪽 면에는 꾸미기

② 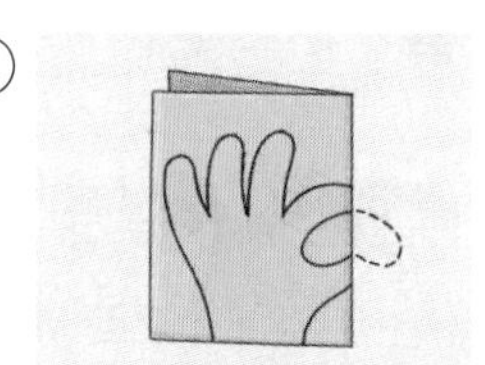
▲ 도화지에 왼손을 올려 놓고 그리기

③ 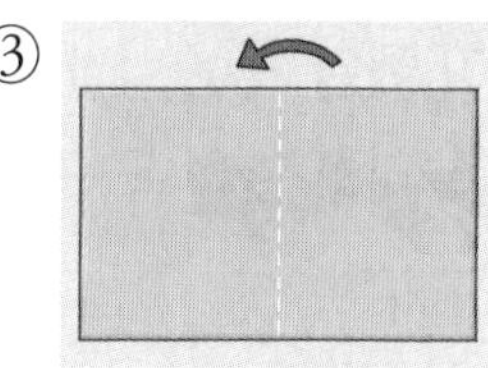
▲ 도화지를 반으로 접기

④ 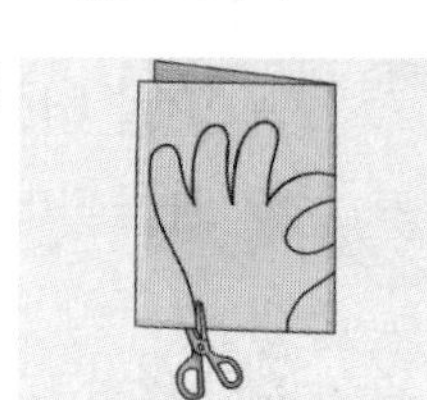
▲ 가위로 손 모양을 오리기

서술형 문제

12 다음은 비밀 친구에게 주기 위해 만든 편지입니다. 편지에 쓸 알맞은 내용을 쓰시오. [14점]

1 겨울철 얼음

볼 수 있는 곳	처마 밑의 ❶ □□□, 얼어 있는 호수 등
생기는 까닭	겨울이 되어 추워졌기 때문임.
관찰하기	겉은 투명하고 차가우며 아무 냄새가 나지 않음.

2 겨울 날씨에 알맞은 생활 도구

- **추운 날씨에 대비한 도구** : 목도리, 귀마개, 마스크, 털모자, 온풍기 등
- **땅이 얼어 미끄러지는 것에 대비한 도구** : 제설제, 눈길 덧신, 타이어체인, 모래 등
- **건조한 날씨에 필요한 도구** : ❷ □□□, 보습제 등

3 겨울철을 건강하게 보내기 위한 방법

겨울철을 건강하게 보내기 위한 방법 : 물을 적당히 마시기, 환기 자주 하기, 보습제 바르기, 실내에만 있지 않고 바깥 활동하기 등

4 겨울철에 하는 놀이

- **옛날 어린이들이 했던 놀이** : 썰매 타기, 연날리기, 투호 놀이, 팽이치기, 윷놀이 등
- **겨울철에 하는 놀이와 놀이 도구**

연날리기	연, ❸ □□ 등	스케이트 타기	스케이트, 헬멧, 무릎 보호대 등
썰매 타기	썰매, 썰매 스틱 등	스키 타기	스키, 스키복, 헬멧, 장갑 등

5 여러 가지 방법으로 겨울의 모습 표현하기

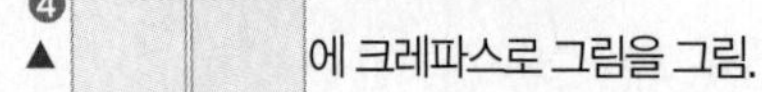

▲ ❹ □□에 크레파스로 그림을 그림.

▲ 두꺼운 도화지에 그림을 그리고 사진, 재료 등을 오려 붙임.

▲ 흰 도화지에 그림을 그려 색칠한 후 오려서 하나씩 검은 도화지에 붙임.

6 내가 할 수 있는 나눔과 ❺ □□ 활동

내가 할 수 있는 나눔과 ❺ □□ 활동 : 팔을 다친 친구의 가방 들어 주기, 학교 주변의 쓰레기 줍기, 무거운 물건을 들고 가는 선생님 도와 드리기, 구세군 냄비에 용돈 넣기 등

정답 ❶ 고드름 ❷ 예 가습기 ❸ 예 얼레 ❹ 사포 ❺ 봉사

안전한 생활

"초등학교 1, 2학년 학생들의
안전 교육의 필요성으로
2017년부터 신설된 교과입니다."

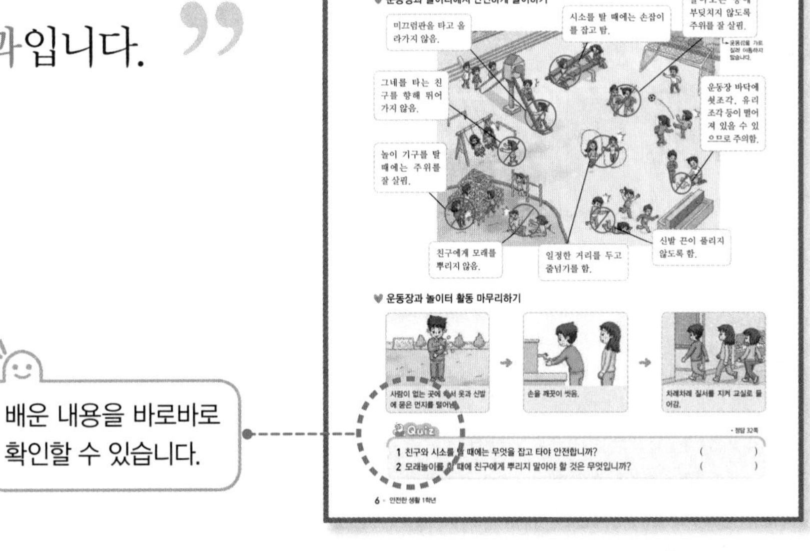

1. 나는 안전 으뜸이

(1) 안전하고 즐거운 학교

• 교과서 16~19쪽

운동장과 놀이터에서 안전하게 놀아요

공부할 내용 운동장과 놀이터에서 안전사고의 종류와 위험 원인을 알고, 안전하게 놀이할 수 있다.

♥ 운동장과 놀이터에서 안전하게 놀이하기

미끄럼판을 타고 올라가지 않음.

시소를 탈 때에는 손잡이를 잡고 탐.

날아오는 공에 부딪치지 않도록 주위를 잘 살핌.

그네를 타는 친구를 향해 뛰어가지 않음.

운동장 바닥에 쇳조각, 유리 조각 등이 떨어져 있을 수 있으므로 주의함.

놀이 기구를 탈 때에는 주위를 잘 살핌.

친구에게 모래를 뿌리지 않음.

일정한 거리를 두고 줄넘기를 함.

신발 끈이 풀리지 않도록 함.

♥ 운동장과 놀이터 활동 마무리하기

사람이 없는 곳에 가서 옷과 신발에 묻은 먼지를 털어냄. → 손을 깨끗이 씻음. → 차례차례 질서를 지켜 교실로 들어감.

Quiz • 정답 32쪽

1 친구와 시소를 탈 때에는 무엇을 잡고 타야 안전합니까? (　　　)

2 모래놀이를 할 때에 친구에게 뿌리지 말아야 할 것은 무엇입니까? (　　　)

6 • 안전한 생활 1학년

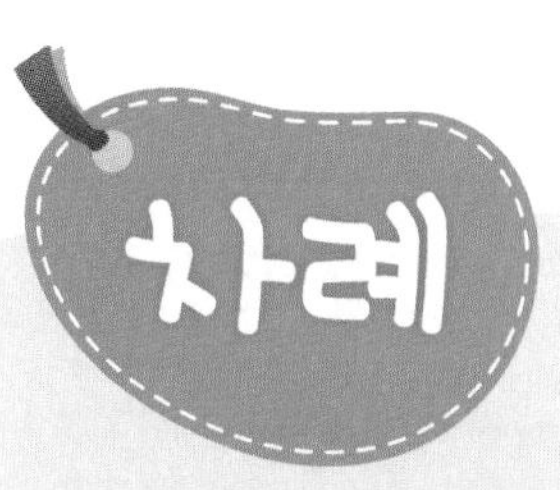

차례

★ 1학년 1, 2학기 동안 배우는 내용입니다.

1 나는 안전 으뜸이

(1) 안전하고 즐거운 학교 ······ 2쪽

(2) 신나는 나들이 ······ 7쪽

2 우리 모두 교통안전

(1) 안전한 길 ······ 11쪽

(2) 교통 규칙을 지켜요 ······ 17쪽

3 소중한 나

(1) 슬기롭게 행동해요 ······ 21쪽

(2) 우리 모두 소중한 친구 ······ 24쪽

4 우리 모두 안전하게

(1) 조심조심 불조심 ······ 27쪽

(2) 지진이 나면 ······ 30쪽

Quiz 정답 ······ 32쪽

• 교과서 8~9쪽

(1) 안전하고 즐거운 학교

실내에서 안전하게 생활해요

공부할 내용 교실, 복도, 계단, 화장실에서 질서를 지켜 안전하게 생활할 수 있다.

실내에서 안전하게 생활하기

교실

- 창틀에 올라가서 밖을 보거나 창문 밖으로 고개를 내밀지 않음.
- 가방을 닫아 바르게 걸어두어 친구들이 가방에 발이 걸려 넘어지지 않게 함.

교실에서 뛰면 친구들과 부딪히거나 책상 모서리에 부딪힐 수도 있기 때문에 조심해야 합니다.

복도

뛰거나 장난치지 말고 오른쪽으로 걸어다님.

급수대

물이 넘치지 않도록 조금씩 마심.

계단

손잡이를 잡고 한 계단씩 올라가고 내려감.

화장실

바닥이 미끄럽기 때문에 뛰지 않으며 기다리는 사람이 많으면 차례를 잘 지킴.

Quiz

• 정답 32쪽

1 복도에서 걸어 다녀야 하는 방향은 오른쪽과 왼쪽 중 어느 쪽입니까?

( )

2 계단에서 이동할 때는 무엇을 잡아야 하는지 쓰시오.

( )

• 교과서 10~11쪽

(1) 안전하고 즐거운 학교

특별실을 안전하게 이용해요

공부할 내용 특별실에서 활동할 때 안전한 행동을 꾸준히 실천할 수 있다.

특별실을 안전하게 이용하기

→ 특별실로 이동할 때에는 선생님의 안내에 따라 질서 있게 이동합니다.

체육관

- 준비 운동을 한 후에 활동함.
- 줄넘기를 할 때에는 안전거리를 유지함.

도서관

- 책을 넘기면서 종이에 손이 베이지 않도록 함.
- 책꽂이에서 책이 떨어질 수 있으니 조심히 다님.

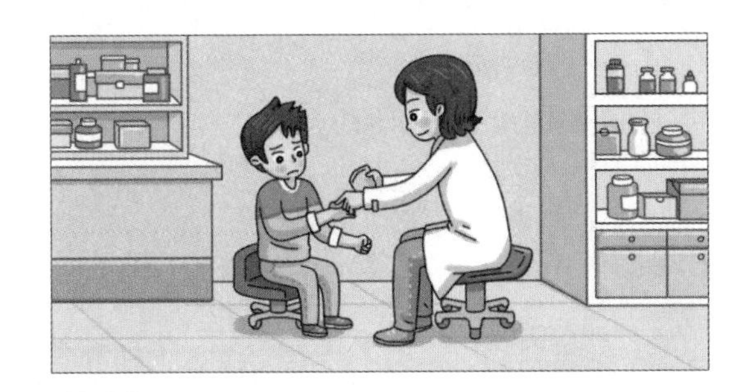

보건실

- 약을 함부로 만지거나 먹지 않음.
- 보건 선생님께서 계시지 않으면 오실 때까지 기다려 치료를 받음.

컴퓨터실

- 물 묻은 손으로 전기 기구를 만지지 않음.
- 다른 사람의 컴퓨터 소리를 함부로 키우는 등의 장난을 치지 않음.

급식실 → 생선 뼈, 떡 등이 목에 걸릴 수 있으므로 조심해서 먹습니다.

- 식사 전에 손을 씻음.
- 숟가락이나 젓가락을 가지고 장난치지 않음.
- 뜨거운 국물에 손이 데일 수 있으므로 주의함.

Quiz

• 정답 32쪽

1 체육관에서는 [　　　　] 을/를 한 후에 활동합니다.

2 [　　　　] 에서는 책꽂이에서 책이 떨어질 수 있으니 조심히 다닙니다.

(1) 안전하고 즐거운 학교

• 교과서 12~13쪽

학용품과 도구를 어떻게 사용해야 할까요

공부할 내용 학용품과 도구 사용의 위험 원인과 안전한 사용법을 설명할 수 있다.

학용품과 도구의 안전한 사용법

청소 도구로 친구에게 장난 치지 않고 안전하게 사용함.

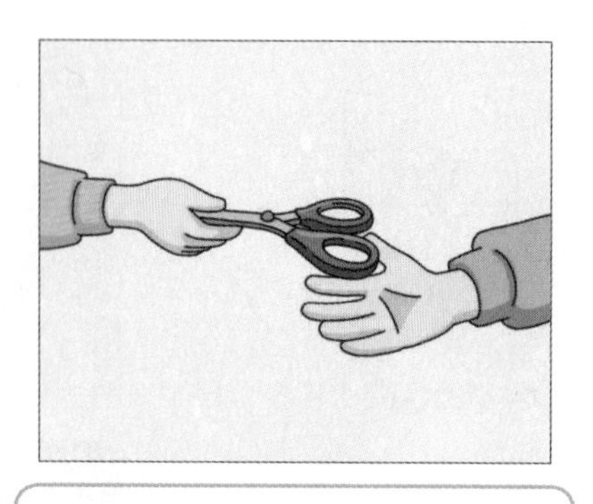

가윗날에 손을 다치지 않도록 하고, 손잡이가 받는 사람을 향하도록 건네줌.

다 사용한 크레파스는 바닥에 굴러다니지 않게 제자리에 잘 정리함.

우산 끝이 아래쪽에 오도록 하고 바르게 접어 우산 통에 넣음.

종이에 손을 베이지 않게 조심해서 사용함.

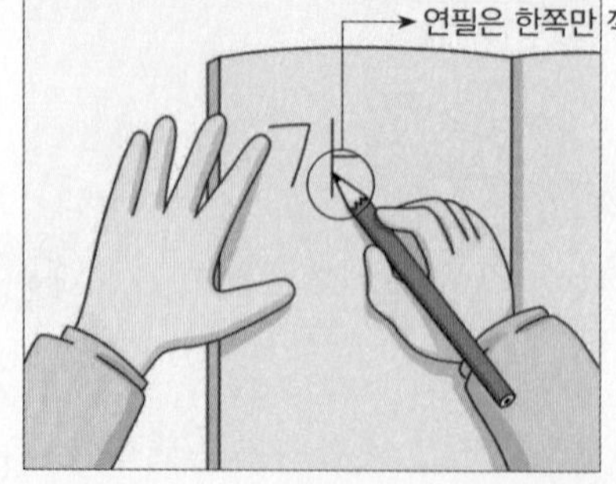

연필심을 입에 물거나 사람의 몸 쪽으로 향하지 않게 함.

Quiz

• 정답 32쪽

1 가위를 친구에게 전달할 때 [　　　　]이/가 받는 사람을 향하도록 합니다.

2 우산 끝이 [　　　　]쪽에 오도록 하여 우산 통에 넣습니다.

(1) 안전하고 즐거운 학교

• 교과서 14~15쪽

학용품과 도구를 안전하게 사용해요

공부할 내용 학용품과 도구의 사용법을 익혀 안전하게 사용할 수 있다.

종이, 연필, 가위를 안전하게 사용하기 예

→

→

우산을 안전하게 사용하기 예

→ 우산 끝의 뾰족한 부분이 아래를 향하게 합니다.

→

→

청소 도구를 안전하게 사용하기 예

→

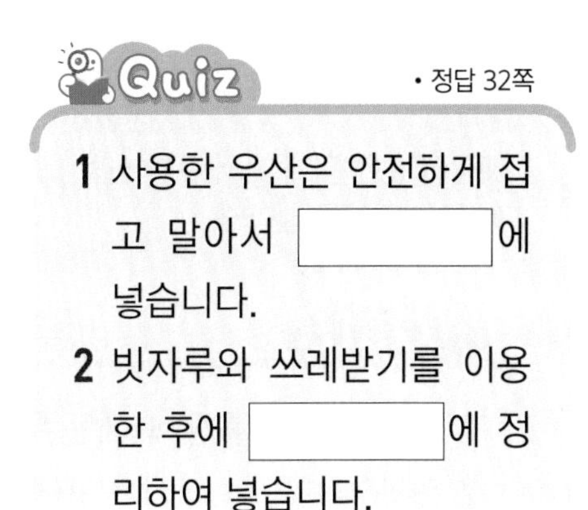

Quiz

• 정답 32쪽

1 사용한 우산은 안전하게 접고 말아서 [   ]에 넣습니다.

2 빗자루와 쓰레받기를 이용한 후에 [   ]에 정리하여 넣습니다.

1 단원

(1) 안전하고 즐거운 학교

• 교과서 16~19쪽

운동장과 놀이터에서 안전하게 놀아요

공부할 내용 운동장과 놀이터에서 안전사고의 종류와 위험 원인을 알고, 안전하게 놀이할 수 있다.

운동장과 놀이터에서 안전하게 놀이하기

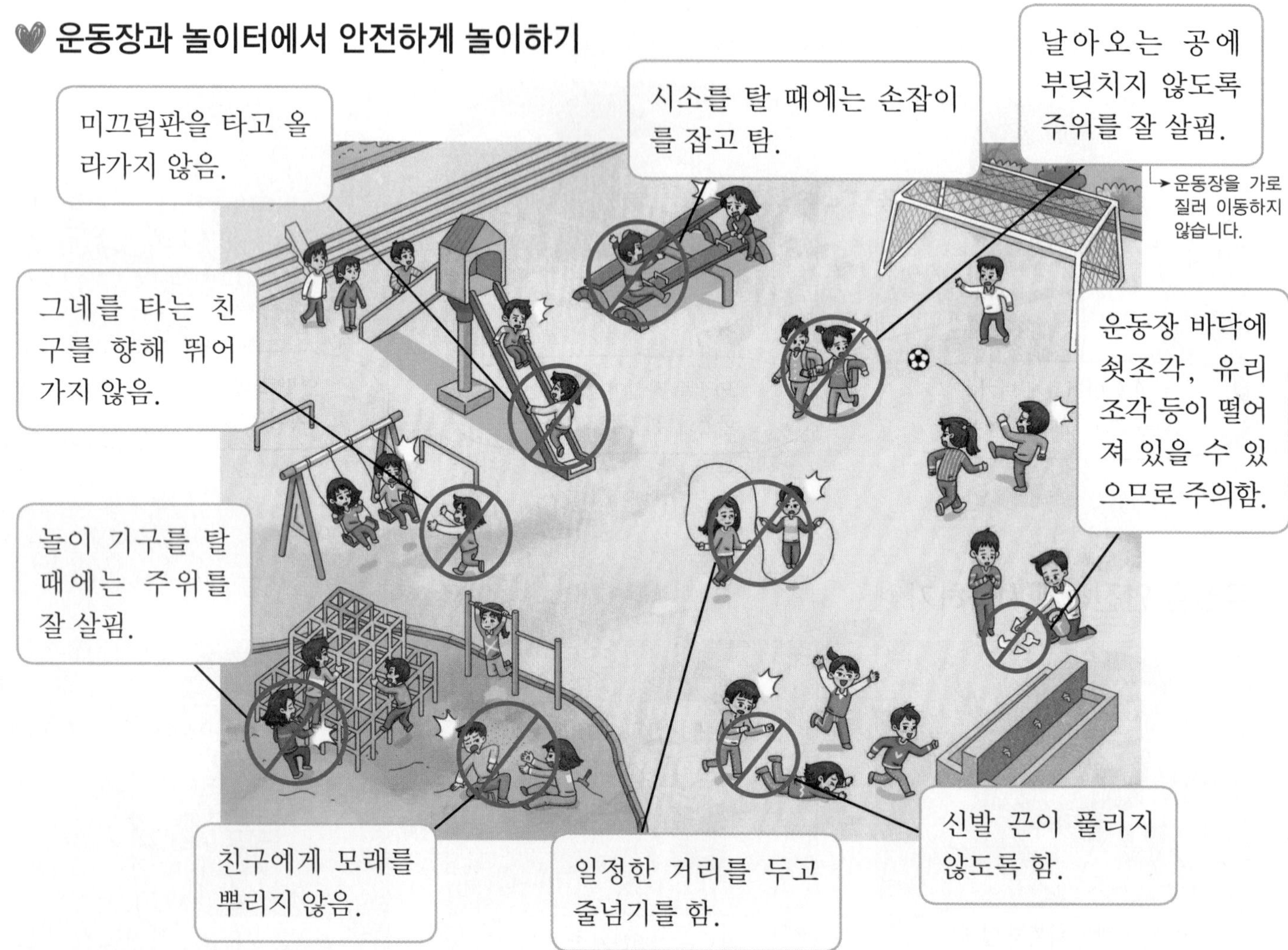

운동장과 놀이터 활동 마무리하기

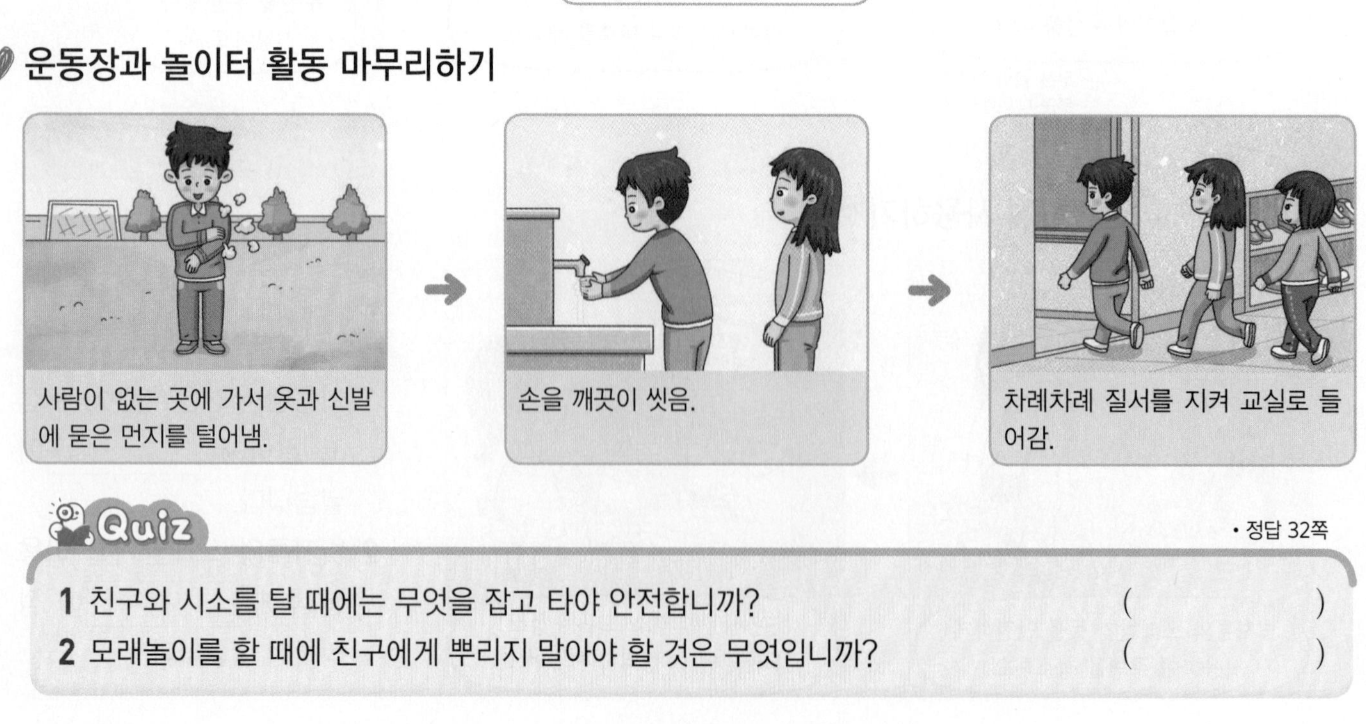

Quiz

• 정답 32쪽

1 친구와 시소를 탈 때에는 무엇을 잡고 타야 안전합니까? (　　　)

2 모래놀이를 할 때에 친구에게 뿌리지 말아야 할 것은 무엇입니까? (　　　)

(2) 신나는 나들이

• 교과서 20~21쪽

야외 체험학습을 안전하게 다녀와요

공부할 내용 안전하게 야외 체험학습을 할 수 있는 방법을 알고, 사고를 막을 수 있다.

버스 등의 차량에서의 안전 행동

→ 버스를 타고 내릴 때에 가방끈이나 옷에 달린 끈이 차 문에 끼이지 않도록 조심합니다.

- 자리에 앉아 안전띠를 바르게 맵니다.
- 버스가 완전히 멈추는 것을 확인한 뒤에 탑니다.
- 버스 안에서는 자리를 이동하거나 장난을 치지 않습니다.
- 버스에서 내릴 때에는 뒤에 오토바이나 자전거가 오는지 확인한 뒤에 내립니다.

야외 현장체험학습 안전 수칙

야외 활동 시 유의할 점

- 곤충이나 뱀 등 동물을 함부로 만지지 않습니다.
- 벌이 보일 때에는 몸을 낮추고 움직이지 않도록 합니다.

Quiz

• 정답 32쪽

1 현장체험학습을 할 때에는 [   ]을/를 서서 선생님을 따라갑니다.

2 야외에서는 [   ]에 쏘이지 않도록 주의합니다.

1 단원

(2) 신나는 나들이

• 교과서 22~23쪽

실내 체험학습을 안전하게 다녀와요

공부할 내용 안전한 실내 체험학습을 할 수 있는 방법을 알고 사고를 막을 수 있다.

실내 현장체험학습 안전 수칙

동물원

박물관 → 전시물에 올라가지 않습니다.

놀이공원

공연장

위급한 상황에서 해야 할 일

큰 소리로 위험을 알림.

비상구를 따라 대피함.

안전 요원의 지시를 따름.

학교나 체험 학습장에 있는 안전 기호

▲ 응급 처치

▲ 미아보호소

▲ 비상구

▲ 관계자 외 출입 금지

Quiz • 정답 32쪽

1 놀이공원에서 놀이 기구를 탈 때 [ ]을/를 착용합니다.

2 공연장에서는 [ ]을/를 잘 지켜야 합니다.

• 교과서 24~25쪽

(2) 신나는 나들이

시설물, 안전이 중요해요

공부할 내용 시설물의 위험 원인을 알고, 안전하게 이용하는 방법을 설명할 수 있다.

승강기, 에스컬레이터, 회전문, 환풍구 이용 안전 수칙

환풍구 → 실내의 오염된 공기를 외부로 내보내는 통로입니다.

회전문

- 여러 명이 함께 무리하게 이용하지 않음.
- 어린이는 보호자와 함께 회전문에 들어감.

승강기

- 정원이 초과되면 맨 나중에 탄 승객이 내림.
- 뒤에 타는 이용자를 위해 열림 버튼을 눌러 줌.

환풍구

- 환풍구 위로는 절대 올라가지 않음.
- 안전 울타리가 설치되어 있지 않은 환풍구는 옆으로 멀리 돌아감.

에스컬레이터

- 손잡이 밖으로 몸을 내밀지 않음.
- 옷이나 물건, 신발 끈 등이 틈새에 끼이지 않도록 주의함.

→ 맨홀 위를 지나가지 않고 옆으로 돌아갑니다.

승강기가 정지하였을 때 안전 수칙

- 침착하게 인터폰으로 연락합니다.
- 출입문이나 비상 환기구를 강제로 열지 않습니다.
- 구출되는 경우에는 반드시 구조 요원의 안내에 따릅니다.

Quiz

• 정답 32쪽

1 승강기를 탈 때에는 뒤에 타는 이용자를 위해 [ ] 버튼을 눌러 줍니다.

2 에스컬레이터를 탈 때에는 [ ] 밖으로 몸을 내밀지 않습니다.

1 단원

• 교과서 26~27쪽

(2) 신나는 나들이

시설물을 이렇게 이용해요

공부할 내용 시설물을 안전하게 이용하는 방법을 익혀 실천할 수 있다.

승강기, 에스컬레이터, 회전문, 환풍구의 안전 이용

승강기

▲ 비상시에는 승강기를 이용하지 않음.

▲ 승강기에서 뛰지 않음.

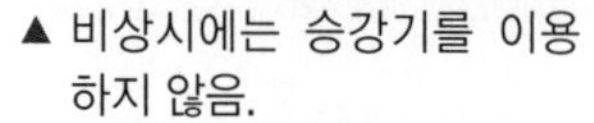

▲ 비상벨의 위치를 확인함.

▲ 승강기 문에 기대지 않음.

회전문

- 중간에 서거나, 문에 기대거나 손을 대지 않도록 함.
- 유리문과 바깥쪽 틀 사이에 손이나 발을 넣지 않음.

→ 회전문 안으로 급히 뛰어들지 말고, 완전히 열려 들어갈 공간이 생기면 이용합니다.

환풍구

- 환풍구 아래쪽을 구경하거나 환풍구에 물건을 집어넣지 않음.
- 맨홀, 채광창도 환풍구와 비슷한 구조이므로 절대 올라가지 않음.

→ 햇빛을 받아 실내를 밝게 하기 위하여 내는 창문입니다.

Quiz

• 정답 32쪽

❖ 시설물을 안전하게 이용하는 방법으로 옳은 것에는 ○표, 옳지 않은 것에는 ×표를 하시오.

1 에스컬레이터를 이용할 때에는 손잡이를 꼭 잡습니다. (　　　)

2 비상시에는 승강기를 타고 아래층으로 이동합니다. (　　　)

• 교과서 32~33쪽

(1) 안전한 길

신호등과 교통 표지판을 알아보아요

공부할 내용 신호등과 교통 표지판의 의미를 알고 이해할 수 있다.

신호등과 교통 표지판

→ 신호등과 교통 표지판이 없다면 사람도 자동차도 모두 안전하게 다닐 수 없습니다.

신호등 정확히 알기

빨간 등일 때	멈춤.
녹색등일 때	확인 후 건넘.
녹색등이 깜박일 때	• 건너기 전 : 다음 신호에 건넘. • 건너는 중 : 빠른 걸음으로 건넘.
신호등을 지켜야 하는 까닭	사고를 막을 수 있고 도로를 안전하게 다닐 수 있기 때문임.

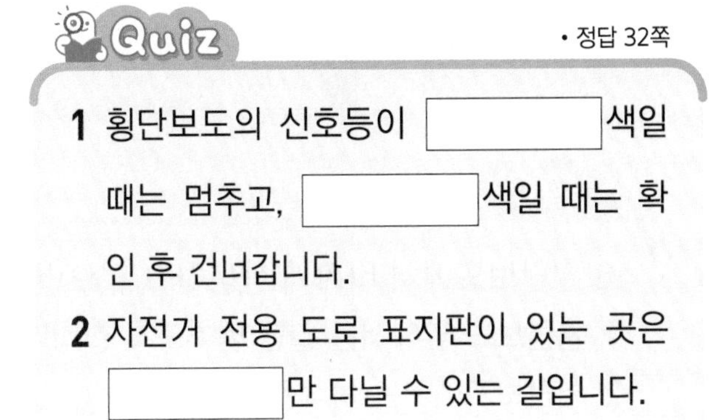

Quiz

• 정답 32쪽

1 횡단보도의 신호등이 ☐색일 때는 멈추고, ☐색일 때는 확인 후 건너갑니다.

2 자전거 전용 도로 표지판이 있는 곳은 ☐만 다닐 수 있는 길입니다.

2 단원

• 교과서 34~35쪽

(1) 안전한 길

길 위의 약속, 꼭 지켜요

공부할 내용 신호등과 교통 표지판에 따라 안전하게 걷는 방법을 연습하고 생활 속에서 실천할 수 있다.

신호등과 교통 표지판을 지키며 안전하게 걷기

→ 교통 표지판: 자동차와 보행자 모두 지켜야 하는 약속입니다.

① 활동 안내 및 규칙

역할	신호등, 교통 표지판, 운전자, 보행자
준비	• 신호등은 횡단보도 앞에 서고, 자동차는 자동차 길에 서며, 보행자는 인도에 섬. • 교통 표지판은 선생님이 지정한 곳에 표지판을 들고 섬.
규칙	• 자동차와 보행자는 모두 달리지 않음. • 선생님의 호루라기 소리에 맞추어 행동함. • 자동차용 신호등과 보행자용 신호등의 색은 반대로 들어야 함.

② 연습하기

Quiz • 정답 32쪽

❖ 횡단보도에서 바르게 행동하고 있으면 ○표, 그렇지 않으면 ×표를 하시오.

1 횡단보도 앞에서는 일단 멈추도록 합니다. (　　　)

2 횡단보도에서는 녹색등이 켜지면 주변을 살피지 않고 건너도 됩니다. (　　　)

• 교과서 36~37쪽

(1) 안전한 길

횡단보도를 건너는 다섯 가지 약속

공부할 내용 도로 횡단 5원칙에 따라 안전하게 길을 건너는 방법을 알고 실천할 수 있다.

횡단보도를 건너는 다섯 가지 약속

❶ 멈춰요. → 녹색등이 켜지더라도 신호를 위반하고 가는 차가 있을 수 있으므로 우선 멈춤.

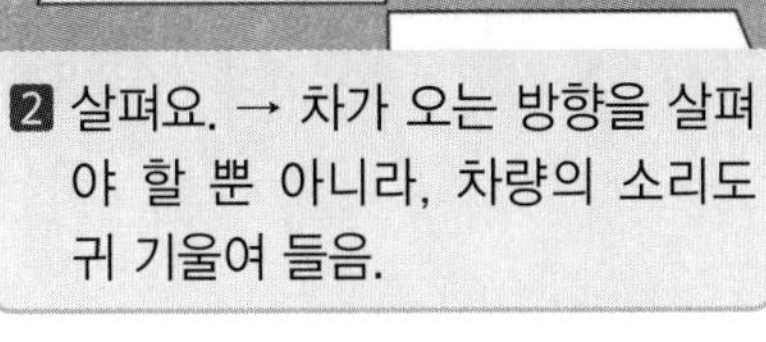

❷ 살펴요. → 차가 오는 방향을 살펴야 할 뿐 아니라, 차량의 소리도 귀 기울여 들음.

❸ 손을 들어요. → 내가 건널 것임을 운전자에게 알리고 준비할 시간을 줌.

❹ 차가 멈추었는지 확인해요. → 운전자와 눈을 맞춰서 안전을 최대한 확보함.

❺ 건너요. → 차의 움직임과 운전자를 확인하며 걸어서 건넘.

횡단보도 건너는 순서

우선 횡단보도 앞에 멈춤. → 좌우를 살핌. → 손을 들어 내가 건널 것임을 알림. → 차의 멈춤을 확인함. → 차의 움직임과 운전자를 확인하며 건넘.

2 단원

횡단보도를 건널 때 생각해야 할 점

→ 중앙선을 넘어서면 오른쪽으로 고개를 돌려 운전자와 눈을 맞추고 자동차가 멈춘 것을 확인하고 걸어갑니다.

① 차의 속도가 빠를 때에는 정지하지 못할 수도 있습니다.

② 횡단보도는 무조건 안전한 장소라고 생각하면 안 됩니다.

③ 신호등이 없는 횡단보도는 혼자 건너기 위험하므로 가급적 어른과 함께 길을 건널 수 있도록 합니다.

• 정답 32쪽

1 횡단보도를 건널 때에는 [　　　　] 을/를 들어 차의 멈춤을 확인한 뒤 건너갑니다.

2 횡단보도를 건널 때에는 운전자와 눈을 맞춰서 안전을 최대한 확보하도록 합니다. (○ / ×)

• 교과서 38~39쪽

(1) 안전한 길

신호등이 없어도 안전하게 건너요

공부할 내용 신호등이 없는 거리에서 안전하게 걷는 방법을 연습하고 생활 속에서 실천할 수 있다.

안전하게 길 걷기 방법

- 큰 자동차의 앞으로 건너갈 때 : 운전자가 사람을 발견하기 어려우므로 주의해야 하고, 큰 자동차의 옆으로 달려오는 자동차나 오토바이를 조심해야 합니다.
- 신호등이 없을 때 : 멈춥니다. → 자동차의 움직임을 살핍니다. → 손을 들어 지나갈 것임을 알리고 운전자와 눈을 맞추고 자동차의 움직임을 확인하며 건넙니다. → 횡단보도의 우측으로 건너는 것이 안전합니다.
- 횡단보도가 없을 때 : 육교와 지하도를 이용하여 건넙니다.

Quiz

• 정답 32쪽

1 신호등이 없는 횡단보도에서는 운전자와 [　　　] 을/를 맞추고 자동차의 움직임을 확인하며 건넙니다.

2 횡단보도가 근처에 없는 경우, 멀리 돌아가더라도 [　　　] 을/를 이용하여 길을 건넙니다.

(1) 안전한 길

• 교과서 40~41쪽

골목에서 어떻게 해야 할까요

공부할 내용 골목에서 걷거나 놀 때에 어떻게 행동하는 것이 안전한지 말할 수 있다.

→ 차도와 인도가 구분되지 않은 골목에서는 특히 안전에 주의해야 합니다.

골목에서 발생할 수 있는 위험과 골목에서의 바른 행동

2 단원

골목에서의 바른 행동

- 항상 서두르지 않고 주변을 살피며 걸어야 합니다.
- 자동차가 있는 골목이 아닌 안전한 곳에서 놀이를 해야 합니다.
- 좁은 길이나 골목에서 넓은 도로로 나올 때에는 일단 멈추어 서서 주위를 살펴야 합니다.
- 인도와 차도가 구분되지 않은 길에서는 자동차의 운전자를 마주 보며 걷는 것이 안전합니다.

Quiz

• 정답 32쪽

✤ 골목에서의 안전한 행동에 ○표, 위험한 행동에 ×표를 하시오.

1 자동차가 다니는 골목에서 공놀이를 합니다. (　　　　　)

2 골목 모퉁이에 멈추어 서서 차가 오는지 확인합니다. (　　　　　)

(1) 안전한 길

• 교과서 42~43쪽

골목에서 안전하게 행동해요

공부할 내용 골목에서의 안전한 행동을 익혀 생활 속에서 실천할 수 있다.

골목에서 안전하게 길을 걷는 방법

→ 인도와 차도가 구분된 길에서는 우측통행을 하도록 합니다.

▲ 좁은 골목에서는 벽쪽에 붙어서서 자동차가 먼저 지나가기를 기다림.

▲ 자동차가 오는 방향을 마주하며 걷고, 물건은 자동차가 오는 반대 방향으로 듦.

▲ 자동차와 마주 보며 한 줄로 통행함.

▲ 자동차가 지나다니는 곳에서 놀지 않음.

▲ 공이 자동차(트럭) 밑으로 들어갔을 때에는 어른들에게 도움을 청함.

▲ 골목에서 큰길로 나가는 곳에서는 반드시 주위를 살핌.

▲ 자동차가 주차되어 있는 골목에서 함부로 뛰어 나가지 않음.

▲ 간판이 많은 골목에서는 주위를 살피며 걸음.

Quiz

• 정답 32쪽

1 둘 이상이 골목을 갈 때는 한 줄로 걷습니다. (○ / ×)

2 골목에서 큰길로 나갈 때는 주위를 살피지 않아도 됩니다. (○ / ×)

3 자동차가 주차되어 있는 골목에서 함부로 뛰어 나가지 않습니다. (○ / ×)

• 교과서 44~45쪽

(2) 교통 규칙을 지켜요

보호 장구는 중요해요

공부할 내용 바퀴가 달린 것을 탈 때에 보호 장구 착용의 중요성을 알고 바르게 착용할 수 있다.

보호 장구의 필요성과 올바른 착용 방법

안전모
- 머리를 보호하기 위해 씀.
- 앞부분이 눈썹과 일치되도록 하고 끈은 안전모가 머리에 고정되도록 조여 줌.

팔꿈치·무릎 보호대
- 자전거가 넘어질 때 무릎과 팔 등이 먼저 땅에 닿게 되므로 보호하기 위해 착용함.
- 팔꿈치와 무릎을 보호할 수 있는 견고한 재질이어야 하며, 움직여도 잘 벗겨지지 않도록 단단히 조여야 함.

손목 보호대
- 손목을 보호하기 위해 착용함.

안전모를 쓰는 방법(2-4-1 법칙)

2법칙 : 눈썹 위로 손가락 두 개가 들어갈 공간을 남기고 이마가 덮이도록 착용함.

4법칙 : 손가락을 V자로 만들어 귀 옆에 붙여 양쪽에 달린 끈이 귀를 감싸도록 조정함.

1법칙 : 손가락 한 개가 들어갈 정도의 공간을 남기고 끈을 잘 조임.

Quiz

• 정답 32쪽

✤ 보호 장구를 바르게 착용했으면 ○표, 그렇지 않으면 ×표를 하시오.

1 장갑을 손의 크기보다 훨씬 큰 것을 착용했습니다. (   )

2 팔꿈치 보호대를 움직여도 잘 벗겨지지 않도록 단단히 조였습니다. (   )

• 교과서 46~47쪽

(2) 교통 규칙을 지켜요

안전한 곳에서 타요

공부할 내용 보호 장구를 바르게 착용하고 안전한 장소에서 바퀴가 달린 것을 탈 수 있다.

바퀴가 달린 것을 타기에 위험한 장소와 안전한 장소

위험한 장소 / 안전한 장소
▲ 차가 다니는 도로 ▲ 내리막이 심한 곳 ▲ 공사장 인근 ▲ 안전한 운동장 ▲ 안전한 공원 ▲ 사방이 트인 공터

바퀴가 달린 것을 타기에 안전한 장소에서도 사고가 나는 경우

① 앞 자전거와 너무 가까이 가다가 부딪힐 수 있습니다.
② 공이 갑자기 자전거 쪽으로 날아와 사고가 날 수 있습니다.
③ 산책을 나온 애완동물로 인해 자전거가 지나다니는 데 방해가 될 수 있습니다.
④ 자전거 전용 도로 위를 걸어가던 사람과 부딪쳐서 사고가 발생할 수 있습니다.

바퀴가 달린 것을 탈 때 주의할 점

① 모든 보호 장구를 착용합니다.
② 좁은 길에서는 지나다니는 사람을 조심해야 합니다.
③ 사람이 많은 곳이나 횡단보도에서는 내려서 끌고 갑니다.
④ 너무 빠르게 타지 않고, 되도록 넓게 트이고 평탄한 곳에서 탑니다.
⑤ 처음 타는 사람은 안전하게 멈추는 방법과 넘어지는 방법을 배우고 탑니다.
⑥ 어두운 곳에서 타지 않고 손에 짐을 들거나 이어폰을 꽂고 타지 않도록 합니다.
⑦ 골목이나 공사장, 공사장 근처에서 타지 않아야 합니다.

→ 순간적인 위험에 대처할 수 없게 합니다.

Quiz

• 정답 32쪽

✣ 바퀴가 달린 것을 안전하게 타는 경우에 ○표, 그렇지 않으면 ×표를 하시오.

1 사람이 많은 곳에서는 내려서 끌고 갑니다. (　　　)

2 좁은 길에서는 지나다니는 사람을 조심합니다. (　　　)

3 주로 자동차가 다니는 도로나 주차장, 공사장 등에서 타는 것이 좋습니다. (　　　)

(2) 교통 규칙을 지켜요

• 교과서 48~49쪽

안전띠로 생명을 보호해요

공부할 내용 안전띠 착용의 중요성을 알고 바르게 착용할 수 있다.

안전띠를 매야 하는 까닭과 안전띠를 매는 올바른 방법

안전띠를 매야 하는 까닭

- 사고가 날 때 몸이 차 밖으로 튕겨 나가는 것을 막아 주는 역할을 함.
- 사고가 날 때 머리에 부딪히는 충격을 어깨, 가슴, 허리와 골반뼈 등으로 나누어지게 함.

안전띠를 매는 올바른 방법

- 안전띠가 꼬이지 않도록 함.
- 뒷자석에서도 꼭 안전띠를 맴.
- 허리띠는 골반뼈를 지나도록 함.
- 어깨띠는 어깨 가운데를 지나도록 함.
- 딸깍 소리가 날 때까지 걸쇠를 밀어 넣어 잠금.
- 가슴과 안전띠 사이에 주먹 하나가 들어갈 수 있을 정도로 맴.

▲ 안전띠를 바르게 맨 모습

2 단원

안전띠를 잘못 맨 경우

▲ 목 위로 지나가지 않게 함.

▲ 안전띠가 꼬이지 않게 함.

▲ 등받이를 바로 세워야 함.

▲ 안전띠가 너무 느슨하지 않게 함.

▲ 안전띠가 골반뼈를 지나가게 맴.

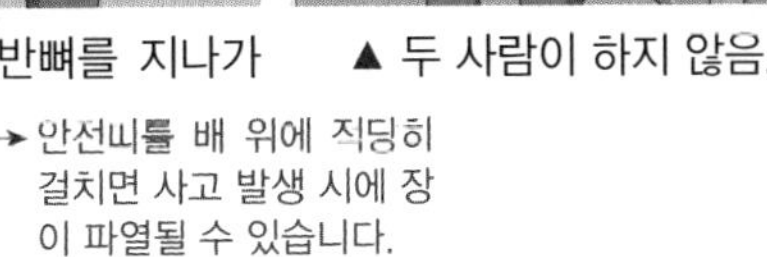

→ 안전띠를 배 위에 지당히 걸치면 사고 발생 시에 장이 파열될 수 있습니다.

▲ 두 사람이 하지 않음.

Quiz

• 정답 32쪽

❖ 안전띠를 바르게 맸으면 ○표, 그렇지 않으면 ×표를 하시오.

1 안전띠가 꼬이지 않도록 맸습니다. (　　　　)

2 안전띠가 배 위로 올라오게 맸습니다. (　　　　)

3 뒷자석에서는 안전띠를 매지 않았습니다. (　　　　)

• 교과서 50~51쪽

(2) 교통 규칙을 지켜요

버스와 전철을 안전하게 이용해요

공부할 내용 버스와 전철을 안전하게 이용하는 방법을 알고 실천할 수 있다.

버스와 전철을 안전하게 이용하는 방법

버스

→ 전철 문이 닫힐 때 무리하게 타지 않습니다.

전철

버스, 전철을 안전하게 이용하기

버스	차례대로 버스에 탐, 의자에 앉거나 빈자리가 없으면 손잡이를 잡고 섬, 창문 밖으로 손이나 얼굴을 내밀지 않음, 내릴 때 조심함. 등
전철	안전선에서 한발 물러서서 기다림, 전철 문틈에 손이나 발, 가방이 끼이지 않도록 조심함, 승강장과 전철 사이에 발이 끼이지 않도록 조심함. 등

Quiz

• 정답 32쪽

1 버스 안에서 빈자리가 없으면 [　　　　]을/를 잡고 서 있습니다.

2 전철을 탈 때에는 승강장과 전철 사이에 [　　　　]이/가 끼이지 않도록 조심합니다.

• 교과서 56~57쪽

(1) 슬기롭게 행동해요

낯선 사람이 다가와요

공부할 내용 낯선 사람의 접근 방법을 알고 위험이 발생했을 때 바르게 실천할 수 있다.

낯선 사람이 다가올 때의 대처 방법

3 단원

Quiz

• 정답 32쪽

✣ 다음 중 낯선 사람이 다가올 때의 대처 방법으로 옳은 것에는 ○표, 옳지 않은 것에는 ×표를 하시오.

1 낯선 사람이 선물을 주면 감사히 받습니다. (　　　)

2 아는 사람이라며 같이 가자고 할 때는 절대 따라가지 않습니다. (　　　)

• 교과서 58~59쪽

(1) 슬기롭게 행동해요

길을 잃었어요

공부할 내용 길을 잃었을 때의 대처 방법을 알고 바르게 실천할 수 있다.

길을 잃어버리지 않는 방법

① 길을 잃을 수 있는 장소 : 백화점, 놀이공원, 해수욕장 등과 같이 사람이 많은 장소

▲ 백화점

▲ 놀이공원

▲ 해수욕장

② 길을 잃어버리지 않는 방법

부모님과 함께 있을 때	• 혼자 다니지 않고 부모님 손을 꼭 잡고 다님. • 부모님이 물건을 들고 있다면 부모님 옷자락이라도 잡음. • 부모님이 볼 수 있는 곳에서 벗어나는 행동을 하지 않음.
집 근처에서 부모님 없이 길을 다닐 때	• 우리 동네에서 대표적인 가게 또는 건물을 알아 둠. • 친구들과 큰길로 다녀야 하고 내가 어디 있는지 수시로 부모님에게 말함.

길을 잃을 수 있는 상황

놀이 기구를 보고 앞만 보고 달려간 경우

부모님께서 기다리라고 했는데 자리에서 벗어난 경우

인형이나 애완동물을 구경하다가 부모님을 놓친 경우

길을 잃었을 때의 대처 방법

① 멈춰요.

② 생각해요.

③ 도움을 요청해요.

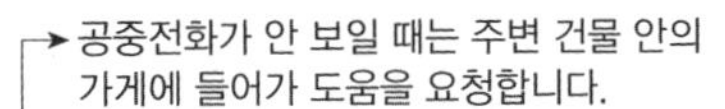

- 아이와 함께 있는 아주머니에게 도움을 요청함.
- 가까운 곳에 있는 공중전화를 찾아 '긴급 통화 112' 또는 '182'를 눌러 경찰에게 도움을 요청함.
- 가까운 아동안전지킴이집에 가서 도움을 요청함.

Quiz

• 정답 32쪽

1 부모님과 함께 있을 때 길을 잃어버리지 않기 위해서는 혼자 다니지 않고 부모님 [　　　　] 을/를 꼭 잡고 다녀야 합니다.

2 길을 잃으면 가까운 곳에 있는 공중전화를 찾아 '긴급 통화 [　　　　]' 또는 '182'를 눌러 경찰에게 도움을 요청합니다.

• 교과서 60~61쪽

(2) 우리 모두 소중한 친구

우리 모두 사이좋게 지내요

공부할 내용 집단 따돌림의 유형과 해로움을 알고 예방하는 생활을 실천할 수 있다.

따돌림의 유형

친구를 따돌리지 않고 사이좋게 지낼 수 있는 방법 이야기하기

친구를 따돌리지 않고 사이좋게 지낼 수 있는 방법

① 친구가 말을 건네면 다정하게 대답합니다.
② 친구들에게 먼저 다가가서 같이 놀자고 합니다.
③ 친구가 싫어하는 별명이나 나쁜 말을 사용하지 않습니다.
④ 운동장 놀이에 혼자 있는 친구가 있으면 같이 놀자고 합니다.
⑤ 따돌림을 당하는 친구가 있으면 즉시 선생님이나 부모님께 알립니다.

친구에게 그동안 고마웠던 점, 미안했던 점, 사랑하는 마음 등을 담아 카드에 써 보기

① 카드 한 장에 한 가지씩 씁니다.
② 카드를 친구에게 건네며 이야기한 다음 우정의 나무에 붙입니다.

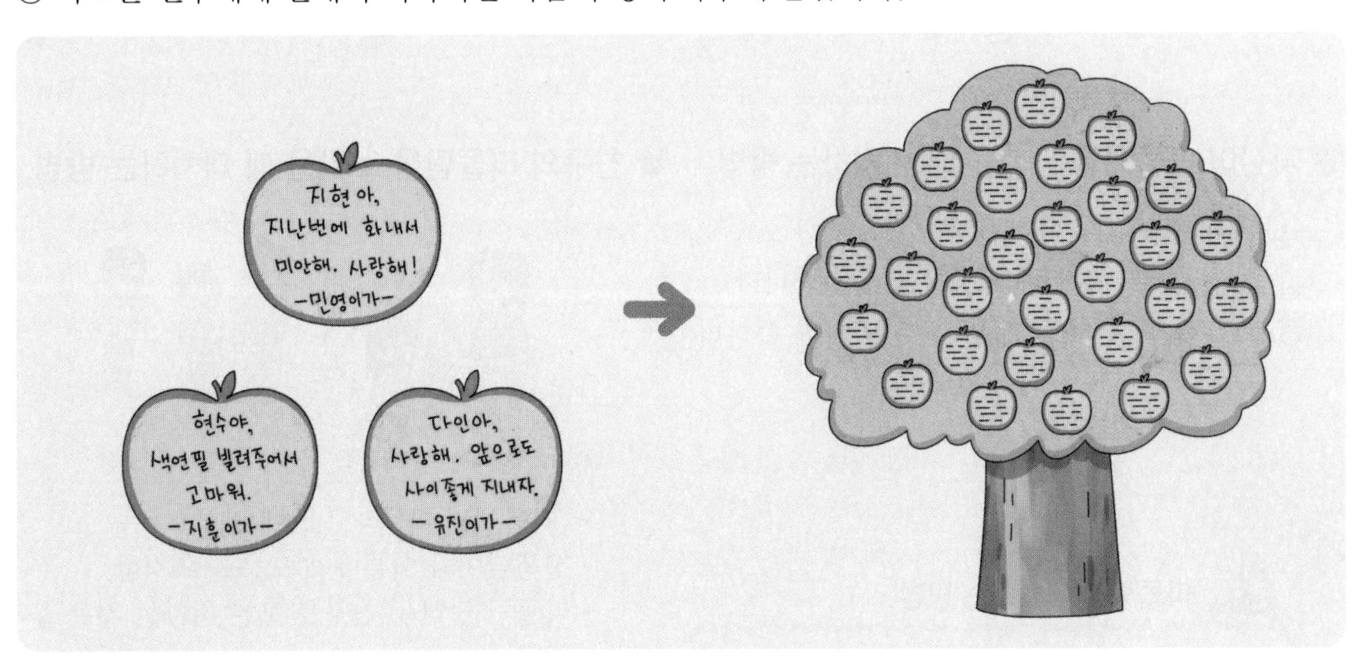

Quiz

• 정답 32쪽

❖ 다음 중 친구를 따돌리지 않고 사이좋게 지내기 위한 방법으로 옳은 것에는 ○표, 옳지 않은 것에는 ×표를 하시오.

1 친구가 싫어하는 별명을 자주 부릅니다. ( )

2 운동장 놀이에 혼자 있는 친구가 있으면 같이 놀자고 합니다. ( )

• 교과서 62~63쪽

우리는 모두 소중해요

공부할 내용 집단 따돌림을 당하거나 보았을 때에 대처하는 방법을 익혀 실천할 수 있다.

역할놀이로 따돌림에 대처하는 방법 알기

→ 모둠별로 따돌림에 대처하는 행동 방법을 역할놀이로 표현해 봅니다.

친구들이 좋지 않은 말을 한다고 부모님께 알림.

친구를 괴롭히지 말라고 크게 말하고 선생님께 알림.

친구에게 먼저 다가가서 같이 밥을 먹자고 말함.

친구에게 다가가서 함께 놀자고 말함.

자신이 따돌림을 당했을 때 대처하는 방법

① 혼자 해결하려 하지 않습니다.
② 선생님이나 부모님께 도움을 요청합니다.
③ 괴롭힘 당한 그 날의 일은 꼭 일기에 씁니다.

친구의 따돌림을 보았을 때 대처하는 방법

- "괴롭히지 마!"라고 크게 말함.
- 선생님이나 어른에게 도움을 요청함.
- 따돌림 당하는 친구를 모른 척하는 것은 옳지 않음. → 입장 바꿔 생각해 봅니다.

따돌림에 대처하는 방법

- 내가 따돌림을 당한다면 선생님이나 부모님께 꼭 말해야 합니다.
- 친구들이 말을 걸어 주지 않거나 눈을 마주치지 않을 때는 내가 먼저 다가갑니다.
- 친구가 따돌림을 당하는 것을 보았을 때는 "괴롭히지 마!"라고 크게 외치고, 선생님이나 부모님께 꼭 알립니다.

Quiz

• 정답 32쪽

1 친구가 따돌림을 당하는 것을 보았을 때는 "괴롭히지 마!"라고 크게 외치고, 바로 [ ](이)나 부모님께 꼭 알립니다.

• 교과서 68~69쪽

(1) 조심조심 불조심

불! 미리미리 조심해요

공부할 내용 가정에서의 화재 원인을 알고 이를 예방하는 방법을 익혀 실천할 수 있다.

집에서 불이 나는 원인

→ 불은 요리를 할 수 있게 해 주고, 집을 따뜻하게 해 주며, 어두운 곳을 밝게 비춰 준다는 고마운 점이 있습니다.

화재 예방법

① 전선을 잡아당겨 플러그를 빼지 않습니다.
② 사용하지 않는 전기 기구의 전원은 빼 둡니다.
③ 성냥, 라이터 등으로 불장난을 하지 않도록 합니다.
④ 가스불을 켤 때에는 불이 붙었는지 꼭 확인하도록 합니다.
⑤ 가스불 위에 요리를 올려놓고 주방을 장시간 비우지 않습니다.
⑥ 비누나 세제로 거품을 내어 가스가 새는지 수시로 확인합니다.

Quiz

• 정답 32쪽

✣ 집에서 불이 나는 원인으로 옳은 것에 ○표, 그렇지 않은 것에는 ×표를 하시오.

1 화장실에 물을 계속 틀어 놓으면 불이 날 수 있습니다. (　　　)

2 다리미가 켜진 채로 옷 위에 놓여 있으면 불이 날 수 있습니다. (　　　)

3 가스레인지 주변 창에 설치된 커튼에 불이 붙을 수 있습니다. (　　　)

4 단원

• 교과서 70~71쪽

(1) 조심조심 불조심

불이 났어요

공부할 내용 가정에서 화재 발생 시의 대처 방법을 익혀 생활 속에서 실천할 수 있다.

불이 났을 때 대피하는 방법

→ 불이 났을 때는 당황하지 말고 침착하게 행동해야 위험에서 벗어날 수 있습니다.

화재가 났을 때에는 무섭다고 책상 밑이나 침대 밑, 장롱, 화장실에 숨으면 안 됩니다.

- "불이야" 소리치면서 화재를 알립니다.
- 비상구 또는 계단으로 대피합니다.
- 연기를 피하며 벽을 짚고 낮은 자세로 대피합니다.
- 119에 신고합니다.

119에 신고하는 방법 → 안전하게 대피한 후에 해야 합니다.

몸에 불이 붙었을 때 대처 방법

→ 얼굴을 가리는 것은 얼굴에 화상을 입거나 연기가 폐에 들어가는 것을 막기 위함입니다.

불이 났을 때의 대처 방법

119에 신고하는 방법	• 안전한 장소에서 신고를 함. • 묻는 말에 정확하게 대답함. • 먼저 전화를 끊지 말고 소방대원의 안내에 잘 따름.
몸에 불이 붙었을 때 대처 방법	불이 붙으면 당황해서 달리지 않고 멈춤. → 바닥에 엎드림. → 손으로 얼굴을 가리고 바닥에서 구름.

Quiz

• 정답 32쪽

1 불이 났을 때는 계단 대신 승강기를 이용하고, 연기를 피하며 벽을 짚고 높은 자세로 대피합니다. (○ / ×)

2 다음 중 몸에 불이 붙었을 때의 행동 요령으로 옳은 것에 ○표를 하시오.

(1) 무조건 달립니다. ( )

(2) 바닥에 엎드려서 구릅니다. ( )

• 교과서 72~73쪽

(2) 지진이 나면

지진! 이렇게 하면 안전해요

공부할 내용 지진의 위험성을 알고 지진 대처 방법을 익혀 생활 속에서 실천할 수 있다.

지진이 일어났을 때의 모습과 대처 방법

지진: 지구 내부 힘으로 땅 속의 거대한 바위가 갈라지면서 그 충격으로 땅이 흔들리는 현상입니다.

학교에서 지진이 났을 때

① 책상 밑으로 들어가 책상 다리를 꼭 잡습니다.

② 흔들림이 멈추면 선생님의 안내에 따라 교실에서 차례로 빠져나갑니다.

③ 떨어지는 물건에 다치지 않도록 가방이나 방석 등으로 머리를 보호합니다.

④ 건물에서 멀리 떨어진 넓은 운동장으로 피합니다.

지진이 났을 때 대처하는 방법

▲ 전철에서 손잡이나 기둥을 잡고 넘어지지 않도록 함.

▲ 가방 등으로 몸을 보호하면서 자리에 있다가, 안내에 따라 대피함.

▲ 탁자 아래로 들어가 몸을 보호함.

▲ 승강기에서 내려 계단을 이용함.
→ 모든 층의 버튼을 눌러 가장 먼저 열리는 층에서 내립니다.

▲ 진열장에서 떨어지는 물건으로부터 몸을 보호함.

▲ 건물과 거리를 두고 운동장이나 공원 등 넓은 공간으로 대피함.

흔들림이 멈춘 후

▲ 전기와 가스를 차단하고, 문을 열어 출구를 확보함.

▲ 승강기를 이용하지 말고, 계단으로 대피함.

▲ 떨어지는 물건을 조심하고, 넓은 공간으로 피함.

▲ 라디오나 안내 방송을 들으면서 안전하게 행동함.

Quiz

• 정답 32쪽

✤ 지진이 일어났을 때의 모습과 대처 방법으로 옳은 것에 ○표, 그렇지 않은 것에 ×표를 하시오.

1 땅이 흔들리거나 갈라집니다. (　　　)

2 하늘에서 갑자기 비나 눈이 내리고 천둥번개가 칩니다. (　　　)

3 건물의 벽이 무너지거나 유리창이 깨지고 간판이 떨어집니다. (　　　)

4 지진이 났을 때에는 건물 밖으로 나가기 위해서 승강기를 이용해야 합니다. (　　　)

Quiz 정답

2쪽	1 오른쪽	2 손잡이	
3쪽	1 예 준비 운동	2 도서관	
4쪽	1 예 손잡이	2 예 아래	
5쪽	1 예 우산 통	2 예 청소 도구함	
6쪽	1 손잡이	2 예 모래	
7쪽	1 예 줄	2 예 벌, 말벌 등	
8쪽	1 안전 장치	2 질서	
9쪽	1 열림	2 손잡이	
10쪽	1 ○	2 ×	
11쪽	1 빨간, 녹	2 자전거	
12쪽	1 ○	2 ×	
13쪽	1 손	2 ○	
14쪽	1 눈	2 예 육교, 지하도	

15쪽	1 ×	2 ○		
16쪽	1 ○	2 ×	3 ○	
17쪽	1 ×	2 ○		
18쪽	1 ○	2 ○	3 ×	
19쪽	1 ○	2 ×	3 ×	
20쪽	1 손잡이	2 발		
21쪽	1 ×	2 ○		
23쪽	1 예 손	2 예 112		
25쪽	1 ×	2 ○		
26쪽	1 예 선생님			
27쪽	1 ×	2 ○	3 ○	
29쪽	1 ×	2 (2) ○		
31쪽	1 ○	2 ×	3 ○	4 ×

교과서 마스터와 평가 마스터를 잇는
단원 학습의 완성!

STEP 1

교과서 마스터

교과서 개념과 유형 문제로
내 실력을 확인해 보세요.

STEP 2

평가 마스터

스스로 풀어보면서
한 번 더 점검해 보세요.

상위 5%로 가는 거야~

STEP 3

과목별 단원평가 문제집

우등생 시리즈를 선택한
학생들만의 특권!
과목별 단원평가 문제집으로
약점을 강점으로 바꾸세요.

세상에 나는 딱 하나뿐이야!

영화배우처럼 잘생기지 않아도 괜찮아.

태권도 띠가 검은색이 아니어도 괜찮아.

공부 잘한다고 칭찬받지 못해도 괜찮아.

잘하는 게 없어도, 잘난 게 없어도 괜찮아.

다 괜찮아.

나는 세상에 딱 하나뿐이거든.

내 이름을 가진 애는 조금 더 있겠지만

지금 내 방에서 내 얼굴을 하고

요런 생각을 하고 있는 건

세상에 딱 하나뿐이야. 나뿐이야.

세상에 딱 하나뿐인 내가

귀하지 않을 수 있겠어?

조금만 더 두고 보라고.

세상에 딱 하나뿐인 여러분을 응원합니다.

국어

CONTENTS

1. 소중한 책을 소개해요 ········· 4쪽
2. 소리와 모양을 흉내 내요 ········· 7쪽
3. 문장으로 표현해요 ········· 10쪽
4. 바른 자세로 말해요 ········· 13쪽
5. 알맞은 목소리로 읽어요 ········· 16쪽
6. 고운 말을 해요 ········· 19쪽
7. 무엇이 중요할까요 ········· 22쪽
8. 띄어 읽어요 ········· 25쪽
9. 겪은 일을 글로 써요 ········· 28쪽
10. 인물의 말과 행동을 상상해요 31쪽

1-2

정답과 풀이 2쪽

1 책을 읽은 경험에 대하여 말한 것이 아닌 것은 무엇입니까? ( )

① 학교 도서관에서 책을 읽었다.
② 집에서 자기 전에 책을 읽었다.
③ 도서 축제에서 재미있는 책을 읽었다.
④ 서점에서 읽고 싶은 책을 사서 읽었다.
⑤ 도서관에서 봉사 활동으로 책 정리를 하였다.

[2~7] 다음 시를 읽고 물음에 답하시오.

> 발가락
>
> 심심할 때면
> ㉠저희끼리
> ㉡꼼질꼼질.
>
> 서로서로
> 예쁘다, 예쁘다
> 꼼질꼼질.

2 이 시에 대한 설명으로 알맞은 것은 무엇입니까? ( )

① 발톱을 깎는 모습을 나타내었다.
② 신발을 발로 차는 모습을 나타내었다.
③ 양말에 구멍이 난 모습을 나타내었다.
④ 발가락이 움직이는 모습을 나타내었다.
⑤ 새로 산 신발을 신은 모습을 나타내었다.

3 ㉠'저희'가 가리키는 무엇인지 쓰시오.

( )

4 발가락은 어떠할 때 움직인다고 하였습니까? ( )

① 심심할 때
② 잠이 올 때
③ 화가 날 때
④ 간지러울 때
⑤ 서로 싸울 때

5 이 시를 읽고 재미있는 부분에 대하여 말한 것으로 알맞은 것은 무엇입니까? ( )

① 발가락의 길이를 잰 것이 재미있다.
② 발가락의 개수를 센 것이 재미있다.
③ 발가락의 색깔을 표현한 것이 재미있다.
④ 발가락의 생김새를 표현한 것이 재미있다.
⑤ 발가락의 움직임을 '꼼질꼼질'이라고 표현한 것이 재미있다.

6 ㉡ 대신에 쓸 수 있는 표현으로 알맞은 것은 무엇입니까? ( )

① 땡땡땡
② 야옹야옹
③ 쨍그랑쨍그랑
④ 꼼지락꼼지락
⑤ 까르륵까르륵

7 발가락을 보고 떠오르는 것에 대하여 알맞게 말한 친구는 누구인지 쓰시오.

> 영민: 발가락이 간지러워서 긁었어.
> 남수: 달리기를 해서 발가락이 아파.
> 지현: 열 개의 발가락은 바다의 섬 같아.

( )

[8~12] 다음 글을 읽고 물음에 답하시오.

> ㈎ 우리 조상들은 아기의 첫 번째 생일에 돌잔치를 했습니다. 돌잔치에서는 맛있는 음식을 차려 나누어 먹고 돌잡이도 했습니다. 돌잡이는 아기가 여러 가지 물건 가운데에서 한두 개를 잡는 것입니다.
>
> ㈏ 돌잡이상 위에는 쌀, 떡, 책, 붓, 돈, 활, 실 등을 올려놓았습니다. 실을 잡는 아이는 오래 살 것이라고 생각했습니다. 책을 잡는 아이는 공부를 잘하게 될 것이라고 여겼습니다. 또 쌀을 잡는 아이는 부자가 될 것이라고 했습니다.
>
> ㈐ 우리 조상들은 돌잔치를 하면서 아기가 건강하고 행복하게 자라기를 바랐습니다.

8 돌잔치는 언제 하였는지 쓰시오.

( )

9 돌잔치에서 하는 일 두 가지를 고르시오. (,)

① 돌잡이를 했다.
② 쥐불놀이를 했다.
③ 강강술래를 했다.
④ 연날리기를 했다.
⑤ 음식을 차려 나누어 먹었다.

10 돌잡이 물건에 담긴 의미를 선으로 이으시오.

(1) 실 • • ㉠ 공부를 잘할 것이다.
(2) 책 • • ㉡ 오래 살 것이다.
(3) 쌀 • • ㉢ 부자가 될 것이다.

11 글 ㈎~㈐ 중에서 돌잔치를 하면서 조상들이 바랐던 것을 알 수 있는 글은 어느 것입니까?

( )

12 이 글을 읽고 새롭게 알게 된 점으로 알맞지 않은 것은 무엇입니까? ( )

① 돌잡이의 뜻
② 돌잔치를 하는 때
③ 돌잔치 때 하는 것
④ 돌잡이를 하는 장소
⑤ 돌잡이 때 놓는 물건

13 다음 밑줄 그은 글자들의 공통점은 무엇입니까? ( )

- 낚시를 해요.
- 재료를 섞어요.

① 발음이 같은 글자이다.
② 'ㄴ'이 들어간 글자이다.
③ 'ㅏ'가 들어간 글자이다.
④ 'ㅁ'이 받침으로 들어간 글자이다.
⑤ 'ㄲ'이 받침으로 들어간 글자이다.

14 ▢에 들어갈 글자의 받침으로 알맞은 것은 무엇입니까? ( )

모자를 써▢다.

① ㄲ ② ㄸ ③ ㅃ
④ ㅆ ⑤ ㅉ

국어

15 빈칸에 알맞은 글자를 보기 에서 찾아 써넣으시오.

보기
깍 깎 닥 닦 싹 쌌

(1) 연필을 □았다.

(2) 이를 □았다.

(3) 가방을 □다.

[16~18] 다음 글을 읽고 물음에 답하시오.

나는 책이 좋아요

만화책이나 색칠하기 책도 좋아요.
두꺼운 책도 얇은 책도 좋아요.
공룡 이야기책이나 괴물 이야기책도 물론 좋지요.

㉠ 이야기책도 좋고 해적이 나오는 책도 좋아요.
노래책, 이상한 이야기책까지!

16 '나'에 대해 무엇을 알 수 있습니까? ( )

① '나'는 책을 싫어한다.
② '나'는 책을 만들 수 있다.
③ '나'는 책을 정말 좋아한다.
④ '나'는 책을 읽은 적이 없다.
⑤ '나'는 책을 많이 가지고 있다.

17 다음 그림을 보고 ㉠ 에 들어갈 낱말을 쓰시오.

( )

서술형 논술형

18 이 글과 같이 자신이 좋아하는 책은 무엇인지 생각하여 문장으로 써 보시오.

19 현미가 소개하고 있는 책은 어느 것입니까? ( )

현미: 이 책은 카메라 모양의 책입니다. 세계 여러 나라의 사람들 사진이 실려 있습니다.

①

②

③

④

20 책에 대해 소개할 내용으로 알맞지 않은 것은 어느 것입니까? ( )

① 주인공
② 책의 제목
③ 책을 산 장소
④ 재미있었던 부분
⑤ 소개하고 싶은 까닭

2회 단원평가 2. 소리와 모양을 흉내 내요

정답과 풀이 3쪽

1 다음 동물들의 울음소리를 선으로 이으시오.

(1) 암탉 • • ㉠ 꽥꽥

(2) 거위 • • ㉡ 매

(3) 염소 • • ㉢ 꼬꼬댁

2 다음 물건의 움직임을 흉내 내는 말이 알맞지 않은 것에 ×표 하시오.

(1) 빙글빙글 ( )

(2) 팡팡 ( )

[3~4] 다음 그림을 보고 물음에 답하시오.

3 ㉠은 무엇을 흉내 내는 말입니까? ( )

① 사과가 많이 매달린 모양
② 사과가 빨갛게 익은 모양
③ 사과가 동그랗게 생긴 모양
④ 사과가 아래로 떨어지는 모양
⑤ 사과가 바람에 흔들리는 모양

4 (나)의 그림을 보고 빈칸에 알맞은 흉내 내는 말을 써넣으시오.

• 밤하늘에 별이 [ ] 빛납니다.

5 그림에 알맞은 흉내 내는 말을 찾아 ○표 하시오.

해바라기는 꽃을 [ ] 피웠습니다.

솔솔 쨍쨍 활짝

6 다음 문장에서 밑줄 그은 흉내 내는 말에 대해 바르게 말한 것은 어느 것입니까? ( )

자동차가 <u>씽씽</u> 달립니다.

① 색깔을 흉내 내는 말이다.
② 빠르게 달리는 모양을 흉내 내는 말이다.
③ 가볍게 흔들리는 모양을 흉내 내는 말이다.
④ 공중으로 떠오르는 모양을 흉내 내는 말이다.
⑤ 물건이 서로 닿아서 나는 소리를 흉내 내는 말이다.

7 그림에 알맞은 흉내 내는 말을 모두 고르시오. (,)

신기한 이야기를 들으면 두 눈이 [ ] 빛납니다.

① 까르르 ② 훌쩍훌쩍
③ 반짝반짝 ④ 헤실헤실
⑤ 초롱초롱

국어

[8~11] 다음 시를 읽고 물음에 답하시오.

달리기

준비!
가슴이 ㉠벌렁벌렁

삑!

내 발이 ㉡다다다다
바람이 ㉢씽씽

나도
친구도
헉헉헉.

8 ㉠은 무엇을 흉내 내는 말입니까? ( )

① 숨을 몰아쉬는 소리
② 바람이 지나가는 모양
③ 호루라기를 부는 소리
④ 긴장해서 가슴이 뛰는 모양
⑤ 다리가 재빨리 움직이는 모양

9 ㉡과 어울리는 그림에 ○표 하시오.

(1)  ( )

(2) 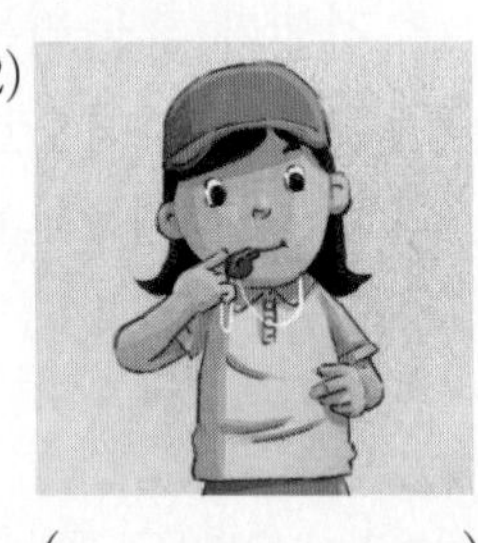 ( )

10 그림에 어울리는 흉내 내는 말을 찾아 쓰시오.

( )

11 ㉢을 몸으로 표현한 것으로 알맞은 것을 찾아 기호를 쓰시오.

㉮ 

㉯ 

( )

[12~13] 다음 글을 읽고 물음에 답하시오.

우리 가족은 공원에 갔다. 단풍이 울긋불긋 예쁘게 물들어 있었다. 고추잠자리가 윙윙 날아다니고 우리 강아지도 신이 나서 멍멍 짖었다. 동생도 깔깔 웃으며 이리저리 뛰어다녔다. 우리 가족은 단풍을 보며 즐거운 시간을 보냈다.

12 우리 가족이 공원에 가서 본 것을 두 가지 고르시오. (,)

① 단풍 ② 토끼 ③ 고양이
④ 비둘기 ⑤ 고추잠자리

13 이 글에서 강아지가 짖는 소리를 흉내 내는 말을 찾아 쓰시오.

( )

14 흉내 내는 말과 어울리는 그림이 알맞게 묶인 것에 ○표 하시오.

(1) 울긋불긋

( )

(2) 냠냠

( )

15 글자를 자음자와 모음자로 알맞게 풀어쓴 것에 ○표 하시오.

(1) 몫 = ㅁ + ㅗ + ㄳ ( )

(2) 없 = ㅇ + ㅓ + ㅂ ( )

16 다음 글에서 받침이 두 개의 자음자로 이루어진 글자를 찾아 모두 ○표 하시오.

	나	는		바	닷	가	
모	래	밭	에		앉	아	서
친	구	와		놀	았	다	.
우	리	는		모	래	성	을
많	이		쌓	았	다	.	

17 밑줄 그은 글자의 받침이 잘못 쓰인 것은 어느 것입니까? ( )

①

값

②

여덟

③
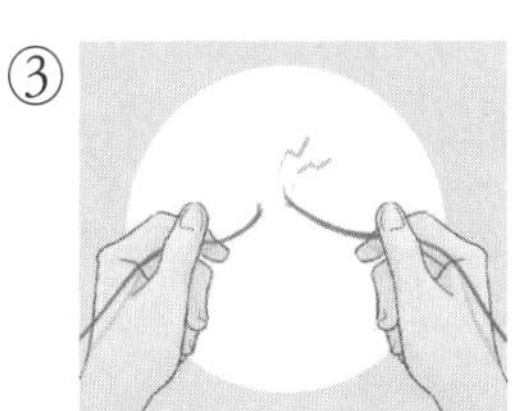
끊다

④

엃다

⑤
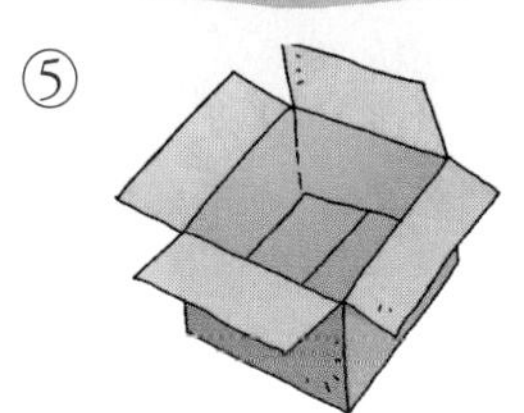
없다

18 빈칸에 들어갈 글자로 알맞은 것은 무엇입니까? ( )

이제 괜□아.

① 찬 ② 찭 ③ 찮
④ 찲 ⑤ 찱

서술형 논술형

19 다음 그림을 보고 'ㄺ' 받침이 들어가는 낱말을 넣어 짧은 글을 지으시오.

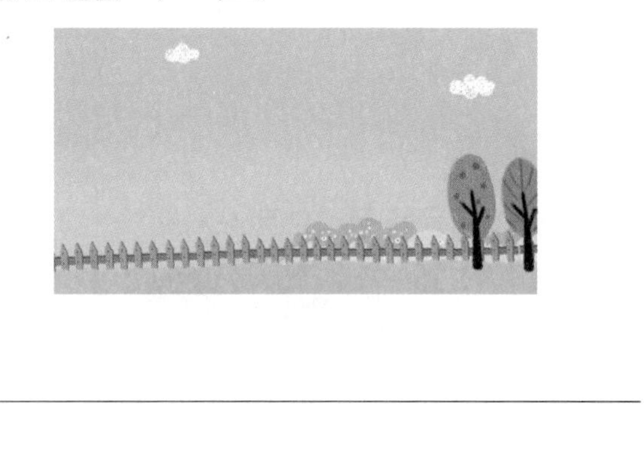

____

____

20 한 개 이상의 흉내 내는 말을 넣어 다음 끝말잇기를 하시오.

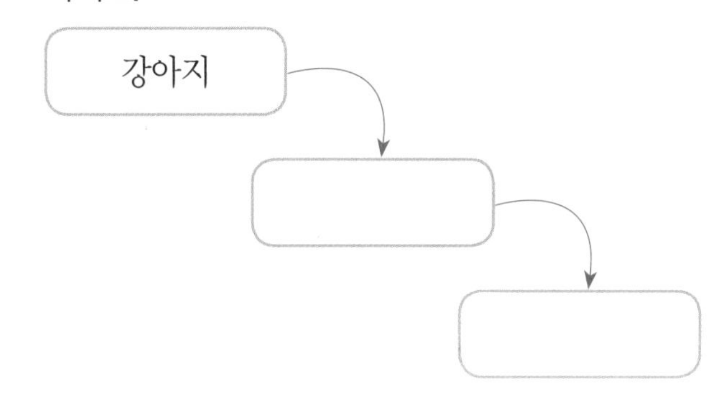

정답과 풀이 4쪽

1 빈칸에 들어갈 말로 알맞은 것은 무엇입니까? ( )

[ ] 만세를 부릅니다.

① 아기가 ② 경찰이
③ 할머니가 ④ 할아버지가
⑤ 남자아이가

서술형 논술형

2 그림의 내용을 문장으로 쓰시오.

____

[3~6] 다음 글을 읽고 물음에 답하시오.

> 마술사가 공연을 시작했습니다.
> ㉠'어떤 마술을 보여 줄까?'
> 우리는 궁금했습니다.
> ㉡"여러분, 모두 여기를 보세요."
> "모자 속에 무엇이 들어 있을까요?"
> 마술사의 한마디에 모두 숨죽여 기다렸습니다.
> 펑!
> ㉢□토끼가 나왔네요!□
> 우리는 모두 손뼉을 쳤습니다.

3 우리가 손뼉을 친 까닭은 무엇입니까? ( )

① 멋진 마술이었기 때문에
② 토끼가 귀여웠기 때문에
③ 마술이 빨리 끝났기 때문에
④ 마술사가 실수를 했기 때문에
⑤ 마술을 더 보고 싶었기 때문에

4 ㉠에 쓰인 문장 부호 ['] [']의 이름은 무엇인지 쓰시오.

( )

5 ㉡에 쓰인 큰따옴표의 쓰임은 무엇입니까? ( )

① 물어볼 때 씁니다.
② 문장의 가운데에 씁니다.
③ 느낌을 나타낼 때 씁니다.
④ 인물이 소리 내어 한 말을 적을 때 씁니다.
⑤ 인물이 마음속으로 한 말을 적을 때 씁니다.

6 ㉢ 문장에 들어갈 알맞은 따옴표를 쓰시오.

[ ] 토끼가 나왔네요! [ ]

7 남자아이가 하고 싶어 한 말로 알맞은 것에 ○표 하시오.

(1) "책을 떨어뜨리면 안 돼." ( )
(2) "책을 주워 줘서 고마워." ( )

8 친구에게 바라는 점을 문장으로 알맞게 표현하지 못한 사람의 이름을 쓰시오.

> 민수: 친구가 친절하면 좋을까 한다.
> 수지: 친구가 다정하게 말하는 것이 좋다.
> 종철: 친구가 내 부탁을 잘 들어주면 좋겠다.

( )

[9~10] 다음 문장을 읽고 물음에 답하시오.

> ㈎ 단풍이 들었습니다.
> ㈏ 단풍이 들었습니다. 나뭇잎이 꽃잎처럼 보입니다.

9 ㈎와 ㈏ 중에서 단풍이 물든 모습을 더 자세하게 나타낸 문장은 어느 것인지 기호를 쓰시오.

( )

10 9와 같이 생각한 까닭은 무엇인지 알맞은 말에 ○표 하시오.

> 장면을 부분으로 나누어 (한 개 / 여러 개)의 문장으로 표현하였기 때문입니다.

11 빈칸에 들어갈 알맞은 말을 찾아 쓰시오.

> 동생이 나무가 웃습니다 잔잔합니다

(1) [ ] 김밥을 먹습니다.

(2) 모두 즐겁게 [ ].

[12~13] 다음 글을 읽고 물음에 답하시오.

> ㉠맑은 가을 하늘에 잠자리가 날아다닙니다. 잠자리의 배는 ㉡굵은 나뭇가지를 닮았습니다. 날개는 ㉢얇은 그물처럼 생겼습니다.

12 ㉠과 ㉡의 받침에는 어떤 자음자가 들어가 있는지 모두 고르시오. (,)

① ㄱ ② ㄴ ③ ㄷ
④ ㄹ ⑤ ㅅ

13 ㉢의 받침과 같은 자음자가 받침으로 쓰인 글자는 어느 것입니까? ( )

① 뚫다 ② 넓다 ③ 젊다
④ 굶다 ⑤ 닮다

[14~15] 다음 그림을 보고 물음에 답하시오.

14 그림 ㈎를 문장으로 표현할 때 빈칸에 들어갈 알맞은 낱말은 어느 것입니까? ( )

> 어머니께서 [ ]을 만들어 주셨습니다.

① 옷 ② 신발
③ 가방 ④ 볶음밥
⑤ 장난감

15 다음은 그림 ㈏를 문장으로 표현한 것입니다. 서로 다른 두 개의 자음으로 이루어진 받침이 쓰인 글자를 쓰시오.

> 아버지께서 달걀을 삶아 주셨습니다.

( )

국어

[16~20] 다음 글을 읽고 물음에 답하시오.

> 넓고 푸른 초원에 아주 많은 동물이 모여 살았어요.
> 많은 동물이 모여 살기 때문에 다툼도 많았어요.
> 이른 아침부터 원숭이와 기린이 싸우고 있었어요.
> "나는 좀 더 자야 하니까 다른 나뭇잎을 따 먹어!"
> 나무 밑에서 잠을 자던 원숭이가 기린에게 버럭 소리를 질렀어요.
> "여기 잎이 가장 맛있단 말이야."
> 기린도 물러나지 않았어요.
> "얘들아, 싸우지 마!"
> 코끼리와 악어가 말렸지만 듣지 않았어요.
> 그러자 사자가 말했어요.
> "서로 조금씩만 양보하렴. 기린은 배가 고파서 그런 것이고, 원숭이는 잠자는 데 방해가 되니까 화가 났잖아."
> 그제야 원숭이와 기린은 머쓱해하며 마주 보고 웃었어요.
> 원숭이와 기린이 화해하는 모습을 보고 코끼리가 말했어요.
> "우아, 훌륭해! 역시 사자야."
> 악어도 사자를 칭찬했지요.
> "그래, 사자는 정말 지혜롭다니까."

16 초원에서 동물들의 다툼이 많은 까닭은 무엇입니까? ( )

① 날씨가 덥기 때문에
② 우두머리가 없기 때문에
③ 지낼 곳이 부족하기 때문에
④ 먹을거리가 부족하기 때문에
⑤ 많은 동물이 모여 살기 때문에

17 원숭이와 기린을 화해시킨 동물은 누구인지 쓰시오.

( )

18 사자의 성격으로 알맞은 것은 어느 것입니까? ( )

① 어리석다.
② 지혜롭다.
③ 게으르다.
④ 이기적이다.
⑤ 화를 잘 낸다 .

19 원숭이와 기린의 생각을 알맞게 선으로 이으시오.

(1) 기린 • • ㉮ 좀 더 자고 싶어요.

(2) 원숭이 • • ㉯ 나뭇잎을 먹고 싶어요.

20 이 글에 나온 인물에게 하고 싶은 말을 알맞게 말한 사람은 누구인지 이름을 쓰시오.

> 성웅: 사자야, 잘난 척 하지 말고 겸손하면 좋겠어.
> 지민: 기린아, 원숭이를 깨워서 맛있는 나뭇잎을 더 많이 따 먹으면 좋겠어.
> 해진: 원숭이야, 배가 고픈 친구를 위해 조금 시끄럽더라도 네가 좀 참아 주면 좋겠어.

( )

4회 단원평가 4. 바른 자세로 말해요

정답과 풀이 4쪽

1 동물원에서 설명을 들을 때의 행동으로 알맞지 않은 것은 무엇입니까? ( )

① 친구끼리 장난을 치면 안 됩니다.
② 옆의 친구와 이야기를 하며 듣습니다.
③ 선생님을 바라보며 설명을 귀담아듣습니다.
④ 선생님 허락 없이 다른 곳으로 가면 안 됩니다.
⑤ 선생님께서 설명하실 때 자기 말을 하면 안 됩니다.

[2~5] 다음 글을 읽고 물음에 답하시오.

> ㈎ 한번은 엄마가 없어졌다며 엉엉 운 적이 있어요.
> "앙앙, 엄마는 말도 안 하고 나가시면 어떡해요?"
> "엄마가 쓰레기 버리고 온다고 말했잖니?"
> "언제요?"
> "아까 너 기차놀이 할 때."
> 토토는 고개를 갸우뚱거렸어요.
> ㈏ "네가 딴생각을 하면, 말이 귀로 쏙 들어가지 못하고 밖에서 맴돌거든. 그때 내가 그 말들을 싹 가로채 먹는 거야. 딴생각 많이 해 줘서 고마워!"
> "㉠이 얄미운 벌레! 너 때문에 내가 만날 실수를 했단 말이지?"
> 토토는 잔뜩 약이 올라 긴 귀를 파리채처럼 휘둘렀어요.
> "에잇, 거기 서! 납작하게 만들어 버릴 테다!"
> 하지만 왱왱이 말 벌레는 말솜씨만큼 몸도 빨라 잡히지를 않았어요.
> ㈐ 그때 "토토야!" 하고 엄마가 불렀어요. 토토는 부엌으로 달려가 엄마의 눈을 똑바로 쳐다보며 엄마의 말에 귀를 기울였어요. 엄마가 말을 끝내자마자 왱왱이 말 벌레가 재빨리 날아올랐어요.
> "왱왱!"
> 하지만 ㉡엄마의 말은 이미 토토의 귓속으로 쏙 들어간 뒤였어요.

2 글 ㈎에서 토토가 엄마 말을 못 들은 까닭은 무엇입니까? ( )

① 잠을 자고 있어서
② 음악을 듣고 있어서
③ 문을 닫고 방에 있어서
④ 기차놀이를 하고 있어서
⑤ 친구와 전화 통화를 하고 있어서

3 ㉠은 누구를 가리키는지 찾아 쓰시오.

( )

4 다른 사람의 말이 토토의 귀에 들어오지 않는 까닭은 무엇인지 빈칸에 알맞은 말을 쓰시오.

• [ ]을 하면, 말이 귓속으로 쏙 들어가지 못하고 밖에서 맴돌기 때문입니다.

( )

5 토토가 어떻게 하였더니 ㉡과 같은 일이 일어났는지 모두 고르시오. (,)

① 엎드려서 들었습니다.
② 눈을 감고 들었습니다.
③ 딴 곳을 바라보며 들었습니다.
④ 엄마의 말에 귀를 기울였습니다.
⑤ 엄마의 눈을 쳐다보며 들었습니다.

6 빈칸에 알맞은 말을 쓰시오.

> 여럿이 함께 들을 때에는 말하는 사람을 [ ] 들어야 하고, 이야기를 듣는 중간에 말을 끊지 않습니다.

( )

7 듣는 사람을 바라보며 자신 있게 말하는 방법에 대하여 잘못 말한 사람은 누구인지 쓰시오.

영미: 고개를 들고 말해야 해.
준수: 바른 자세로 서서 말해야 해.
지민: 듣는 사람을 바라보며 말해야 해.
상수: 자신만 들을 수 있는 작은 목소리로 말해야 해.

( )

[8~13] 다음 글을 읽고 물음에 답하시오.

옛날옛날 어느 동네에 어여쁜 딸을 셋이나 둔 아버지가 있었어요. 하루는 아버지가 딸 셋을 한자리에 불러 이렇게 말했어요.
㉠"이제 너희도 많이 컸으니 내년엔 할아버지 생신 선물을 준비해 보아라."
그러고는 콩 한 알씩을 나눠 주었어요.
㉡"작디작은 콩 한 알로 선물을 준비하라고? 말도 안 돼."
큰딸은 콩을 창밖으로 던져 버렸어요.
"콩을 심어 놓으면 가만히 둬도 무럭무럭 자랄 테니까!"
둘째 딸은 콩을 땅에 심고 꾹 밟아 놓았어요.
그런데 막내딸은 산에 올라가 콩을 미끼로 써서 꿩을 잡았어요.
"꿩을 팔아서 무엇을 살까?"
막내딸은 꿩을 팔아 병아리 한 쌍을 샀어요. 병아리를 어미 닭으로 키우고, 어미 닭이 달걀을 낳으면 병아리를 까게 하여 다시 어미 닭으로 키웠어요.

8 아버지는 세 딸에게 콩 한 알씩을 주며 무엇을 준비하라고 하였습니까? ( )

① 잔치 때 쓸 음식
② 어머니의 생신 선물
③ 할아버지의 생신 선물
④ 공부할 때 필요한 물건
⑤ 놀러 갈 때 가져갈 도시락

9 세 딸은 콩 한 알을 어떻게 하였는지 알맞게 선으로 이으시오.

(1) 큰딸 • • ㉮ 창밖으로 던져 버렸다.
(2) 둘째 딸 • • ㉯ 땅에 심고 꾹 밟아 놓았다.
(3) 막내딸 • • ㉰ 콩을 미끼로 써서 꿩을 잡았다.

10 ㉠에 나타난 아버지의 마음은 어떠합니까? ( )

① 무서운 마음 ② 서운한 마음
③ 화가 난 마음 ④ 기대하는 마음
⑤ 짜증 나는 마음

11 ㉡은 어떤 목소리로 읽는 것이 알맞은지 기호를 쓰시오.

㉮ 자상한 목소리 ㉯ 기분 좋은 목소리
㉰ 상냥한 목소리 ㉱ 불만 섞인 목소리

( )

12 막내딸은 꿩을 팔아 무엇을 샀습니까? ( )

① 닭 ② 쌀 ③ 달걀
④ 보물 ⑤ 병아리

13 막내딸의 성격은 어떠합니까? ( )

① 엄하다.
② 게으르다.
③ 현명하다.
④ 질투가 많다.
⑤ 욕심이 많다.

[14~17] 다음 글을 읽고 물음에 답하시오.

마침내 시간이 흘러 할아버지 생신날이 되었어요. 아버지가 세 딸을 불러 선물을 가져오라고 했어요. ㉠큰딸과 둘째 딸은 고개만 수그리고 아무 말도 하지 못했어요. 그때 막내딸이 송아지를 끌고 나왔어요. 사람들은 깜짝 놀랐어요. 그러자 막내딸은 콩 한 알로 송아지를 사게 된 이야기를 해 주었어요. ㉡할아버지와 아버지는 함박웃음을 지었어요.

14 ㉠으로 알 수 있는 것은 무엇입니까? ( )

① 큰딸과 둘째 딸은 효녀입니다.
② 큰딸과 둘째 딸은 기뻐하고 있습니다.
③ 큰딸과 둘째 딸은 집안일을 열심히 했습니다.
④ 큰딸과 둘째 딸은 막내딸과 사이가 좋습니다.
⑤ 큰딸과 둘째 딸은 생신 선물을 준비하지 못했습니다.

서술형 논술형

15 아버지가 큰딸과 둘째 딸에게 다음과 같은 말을 했다면 어떤 목소리로 읽는 것이 알맞은지 쓰시오.

"어허, 이럴 수가! 귀중한 콩 한 알을 헛되이 버리다니."

____

16 사람들이 깜짝 놀란 까닭은 무엇입니까? ( )

① 아버지께서 아프셔서
② 할아버지께서 춤을 추셔서
③ 둘째 딸이 꽃을 들고 나와서
④ 막내딸이 송아지를 끌고 나와서
⑤ 큰딸이 쌀 한 가마니를 들고 나와서

17 ㉡에서 알 수 있는 할아버지와 아버지의 마음은 어떠합니까? ( )

① 기쁜 마음
② 실망한 마음
③ 두려운 마음
④ 떨리는 마음
⑤ 기대하는 마음

18 빈칸에 알맞은 말을 쓰시오.

느낌을 살려 이야기를 읽을 때에는 인물의 마음을 알아보고 인물의 마음에 어울리는 [ ]과 목소리로 읽습니다.

( )

19 잘하는 것에 대해 소개할 내용으로 알맞지 않은 것은 어느 것입니까? ( )

① 잘하는 것
② 잘하게 된 까닭
③ 잘할 수 있는 방법
④ 잘하는 것과 관련된 경험
⑤ 잘하는 것을 따라할 수 있는 방법

20 친구들 앞에서 잘하는 것을 자신 있게 말한 사람은 누구인지 ○표 하시오.

(1) 종석: 고개를 숙이고 말했어. ( )
(2) 지섭: 친구들을 바라보며 또박또박 말했어. ( )
(3) 수지: 창밖을 바라보며 작은 목소리로 말했어. ( )

국어

정답과 풀이 5쪽

[1~3] 다음 노랫말을 읽고 물음에 답하시오.

똑같아요

무엇이 무엇이 똑같은가
㉠젓가락 두 짝이 똑같아요

무엇이 무엇이 똑같은가
윷가락 네 짝이 똑같아요

1 무엇이 똑같다고 하였는지 두 가지 고르시오. (,)

① 우산과 지붕
② 젓가락 두 짝
③ 윷가락 네 짝
④ 축구공과 야구공
⑤ 숟가락과 젓가락

2 ㉠과 바꾸어 쓸 수 있는 표현으로 알맞은 것은 어느 것입니까? ( )

① 친구 가방 한 개가
② 동생 모자 한 개가
③ 아빠 구두 두 짝이
④ 언니 색연필 한 개가
⑤ 할머니 돋보기 한 개가

3 이 노래를 불러 본 느낌에 대하여 알맞게 말한 사람은 누구인지 쓰시오.

호야: 노랫말이 길어서 따라 부르기 힘들었어.
승미: 외국어가 있어서 부르기 어려웠어.
민재: 같은 노랫말이 되풀이되어서 참 재미있어.

( )

[4~6] 다음 글을 읽고 물음에 답하시오.

학교에서 공 굴리기 놀이를 했다. 짝과 함께 큰 공을 빨리 굴리는 놀이였다. 나는 호순이와 짝이 되었다. 우리 차례가 되었다. 나와 호순이는 큰 공을 있는 힘껏 굴렸다.

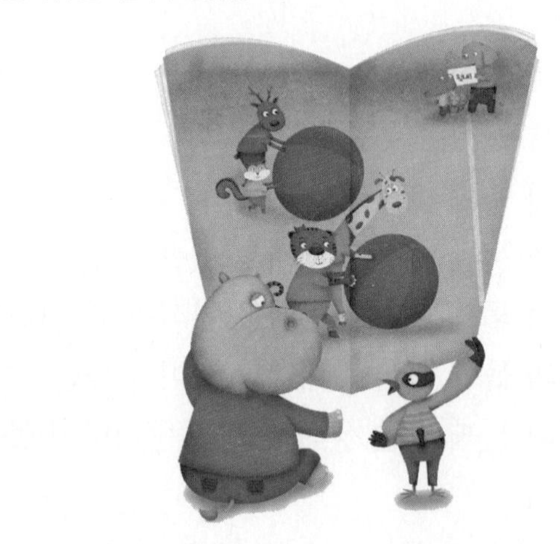

4 동물 친구들이 한 놀이는 무엇입니까? ( )

① 줄넘기 ② 줄다리기
③ 딱지치기 ④ 공 굴리기
⑤ 수건 굴리기

5 이 글을 알맞게 읽은 동물 친구는 누구인지 쓰시오.

하마: 작고 느리게 읽었어요.
꾀꼬리: 알맞은 빠르기로 또박또박 정확하게 읽었어요.

( )

6 문제 **5**에서 답한 동물처럼 글을 읽어야 하는 까닭으로 알맞지 않은 것에 ○표 하시오.

(1) 글의 내용을 잘 이해할 수 있다. ( )
(2) 글의 내용을 빠짐없이 외울 수 있다. ( )
(3) 듣는 사람이 편안하게 들을 수 있다. ( )

[7~12] 다음 시를 읽고 물음에 답하시오.

우리들은 집에 즐거운 일이 있으면
다 부릅니다.
얘들아, 우리 집에 와.

참새를 만나면
참새야, 너도 와.

노랑나비를 만나면
노랑나비야, 너도 와.

㉠집에 즐거운 일이 있으면
집이 꽉 찹니다.

7 우리들은 집에 즐거운 일이 있으면 어떻게 합니까? ( )

① 춤을 춘다.
② 노래를 부른다.
③ 만세를 부른다.
④ 남들에게 자랑을 한다.
⑤ 만나는 친구마다 다 부른다.

8 ㉠과 같이 말한 까닭은 무엇입니까? ( )

① 동네가 좁기 때문에
② 가족이 많기 때문에
③ 장난감이 많기 때문에
④ 강아지가 새끼를 낳았기 때문에
⑤ 만나는 친구마다 다 불렀기 때문에

9 이 시에서 두 번 나온 말을 두 가지 고르시오. (,)

① 너도 와
② 우리들은
③ 노랑나비를
④ 다 부릅니다
⑤ 집에 즐거운 일이 있으면

10 이 시에서 일어난 일과 비슷한 경험을 떠올린 친구의 이름을 쓰시오.

승아: 체육대회에서 줄다리기를 할 때 열심히 했어.
미현: 피아노 연주회에 나가서 상을 받은 적이 있었어.
도경: 생일잔치에 친구들을 집으로 초대해서 즐겁게 놀았어.

( )

11 ㉠은 어떤 마음을 떠올리며 읽는 것이 알맞습니까? ( )

① 두렵고 무서운 마음
② 귀찮고 지루한 마음
③ 즐겁고 행복한 마음
④ 실망하여 우울한 마음
⑤ 아쉽고 안타까운 마음

12 다음과 같은 방법으로 읽기에 알맞은 부분을 찾아 ○표 하시오.

친구를 부르듯이 읽는다.

(1) 노랑나비를 만나면 / 노랑나비야, 너도 와. ( )

(2) 우리들은 집에 즐거운 일이 있으면 ( )

국어

[13~20] 다음 글을 읽고 물음에 답하시오.

(가) ㉠새 한 마리가 나무에 둥지를 틀고 고운 알을 소복하게 낳아 놓았습니다.

㉡이 알을 모두 꺼내 가야지.

지금은 안 됩니다. 착한 도련님, 며칠만 지나면 까 놓을 테니 그때 와서 새끼 새들을 가져가십시오.

(나) 며칠이 지나 새알은 모두 새끼 새가 되었습니다.

하나, 둘, 셋, 넷, 다섯 마리로구나. 허리춤에 넣어 갈까, 둥지째 떼어 갈까?

지금은 안 됩니다. 착한 도련님, 며칠만 더 있으면 고운 털이 날 테니 그때 와서 둥지째 가져가십시오.

(다) 며칠이 지나서 와 보니, 새는 한 마리도 없고 둥지만 달린 나무가 바람에 울고 있었습니다.

내가 가져갈 새끼 새가 모두 어디 갔니?

누가 아니? ㉮나는 너 때문에 좋은 친구 모두 잃어버렸어. 너 때문에!

13 아이가 알을 보고 한 생각에 ○표 하시오.

(1) 알을 보호해 주어야겠다. ( )
(2) 알을 모두 꺼내 가야겠다. ( )
(3) 새가 알을 잘 돌봐 주면 좋겠다. ( )

14 어미 새가 자꾸 며칠만 기다려 달라고 했던 까닭으로 알맞은 것을 골라 번호를 쓰시오. ( )

① 며칠만 지나면 아이가 이사를 가기 때문에
② 새끼 새가 날아갈 수 있을 때까지 기다렸다가 도망을 가려고

15 새끼 새는 모두 몇 마리였는지 쓰시오.

( )

16 나무가 울고 있었던 까닭은 무엇입니까? ( )

① 새끼 새가 다쳐서
② 아이가 자꾸 발로 차서
③ 나무의 둥지가 없어져서
④ 친구가 되어 준 새가 모두 떠나서
⑤ 아이가 이제 노래를 불러 주지 않아서

17 나무의 마음은 어떠하였을지 두 가지를 고르시오. (,)

① 즐겁다. ② 슬프다.
③ 재미있다. ④ 기분이 좋다.
⑤ 아이가 밉다.

18 나무의 말을 들은 남자아이의 마음으로 알맞은 것에 ○표 하시오.

(1) 미안한 마음 ( )
(2) 고마운 마음 ( )
(3) 자랑스러운 마음 ( )

19 ㉠과 ㉡은 어떤 목소리로 읽는 것이 알맞은지 선으로 이으시오.

(1) ㉠ • • ① 장난스러운 목소리
(2) ㉡ • • ② 일어난 일을 설명하는 목소리

서술형 논술형

20 나무의 말 ㉮는 어떤 목소리로 읽는 것이 좋을지 쓰시오.

• ( )로 읽는다.

정답과 풀이 6쪽

1 친구에게 다음과 같은 말을 들으면 어떤 기분이 들지 알맞은 것에 ○표 하시오.

"노래 참 잘한다."

(1) 기분이 상할 것이다. ( )
(2) 기분이 좋을 것이다. ( )
(3) 부르고 싶은 마음이 없어질 것이다. ( )

[2~7] 다음 글을 읽고 물음에 답하시오.

어느 날 몽몽 숲에 동물들이 찾아왔어.
"친구들아, 정말 반가워!"
달콤 박쥐가 기쁘게 반겼어.
하지만 뾰족 박쥐는,
㉠"친구는 무슨 친구! 흥!"
과일나무에 탐스러운 열매가 주렁주렁!
㉡"나무님, 감사해요!"
달콤 박쥐는 공손히 인사하고 동물들을 초대해 오순도순 나눠 먹었어.
가시나무에는 딱딱한 열매가 듬성듬성!
뾰족 박쥐는 오도독 맛을 보더니,
㉢"퉤퉤! 무슨 맛이 이래?"
그러자 갑자기 뾰족 박쥐의 머리 위로 열매가 후두두, 따다닥!
"으악, 뾰족 박쥐 살려!"
뾰족 박쥐는 가시나무에 매달려 훌쩍훌쩍.
그때 달콤 박쥐가 포르르 날아와 말했어.
"울지 마, 친구야. 나랑 가서 열매 먹자."
"달콤 박쥐야, 고마워."
달콤 박쥐와 뾰족 박쥐가 사이좋게 대롱대롱.

2 몽몽 숲에 동물들이 찾아왔을 때, 기쁘게 반겨 준 박쥐는 누구인지 쓰시오.

( ) 박쥐

3 ㉠과 같은 말을 들은 친구들의 기분으로 알맞은 것은 무엇입니까? ( )

① 뿌듯했을 것이다.
② 속상했을 것이다.
③ 즐거웠을 것이다.
④ 신이 났을 것이다.
⑤ 기분이 좋았을 것이다.

4 달콤 박쥐는 동물들과 무엇을 나누어 먹었는지 쓰시오.

( )의 열매

5 ㉡과 ㉢ 중에서 고운 말이 아닌 것의 기호를 쓰시오.

( )

서술형 논술형

6 동물들이 달콤 박쥐와 친하게 지내고 싶은 이유를 말하였습니다. 빈칸에 들어갈 알맞은 말을 쓰시오.

"달콤 박쥐는 기분이 좋아지는 [ ]을/를 썼기 때문에 달콤 박쥐와 친구를 하고 싶어."

( )

7 고운 말을 쓰면 좋은 점이 아닌 것을 찾아 기호를 쓰시오.

㉮ 친구와 사이좋게 지낼 수 있다.
㉯ 듣는 사람의 기분을 좋게 해 준다.
㉰ 내가 하고 싶은 대로 할 수 있다.

( )

8 들으면 기분이 좋아지는 말이 아닌 것은 어느 것입니까? ( )

① 힘내. ② 고마워.
③ 미안해. ④ 멋지다.
⑤ 짜증 나.

[9~11] 다음을 보고 물음에 답하시오.

(가)

(나)

(다)

9 그림 ㈎에 나타난 세현이의 기분을 나타내는 말로 알맞은 것은 어느 것입니까? ( )

① 기쁘다. ② 슬프다.
③ 떨린다. ④ 무섭다.
⑤ 힘들다.

10 그림 ㈎를 보고 빈칸에 들어갈 말로 알맞은 것에 ○표 하시오.

> 희동이는 [   ] 부러웠습니다.

(1) 새 장난감이 생긴 세현이를 보니 ( )
(2) 새 장난감을 빌려주지 않는 세현이가 ( )

11 그림 ㈐에서 세현이와 희동이의 기분을 나타내는 말을 알맞게 선으로 이으시오.

(1) 세현 • • ㉮ 속상하다.
(2) 희동 • • ㉯ 미안하다.

12 기분이 잘 드러나게 말하는 방법으로 알맞은 것은 무엇입니까? ( )

① 따지듯이 말한다.
② 항상 큰 목소리로 말한다.
③ 재미있는 말을 써서 말한다.
④ 흉내 내는 말을 써서 말한다.
⑤ 그런 기분이 드는 까닭을 함께 말한다.

13 듣는 사람을 생각하며 기분을 말하는 방법입니다. 빈칸에 들어갈 말은 무엇입니까? ( )

> • 자신의 [   ]을/를 생각해 본다.
> • 듣는 사람의 기분을 생각하며 말한다.

① 이름 ② 잘한 점
③ 자랑거리 ④ 솔직한 기분
⑤ 꾸며 낸 기분

[14~15] 다음 그림을 보고 물음에 답하시오.

14 이 그림에 대한 설명으로 알맞은 것은 무엇입니까? ( )

① 승혁이는 집에 가고 싶다.
② 시형이는 잠을 자고 싶다.
③ 승혁이는 시형이와 극장에 가고 싶다.
④ 시형이는 승혁이와 공부를 하고 싶다.
⑤ 승혁이는 시형이와 축구를 하고 싶다.

15 ㉠에 들어갈 알맞은 말에 ○표 하시오.

(1) 숙제하는 것 방해하지 말고 나가 줄래? ( )

(2) 미안하지만 나 지금 숙제해야 해. 다음에 같이 놀자. ( )

16 듣는 사람의 기분을 생각할 때 ㉮에 알맞은 말은 무엇입니까? ( )

① 슬퍼.
② 싫어.
③ 화가 나.
④ 괜찮아. 걱정 마.
⑤ 너는 맨날 그러니?

17 듣는 사람을 생각하여 기분을 말한 것의 기호를 쓰시오.

( )

[18~19] 다음 그림을 보고 물음에 답하시오.

18 그림 ㈎에서 여자아이가 아주머니께 해야 할 인사말은 무엇입니까? ( )

① 안녕!
② 다음에 또 만나자.
③ 내 이름은 민아야.
④ 처음 만났구나. 반가워.
⑤ 안녕하세요? 저는 김민아입니다.

19 그림 ㈏에서 남자아이는 어떤 마음을 담아 인사말을 하는 것이 알맞습니까? ( )

① 미안한 마음
② 고마운 마음
③ 속상한 마음
④ 곤란한 마음
⑤ 지루한 마음

20 ( ) 안의 알맞은 말에 ○표 하시오.

> 고운 말로 인사하면 서로 더욱 친해질 수 있고, 듣는 사람의 (머리 / 기분)을/를 좋게 합니다.

정답과 풀이 7쪽

1 다음 글에서 설명하는 동물을 쓰시오.

> 나는 날개가 있습니다.
> 나는 농장에서 자랍니다.
> 나는 "꼭꼭 꼬끼오." 하고 웁니다.
> 사람들은 내가 낳은 알을 좋아합니다.

( )

[2~7] 다음 글을 읽고 물음에 답하시오.

> (가) 임금님은 백성을 아끼고 사랑했어요. 가난한 사람들에게 쌀과 옷을 나누어 주었지요.
> 사람들은 모였다 하면 너도나도 임금님 칭찬을 했어요.
> "그런데 자네들, 임금님에게 신기한 맷돌이 있다는 거 아나?" / "마음씨가 착하니 하늘이 임금님께 ㉠상을 주신 거구먼!"
> 그런데 그 이야기를 엿듣던 ㉡도둑은 고약한 마음을 먹었어요.
> (나) 임금님이 "나와라, 옷!" 하면 옷이 나오고 "멈춰라, 옷!" 하면 멈추는 게 아니겠어요?
> 도둑은 자신도 모르게 씩 웃었어요.
> "옳아, 저것이 신기한 맷돌이로구나!"
> 도둑은 모두 잠든 사이 맷돌을 훔쳐 도망을 쳤어요.
> 도둑은 서둘러 배를 타고 바다를 건너 멀리 도망가다가 외쳤어요.
> "나와라, 소금!"
> 그러자 맷돌에서 하얀 소금이 쏟아져 나왔고, 점점 배 안에 쌓여 갔어요.
> (다) 도둑은 너무 놀라 "멈춰라, 소금!"이라는 말을 잊어버렸어요. 결국, 맷돌은 도둑과 함께 바닷속에 가라앉고 말았어요.

2 이 글에 나오지 않는 인물을 둘 고르시오. (,)

① 도둑 ② 백성 ③ 신하
④ 도깨비 ⑤ 임금님

3 ㉠이 가리키는 것은 무엇입니까? ( )

① 맷돌 ② 왕관
③ 의자 ④ 신발
⑤ 모자

4 도둑이 ㉡과 같은 생각을 하고 한 행동은 무엇입니까? ( )

① 궁궐에서 맷돌을 훔쳤다.
② 마을 사람들의 쌀을 훔쳤다.
③ 임금님을 도와 쌀을 옮겼다.
④ 궁궐에 쌀과 옷을 몰래 갖다 놓았다.
⑤ 마을 사람들에게 옷을 가져다주었다.

5 임금님의 성격으로 알맞은 것은 무엇입니까? ( )

① 인색하다. ② 엄격하다.
③ 무뚝뚝하다. ④ 화를 잘 낸다.
⑤ 마음씨가 착하다.

6 누가 한 말인지 찾아 선으로 이으시오.

(1)	임금님 •	• ㉮	"나와라, 옷!"
(2)	도둑 •	• ㉯	"나와라, 소금!"

7 글 (다)에서 도둑이 잊어버려서 못한 말은 무엇인지 찾아 쓰시오.

( )

8 빈칸에 알맞은 말을 쓰시오.

> 글을 읽고 누가 무엇을 했는지 알기 위해서는 인물의 생각이나 말, [　　　]을 살펴보아야 한다.

(　　　　　　　　)

[9~13] 다음 글을 읽고 물음에 답하시오.

> 기다리던 토요일 아침이다. 우리 가족은 놀이공원으로 출발했다. 회전목마를 탈 생각을 하니 마음이 설렜다.
>
> 사람들이 서 있는 줄이 길어도 회전목마를 탈 생각에 신이 났다. 드디어 회전목마를 탈 차례가 되었다. 어머니와 나는 말 등에 타고, 동생과 아버지는 마차에 탔다. 처음에는 말이 오르락내리락 움직이는 게 조금 무서웠다. 하지만 시간이 지나니 무섭지 않고 재미있었다.
>
> 솜사탕을 먹고 있는 친구들이 부러웠다. ㉠내 마음을 아셨는지 어머니께서 솜사탕을 사 주셨다. 공룡 모양의 솜사탕이 달콤했다.

9 이 글에서 일이 일어난 때는 언제입니까? (　　　)

① 월요일　② 화요일
③ 금요일　④ 토요일
⑤ 일요일

10 놀이공원으로 가는 길에 '나'의 기분은 어떠하였습니까? (　　　)

① 떨렸다.　② 지루했다.
③ 화가 났다.　④ 안타까웠다.
⑤ 마음이 설렜다.

11 ㉠의 마음으로 알맞은 것은 무엇입니까? (　　　)

① 집에 가고 싶다.
② 솜사탕을 먹고 싶다.
③ 회전목마를 타고 싶다.
④ 놀이공원에서 더 놀고 싶다.
⑤ 동생에게 솜사탕을 사 주고 싶다.

12 가족들이 한 일을 찾아 번호를 쓰시오.

> ① 솜사탕을 사 주었다.
> ② 회전목마의 말을 탔다.
> ③ 회전목마의 마차를 탔다.
> ④ 공룡 모양의 솜사탕을 먹었다.

(1) 나 (　　　　)
(2) 동생 (　　　　)
(3) 어머니 (　　　　)
(4) 아버지 (　　　　)

13 이 글에서 일이 일어난 차례대로 기호를 쓰시오.

> ㉮ 솜사탕을 먹었다.
> ㉯ 가족과 함께 놀이공원에 갔다.
> ㉰ 가족과 함께 회전목마를 탔다.

(　　　) → (　　　) → (　　　)

[14~18] 다음 글을 읽고 물음에 답하시오.

> ㈎ 오늘 소방관 아저씨께서 학교에 오셨다.
> 아저씨께서는 불이 나면 크게 다칠 수 있다고 말씀하셨다. 그리고 불이 나면 주변에 큰 소리로 알려야 한다고 하셨다. 앞으로 불조심을 해야겠다.
> ㈏ 학교에서 급식을 먹을 때 좋아하는 음식만 골라 먹는 친구들이 있습니다. 그런데 좋아하는 음식만 골라 먹으면 건강이 나빠질 수 있습니다. 자신의 건강을 생각해서 음식을 골고루 먹었으면 좋겠습니다.

14 글 ㈎에서 글쓴이가 알게 된 점은 무엇입니까? ( )

① 소방관은 키가 크다.
② 소방관 아저씨의 옷이 멋있다.
③ 소방관은 소방차를 타고 다닌다.
④ 불이 나면 물을 가져와 꺼야 한다.
⑤ 불이 나면 큰 소리로 주변에 알려야 한다.

15 글 ㈎에 나타난 글쓴이의 생각을 쓰시오.

• ( )을 해야겠다.

16 글 ㈎의 제목으로 알맞은 것에 ○표 하시오.

(1) 불조심 ( )
(2) 아저씨 ( )
(3) 큰 소리 ( )

17 글 ㈏의 내용으로 알맞은 것은 무엇입니까? ( )

① 음식을 먹어야 건강해진다.
② 음식을 만드는 것은 어렵다.
③ 음식의 종류는 여러 가지이다.
④ 좋아하는 음식만 먹어야 한다.
⑤ 건강을 위해 음식을 골고루 먹어야 한다.

서술형 논술형

18 글 ㈏에 알맞은 제목을 붙이고, 그 까닭을 쓰시오.

(1) 제목: ______________________

(2) 까닭: ______________________

____

[19~20] 다음 글을 읽고 물음에 답하시오.

> 도서관은 여러 사람이 이용하는 곳입니다. 도서관에서는 다른 사람을 위해 조용히 해야 합니다. 자리에 앉을 때에는 큰 소리가 나지 않도록 의자를 조심히 옮깁니다. 사서 선생님께 궁금한 것을 여쭈어볼 때에도 소곤소곤 말해야 합니다.

19 이 글의 내용으로 알맞지 않은 것의 기호를 쓰시오.

> ㉮ 도서관에서는 조용히 해야 한다.
> ㉯ 도서관은 여러 사람이 이용하는 곳이다.
> ㉰ 사서 선생님께는 큰 소리로 씩씩하게 말한다.
> ㉱ 도서관에서는 자리에 앉을 때 큰 소리가 나지 않게 한다.

( )

20 이 글의 제목으로 알맞은 것은 무엇입니까? ( )

① 견학 ② 책 읽기
③ 책 빌리기 ④ 사서 선생님
⑤ 도서관 예절

정답과 풀이 7쪽

[1~2] 다음 글을 읽고 물음에 답하시오.

> 추석 명절
>
> 추석은 온 가족이 모이는 명절입니다. 곳곳에 사는 친척들이 고향 집으로 옵니다. 오랜만에 만난 가족은 도란도란 이야기를 나누며 음식을 만듭니다. 햇과일과 햇곡식으로 만든 음식은 정성스럽게 차례상에 올리고 가족과 나누어 먹습니다.

1 추석에 대한 설명으로 알맞은 것은 무엇입니까? ( )

① 설빔을 입는다.
② 차례를 지낸다.
③ 웃어른께 세배를 한다.
④ 팥죽을 만들어 먹는다.
⑤ 오래된 곡식으로 음식을 만든다.

2 이 글을 바르게 읽는 방법에 ○표 하시오.

(1) 글을 전부 쉬지 않고 읽는다. ( )
(2) 문장이 끝날 때마다 쉬어 읽는다. ( )

3 글을 바르게 띄어 읽어야 하는 까닭을 두 가지 고르시오. (,)

① 글을 빨리 읽을 수 있다.
② 뜻을 쉽게 이해할 수 있다.
③ 내용을 정확하게 알 수 있다.
④ 흉내 내는 말을 찾을 수 있다.
⑤ 누가 무엇을 하는지 알 수 있다.

[4~5] 다음 글을 읽고 물음에 답하시오.

> 개미
>
> 개미들이 줄지어 가는 것을 보았다. 어디로 가는 것일까? 개미를 따라가 보니 하나의 구멍으로 들어갔다. 새집으로 이사를 가나? 개미들이 줄지어 움직이는 모습이 참 신기했다.

4 이 글에 나타난 글쓴이의 생각에 ○표 하시오.

(1) 개미들이 줄지어 가는 것을 보았다. ( )
(2) 개미들이 하나의 구멍으로 들어갔다. ( )
(3) 개미들이 움직이는 모습이 참 신기했다. ( )

5 ∨를 하고 띄어 읽어야 하는 곳은 어디입니까? ( )

> ①개미들이 줄지어 가는 것을②보았다. 어디로 가는 것일까?③개미를④따라가 보니 하나의⑤구멍으로 들어갔다.

6 ∨를 한 곳에서는 어떻게 읽어야 하는지 알맞은 것의 기호를 쓰시오.

> ㉮ 쉬지 않고 읽는다.
> ㉯ 한참 쉬었다 읽는다.
> ㉰ 잠시 쉬었다가 읽는다.

( )

[7~9] 다음 글을 읽고 물음에 답하시오.

비사치기는 돌멩이를 이용한 놀이입니다. ㉠먼저, 평평하고 잘 세워지는 손바닥만 한 돌멩이를 준비합니다. ㉡두 편으로 나누고 땅바닥에 줄을 긋습니다. ㉢가위바위보를 하여 진 편은 준비한 돌멩이를 줄 위에 ㉣세워 놓습니다. 이긴 편은 한 사람씩 나와 자신의 돌을 가지고 상대의 돌을 넘어뜨립니다. 돌은 발등이나 배 위에 올려 옮길 수도 있고, 무릎 사이에 끼워 옮길 수도 있습니다. 세워 놓은 상대의 돌멩이를 다 넘어뜨리면 이깁니다.

7 어떤 놀이에 대하여 설명한 글입니까?

( )

8 이 글의 내용을 바르게 이해한 사람을 쓰시오.

영찬: 돌멩이를 가장 멀리 던지는 편이 이기는 거야.
민수: 손바닥만 한 돌멩이를 가장 많이 모으는 편이 이기는 거야.
미영: 세워 놓은 상대의 돌멩이를 다 넘어뜨리는 편이 이기는 거야.

( )

9 ㉠~㉣ 중에서 ∨를 하고 띄어 읽는 곳이 아닌 것의 기호를 쓰시오.

( )

[10~12] 다음 글을 읽고 물음에 답하시오.

(가) 지우개

여러분은 어떤 지우개를 가지고 있나요? 지우개의 모양과 색깔은 여러 가지입니다.

흔히 볼 수 있는 지우개는 상자 모양입니다. 그리고 동물 모양, 과일 모양, 막대 모양도 있습니다.

지우개의 색깔도 여러 가지입니다. 흰색, 파란색, 빨간색처럼 한 가지 색으로 된 것도 있지만, 여러 가지 색이 섞인 것도 있습니다.

(나) 가위

우리는 종이를 자를 때 가위를 사용합니다. 가위에는 손잡이와 날이 있습니다.

㉠가위를 사용할 때 잡는 곳이 손잡이입니다. 주로 엄지손가락과 나머지 손가락으로 잡습니다.

㉡물건을 자르는 곳은 날입니다. 가위의 날은 매끄러운 것이 많지만 홈이 파인 것도 있습니다.

10 글 (가)에서 설명하는 내용을 두 가지 고르시오. (,)

① 지우개의 쓰임 ② 지우개의 모양
③ 지우개의 가격 ④ 지우개의 재료
⑤ 지우개의 색깔

11 글 (나)는 무엇에 대하여 설명하였습니까? ( )

① 풀 ② 가위
③ 종이 ④ 색연필
⑤ 크레파스

12 글 (나)에서 설명하는 내용을 찾아 기호를 쓰시오.

(1) 날 ( )
(2) 손잡이 ( )

[13~14] 다음 글을 읽고 물음에 답하시오.

> 뿌리를 먹는 채소는 우리 몸을 튼튼하게 합니다. 뿌리를 먹는 채소에는 무, 고구마, 당근, 우엉 등이 있습니다.
> ㉠무는 소화에 도움을 줍니다. ㉡당근에는 눈에 좋은 영양소가 매우 많습니다. ㉢고구마나 우엉을 먹으면 변비에 잘 걸리지 않습니다.

13 어떤 채소의 특징인지 기호를 쓰시오.

(1) 눈에 좋다. (　　　　)
(2) 소화에 도움을 준다. (　　　　)
(3) 변비에 잘 걸리지 않는다. (　　　　)

14 이 글을 읽고 새롭게 알게 된 점은 무엇입니까? (　　)

① 채소의 맛
② 채소를 파는 곳
③ 채소로 만들 수 있는 요리
④ 뿌리를 먹는 채소의 좋은 점
⑤ 뿌리를 먹는 채소를 기르는 방법

15 글에서 설명하는 내용에 대하여 알 수 있는 방법을 알맞게 말한 사람을 쓰시오.

> 동수: 글의 제목으로 알 수 있어.
> 현민: 글쓴이를 확인하면 알 수 있어.
> 수진: 친구가 정리한 것을 보고 알 수 있어.

(　　　　)

서술형 논술형

16 설명하는 내용이 무엇인지 생각하며 읽어야 하는 때는 언제인지 한 가지 쓰시오.

____

[17~19] 다음 글을 읽고 물음에 답하시오.

> 나는 작아요. 엄마 품에 폭 안길 만큼 아주 작아요.
> 그렇지만 나는 자라요. 하루하루 아주 조금씩조금씩.
> 색종이를 오려 종이에 딱 붙이는 순간이나 내 이름을 쓸 때에도 나는 자라요.
> 동생을 꼭 껴안아 주는 순간에도 나는 자라요.
> 단추가 단춧구멍으로 들어가고, 내 발이 양말 속으로 들어갈 때에도 나는 자라요.
> 처음으로 무지개를 보고 심장이 두근거리는 순간에도 나는 자라요.

17 '나'는 얼마만큼 작습니까?

• (　　　　　) 품에 폭 안길 만큼 작다.

18 '내'가 자란다고 한 때가 아닌 것은 언제입니까? (　　)

① 내 이름을 쓸 때
② 동생을 꼭 껴안아 주는 순간
③ 강아지와 들판을 뛰어다닐 때
④ 색종이를 오려 종이에 붙이는 순간
⑤ 무지개를 보고 심장이 두근거리는 순간

19 '내'가 말하고 싶은 것은 무엇입니까? (　　)

① 엄마만큼 자라고 싶다.
② 키가 작아서 속상하다.
③ 키가 자라는 것이 두렵다.
④ 엄마가 안아 줄 때가 가장 좋다.
⑤ '나'는 작지만 조금씩 쉬지 않고 자란다.

20 글을 실감 나게 읽는 방법으로 알맞지 않은 것은 무엇입니까? (　　)

① 장면을 떠올리며 읽는다.
② 목소리의 크기를 알맞게 하고 읽는다.
③ 이야기 속에 나오는 사람이 되어 읽는다.
④ 목소리 변화 없이 움직이지 않고 읽는다.
⑤ 장면에 어울리는 표정과 몸짓을 하고 읽는다.

9회 단원평가 9. 겪은 일을 글로 써요

정답과 풀이 8쪽

1 다음 그림의 여자아이가 겪은 일을 알맞게 선으로 이으시오.

(1)  • • ㉮ 음악 시간에 노래를 불렀다.

(2)  • • ㉯ 수족관에서 물고기를 샀다.

(3)  • • ㉰ 아침 등굣길에 친구를 만났다.

[2~3] 다음 글을 읽고 물음에 답하시오.

20○○년 11월 14일 월요일	날씨: 흐림
물고기를 샀다. 물고기에게 '단풍'이라는 이름을 지어 주었다. 물고기가 단풍처럼 빨갛기 때문이다. 이제부터 날마다 단풍이에게 먹이도 주고, 단풍이와 이야기도 하면서 사이좋게 지낼 것이다.	

2 글쓴이는 물고기에게 어떤 이름을 지어 주었는지 찾아 쓰시오.

( )

3 이 일기는 어떤 일을 겪고 쓴 것입니까? ··· ( )

① 물고기를 산 일
② 물고기를 본 일
③ 물고기를 잃어버린 일
④ 물고기 그림을 그린 일
⑤ 친구의 물고기를 구경한 일

[4~6] 다음 글을 읽고 물음에 답하시오.

민희: ㉠지난가을, 추석이 되기 얼마 전 사과가 빨갛게 익어 갈 때쯤 우리 학교 운동장에서 가을 운동회가 열렸습니다.
성현: 어떤 경기를 했습니까?
민희: 훌라후프 오래 돌리기, 청백 이어달리기, 줄다리기를 했습니다.
수진: 어떤 경기가 가장 인상적이었나요?
민희: 학생과 부모님이 다 함께 모둠을 이루어 협동해서 줄을 당겼던 줄다리기가 무척 신이 났습니다.

4 가을 운동회는 어디에서 열렸습니까? ········ ( )

① 체육관 ② 운동장
③ 축구장 ④ 야구장
⑤ 수영장

5 민희는 운동회에서 줄다리기를 한 느낌을 어떻게 표현하였습니까? ········ ( )

① 지루했습니다. ② 힘들었습니다.
③ 어려웠습니다. ④ 신이 났습니다.
⑤ 안타까웠습니다.

6 겪은 일을 이야기할 때 말해야 할 것 중에서 ㉠은 어느 것에 해당합니까? ········ ( )

① 언제 ② 누구와
③ 무슨 일 ④ 어디에서
⑤ 생각이나 느낌

[7~10] 다음 글을 읽고 물음에 답하시오.

> ㈎ 동생이랑 놀이터에서 모래 장난을 하며 재미있게 놀고 있었다. 그러다가 동생이 뿌린 모래가 내 눈에 들어갔다. 나는 눈이 따갑고 아파서 동생에게 화를 냈다. 동생은 엉엉 울었다. 동생을 울렸다고 엄마한테 꾸중을 들었다. 동생이 먼저 잘못한 건데 나만 꾸중을 들어서 억울했다.
> ㈏ 운동회 때 달리기를 했다. 내 차례가 되자 긴장되어 가슴이 떨렸다. 열심히 달렸지만 일 등을 하지 못해 아쉬웠다. 그래도 달리기는 신난다.

7 글 ㈎는 무엇에 대하여 쓴 글입니까? ( )

① 방과 후에 겪은 일
② 수영장에서 겪은 일
③ 놀이터에서 겪은 일
④ 음악 시간에 겪은 일
⑤ 여름 방학 때 겪은 일

8 글 ㈎에서 겪은 일에 따라 '나'의 생각이나 느낌은 어떻게 바뀌었는지 알맞은 것의 기호를 쓰시오.

> ㉮ 억울했다.
> ㉯ 화가 났다.
> ㉰ 재미있었다.

(1) 동생과 놀 때 ( )
(2) 모래가 눈에 들어갔을 때 ( )
(3) 엄마한테 꾸중을 들었을 때 ( )

9 글 ㈏에서 '나'는 운동회 때 무엇을 하였는지 쓰시오.

( )

10 글 ㈏에서 '나'는 왜 아쉬워했습니까? ( )

① 달리기가 힘들어서
② 운동회가 취소되어서
③ 달리기를 하지 못해서
④ 달리기를 하다가 넘어져서
⑤ 달리기에서 일 등을 하지 못해서

[11~12] 다음 글을 읽고 물음에 답하시오.

> ㉠가게놀이를 했다. ㉡모둠마다 가게를 만들었다. 우리 모둠은 장난감 가게를 꾸몄다. ㉢나는 물건을 파는 사람을 했다. ㉣도깨비 인형도 팔고, 변신 로봇도 팔았다. ㉤내 물건이 팔릴 때 기분이 좋았다. ㉥다음에는 물건을 사는 사람도 해 보고 싶다.

11 우리 모둠이 만든 가게는 무엇입니까? ( )

① 문방구
② 빵 가게
③ 생선 가게
④ 야채 가게
⑤ 장난감 가게

12 ㉠~㉥ 중에서 생각이나 느낌에 해당하는 것의 기호를 모두 찾아 쓰시오.

(,)

13 생각이나 느낌을 나타내는 표현이 아닌 것은 어느 것입니까? ( )

① 달리다
② 기쁘다
③ 멋지다
④ 즐겁다
⑤ 어렵다

국어

[14~17] 다음 글을 읽고 물음에 답하시오.

> 나는 체육 시간에 친구들과 운동장에서 달리기를 했다. 모둠을 나누어 이어달리기를 했다. 우리 모둠은 4등으로 꼴찌를 했다. 나는 힘들게 달렸는데도 꼴찌를 한 것이 실망스러워 아무 말도 하지 않고 있었다. 그런데 친구들이 "힘내! 다음 기회가 있잖아."라고 말해 주어서 다시 기분이 좋아졌다.

14 언제 일어난 일을 쓴 것입니까? ( )

① 점심시간 ② 여름 방학
③ 쉬는 시간 ④ 겨울 방학
⑤ 체육 시간

서술형 논술형

15 '나'가 실망스러워한 까닭을 쓰시오.

____

____

16 '나'가 한 일의 시간 순서에 맞게 기호를 쓰시오.

> ㉮ '나'의 모둠이 꼴찌를 했습니다.
> ㉯ 운동장에서 이어달리기를 했습니다.
> ㉰ 친구들이 위로해 주어서 기분이 좋아졌습니다.
> ㉱ '나'는 실망스러워 아무 말도 하지 않았습니다.

( ) → ( ) → ( ) → ( )

17 이 글의 제목을 다음과 같이 붙인 까닭으로 알맞은 것에 ○표 하시오.

> 고마운 친구들

(1) 체육 시간이 즐거웠기 때문에 ( )
(2) '나'를 위로해 준 친구들에게 고마운 마음이 들었기 때문에 ( )

[18~19] 다음 글을 읽고 물음에 답하시오.

날짜	20○○년 11월 22일 화요일
날씨	해가 반짝

> 제목: 서점 나들이
> ㉠아빠와 함께 서점에 갔다. ㉡여러 가지 책이 많아서 참 신기했다. 내가 읽고 싶었던 책을 찾아서 반가웠다. 앞으로 서점에 더 자주 가고 싶다.

18 이 일기를 쓴 날의 날씨는 어떠했다는 것을 알 수 있습니까? ( )

① 비가 왔습니다.
② 눈이 내렸습니다.
③ 바람이 불었습니다.
④ 날씨가 맑았습니다.
⑤ 구름이 많았습니다.

19 ㉠과 ㉡ 중에서 생각이나 느낌에 해당하는 것의 기호를 쓰시오.

( )

20 일기로 쓸 내용을 정할 때에 떠올릴 것으로 알맞지 않은 것은 무엇입니까? ( )

① 무슨 일을 했나?
② 누구와 한 일인가?
③ 책에 나와 있는 일인가?
④ 어떤 생각이나 느낌이 들었나?
⑤ 언제, 어디에서 있었던 일인가?

정답과 풀이 9쪽

[1~5] 다음 글을 읽고 물음에 답하시오.

(가) 어느 날, 무시무시한 괴물이 별들을 모두 삼키고 사라졌어요. 마을은 온통 캄캄한 어둠으로 뒤덮였죠. 빛나는 별이 사라지자 마을 사람들은 슬픔에 빠졌어요. 그래서 마을에서 가장 용감한 노랑이, 초록이, 주홍이는 별을 되찾기 위해 길을 떠났어요.

(나) "토끼야, 별을 삼킨 괴물이 어떻게 생겼는지 알고 있니?"
토끼가 대답했어요.
"글쎄, 새가 노래하는 모습을 보느라 잘 보지 못했어. 그런데 나처럼 작은 소리도 잘 들을 수 있는 쫑긋쫑긋 귀를 가지고 있었어."

(다) 사자가 대답했어요.
"글쎄, 갈기를 빗느라 잘 보지 못했어. 그런데 나처럼 북슬북슬한 갈기를 가지고 있었어."

(라) 악어가 대답했어요.
"글쎄, 이빨을 닦느라 잘 보지 못했어. 그런데 나처럼 뾰족뾰족 날카로운 이빨을 가지고 있었어."

(마) 원숭이가 대답했어요.
"글쎄, 나무에 거꾸로 매달려 있느라 잘 보지 못했어. 그런데 나처럼 길쭉길쭉 긴 꼬리가 있었어."

(바) 곰이 대답했어요.
"글쎄, 꿀을 먹느라 잘 보지 못했어. 그런데 나처럼 빵빵한 배를 가지고 있었어."

(사) "괴물아, 별들을 내놔!" / 아이들이 외쳤어요.
"안 돼! 나는 너무 못생겨서 아무도 좋아하지 않아. 별을 먹고 반짝반짝 멋있어져서 친구들과 뛰어놀고 싶단 말이야."
괴물이 떼를 쓰며 말했어요.
"아니야, 아니야. 너는 쫑긋쫑긋 작은 소리도 들을 수 있는 귀, 북슬북슬 멋지고 부드러운 갈기, 뾰족뾰족 무엇이든 자를 수 있는 이빨, 길쭉길쭉 어디든 매달릴 수 있는 꼬리까지 이미 많은 것을 가진 멋진 괴물이야."

1 마을에서 일어난 일은 무엇입니까? ( )

① 마을 사람들이 괴물을 쫓아냈습니다.
② 괴물이 마을 사람들을 도와주었습니다.
③ 괴물이 별을 모두 삼키고 사라졌습니다.
④ 마을 사람들이 괴물을 잡아 가두었습니다.
⑤ 마을 사람들은 별 대신 전등을 매달았습니다.

2 별을 찾으러 간 인물들의 성격은 어떠합니까? ( )

① 다정합니다. ② 용감합니다.
③ 게으릅니다. ④ 잘 삐칩니다.
⑤ 겁이 많습니다.

3 별을 찾으러 간 인물들이 만난 동물을 모두 찾아 쓰시오.

( )

4 괴물이 별을 삼킨 까닭은 무엇입니까? ( )

① 배가 고파서
② 어두운 것이 좋아서
③ 마을 사람들을 겁주기 위해서
④ 밤하늘이 반짝거리는 것이 싫어서
⑤ 별을 먹고 멋있어져서 친구들과 뛰어놀려고

5 괴물의 모습을 상상하여 그릴 때에 어떻게 그리는 것이 알맞은지 선으로 이으시오.

(1) 귀 • • ㉮ 쫑긋쫑긋하게
(2) 배 • • ㉯ 북슬북슬하게
(3) 갈기 • • ㉰ 뾰족뾰족하게
(4) 이빨 • • ㉱ 길쭉길쭉하게
(5) 꼬리 • • ㉲ 빵빵하게

국어

[6~9] 다음 글을 읽고 물음에 답하시오.

(가) 깊고 깊은 숲속에 옷 만들기를 아주 좋아하는 재봉사가 살았어요.
(나) 이 하늘 저 하늘 새들이 날아와 멋진 옷을 부탁했어요.
춤출 때 입을 거예요.
(다) 깊은 물 얕은 물 물고기들이 헤엄쳐 와 어여쁜 옷을 졸랐어요.
오징어는 무지개 양말에 구두 신고 다리를 뽐낼 거예요.
(라) 넓은 들판에 사는 크고 큰 동물들과 작고 작은 곤충들도 마음먹은 옷을 이야기했어요.
사자는 바람 불면 털이 눈을 가려서 모자가 필요해요.
(마) 높은 산 낮은 산 동물들도 필요한 옷을 부탁했어요.
토끼는 팔랑거리는 치마 입고 깡충깡충 뛸 거예요.
그렇게 모두 꿈꿔 왔던 옷을 입어 보았어요.
그리고 한바탕 잔치가 벌어졌어요.

서술형 논술형

6 새들이 재봉사에게 옷을 만들어 달라고 한 까닭은 무엇인지 쓰시오.

____

____

7 오징어가 재봉사에게 만들어 달라고 한 것은 무엇이었을지 쓰시오.

( )

8 이 글에 나오는 사자의 모습을 상상한 것으로 알맞은 것에 ○표 하시오.

(1) 모자를 쓰고 있습니다. ( )
(2) 반짝거리는 바지를 입고 있습니다. ( )

9 잔치가 벌어졌을 때 토끼는 어떻게 춤을 추었겠습니까? ( )

① 깡충깡충 뛰면서
② 엉금엉금 기면서
③ 나풀나풀 날면서
④ 비틀비틀 휘청대면서
⑤ 첨벙첨벙 물장구치면서

10 인물의 모습과 행동을 상상하며 이야기를 읽을 때 좋은 점이 아닌 것은 무엇입니까? ( )

① 인물의 마음을 잘 이해할 수 있습니다.
② 인물이 한 일을 잘 이해할 수 있습니다.
③ 이야기를 더 자세하게 읽을 수 있습니다.
④ 이야기를 더 재미있게 읽을 수 있습니다.
⑤ 일어난 일을 순서대로 정리할 수 있습니다.

11 다음 장면에서 인물의 말에 어울리는 목소리는 무엇입니까? ( )

안녕, 놀이터에 가서 같이 놀자.

① 화가 나고 큰 목소리
② 두려움에 떠는 목소리
③ 힘들어서 떨리는 목소리
④ 기분이 좋고 밝은 목소리
⑤ 매우 급하게 재촉하는 목소리

12 다음 인물의 행동을 따라 한 것으로 알맞은 것에 ○표 하시오.

기지개를 켜는 뽀로로

(1) 다리를 굽혔다 폈다 하는 행동 ( )
(2) 자리에서 일어나 몸을 쭉 펴는 행동 ( )

수학

CONTENTS

1. 100까지의 수 34쪽

2. 덧셈과 뺄셈(1) 40쪽

3. 여러 가지 모양 46쪽

4. 덧셈과 뺄셈(2) 52쪽

5. 시계 보기와 규칙 찾기 58쪽

6. 덧셈과 뺄셈(3) 64쪽

1·2

정답과 풀이 10쪽

1 □ 안에 알맞은 수를 써넣으시오.

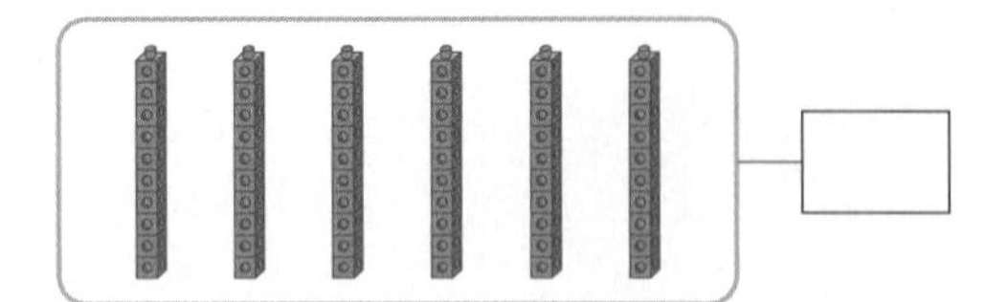

2 수를 세어 쓰고 읽으시오.

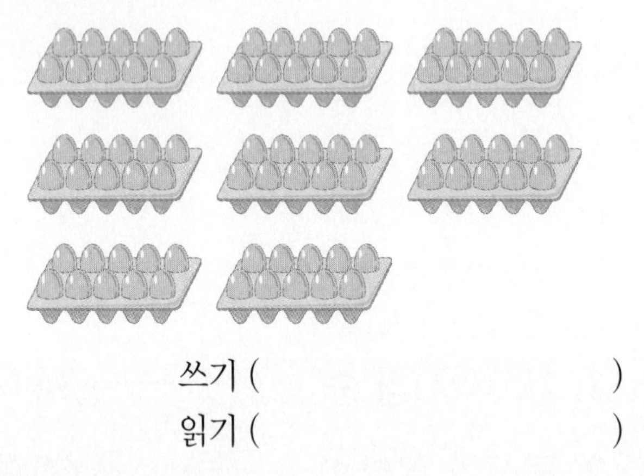

쓰기 (　　　　　　　　)

읽기 (　　　　　　　　)

3 그림을 보고 빈 곳에 알맞은 수를 써넣으시오.

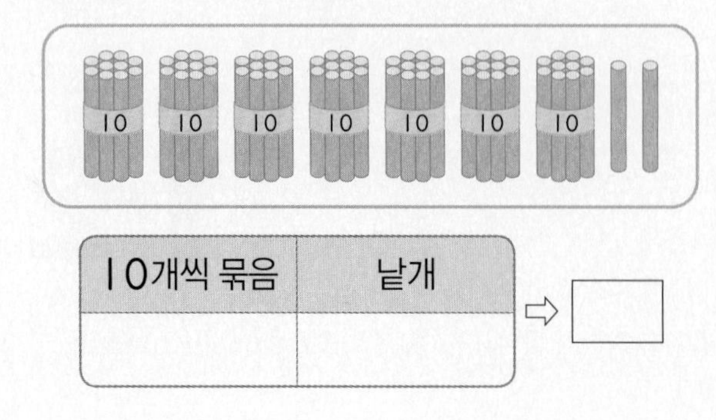

10개씩 묶음	낱개

⇨ □

4 다른 수를 나타내는 것을 찾아 기호를 쓰시오.

㉠ 팔십삼　　㉡ 83
㉢ 예순셋
㉣ 10개씩 묶음 8개와 낱개 3개

(　　　　　　　　)

5 다음을 수로 쓰고 읽으시오.

99 다음의 수

쓰기 (　　　　　　　　)

읽기 (　　　　　　　　)

6 두 수의 크기를 비교하여 ○ 안에 >, <를 알맞게 써넣으시오.

98 ○ 94

7 관계있는 것끼리 이으시오.

69 •	• 여든넷
73 •	• 예순아홉
84 •	• 칠십삼

8 빈 곳에 알맞은 수를 써넣으시오.

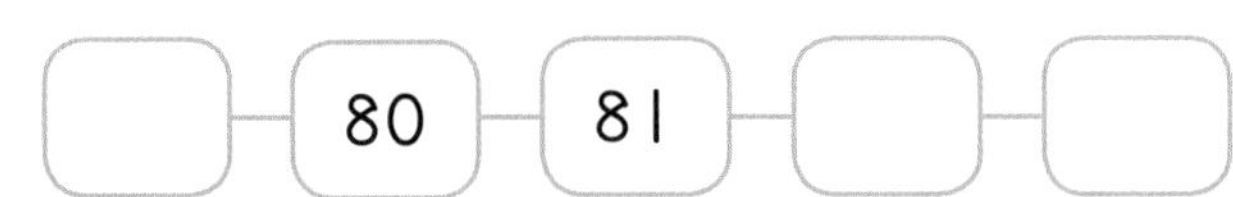

9 장갑의 수를 세어 짝수에 ○표, 홀수에 △표를 하시오.

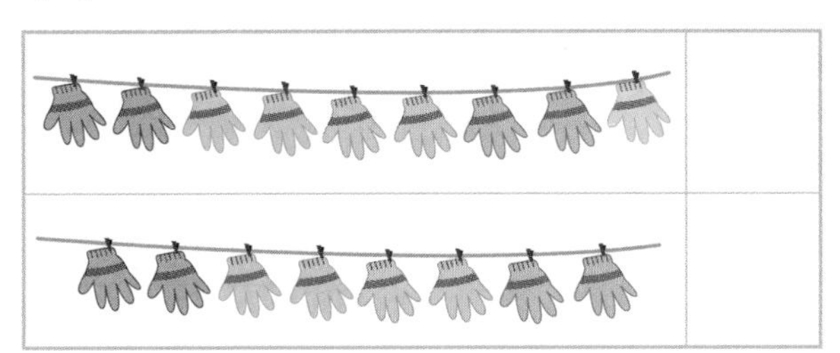

[10~11] 빈 곳에 알맞은 수를 써넣으시오.

10 1만큼 더 작은 수 1만큼 더 큰 수

11 사이의 수

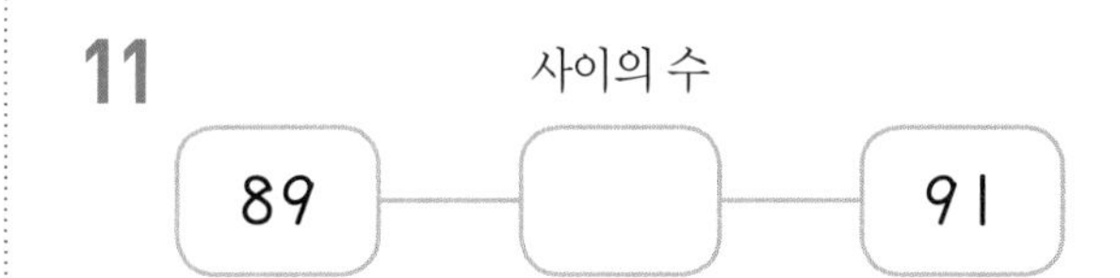

12 63보다 1만큼 더 큰 수에 ○표, 1만큼 더 작은 수에 △표 하시오.

64 73 59 65 62

13 초콜릿이 10개씩 묶음 7개와 낱개 3개가 있습니다. 초콜릿은 모두 몇 개입니까?

( )

14 다음 중 홀수가 아닌 것은 어느 것입니까? (　　　)

① 31　　② 23　　③ 49
④ 54　　⑤ 65

15 방학 동안 동화책을 재은이는 75권, 시후는 82권 읽었습니다. 동화책을 더 많이 읽은 사람은 누구입니까?

(　　　　　　　　)

16 □ 안에 알맞은 수를 써넣으시오.

10개씩 묶음	낱개
7	18

⇨ □

17 가장 큰 수를 찾아 쓰시오.

81　69　90

(　　　　　　　　)

18 수를 순서대로 썼을 때 54보다 크고 60보다 작은 수는 모두 몇 개인지 구하시오.

(　　　　　　　　)

19 3장의 수 카드 중 2장을 뽑아 몇십몇을 만들려고 합니다. 만들 수 있는 가장 큰 수를 구하시오.

5　2　8

(　　　　　　　　)

서술형 논술형

20 1부터 9까지의 수 중에서 □ 안에 들어갈 수 있는 수는 무엇인지 풀이 과정을 쓰고 답을 구하시오.

87<8□

풀이 ____________________

____

____

답 ____________________

정답과 풀이 11쪽

1 수를 세어 쓰고 읽으시오.

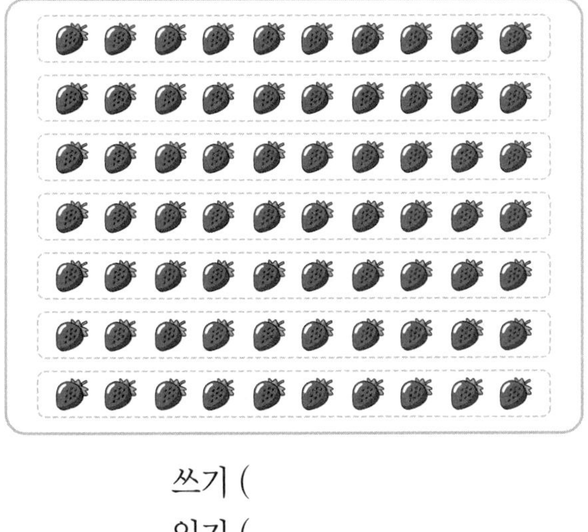

쓰기 (   )

읽기 (   )

2 나머지와 다른 하나에 색칠하시오.

일흔

90

3 수를 세어 보고 관계있는 것에 모두 ○표 하시오.

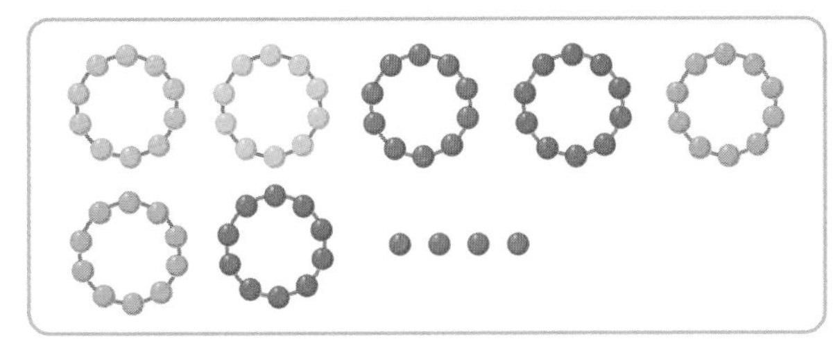

(일흔넷, 여든넷, 칠십, 74)

4 두 수의 크기를 비교하여 ○ 안에 >, <를 알맞게 써넣으시오.

89 ○ 90

5 빈 곳에 알맞은 수를 찾아 이으시오.

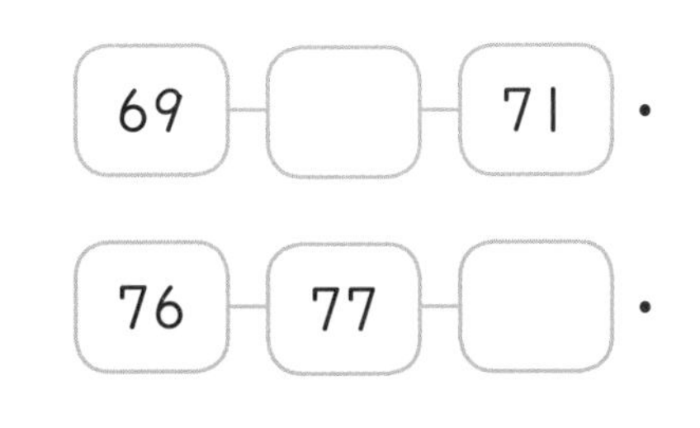

• 88

• 78

• 70

6 다음 중 나타내는 수가 100이 아닌 것은 어느 것입니까? ·························· (   )

① 99보다 1만큼 더 큰 수

② 99 다음의 수

③ 90보다 10만큼 더 큰 수

④ 10개씩 묶음이 10개인 수

⑤ 90보다 1만큼 더 큰 수

수학

7 빈 곳에 알맞은 수를 두 가지로 읽으시오.

66 — 67 — 68 — ☐ — 70

(,)

8 수를 보고 짝수와 홀수를 각각 찾아 쓰시오.

42 75 90 69

짝수 ( )
홀수 ( )

9 수를 순서대로 쓰려고 합니다. 빈칸에 알맞은 수를 써넣으시오.

77	78	79			82
83		85		87	
			92	93	

10 거꾸로 세어 빈 곳에 알맞은 수를 써넣으시오.

98 — 97 — ☐ — ☐ — 94

11 빈 곳에 알맞은 수를 써넣으시오.

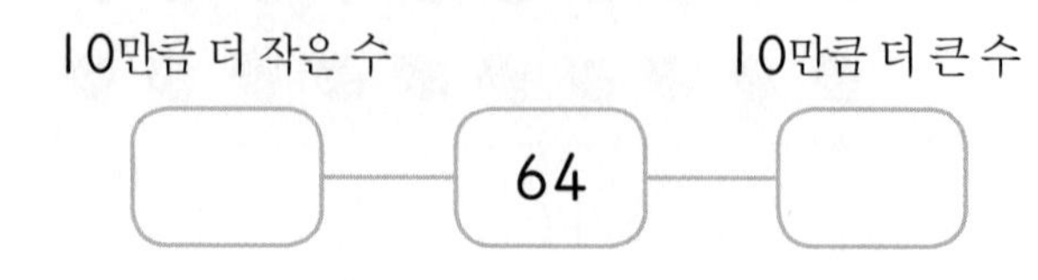

12 사과가 10개씩 묶음 6개와 낱개 8개가 있습니다. 사과는 모두 몇 개입니까?

( )

13 작은 수부터 차례로 쓰시오.

63 49 51 77 80

( )

14 사탕 80개를 한 봉지에 10개씩 담으려고 합니다. 봉지는 모두 몇 개 필요합니까?

( )

15 빈칸에 알맞은 수를 써넣으시오.

10개씩 묶음	낱개	수
6		62
	13	83

16 고구마를 은정이는 팔십이 개, 혁수는 칠십팔 개, 세호는 아흔 개 캤습니다. 세 사람 중 고구마를 가장 적게 캔 사람은 누구입니까?

( )

17 두 수 사이에 있는 수가 더 많은 쪽에 ○표 하시오.

76	82

( )

92	97

( )

18 조건을 모두 만족하는 수를 구하시오.

- 58과 70 사이에 있는 수입니다.
- 낱개의 수가 8입니다.

( )

19 0부터 9까지의 수 중에서 □ 안에 들어갈 수 있는 수는 모두 몇 개입니까?

$75 < 7\square$

( )

서술형 논술형

20 희철이는 과수원에서 사과를 74개 땄습니다. 사과를 한 상자에 10개씩 5상자에 담았다면 남은 사과는 몇 개인지 풀이 과정을 쓰고 답을 구하시오.

풀이 ______________________

____

____

답 ______________________

수학

정답과 풀이 12쪽

1 그림을 보고 덧셈을 하시오.

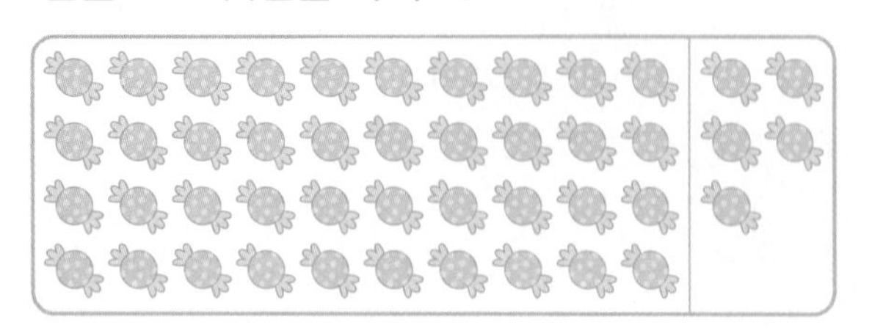

40+5=□

2 그림을 보고 뺄셈을 하시오.

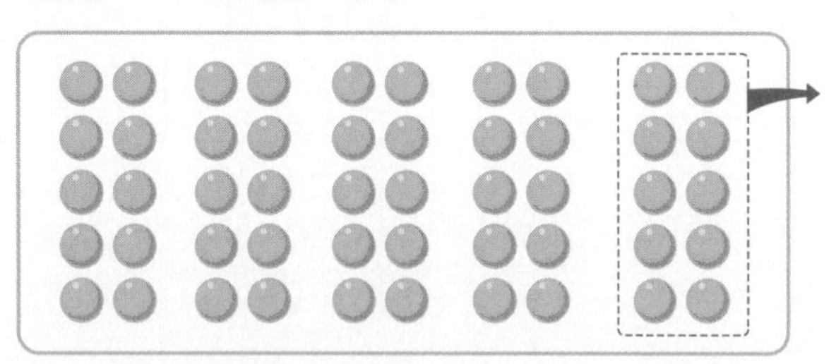

50−10=□

3 계산을 하시오.

(1)
$$\begin{array}{r} 41 \\ +\ \ 3 \\ \hline \end{array}$$

(2)
$$\begin{array}{r} 48 \\ -35 \\ \hline \end{array}$$

4 계산 결과를 찾아 ○표 하시오.

60+30

(60, 70, 80, 90)

5 □ 안에 알맞은 수를 써넣으시오.

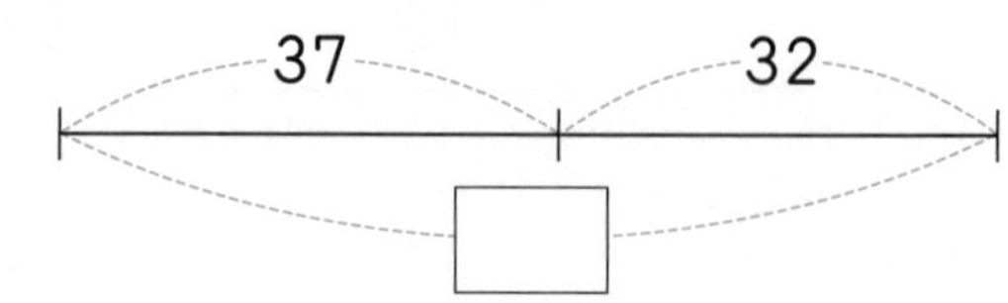

6 두 수의 차를 빈 곳에 써넣으시오.

56	33

7 빈 곳에 알맞은 수를 써넣으시오.

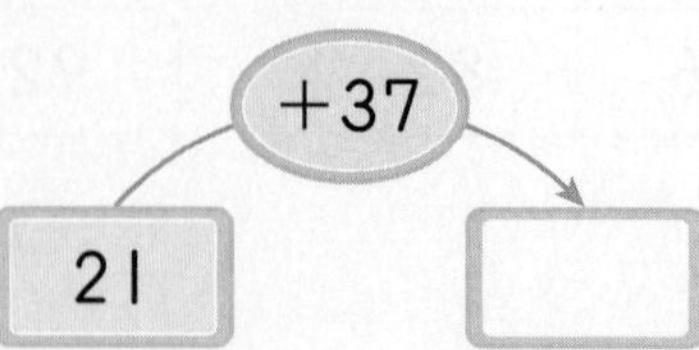

8 모형을 보고 □ 안에 알맞은 수를 써넣으시오.

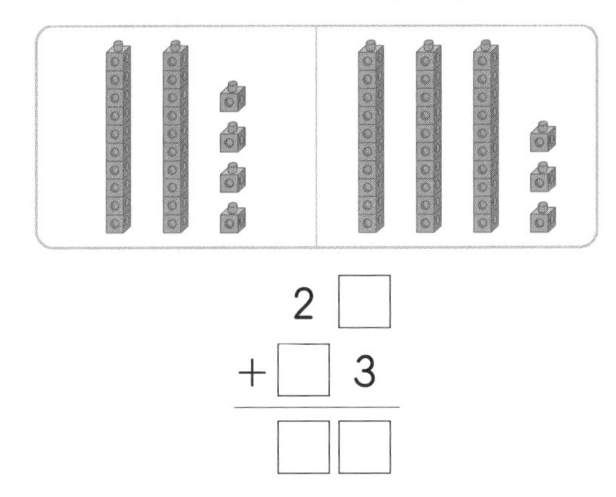

$$\begin{array}{r} 2\ \square \\ +\ \square\ 3 \\ \hline \square\ \square \end{array}$$

[9~10] 그림을 보고 물음에 답하시오.

9 파란 색연필과 빨간 색연필은 모두 몇 자루인지 덧셈식으로 나타내시오.

식 ____________________

답 ____________

10 파란 색연필은 빨간 색연필보다 몇 자루 더 많은지 뺄셈식으로 나타내시오.

식 ____________________

답 ____________

11 빈칸에 알맞은 수를 써넣으시오.

(→ +, ↓ +)

53	4	57
6	80	

12 다음 중 계산한 값이 가장 큰 것은 어느 것입니까? ( )

① 36－13　② 34＋11

③ 49－25　④ 75－24

⑤ 26＋32

13 민우는 아버지와 함께 딸기를 땄습니다. 민우는 18개, 아버지는 40개를 땄다면 민우와 아버지가 딴 딸기는 모두 몇 개입니까?

( )

수학

14 13+42를 여러 가지 방법으로 계산하였습니다. □ 안에 알맞은 수를 써넣으시오.

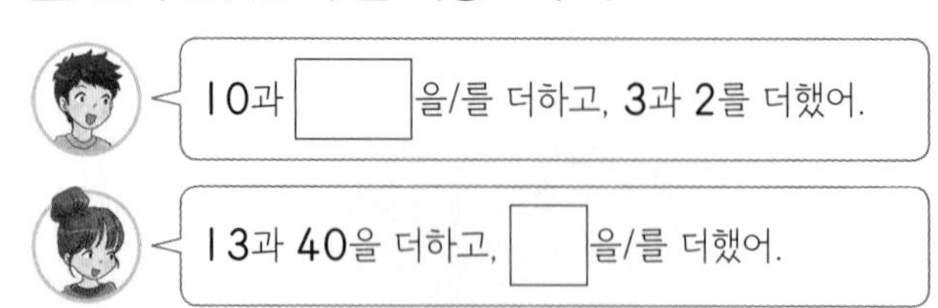

15 37 과 20 을 사용하여 덧셈식과 뺄셈식을 각각 만드시오.

□+□=□

□−□=□

16 가장 큰 수와 가장 작은 수의 합과 차를 각각 구하시오.

42 56 33 49

합 ( )

차 ( )

17 □ 안에 알맞은 수를 써넣으시오.

$$\begin{array}{r} \square\ 5 \\ +\ 2\ \square \\ \hline 6\ 8 \end{array}$$

18 계산 결과가 가장 큰 것을 찾아 기호를 쓰시오.

㉠ 80−60
㉡ 15+42
㉢ 96−24

( )

19 바구니 안에 사과는 56개 들어 있고, 귤은 사과보다 14개 더 적게 들어 있습니다. 바구니 안에 들어 있는 사과와 귤은 모두 몇 개입니까?

( )

서술형 논술형

20 5장의 수 카드를 한 번씩만 사용하여 몇십몇을 만들려고 합니다. 만들 수 있는 수 중에서 가장 큰 수와 가장 작은 수의 합은 얼마인지 풀이 과정을 쓰고 답을 구하시오.

6 7 1 3 5

풀이

답

정답과 풀이 13쪽

1 모형을 보고 덧셈을 하시오.

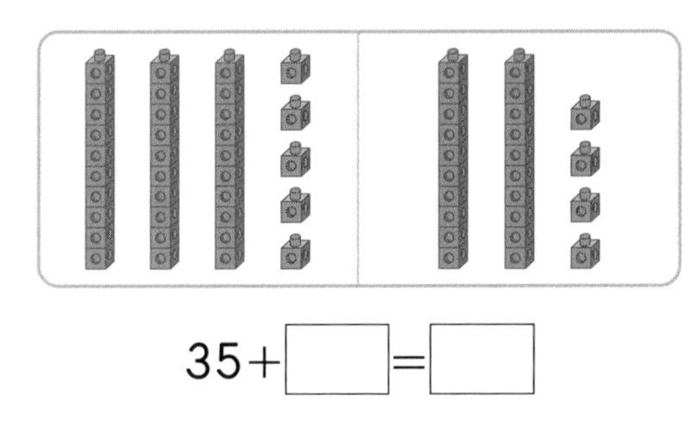

35+☐=☐

2 모형을 보고 뺄셈을 하시오.

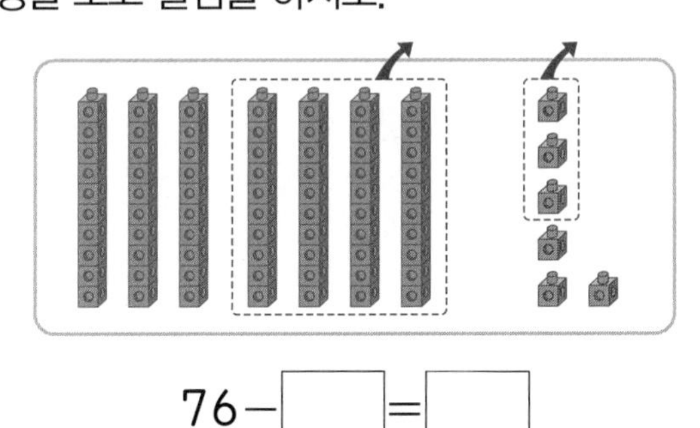

76−☐=☐

3 계산을 하시오.

(1)
$$\begin{array}{r} 14 \\ +\ 24 \\ \hline \end{array}$$

(2)
$$\begin{array}{r} 36 \\ -\ 22 \\ \hline \end{array}$$

4 두 수의 합과 차를 각각 구하시오.

31　58

합 (　　　　　　)
차 (　　　　　　)

5 계산 결과를 비교하여 ○ 안에 >, =, <를 알맞게 써넣으시오.

27+31 ○ 43−11

6 빈 곳에 알맞은 수를 써넣으시오.

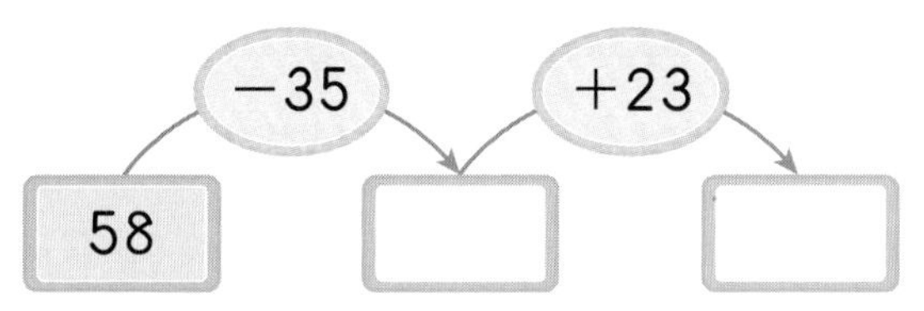

7 계산 결과가 30보다 큰 것을 찾아 기호를 쓰시오.

㉠ 64−51
㉡ 72−62
㉢ 83−42

(　　　　　　)

수학

8 같은 모양에 적힌 수끼리의 합을 각각 구하시오.

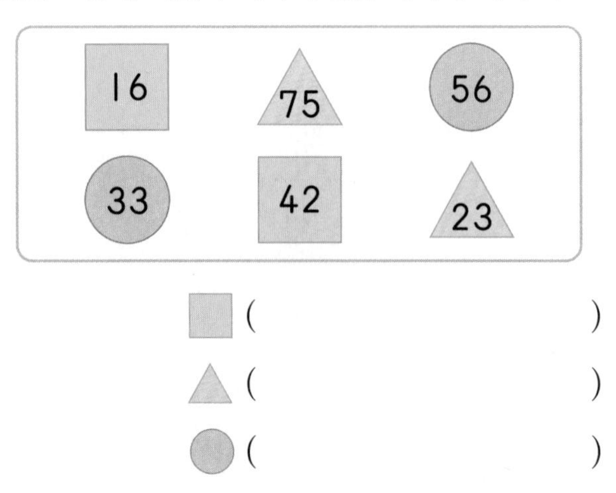

■ (　　　　　　　　)

▲ (　　　　　　　　)

● (　　　　　　　　)

[9~10] 다음을 보고 물음에 답하시오.

	유진이네 반	성민이네 반
남학생 수	21	
여학생 수	17	22
반 학생 수(명)		35

9 유진이네 반 학생은 모두 몇 명입니까?

(　　　　　　　　)

10 성민이네 반 남학생은 몇 명입니까?

(　　　　　　　　)

11 짝 지은 두 수의 차를 구하여 그 차를 아래 빈 곳에 써넣으시오.

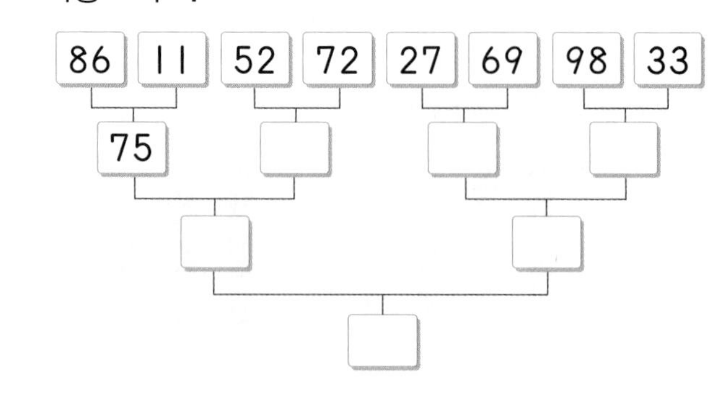

12 계산 결과가 다른 하나를 찾아 기호를 쓰시오.

㉠ 23+54	㉡ 41+36
㉢ 62+25	㉣ 16+61

(　　　　　　　　)

13 자동차 48대를 주차할 수 있는 주차장에 17대가 주차되어 있습니다. 이 주차장에 더 주차할 수 있는 자동차는 몇 대입니까?

(　　　　　　　　)

14 다음 중 계산한 값이 가장 큰 것은 어느 것입니까? ( )

① 26−13 ② 34−11
③ 49−25 ④ 57−24
⑤ 75−43

15 □ 안에 알맞은 수를 써넣으시오.

$$\begin{array}{r} \square\ 7 \\ -\ 3\ \square \\ \hline 5\ 2 \end{array}$$

16 식을 보고 각 모양이 나타내는 수를 구하시오.

11+11=●
●+●=▲

● ( )
▲ ( )

17 다음 수 중에서 합이 68이 되는 두 수를 찾아 □ 안에 써넣으시오.

26 14 64 42

□+□=68

18 네 장의 수 카드를 한 번씩만 사용하여 몇십몇을 만들려고 합니다. 만들 수 있는 가장 큰 몇십몇과 가장 작은 몇십몇의 합을 구하시오.

4	7	2	5

( )

서술형 논술형

19 1부터 9까지의 수 중에서 □ 안에 들어갈 수 있는 수는 모두 몇 개인지 풀이 과정을 쓰고 답을 구하시오.

34+□<88−50

풀이 ____________________

____

____

답 ____________________

20 연필을 성진이는 21자루 가지고 있고 희주는 성진이보다 7자루 더 많이 가지고 있습니다. 현경이는 희주보다 11자루 적게 가지고 있다면 현경이가 가지고 있는 연필은 몇 자루인지 구하시오.

( )

수학

정답과 풀이 14쪽

[1~3] 어떤 모양인지 알맞은 모양에 ○표 하시오.

1

(■, ▲, ●)

2

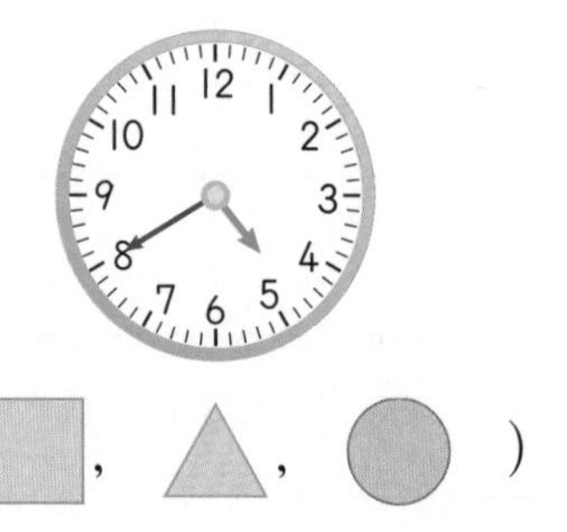

(■, ▲, ●)

3

(■, ▲, ●)

[4~6] 다음은 ■, ▲, ● 모양을 본뜬 것의 일부분입니다. 물음에 답하시오.

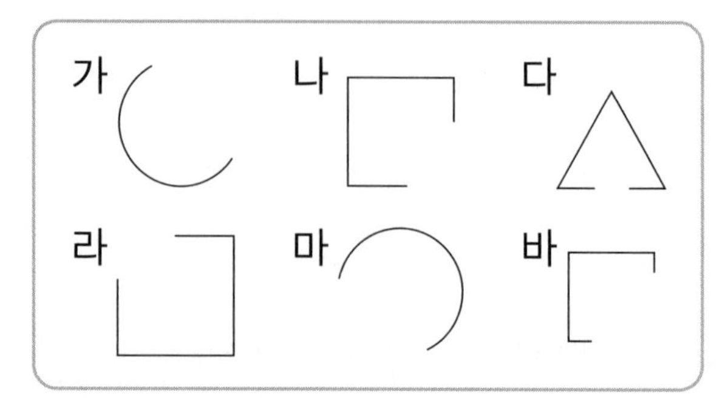

4 ■ 모양을 본뜬 것을 모두 찾아 기호를 쓰시오.

( )

5 ● 모양을 본뜬 것은 모두 몇 개 있습니까?

( )

6 ■, ▲, ● 모양 중 본뜬 모양의 개수가 가장 적은 모양을 찾아 그리시오.

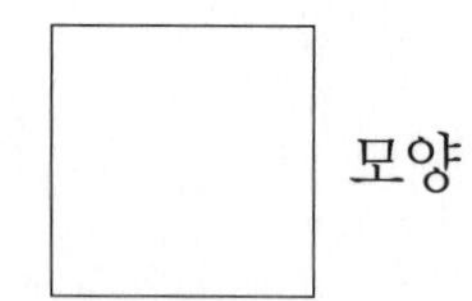

7 보이지 않는 부분에 선을 그려 ● 모양을 완성하시오.

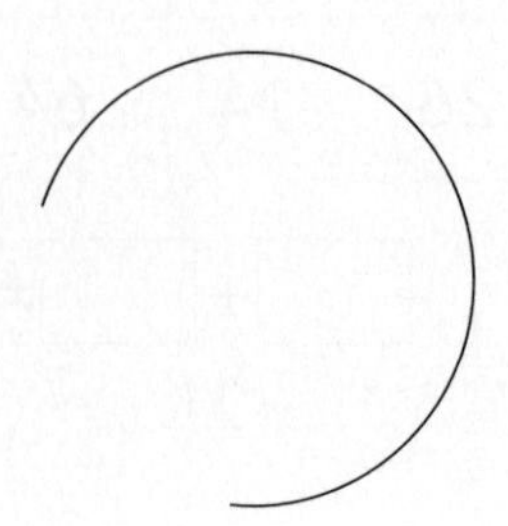

8 다음 중 모양이 <u>다른</u> 것은 어느 것입니까? (　　　)

① 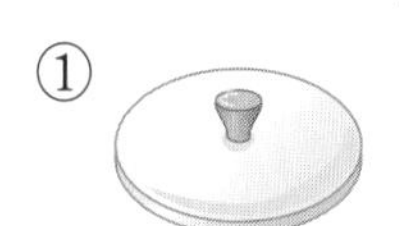 ②  ③ 

④ ⑤ 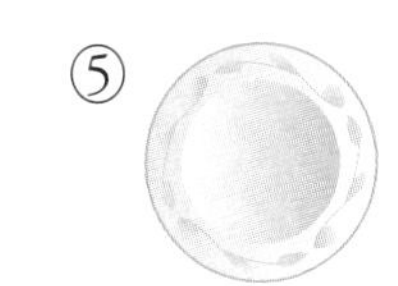

9 두 물건은 □, △, ○ 모양 중 어떤 모양입니까?

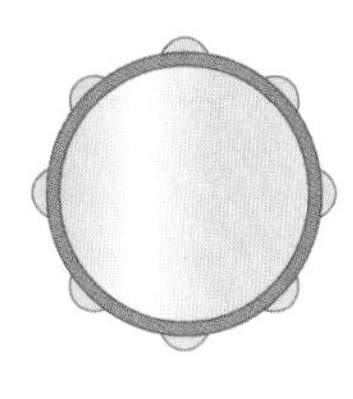 

(　　　　　　　　　)

10 □ 모양을 이용하여 다음 모양을 꾸몄습니다. □ 모양을 모두 몇 개 이용하여 꾸몄습니까?

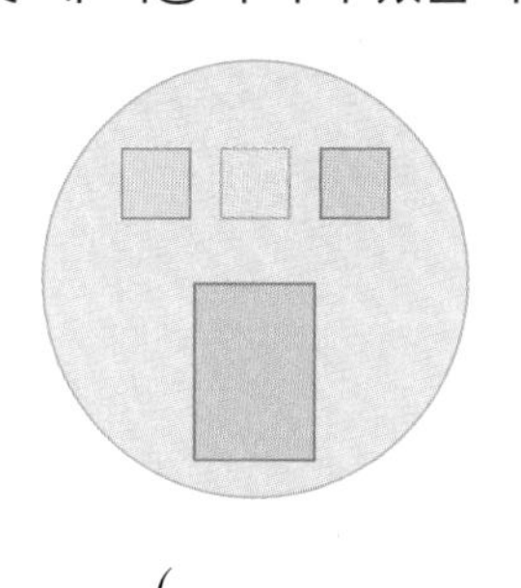

(　　　　　　　　　)

11 종이 위에 대고 본을 떴을 때 나오는 모양이 <u>다른</u> 것을 찾아 기호를 쓰시오.

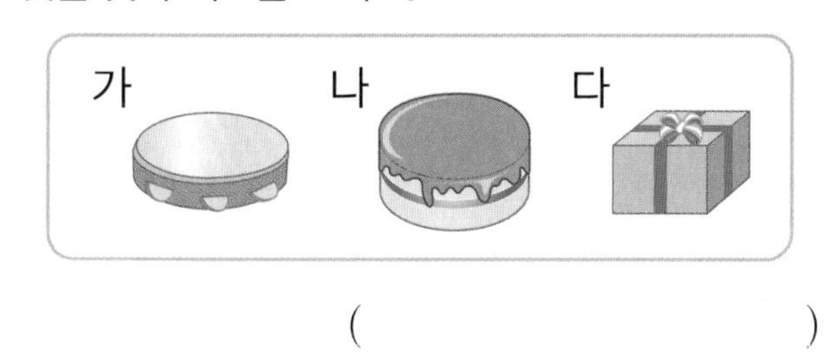

(　　　　　　　　　)

[12~13] 그림을 보고 물음에 답하시오.

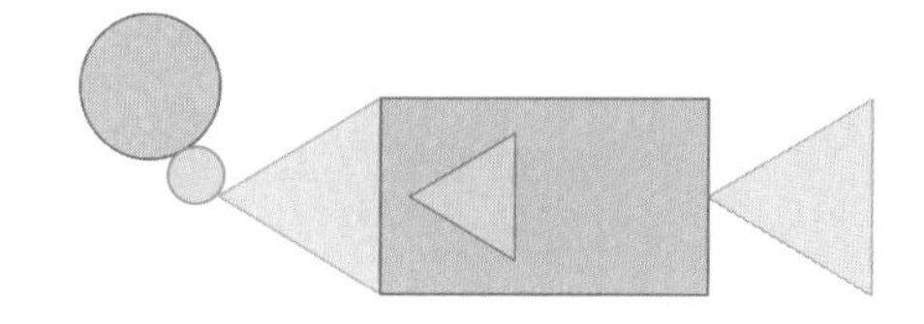

12 10원짜리 동전의 모양과 같은 모양은 몇 개 있습니까?

(　　　　　　　　　)

13 삼각자의 모양과 같은 모양은 몇 개 있습니까?

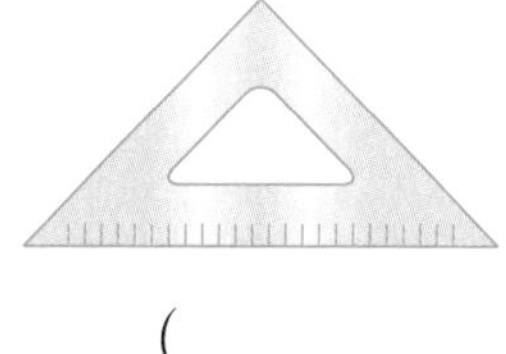

(　　　　　　　　　)

14 □, △, ○ 모양 중 다음에서 설명하는 모양은 어떤 모양입니까?

- 뾰족한 곳이 없습니다.
- 병뚜껑에서 같은 모양을 찾을 수 있습니다.

(　　　　　　　　　)

수학

15 ■, ▲, ● 모양을 몇 개씩 이용하여 꾸민 모양인지 □ 안에 알맞은 수를 써넣으시오.

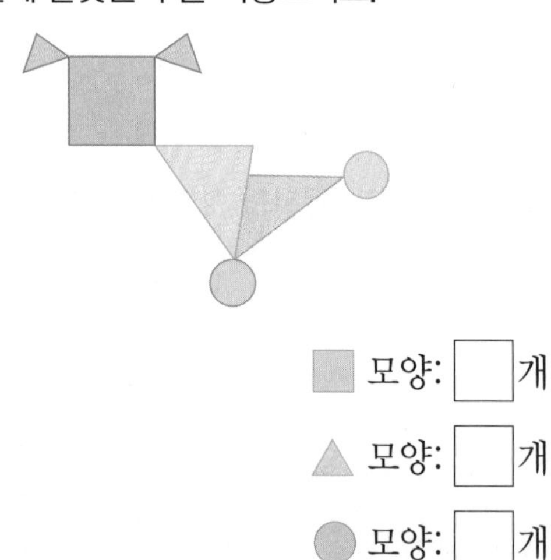

■ 모양: □개

▲ 모양: □개

● 모양: □개

16 색종이에 선을 그어 선을 따라 잘라서 ▲ 모양 3개를 만들려고 합니다. 어떻게 잘라야 하는지 선으로 나타내시오.

서술형 논술형

17 색종이로 모양과 크기가 같은 ▲ 모양을 오려 겹쳐지게 붙여 놓은 것입니다. ▲ 모양 몇 개를 붙여 놓은 것인지 풀이 과정을 쓰고 답을 구하시오.

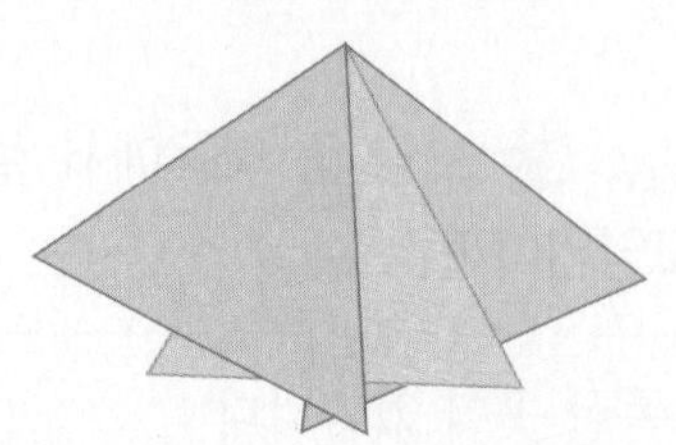

풀이 ______________________

____

____

답 ______________________

18 오른쪽 모양과 붙였을 때 ● 모양이 되도록 짝을 찾아 기호를 쓰시오.

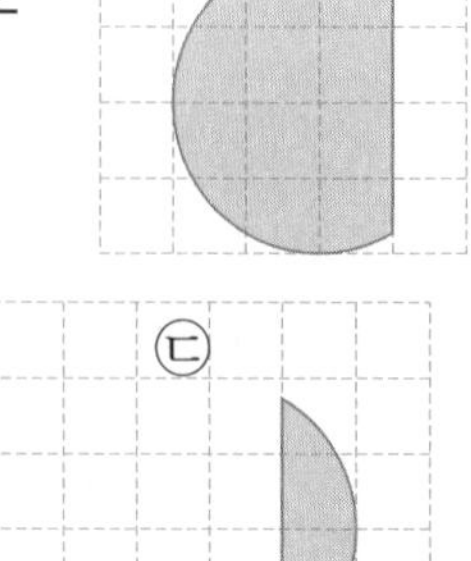

㉠ ㉡ ㉢

(　　　　　　　　)

19 주희는 친구들과 먹으려고 롤케이크를 잘랐습니다. 자른 롤케이크에서 찾을 수 있는 모양을 찾아 ○표 하시오.

(■, ▲, ●)

20 동우와 인나는 다음과 같은 모양을 꾸몄습니다. ■ 모양을 더 많이 이용하여 꾸민 사람은 누구입니까?

동우　　인나

(　　　　　　　　)

정답과 풀이 15쪽

[1~2] 다음을 보고 물음에 답하시오.

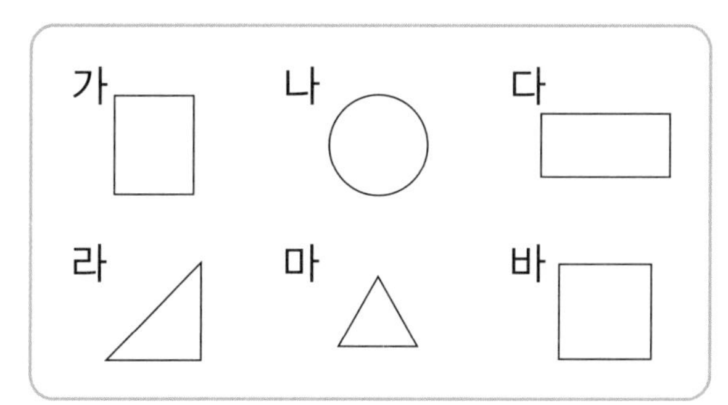

1 ■ 모양을 모두 찾아 기호를 쓰시오.

( )

2 ▲ 모양을 모두 찾아 기호를 쓰시오.

( )

3 어떤 모양을 모아 놓은 것인지 알맞은 모양에 ○표 하시오.

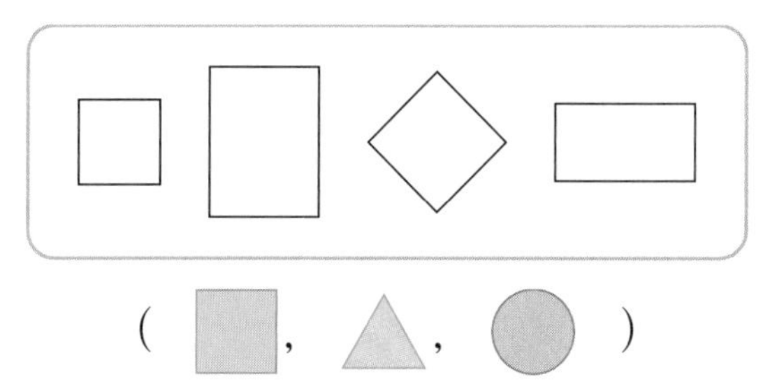

(■, ▲, ●)

4 관계있는 것끼리 이으시오.

5 ▲ 모양을 찾을 수 있는 물건에 ○표 하시오.

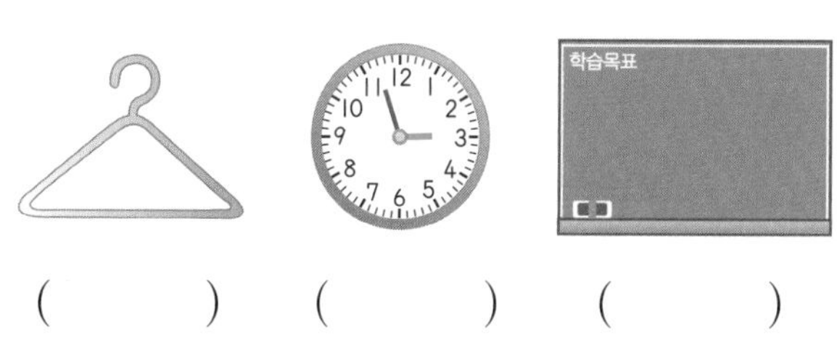

( ) ( ) ( )

6 ● 모양의 물건을 모두 찾아 기호를 쓰시오.

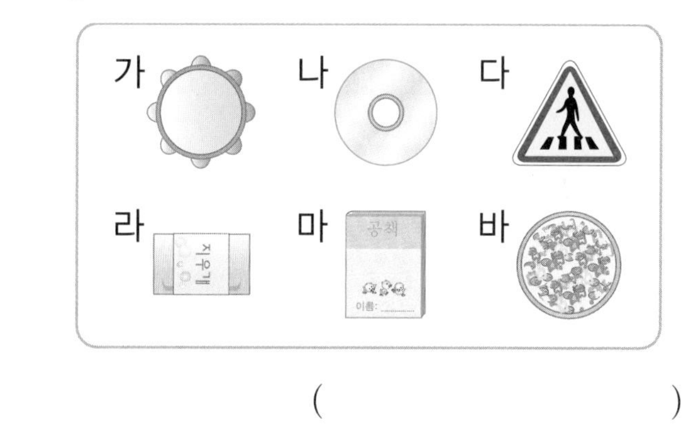

( )

7 동전을 종이 위에 대고 그리면 ■, ▲, ● 모양 중 어떤 모양이 됩니까?

( )

8 다음은 ▲ 모양을 본뜬 일부분입니다. 보이지 않는 부분에 선을 그어 모양을 완성하시오.

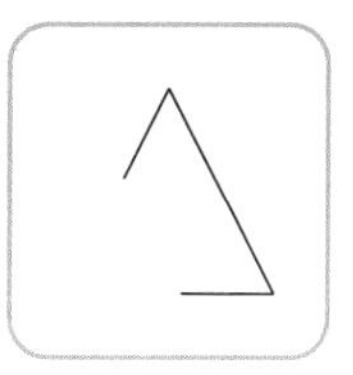
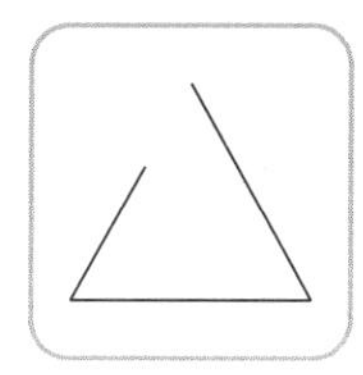
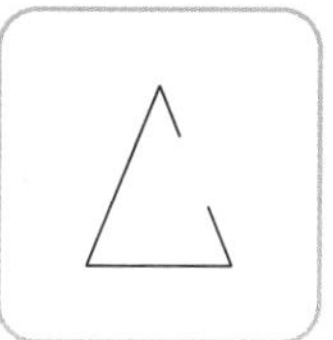

9 왼쪽에 그린 모양을 오른쪽에 똑같이 그리시오.

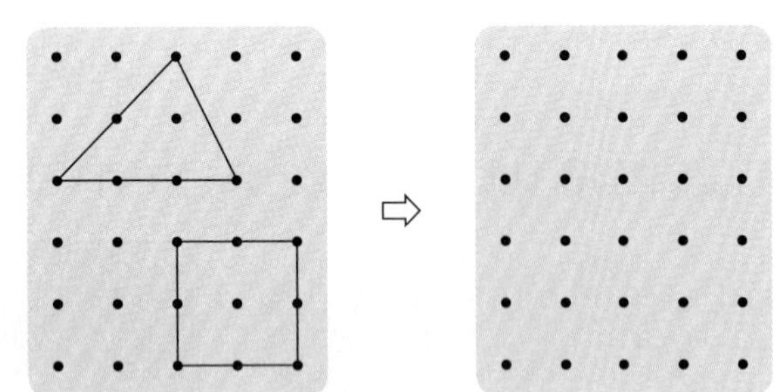

10 점판 위에 △ 모양 1개와 ■ 모양 1개를 그리시오.

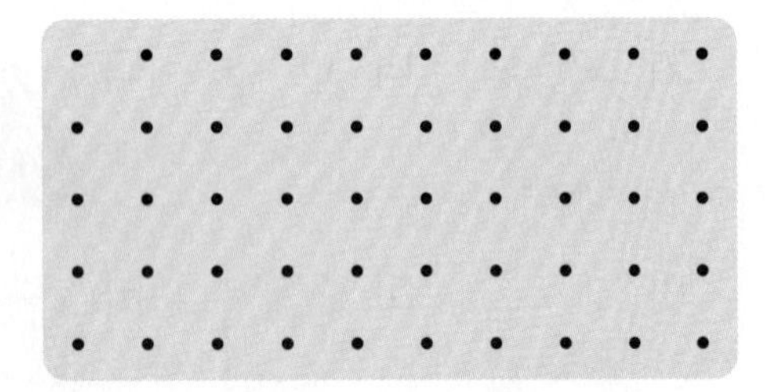

서술형 논술형

11 텔레비전의 모양과 같은 모양의 물건을 찾아 기호를 쓰려고 합니다. 풀이 과정을 쓰고 답을 구하시오.

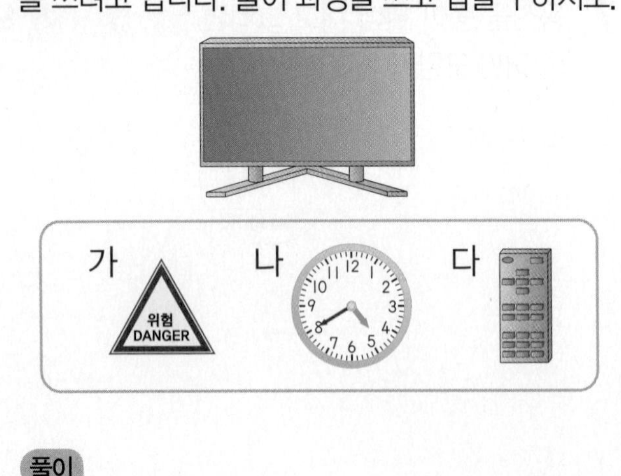

풀이 ______________________

____

____

답 ______________________

12 △ 모양은 ■ 모양보다 몇 개 더 많습니까?

(　　　　　　　　)

13 민수는 다음과 같은 모양을 꾸몄습니다. ■, △, ● 모양을 각각 몇 개씩 이용하여 꾸몄습니까?

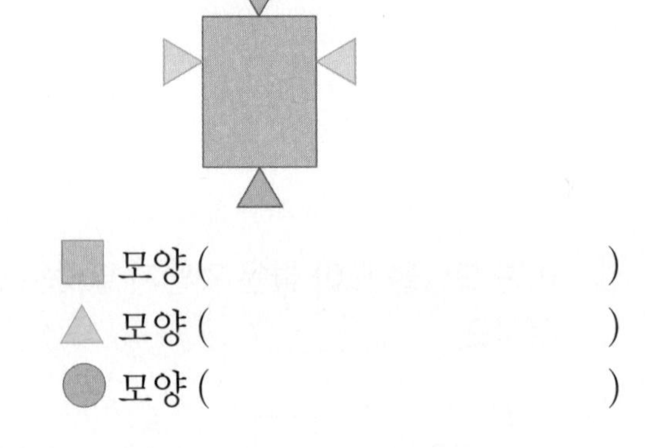

■ 모양 (　　　　　　　　)
△ 모양 (　　　　　　　　)
● 모양 (　　　　　　　　)

14 ■ 모양을 이용하여 다음 모양을 꾸몄습니다. ■ 모양 몇 개를 이용하여 꾸몄습니까?

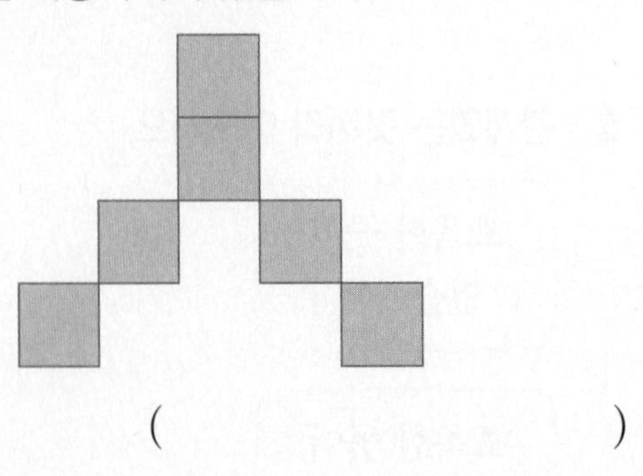

(　　　　　　　　)

15 성냥개비로 다음과 같은 모양을 꾸몄습니다. 꾸민 모양에서 찾을 수 있는 △ 모양은 모두 몇 개 있습니까?

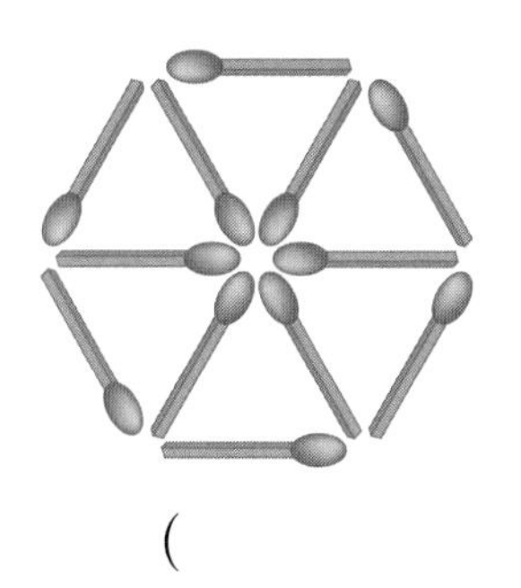

(　　　　　　　　　　)

16 오른쪽 모양과 붙였을 때 □ 모양이 되도록 다음 모양의 일부분을 찾아 기호를 쓰시오.

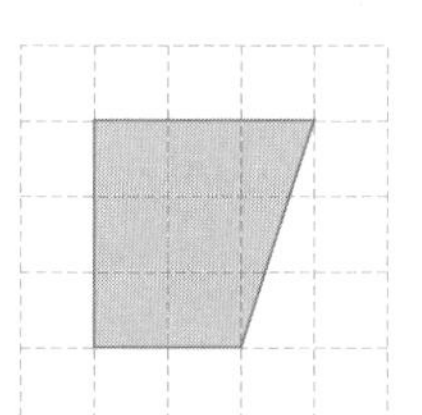

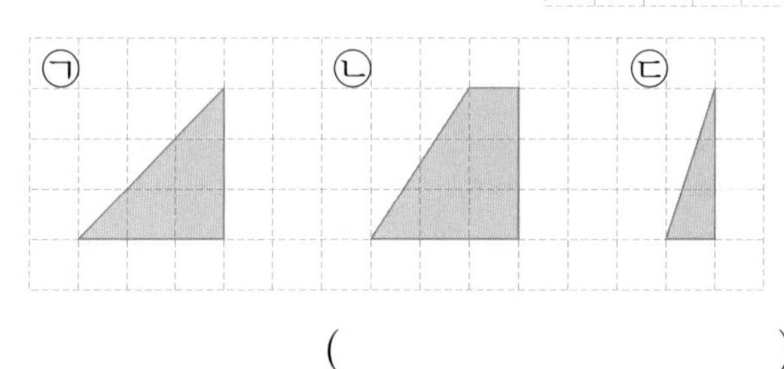

(　　　　　　　　　　)

17 오른쪽 모양과 붙였을 때 △ 모양이 되도록 다음 모양의 일부분을 찾아 기호를 쓰시오.

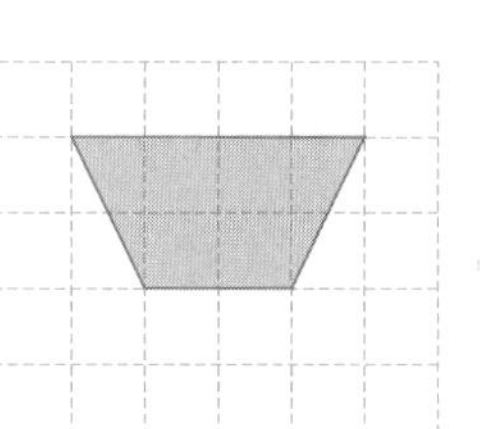

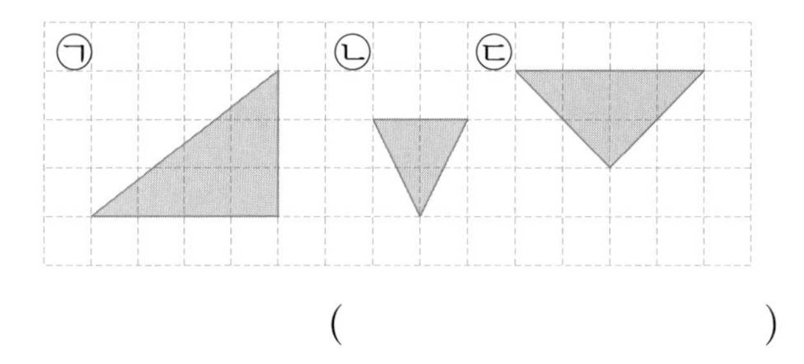

(　　　　　　　　　　)

18 색종이에 선을 그어 그은 선을 따라 잘라서 □ 모양 3개를 만들려고 합니다. 어떻게 잘라야 하는지 선으로 나타내시오.

19 색종이를 점선을 따라 자르면 □, △, ○ 모양 중 어떤 모양이 몇 개 생깁니까?

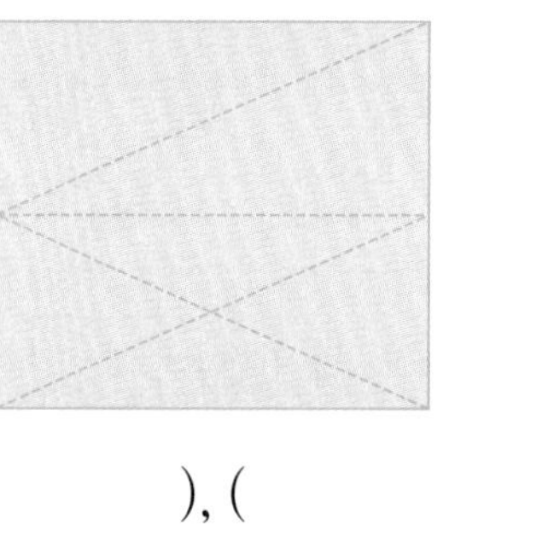

(　　　　　　　　　　), (　　　　　　　　　　)

서술형 논술형

20 □, △, ○ 모양 중 다음 모양을 꾸미는 데 가장 많이 이용한 모양은 어떤 모양인지 풀이 과정을 쓰고 답을 구하시오.

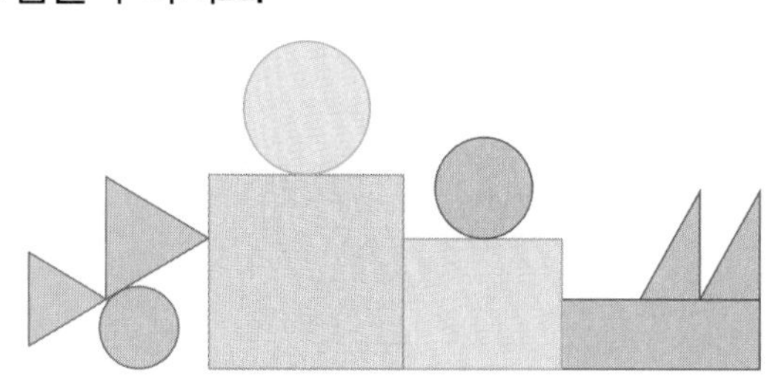

풀이 ______________________________

____

____

답 ______________________________

정답과 풀이 16쪽

1 □ 안에 알맞은 수를 써넣고 두 수를 더하시오.

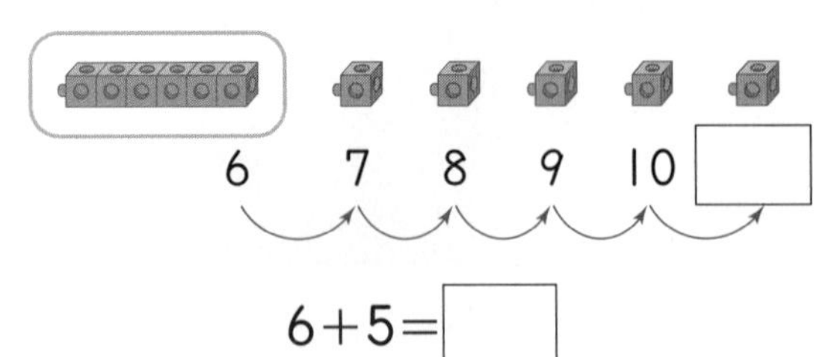

6+5=□

[2~3] 그림을 보고 계산을 하시오.

2

4+6=□

3

10−8=□

4 두 수를 바꾸어 더하시오.

2+9=□

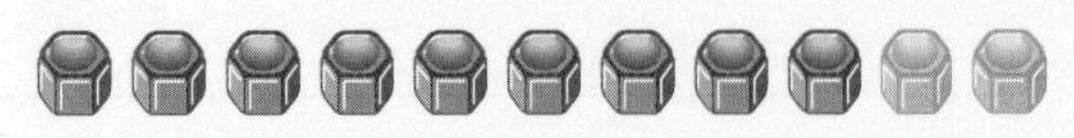

9+2=□

5 □ 안에 알맞은 수를 써넣으시오.

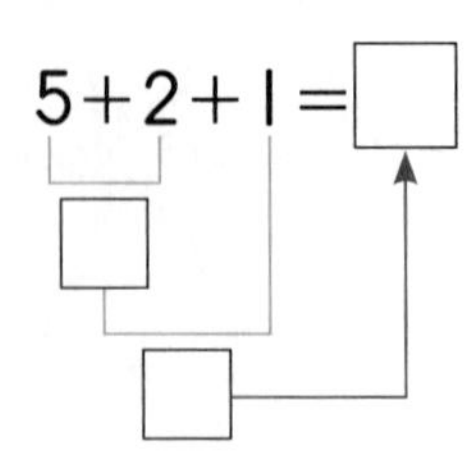

6 계산 결과를 찾아 이으시오.

4+3+2 •	• 4
9−4−1 •	• 6
2+3+1 •	• 9

7 합이 10이 되는 두 수를 찾아 이으시오.

5 •	• 7
8 •	• 5
3 •	• 2

8 □ 안에 알맞은 수를 써넣으시오.

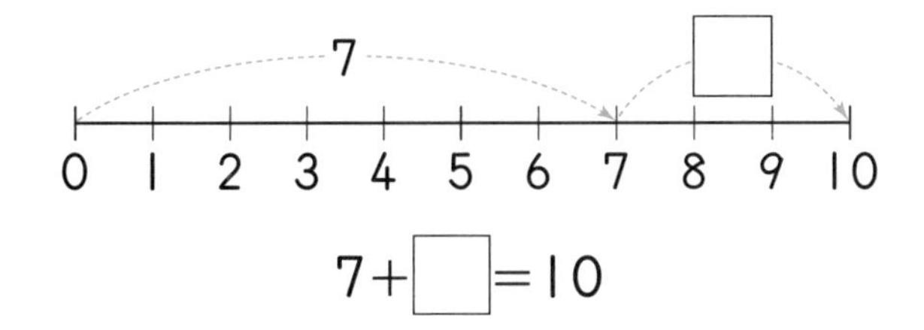

7+□=10

9 □ 안에 알맞은 수를 써넣으시오.

(1) 5+□=10

(2) □+4=10

10 다음 중 10이 되는 덧셈식이 아닌 것은 어느 것입니까? ······ (　　)

① 4+6　② 7+2　③ 5+5
④ 1+9　⑤ 3+7

11 빈 곳에 알맞은 수를 써넣으시오.

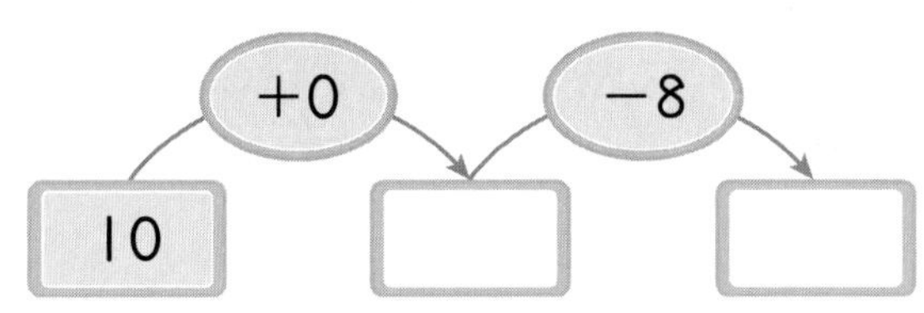

12 합이 10이 되는 두 수를 ◯로 묶은 뒤 세 수의 합을 구하시오.

(1) 3+7+5

(2) 7+6+4

13 계산을 하시오.

(1) 1+9+4

(2) 2+5+5

14 계산 결과를 비교하여 ○ 안에 >, =, <를 알맞게 써넣으시오.

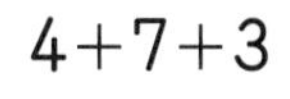

1+9+3 ◯ 4+7+3

수학

15 다음 중 계산 결과가 가장 큰 것은 어느 것입니까? ( )

① $4-1-2$　② $7-3-2$
③ $8-3-2$　④ $9-4-1$
⑤ $6-1-3$

16 가장 큰 수에서 나머지 두 수를 뺀 값을 구하시오.

4　9　2

( )

서술형 논술형

17 민지는 종이비행기 10개를 접었습니다. 그중에서 7개를 날려 보냈습니다. 남아 있는 종이비행기는 몇 개인지 식을 만들고 답을 구하시오.

식 ______________________

답 ______________

18 식탁 위에 과자 8개가 있었습니다. 민수가 4개, 지영이가 3개를 먹었습니다. 남아 있는 과자는 몇 개입니까?

( )

19 ● $-$ ▲의 값을 구하시오.

● $+2=10$
$10-$ ▲ $=5$

( )

서술형 논술형

20 주연이와 민호가 구슬 모으기를 했습니다. 모은 구슬이 다음과 같을 때 주연이와 민호 중 구슬을 더 많이 모은 사람은 누구인지 풀이 과정을 쓰고 답을 구하시오.

	빨간색	파란색	노란색
주연	2개	5개	5개
민호	4개	6개	5개

풀이 ______________________

답 ______________

정답과 풀이 17쪽

1 그림에 맞는 식을 만들고 계산하시오.

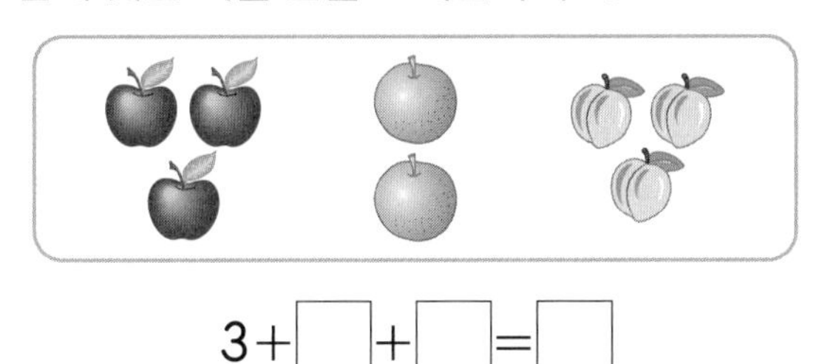

3+□+□=□

2 10이 되도록 빈칸에 ○를 그려 넣고 □ 안에 알맞은 수를 써넣으시오.

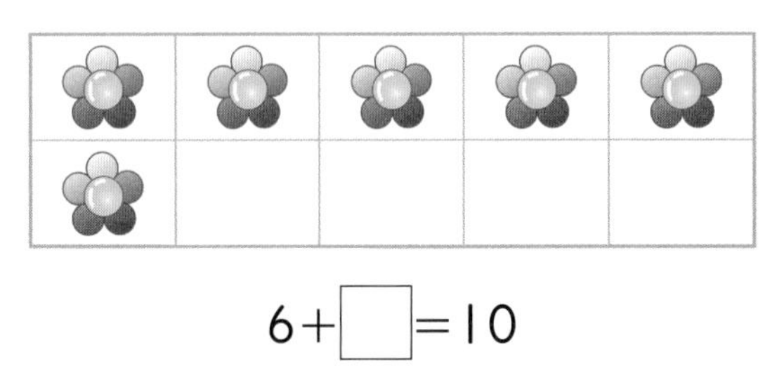

6+□=10

3 10이 되는 두 수를 먼저 더하고 나머지 수를 더하여 합을 구하시오.

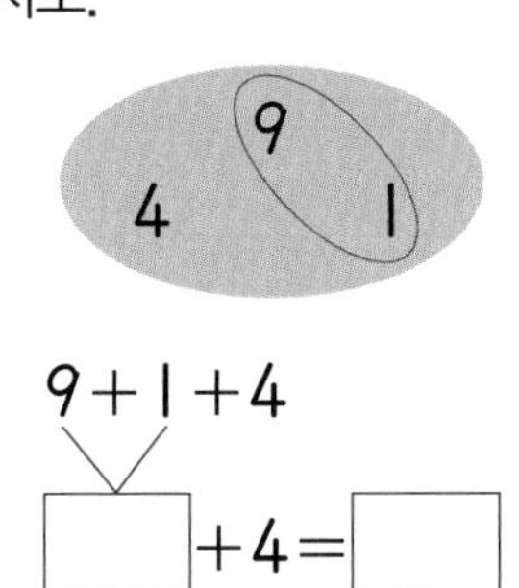

4 □ 안에 알맞은 수를 써넣으시오.

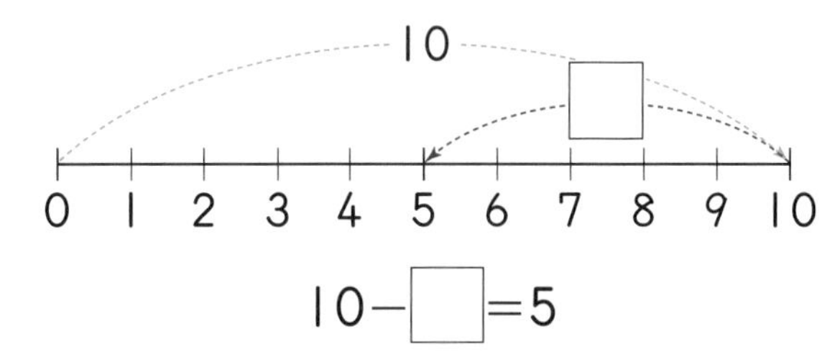

10−□=5

5 □ 안에 알맞은 수를 써넣으시오.

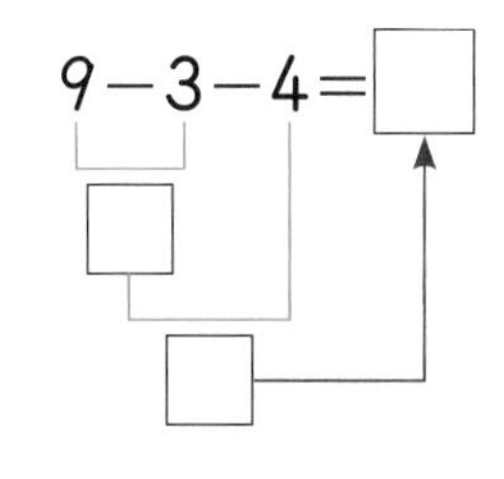

6 □ 안에 알맞은 수를 써넣으시오.

2+□=10

7 다음은 세연이가 주사위 3개를 던져 나온 눈입니다. 나온 눈의 수의 합을 구하시오.

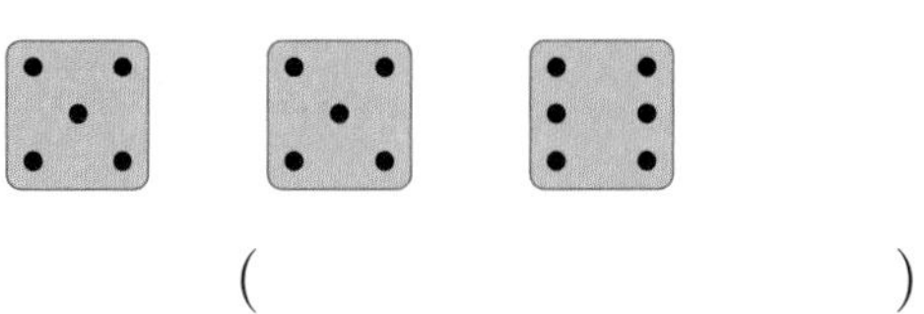

(　　　　　　　　　)

수학

8 합이 10이 되는 두 수를 ◯로 묶은 뒤 세 수의 합을 구하시오.

(1) $8+7+3$

(2) $6+4+5$

9 밑줄 친 두 수의 합이 10이 되도록 ◯ 안에 알맞은 수를 써넣고 식을 완성하시오.

$\underline{2+\bigcirc}+5=\square$

10 계산 결과를 비교하여 ◯ 안에 >, =, <를 알맞게 써넣으시오.

$7-1-4$  $2+3+1$

11 합이 10이 되는 칸에 모두 색칠하시오.

$1+9$	$9+1$	$6+3$
$3+7$	$7+1$	$8+1$
$4+5$	$2+8$	$5+5$

12 세 수로 만들 수 있는 덧셈식과 뺄셈식을 쓰시오.

1 10 9

덧셈식 $\square+\square=\square$

뺄셈식 $\square-\square=\square$

13 □ 안에 알맞은 수가 큰 것부터 차례로 기호를 쓰시오.

㉠ $10-\square=4$
㉡ $10-\square=7$
㉢ $10-\square=1$

( )

14 가장 큰 수에서 가장 작은 수를 뺀 값을 구하시오.

10 4 8

( )

15 계산 결과가 작은 것부터 차례로 기호를 쓰시오.

㉠ $4+6+3$	㉡ $5+5+4$
㉢ $2+9+1$	㉣ $5+2+8$

( )

16 유정이는 붙임딱지 7장을 가지고 있었습니다. 민규가 유정이에게 몇 장을 더 주었더니 10장이 되었습니다. 민규가 유정이에게 준 붙임딱지는 몇 장입니까?

( )

서술형 논술형

17 진호는 공책을 어제 3권 사고, 오늘 7권 샀습니다. 어머니께서 5권을 더 주었다면 진호가 가지고 있는 공책은 모두 몇 권인지 풀이 과정을 쓰고 답을 구하시오.

풀이 ______

______

______

답 ______

18 다음을 보고 ●의 값을 구하시오.

$4+2+3=▲$
$▲-3-1=●$

( )

[19~20] 지혜와 형관이가 과녁 맞히기 놀이를 하고 있습니다. 과녁에는 1부터 9까지의 점수가 있습니다. 물음에 답하시오.

19 지혜는 화살 3개를 쏘아서 다음과 같은 점수에 과녁을 맞혔습니다. 지혜가 얻은 점수는 모두 몇 점입니까?

4 6 8

( )

20 형관이는 첫 번째와 두 번째 화살을 쏘아서 10점을 얻었고 세 번째에 한 번 더 쏘아서 모두 16점을 얻었습니다. 세 번째 화살은 몇 점짜리에 맞혔습니까?

( )

수학

9회 단원평가 기본 5. 시계 보기와 규칙 찾기

정답과 풀이 18쪽

[1~2] 시각을 쓰시오.

1

(   )

2

(   )

[3~4] 시각에 알맞게 시곗바늘을 그려 넣으시오.

3

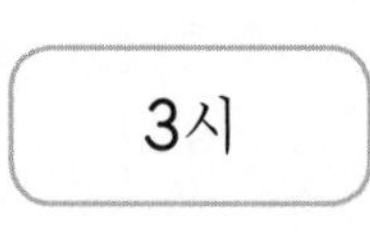

4

[5~6] 규칙에 따라 □ 안에 알맞은 모양을 그리시오.

5

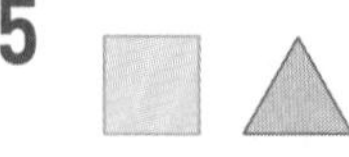
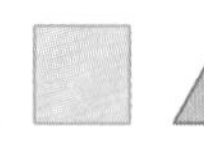
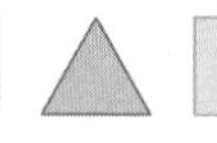
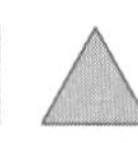
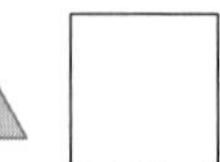
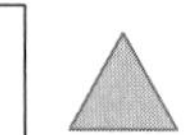

6

[7~8] 규칙에 따라 알맞게 색칠하시오.

7

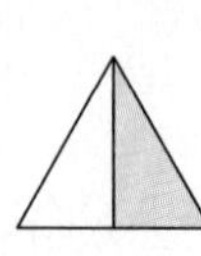
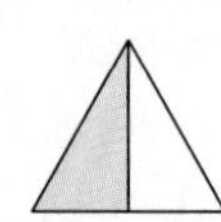
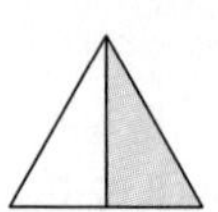
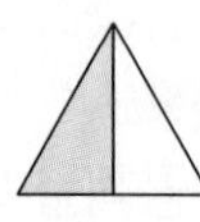
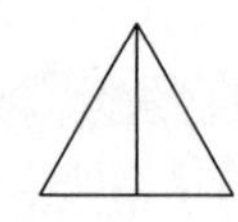

8

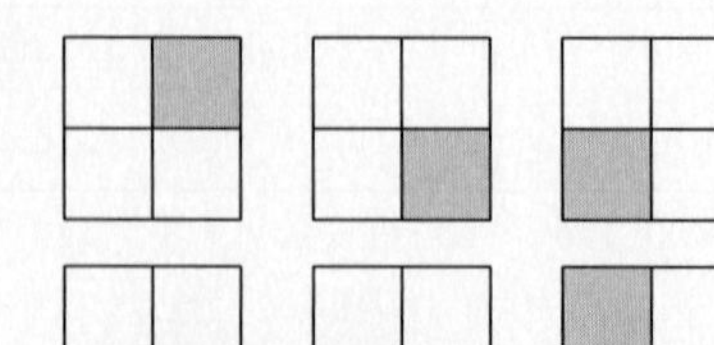
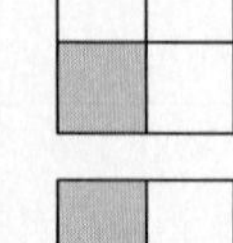
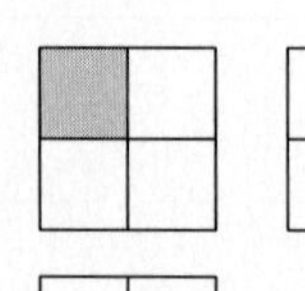
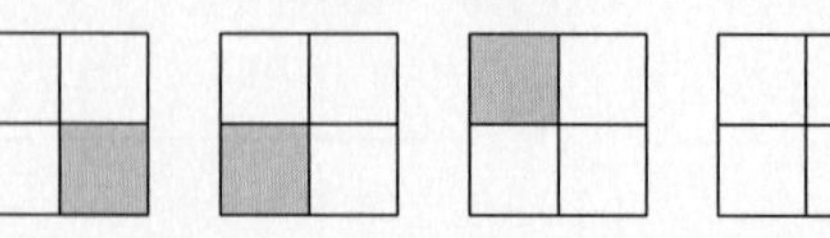

[9~10] 규칙에 따라 빈 곳에 알맞은 수를 써넣으시오.

9

1	3	5	7	

10

4	8	12	16	

11 줄넘기를 한 시각은 몇 시 몇 분인지 쓰시오.

( )

[12~13] 규칙에 따라 수를 배열하시오.

12 11부터 시작하여 3씩 커집니다.

11	14	17		23	

13 21부터 시작하여 4씩 작아집니다.

21	17	13		5	

14 규칙에 따라 빈칸에 알맞은 수를 써넣으시오.

수박	바나나	딸기	수박	바나나	딸기	수박	바나나	딸기
1	2	3	1	2	3			

수학

[15~17] 수 배열표를 보고 물음에 답하시오.

1	2	3	4	5	6	7	8	9	10
11	12	13	14	15	16	17	18	19	20
21	22	23	24	25	26	27	28	29	30
31	32	33	34	35	36	37	38	39	40
41	42	43	44	45					

15 ‥‥‥에 있는 수는 어떤 규칙이 있는지 쓰시오.

규칙 ______________________

____

____

16 ‥‥‥에 있는 수는 어떤 규칙이 있는지 쓰시오.

규칙 ______________________

____

____

17 규칙에 따라 ■에 알맞은 수를 써넣으시오.

18 ◺로 규칙을 만들어 무늬를 꾸미시오.

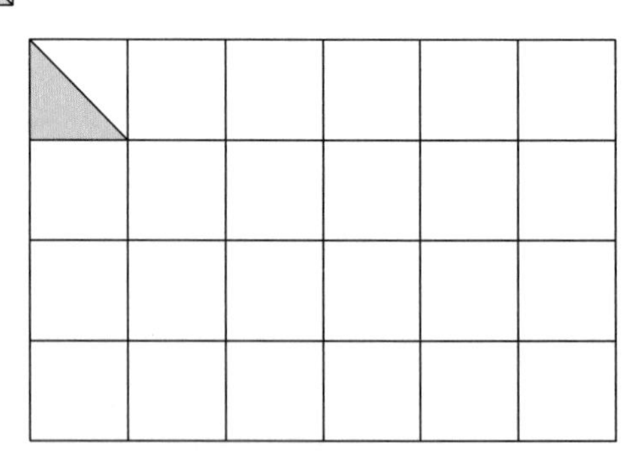

19 3시에서 시계의 긴바늘이 한 바퀴 돌았을 때의 시각을 시계에 나타내고 몇 시인지 쓰시오.

(　　　　　　　　　　)

서술형 논술형

20 규칙에 따라 동전을 늘어놓았습니다. 동전 20개를 늘어놓았을 때 50원짜리 동전은 모두 몇 개 놓이는지 풀이 과정을 쓰고 답을 구하시오.

풀이 ______________________

____

____

답 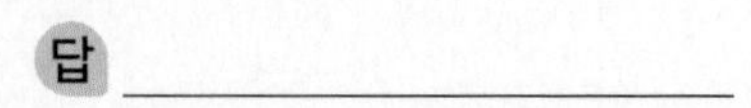

정답과 풀이 19쪽

[1~2] 시각을 쓰시오.

1

(　　　　　　　　)

2

(　　　　　　　　)

[3~4] 규칙에 따라 □ 안에 알맞은 모양을 찾아 기호를 쓰시오.

3

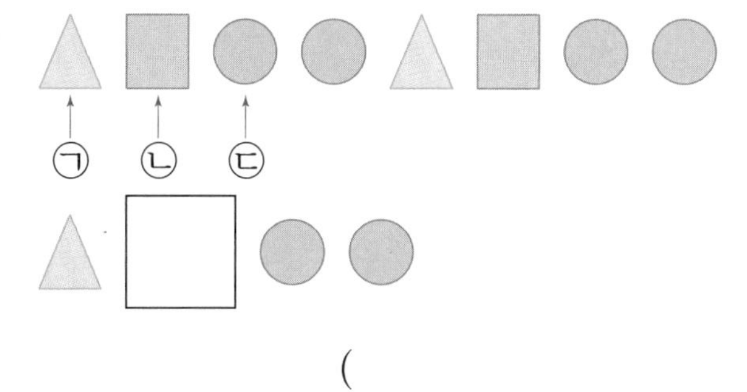

(　　　　　　　　)

4

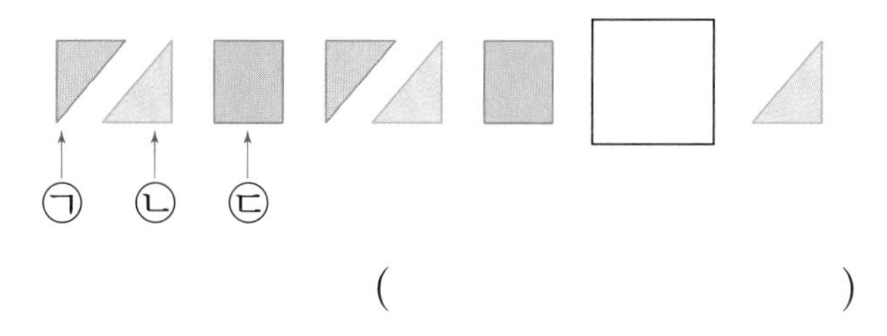

(　　　　　　　　)

[5~6] 내용에 알맞게 시각을 시계에 나타내시오.

5

미희는 1시에 엄마 심부름을 했습니다.

6

정훈이는 12시 30분에 점심 식사를 끝냈습니다.

7 □ 안에 알맞은 수를 써넣으시오.

7시 30분을 나타내는 시계에서 짧은바늘은 □과 □ 사이를 가리키고 긴바늘은 □을 가리킵니다.

[8~9] 규칙에 따라 모양을 늘어놓은 것입니다. 물음에 답하시오.

8 어떤 규칙이 있는지 쓰시오.

규칙 ______________________________

9 □ 안에 알맞은 모양은 무엇입니까?

( )

[10~11] 규칙에 따라 알맞게 색칠하시오.

10

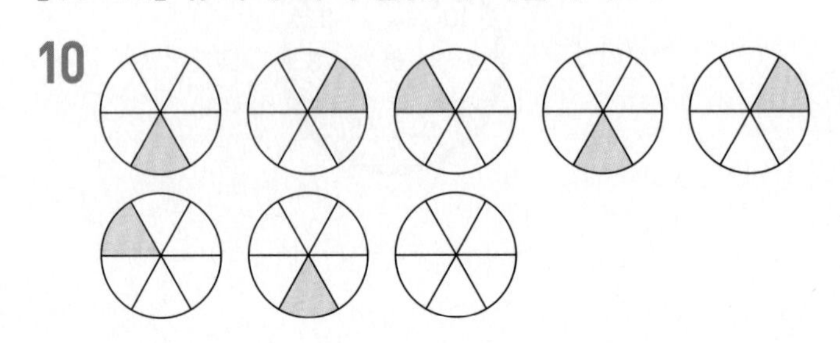

11

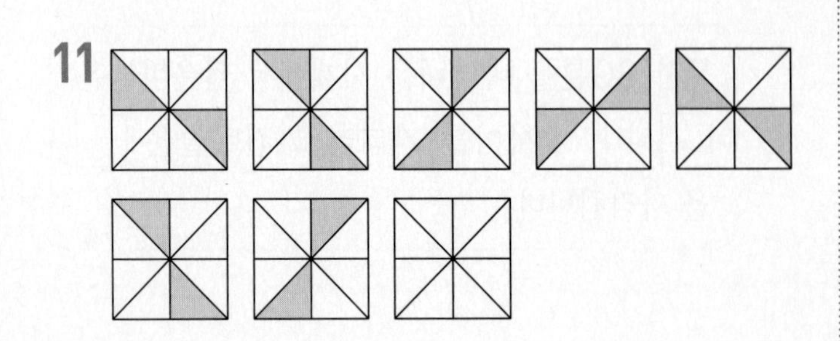

12 규칙에 따라 빈칸에 알맞은 모양을 그리시오.

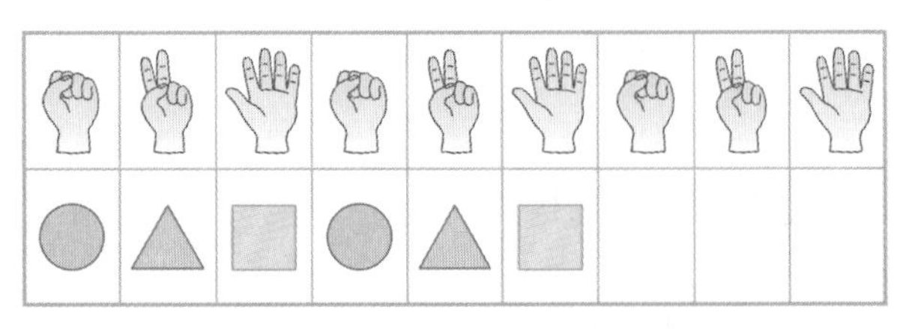

13 로 규칙을 만들어 무늬를 꾸미시오.

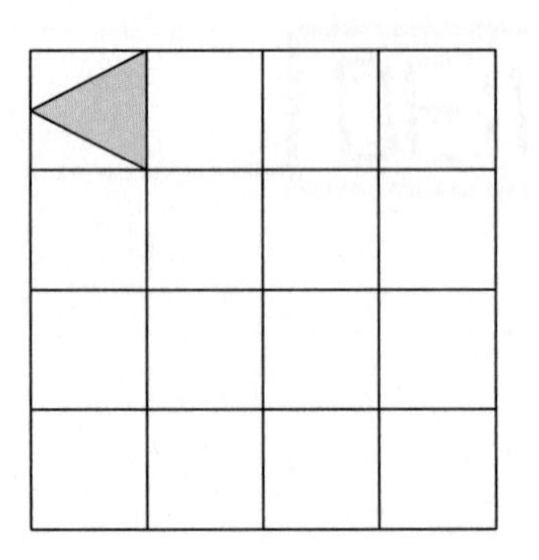

14 거울에 비추어 본 시계입니다. 시계가 나타내는 시각은 몇 시 몇 분입니까?

( )

15 경미가 시계를 보니 정각 12시였습니다. 짧은바늘과 긴바늘이 가리키고 있는 수를 각각 쓰시오.

짧은바늘 (　　　　　　　　)

긴바늘 (　　　　　　　　)

[16~17] 다음은 승희, 나라, 미하가 잠든 시각입니다. 물음에 답하시오.

승희　　나라　　미하

16 가장 빨리 잠든 사람은 누구입니까?

(　　　　　　　　)

17 가장 늦게 잠든 사람은 누구입니까?

(　　　　　　　　)

[18~19] 수 배열표를 보고 물음에 답하시오.

21	22	23		25	26	27
28		30	31	32	33	34
35	36		38	39		
	43	44	45	46	47	48
	50	51	52		54	55

서술형 논술형

18 색칠한 수들에는 어떤 규칙이 있는지 설명하시오.

규칙 ______________________

19 ·····에 있는 수와 같은 규칙으로 빈 곳에 알맞은 수를 써넣으시오.

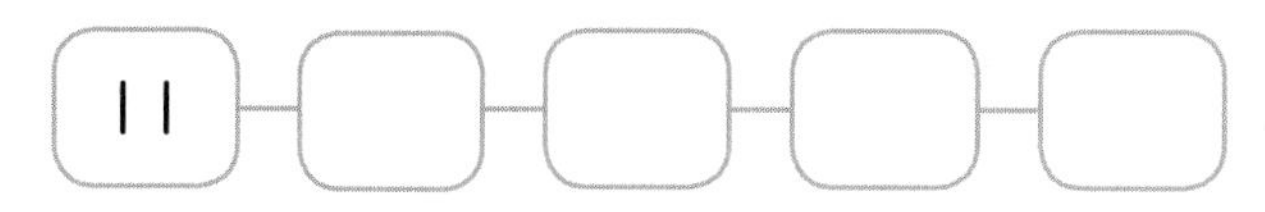

20 수 배열표의 일부분이 찢어졌습니다. ♡에 알맞은 수는 얼마입니까?

27	28	29	30	31
34				
41	42		44	
			♡	

(　　　　　　　　)

정답과 풀이 20쪽

1 그림을 보고 빈 곳에 알맞은 수를 써넣으시오.

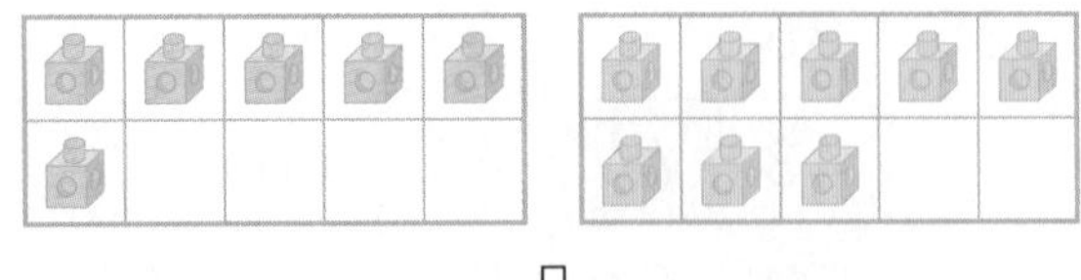

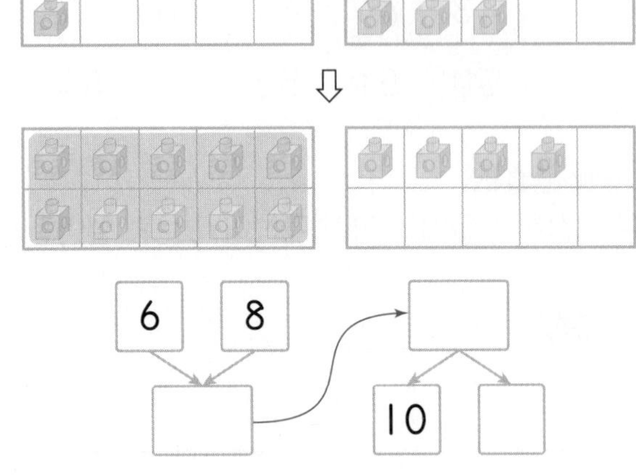

2 10을 이용하여 모으기와 가르기를 하시오.

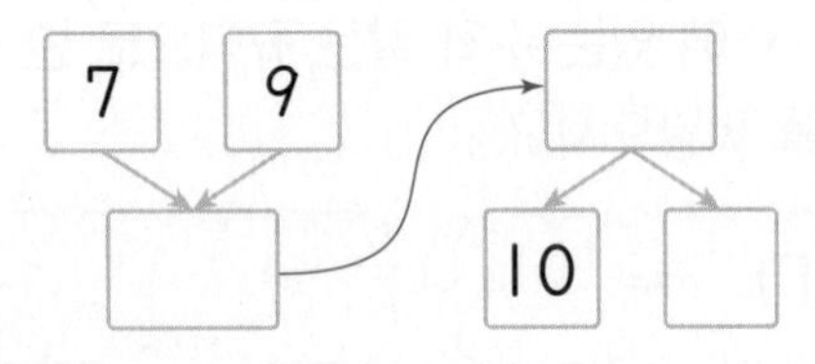

3 그림을 보고 덧셈을 하시오.

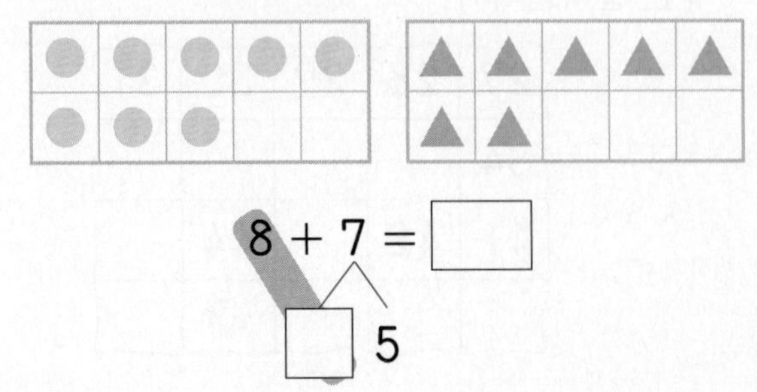

4 그림을 보고 뺄셈을 하시오.

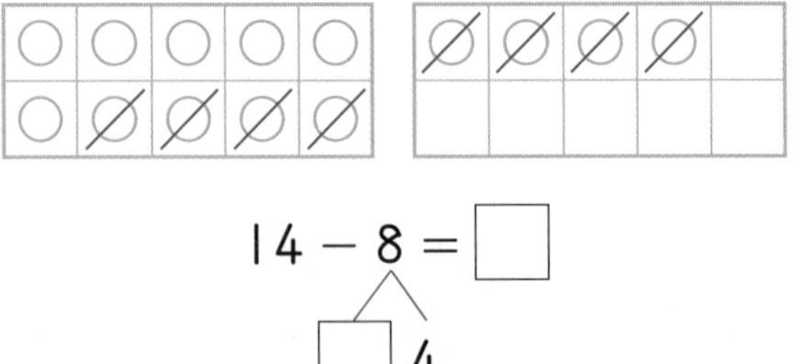

[5~6] □ 안에 알맞은 수를 써넣으시오.

5

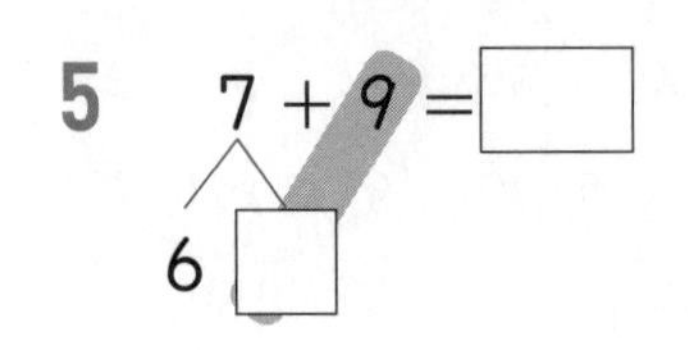

6 $15-6=\square$ (6을 □와 1로 가르기)

7 계산을 하시오.

(1) $6+9=\square$

(2) $13-7=\square$

8 뺄셈을 하시오.

$12-9=3$

$12-8=\square$

$12-7=\square$

$12-6=\square$

9 빈 곳에 알맞은 수를 써넣으시오.

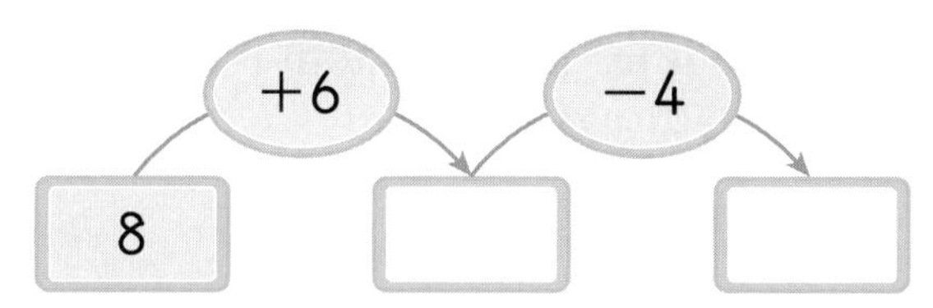

10 계산 결과를 비교하여 ○ 안에 >, =, <를 알맞게 써넣으시오.

$4+8$ ○ $12-3$

11 빈칸에 알맞은 수를 써넣으시오.

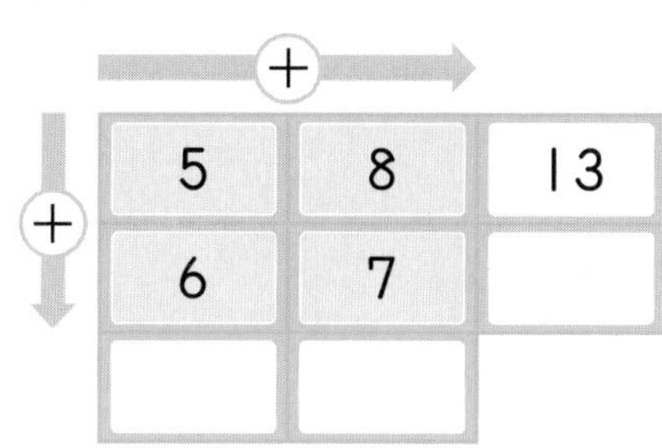

12 합이 16인 덧셈식에 ○표 하시오.

$8+6$	$8+7$	$8+8$
(　　)	(　　)	(　　)

13 빈칸에 알맞은 수를 써넣으시오.

14−6	14−7	14−8	14−9
	7	6	5
	15−7	15−8	15−9
		7	6
		16−8	16−9
			7
			17−9

14 계산 결과가 같은 것끼리 이으시오.

$7+5$ •	• $15-8$
$13-6$ •	• $8+4$
$6+9$ •	• $8+7$

수학

15 다음 중 계산 결과가 다른 것은 어느 것입니까? ( )

① 12−4 ② 13−9
③ 15−7 ④ 11−3
⑤ 16−8

16 계산한 값이 작은 것부터 차례로 기호를 쓰시오.

㉠ 4+9 ㉡ 1+8+2
㉢ 12−4 ㉣ 17−3

( )

17 현석이는 초콜릿을 8개 가지고 있었습니다. 오늘 친구에게 초콜릿 5개를 더 받았다면 현석이가 가지고 있는 초콜릿은 모두 몇 개입니까?

( )

18 유진이는 사탕 14개 중에서 5개를 먹었습니다. 유진이가 먹고 남은 사탕은 몇 개인지 식을 쓰고 답을 구하시오.

식 ______

답 ______

19 연수와 주호는 수 카드에 적힌 두 수의 합이 더 큰 사람이 이기는 놀이를 하였습니다. 놀이에서 이긴 사람은 누구인지 쓰시오.

8	4		7	7
연수			주호	

( )

서술형 논술형

20 한 달 동안 동화책을 혜빈이는 13권 읽었고, 성진이는 혜빈이보다 8권 더 적게 읽었습니다. 혜빈이와 성진이가 한 달 동안 읽은 동화책은 모두 몇 권인지 풀이 과정을 쓰고 답을 구하시오.

풀이 ______

답 ______

정답과 풀이 21 쪽

1 알맞게 ○를 그려 넣고 빈 곳에 알맞은 수를 써넣으시오.

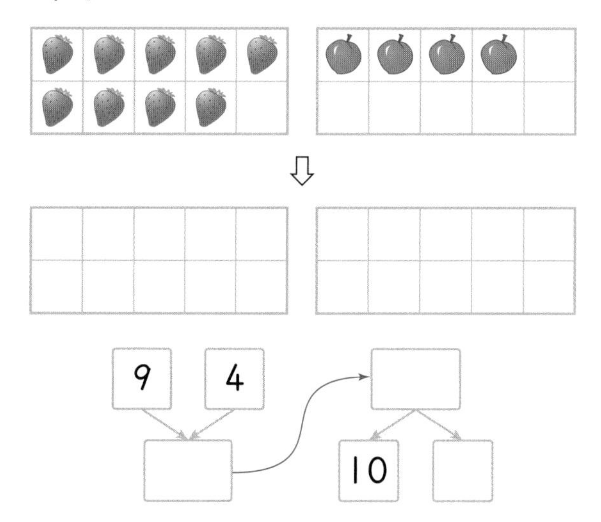

2 가르기와 모으기를 하시오.

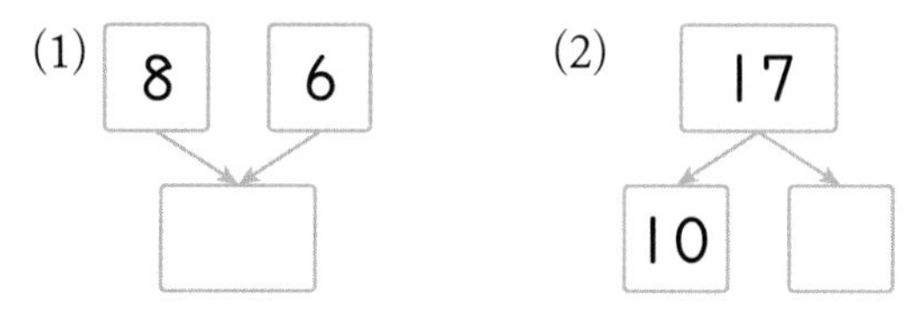

[3~4] □ 안에 알맞은 수를 써넣으시오.

3 8 + 7 = □

□ 5

4 14 − 7 = □

□ 3

5 보기 와 같은 방법으로 계산하시오.

보기
13 − 5 = 8
10 3

16 − 7

6 계산을 하시오.

(1) 8+9=□

(2) 17−8=□

7 차가 7인 식을 모두 찾아 ○표 하시오.

17−9 ( )
13−6 ( )
16−9 ( )
11−2 ( )

8 계산 결과를 비교하여 ○ 안에 >, =, <를 알맞게 써넣으시오.

14−9 ○ 17−8

9 빈칸에 알맞은 수를 써넣으시오.

−	6	7
14		
15		

10 계산 결과가 같은 것끼리 이으시오.

8+3 •	• 8+7
6+8 •	• 5+6
6+9 •	• 7+7

11 그림을 보고 알맞은 뺄셈식을 만드시오.

□－□＝□

12 사탕이 16개 있습니다. 상자 한 칸에 사탕 한 개씩 담으면 상자에 담고 남은 사탕은 몇 개입니까?

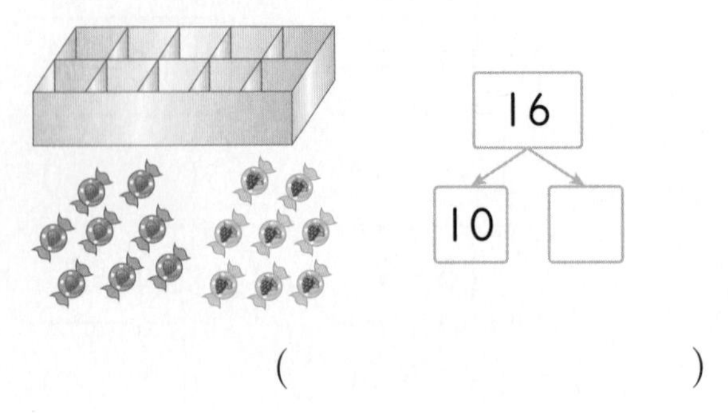

(　　　　　　　)

13 주머니 안에 검은 바둑돌 8개와 흰 바둑돌 7개가 들어 있습니다. 주머니 안에 들어 있는 바둑돌은 모두 몇 개입니까?

(　　　　　　　)

14 경미는 물을 어제 14컵 마시고 오늘 5컵 마셨습니다. 어제 마신 물은 오늘 마신 물보다 몇 컵 더 많습니까?

(　　　　　　　)

15 두 수의 합을 구한 뒤 그 합에 해당하는 글자를 찾아 쓰시오.

11	12	13	14	15	16
이	숭	람	다	원	쥐

6＋8＝□ ⇨ ________

9＋4＝□ ⇨ ________

7＋9＝□ ⇨ ________

16 수 카드 3장을 골라 덧셈식을 완성하시오.

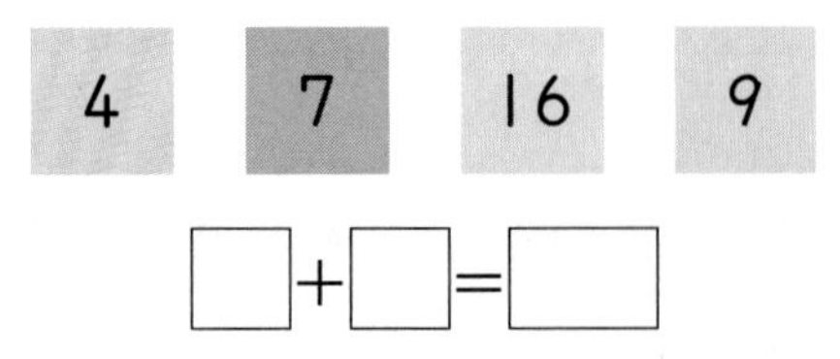

□＋□＝□

서술형 논술형

17 재서는 귤 8개, 자두 6개를 먹었고, 지영이는 귤 5개, 자두 7개를 먹었습니다. 누가 과일을 더 많이 먹었는지 풀이 과정을 쓰고 답을 구하시오.

풀이 ________________________

____

답 ________

18 ●에 알맞은 값을 구하시오.

15－7＝■
■＋8＝●

(　　　　　　　)

19 □ 안에 들어갈 수 있는 수는 모두 몇 개입니까?

12－6 < □ < 8＋4

(　　　　　　　)

20 혜주, 보람, 주연이가 고리 던지기 놀이를 하여 얻은 점수입니다. 고리를 두 번 던졌을 때 얻은 점수의 합이 가장 높은 사람은 누구입니까?

- 혜주: 9점, 2점
- 보람: 7점, 6점
- 주연: 6점, 8점

(　　　　　　　)

가을·겨울

CONTENTS

가을

❶ 내 이웃 이야기 ········· 70쪽
❷ 현규의 추석 ········· 73쪽

겨울

❶ 여기는 우리나라 ········· 76쪽
❷ 우리의 겨울 ········· 79쪽

1·2

정답과 풀이 22쪽

1 다음은 음식을 들고 우리 집에 찾아온 이웃과 인사하는 방법입니다. □ 안에 들어갈 알맞은 말을 쓰시오.

> 반갑게 인사하며 맞이하고, 음식을 받은 다음 □하다는 인사말을 합니다.

( )

2 다음 중 놀이터의 시설물을 안전하고 올바르게 이용하는 방법이 아닌 것은 어느 것입니까? ( )

① 미끄럼틀은 계단으로 올라간다.
② 그네에서 내려올 때 뛰어내린다.
③ 쓰레기를 함부로 버리지 않는다.
④ 차례를 지켜서 놀이 기구를 사용한다.
⑤ 놀이 기구를 사용하기 전에 준비 운동을 한다.

3 다음 중 버스를 이용하는 모습으로 올바른 것을 골라 기호를 쓰시오.

▲ 버스 통로에서 뛰어다님.

▲ 할머니께 자리를 양보함.

( )

4 다음은 '버스놀이'를 한 뒤에 느낀 점을 발표한 것입니다. 적당하지 않은 내용을 말한 친구의 이름을 쓰시오.

> 정철 : 버스를 이용할 때 차례를 지켜야겠어요.
> 미현 : 직접 목적지를 찾아다니는 것이 재미있었어요.
> 영수 : 버스에서 내릴 때에는 항상 내가 먼저 내려야겠어요.

( )

5 다음 중 이웃과 함께 이용하는 장소에서 지켜야 할 일로 옳지 않은 것은 어느 것입니까? ( )

① 마트 : 뛰어다닌다.
② 공원 : 나무를 꺾지 않는다.
③ 도서관 : 뛰어다니지 않는다.
④ 식당 : 음식을 바닥에 흘리지 않는다.
⑤ 영화관 : 앞 좌석을 발로 차지 않는다.

6 다음은 '꼬리 잇기' 놀이를 하는 방법입니다. □ 안에 들어갈 알맞은 말은 어느 것입니까? ( )

> 1 '길로 길로 가다가' 노래를 부르며 움직이다가 만난 친구와 가위바위보를 합니다.
> 2 가위바위보에서 진 친구가 이긴 친구의 뒤에 서서 □이/가 됩니다.
> 3 같은 방법으로 계속해서 이웃을 모읍니다.

① 동생 ② 가족
③ 이웃 ④ 친척
⑤ 모둠원

7 다음 중 단옷날 볼 수 있었던 옛날 사람들의 생활 모습으로 알맞지 않은 것은 어느 것입니까? ( )

① 그네를 탔다.
② 떡을 만들어 먹었다.
③ 결혼식 준비를 했다.
④ 남자들은 씨름을 했다.
⑤ 함께 모여 이야기를 나누었다.

8 다음을 하루 동안 만난 이웃에 맞게 줄로 바르게 이으시오.

(1) 아침에 학교 올 때 만난 이웃 •   • ㉠ 음식을 배달하시는 식당 주인

(2) 저녁 시간에 만난 이웃 •   • ㉡ 교통 안내를 해 주시는 교통 봉사자

서술형 논술형

9 명수는 다음의 책들을 나눔 장터에서 친구들과 나누려고 합니다. 내가 명수라고 생각하고 다음 책들을 나누고 싶은 이유를 쓰시오.

내가 재미있어서 여러 번 ❶ [　　　] 책인데, ❷ [　　　] 이/가 읽어도 재미있을 것 같기 때문이다.

10 다음 보기 에서 나눔 장터를 열 때에 대한 설명으로 옳지 않은 것을 골라 기호를 쓰시오.

보기
㉠ 쓰레기가 많이 생깁니다.
㉡ 물건을 아껴 쓸 수 있습니다.
㉢ 이웃과 더 친해질 수 있습니다.

(　　　)

11 리듬 합주를 하면서 '정다운 이웃' 노래를 부를 때 이용할 악기로 적당하지 않은 것은 어느 것입니까? ( )

① 소고 ② 리코더
③ 탬버린 ④ 트라이앵글
⑤ 캐스터네츠

12 다음 중 우리가 몸이 아플 때 도움을 주는 이웃은 누구입니까? ( )

①

▲ 집배원

②

▲ 의사

③

▲ 소방관

④

▲ 급식실 조리원

13 다음 중 고마운 이웃의 모습이 아닌 것은 어느 것입니까? ( )

① 어제 학교에서 친구와 싸웠다.
② 집배원이 편지를 배달해 주신다.
③ 소방관은 위험을 무릅쓰고 우리를 돕는다.
④ 교통 봉사자가 아침마다 교통 안내를 해 주신다.
⑤ 오늘 학교에 가다가 넘어진 동생을 일으켜 주었다.

14 다음은 옛날 사람들이 타작과 같은 일을 이웃과 함께 한 까닭입니다. ( ) 안의 알맞은 말에 ○표를 하시오.

함께 일하면 힘이 (덜 / 많이) 들고 일을 (천천히 / 빨리) 끝낼 수 있기 때문입니다.

15 다음은 '꿩 꿩 장 서방' 노래의 일부분입니다. 보기 중 ㈎에 들어갈 노랫말의 기호를 쓰시오.

	꿩			꿩			장		서	방		
㈎												
	이	웃		집	에		콩		한	되		
	아		랫	집	에		팥	한		되		

보기
㉠ 자네 집이 어딘고
㉡ 무얼 먹고 살았나
㉢ 무얼 하고 살았나
㉣ 어떤 놀이 좋아하나

( )

서술형 논술형

16 다음의 이웃집에서 들리는 소리 중 듣기 싫은 소리의 기호를 쓰고, 듣기 싫은 소리가 나지 않게 하려면 어떻게 해야 하는지 쓰시오.

㉠

▲ 뛰어다니면서 쿵쿵대는 소리

㉡

▲ 아이들이 즐겁게 웃는 소리

____

____

17 이웃에서 들을 수 있는 소리 중 '띵동'은 어떤 소리를 나타낸 것입니까? ( )

① 웃는 소리
② 우는 소리
③ 뛰는 소리
④ 청소기 소리
⑤ 초인종 소리

18 다음과 같은 방법으로 종이컵 쌓기 놀이를 할 때 준비해야 할 종이컵은 몇 개입니까? ( )

1 모둠별로 종이컵을 포개 놓은 채로 준비합니다.
2 한 사람이 네 개를 쌓고, 다음 사람이 그 위에 세 개, 그다음 사람이 그 위에 두 개를 쌓습니다.
3 마지막 사람이 제일 위에 한 개를 쌓고 다시 종이컵을 처음처럼 포개 놓습니다.

① 네 개
② 여섯 개
③ 여덟 개
④ 열 개
⑤ 열두 개

19 다음 중 한글을 잘 모르는 친구를 만났을 때 바르게 행동한 친구의 이름을 쓰시오.

민석 : 한글도 모른다고 놀렸어.
효민 : 한글을 친절하게 가르쳐 줬어.
동호 : 모르는 척하고 내가 할 일만 했어.

( )

20 다음을 손가락 도장을 찍어 표현한 이웃의 모습에 맞게 줄로 바르게 이으시오.

(1)

•

(2)

•

• ㉠ 빵집 아저씨

• ㉡ 의사 선생님

2회 단원평가 가을 ❷ 현규의 추석

정답과 풀이 22쪽

1 다음 중 추석에 대해 조사할 내용으로 알맞지 <u>않은</u> 것은 어느 것입니까? ( )

① 추석의 뜻
② 추석에 하는 일
③ 추석에 먹는 음식
④ 추석에 하는 놀이
⑤ 추석에 받을 수 있는 용돈

2 다음 중 추석에 하는 일이나 놀이를 나타낸 것을 두 가지 골라 기호를 쓰시오.

㉠ 
▲ 세배

㉡ 
▲ 씨름

㉢ 
▲ 달맞이

㉣ 

▲ 연날리기

(,)

3 다음은 가위 사용법에 대한 설명입니다. ( ) 안의 알맞은 말에 ○표를 하시오.

> 가위를 다른 사람에게 건네줄 때에는 손잡이가 (받는 / 주는) 사람을 향하도록 하여 건네줍니다.

4 다음은 내가 추석 준비를 위해 할 수 있는 일을 나타낸 것입니다. □ 안에 들어갈 알맞은 말은 어느 것입니까? ( )

> 장을 보거나 제기를 닦는 것을 돕고 옷장에서 □을/를 꺼내 정리해 놓습니다.

① 비옷
② 한복
③ 수영복
④ 스키복
⑤ 털목도리

5 다음 보기 중 '칙칙폭폭 기차놀이'에 대한 설명으로 옳지 <u>않은</u> 것을 골라 기호를 쓰시오.

> 보기
> ㉠ 기찻길을 그려야 합니다.
> ㉡ 역을 표시하는 깃발이나 푯말이 있어야 합니다.
> ㉢ 한 명만 들어갈 수 있는 짧은 줄이 필요합니다.

( )

6 다음 중 가을에 추수하는 모습을 골라 기호를 쓰시오.

㉠ 
▲ 과수원에서 과일을 땀.

㉡ 
▲ 가게에서 물건 팖.

( )

가을·겨울

7 다음 중 추석 명절에 볼 수 있는 음식으로 가장 적당한 것을 두 가지 고르시오. ········(,)

① 과일 ② 냉면 ③ 송편
④ 피자 ⑤ 핫도그

8 다음에서 설명하는 놀이는 무엇인지 쓰시오.

> 네 편으로 나누어 콩 주머니를 가운데에 놓고, 일정한 시간 동안 가운데 콩 주머니를 한 개씩 우리 편으로 옮겨 놓아 더 많이 모은 편이 이기는 놀이입니다.

( )

9 다음 중 가을이 우리에게 준 열매로 가장 적당하지 않은 것은 어느 것입니까? ········( )

① 감 ② 밤 ③ 배
④ 사과 ⑤ 참외

10 다음 □ 안에 들어갈 알맞은 말을 쓰시오.

> 오른쪽의 쌀과 같은 곡식을 열심히 키워 주신 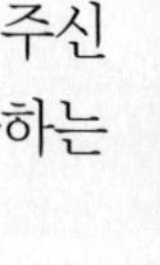 께 감사하는 마음을 가집니다.

( )

서술형 논술형

11 다음은 가을에 코스모스가 핀 모습입니다. 이와 같이 가을의 산과 들의 변화된 모습을 한 가지 더 쓰시오.

곡식과 열매가 ❶ [ ] 가고, ❷ [ ]

이/가 들어 산이 온통 울긋불긋하다.

12 다음 가을에 볼 수 있는 친구들 중 동물인 것은 어느 것입니까? ········( )

①

단풍잎

②

은행잎

③

국화

④

메뚜기

13 다음 잠자리의 생김새에 대한 내용 중 옳은 것에는 ○표, 옳지 않은 것에는 ×표를 하시오.

(1) 잠자리의 날개는 네 장입니다. ( )
(2) 잠자리의 날개는 아주 큽니다. ( )
(3) 잠자리는 꼬리를 가지고 있지 않습니다. ( )

서술형 논술형

14 잠자리 잡기 놀이에서 다음과 같이 잡힌 잠자리는 어떻게 해야 하는지 쓰시오.

____

____

15 다음 중 낙엽 밟기 놀이의 모습을 골라 기호를 쓰시오.

(　　　　　　　　)

16 풍물놀이에 사용되는 악기 중 다음과 같은 모습이며, '갠지 개갱'과 같은 소리로 표현할 수 있는 악기의 이름은 무엇인지 쓰시오.

(　　　　　　　　)

17 다음에서 설명하는 놀이의 이름을 쓰시오.

> 네 명이 한 편이 되어 출발선 5~6m 앞에 통을 놓고 화살을 집어 넣습니다. 가장 많은 화살을 통 안에 집어 넣는 편이 승리합니다.

(　　　　　　　　)

18 다음 중 손을 잡고 원을 그리며 돌면서 노래를 부르고 춤을 추는 놀이는 어느 것입니까? ············ (　　　)

① 씨름　② 강강술래　③ 연날리기　④ 팽이치기　⑤ 비사치기

19 다음 보기 중 추수해 주신 분들께 감사의 마음을 표현할 수 있는 방법으로 옳지 않은 것을 골라 기호를 쓰시오.

> **보기**
> ㉠ 시를 지어 드립니다.
> ㉡ 감사의 마음을 담아 편지를 씁니다.
> ㉢ 좋아하지 않는 음식은 다 먹지 않고 남깁니다.

(　　　　　　　　)

20 다음 중 추석 정보 책을 만들 때 조사할 것으로 가장 적당하지 않은 것은 어느 것입니까? ············ (　　　)

① 추석 놀이　② 추석 음식　③ 추석의 의미　④ 추석에 일어난 사고　⑤ 세계 여러 나라의 추석

정답과 풀이 23쪽

1 오른쪽과 같은 판 모양이 필요한 놀이는 어느 것입니까? (　　　)

① 윷놀이 ② 사방치기
③ 땅따먹기 ④ 투호 놀이
⑤ 남생이 놀이

2 다음 중 한복에 대하여 바르게 말하지 않은 친구의 이름을 쓰시오.

> 성원 : 한복은 우리나라의 고유한 옷이야.
> 현주 : 한복은 윗옷과 아래옷이 붙어 있어.
> 범진 : 여자 한복과 남자 한복은 모양이 달라.

(　　　　　　　　)

[3~4] 다음과 같이 선생님과 학생들이 놀이 활동을 하였습니다. 물음에 답하시오.

> 1 선생님, 학생들 : 남생아 놀아라, 촐래촐래가 잘 논다.
> 2 선생님 : 안경 쓴 사람 놀아라.
> 3 안경 쓴 학생들 : 촐래촐래가 잘 논다.

3 위 놀이의 이름은 무엇인지 쓰시오.

(　　　　　　　　)

4 위 놀이에서 놀이 현장을 주도하는 사람을 뜻하는 앞소리꾼 역할을 하는 사람은 누구인지 보기 에서 골라 기호를 쓰시오.

> 보기
> ㉠ 선생님 ㉡ 모든 학생들
> ㉢ 안경 쓴 학생들

(　　　　　　　　)

5 다음 중 우리나라의 전통 음식을 골라 기호를 쓰시오.

▲ 피자 ▲ 잡채 ▲ 짜장면

(　　　　　　　　)

6 다음은 지점토를 이용하여 무엇을 만든 모습인지 쓰시오.

(　　　　　　　　)

서술형 논술형

7 다음은 우리의 전통적인 집인 초가집의 모습입니다. 문이 창호지로 되어 있어서 좋은 점을 쓰시오.

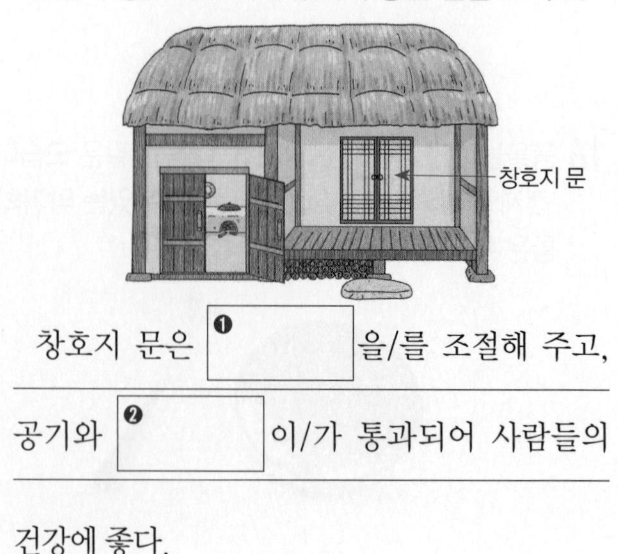

창호지 문은 ❶ [　　　] 을/를 조절해 주고, 공기와 ❷ [　　　] 이/가 통과되어 사람들의 건강에 좋다.

8 다음과 같이 문양을 색칠하여 족자를 만들 때 필요한 준비물을 두 가지 고르시오. (,)

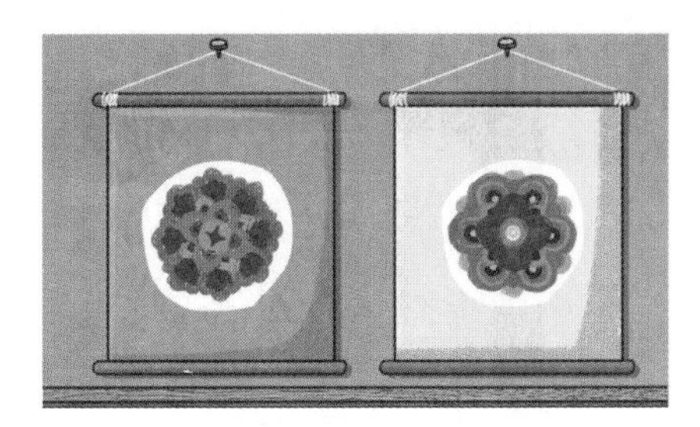

① 색연필 ② 페트병 ③ 지점토
④ 돋보기 ⑤ 수수깡

9 다음의 태극기에 대한 설명으로 옳지 않은 것을 보기 에서 골라 기호를 쓰시오.

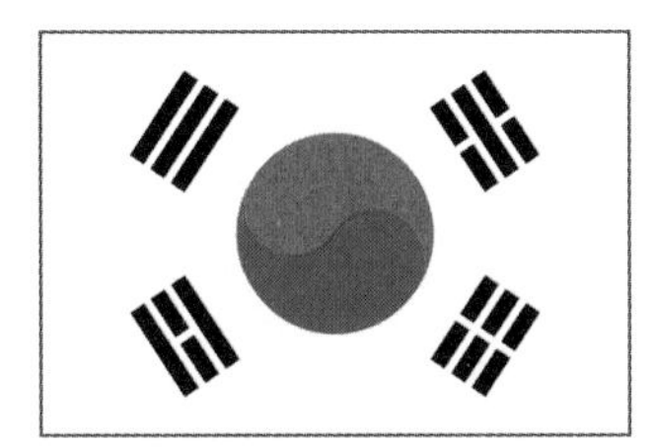

보기
㉠ 가운데 있는 모양은 태극 문양입니다.
㉡ 파란색은 땅, 빨간색은 물을 나타냅니다.
㉢ 태극기의 흰 바탕은 밝음과 순수를 나타냅니다.
㉣ 주변 네 곳에 있는 막대 모양을 4괘라고 합니다.

( )

10 다음 중 애국가를 부르는 자세로 옳지 않은 것은 어느 것입니까? ( )

① 바른 자세로 서서 부른다.
② 태극기를 바라보며 부른다.
③ 노랫말을 정확하게 알고 부른다.
④ 나라를 사랑하는 마음으로 부른다.
⑤ 작은 소리로 주위를 두리번거리며 부른다.

11 다음 중 무궁화에 대해서 바르게 말한 친구를 쓰시오.

성진 : 꽃잎이 다섯 장입니다.
해림 : 겨울에 피는 꽃입니다.
민주 : 중국을 상징하는 꽃입니다.
현석 : 무궁화 꽃잎의 색은 초록색 한 가지입니다.

( )

12 다음은 '아름다운 나라'의 노랫말입니다. ㉠~㉣ 중 노랫말이 잘못된 부분을 골라 기호를 쓰고, 바르게 고쳐 쓰시오.

1. 하늘 높이 올라라 우리 ㉠ 태극기
㉡ 높이 높이 올라라 우리 태극기
2. 아름답게 피어라 우리 ㉢ 봉선화
오 천만의 가슴에 곱게 피어라
3. 멀리 멀리 퍼져라 우리 ㉣ 애국가
온 세계에 울려라 우리 애국가

(,)

13 다음과 같은 우리나라를 소개하는 자료를 만들려고 할 때 조사해야 할 것끼리 바르게 짝지은 것은 어느 것입니까? ( )

① 무궁화, 만리장성, 피라미드
② 한복, 태권도, 불고기, 무궁화
③ 피자, 태극기, 첨성대, 해바라기
④ 인디언, 햄버거, 에펠탑, 이순신 장군
⑤ 햄버거, 인디언, 무궁하, 불고기, 만리장성

가을·겨울

14 다음 중 남한 학생의 점심 시간의 모습으로 옳은 것의 기호를 쓰시오.

㉠

▲ 학교에서 친구들과 점심을 먹음.

㉡

▲ 점심을 집에서 먹음.

( )

15 다음 보기 에서 북한에서 생활 모습으로 옳은 것을 두 가지 골라 기호를 쓰시오.

보기
㉠ 어린이날이 6월 6일입니다.
㉡ 여행을 자유롭게 다닐 수 있습니다.
㉢ 소년단 간부를 선생님이 임명합니다.

(,)

16 다음의 다리 빼기 놀이에 대한 설명으로 옳은 것에 ○표를 하시오.

(1) 두 다리를 먼저 접은 사람이 집니다. ( )

(2) 친구 여럿이 서로 마주 보고 다리를 번갈아 앉은 후 노래를 부르며 하는 놀이입니다. ( )

(3) '다리 빼기' 노래에 맞춰 다리를 세어 가다가 마지막 노랫말에 해당하는 다리를 접습니다. ( )

서술형 논술형

17 남한과 북한은 모두 다음과 같은 세종 대왕이 만든 한글을 사용합니다. 이외에 또 어떠한 공통점이 있는지 두 가지 쓰시오.

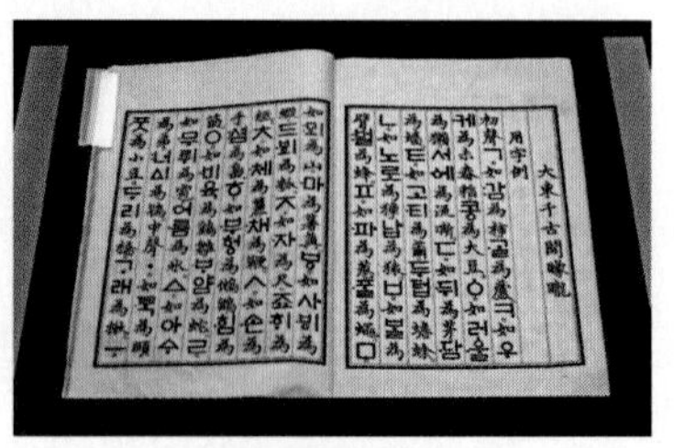
▲ 세종 대왕이 만든 한글

____

____

18 다음 중 통일이 된 우리나라의 모습으로 옳은 것에 ○표를 하시오.

(1) 북한으로 놀러 갈 수 있습니다. ( )

(2) 북한에서 친구가 전학을 옵니다. ( )

(3) 기차를 타고 미국으로 갈 수 있습니다. ( )

19 다음은 무엇에 대한 설명입니까? ( )

- 남한과 북한이 같은 나라가 되는 것입니다.
- 우리와 북한이 서로 하나가 되어 돕고 사는 것입니다.
- 우리와 북한이 옛날처럼 다시 친해지고 만나는 것입니다.

① 통일 ② 전쟁 ③ 무역
④ 소통 ⑤ 정상 회담

20 다음 보기 에서 통일 비행기에 적을 통일을 위한 나의 다짐이나 바람으로 옳은 것의 기호를 쓰시오.

보기
㉠ 백두산에 가 볼래요.
㉡ 용돈을 많이 받고 싶어요.
㉢ 피라미드를 직접 보고 싶어요.

( )

정답과 풀이 24쪽

1 오른쪽은 얼음을 살펴보는 모습입니다. 이용한 몸의 기관과 도구를 보기 에서 골라 쓰시오.

보기

눈, 코, 입, 저울, 돋보기

(1) 몸의 기관 : (　　　　　　　　　　)

(2) 도구 : (　　　　　　　　　　)

2 오른쪽과 같은 팽이를 만드는 데 필요한 준비물에 ○표를 하시오.

면봉 / 골판지 / 재활용 시디

3 다음 중 딱지치기를 할 때 얇은 딱지가 잘 넘어가게 하는 방법으로 옳은 것에 ○표를 하시오.

(1) 위에서 살살 내리칩니다. (　　)

(2) 옆 모퉁이를 비스듬히 내리칩니다. (　　)

4 다음 중 한 명이 중심이 되어 부채처럼 몸을 펼쳐 균형 잡기를 한 것을 골라 기호를 쓰시오.

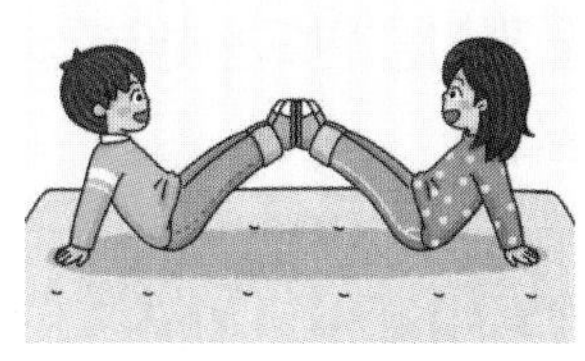

(　　　　　　　　　　)

서술형 논술형

5 겨울철에 가습기를 사용하는 이유를 겨울철 날씨의 특징과 관련지어 쓰시오.

겨울철은 ❶ [　　　　] 이/가 ❷ [　　　　] 하기

때문이다.

6 다음 보기 에서 겨울을 건강하게 보내기 위한 방법으로 옳은 것을 골라 기호를 쓰시오.

㉠ 보습제를 바릅니다.
㉡ 제습기를 사용합니다.
㉢ 창문을 열지 않습니다.

(　　　　　　　　　　)

7 하늘에서 내리는 눈을 손으로 만졌을 때의 느낌은 어떠한지 쓰시오.

(　　　　　　　　　　)

8 다음을 '눈송이' 노래의 노랫말과 몸으로 표현한 것에 맞게 줄로 바르게 이으시오.

(1) 송이송이 •　　　　• ㉠

(2) 반짝반짝 •　　　　• ㉡

9 오른쪽의 겨울 놀이를 하기 위해 필요한 도구끼리 바르게 짝지은 것은 어느 것입니까? (　　)

① 연, 얼레
② 스키, 스키복
③ 스케이트, 헬멧
④ 썰매, 썰매 스틱
⑤ 수영복, 수영 모자

10 색종이와 골판지 중 오른쪽의 눈사람은 무엇으로 만든 것인지 쓰시오.

(　　　　　　　　　　)

11 오른쪽은 '꼬마 눈사람' 노래의 노랫말에 맞추어 몸동작을 한 것입니다. 알맞은 노랫말을 보기 에서 골라 기호를 쓰시오.

보기
㉠ 눈썹이 우습구나
㉡ 집으로 들어갈까

(　　　　　　)

12 다음 중 바른 자세로 노래를 부르는 경우로 옳은 것에 ○표를 하시오.

(1) 등을 구부리고 앉아 노래를 부릅니다. (　　)

(2) 어깨는 바르게 펴고 가슴을 드는 듯 세워서 노래를 부릅니다. (　　)

13 다음의 상황에 알맞은 배려의 말을 보기 에서 골라 기호를 쓰시오.

두 손에 짐을 든 친구가 문 앞에 서 있습니다.

보기
㉠ 저리 비켜!
㉡ 내 물 좀 마실래?
㉢ 내가 문을 열어 줄까?

(　　　　　　)

14 교실에서 눈싸움 놀이를 할 때 눈덩이를 만들 수 있는 재료를 한 가지 쓰시오.

(　　　　　　)

15 다음 중 '스키 타기'를 주제로 한 작품을 골라 기호를 쓰시오.

㉠ 
㉡ 

(　　　　　　)

서술형 논술형

16 오른쪽 사진과 같이 사람들이 구세군 냄비에 성금을 넣는 까닭을 쓰시오.

____

____

17 다음 중 선생님께서 무거운 물건을 들고 가실 때 내가 도와드릴 수 있는 행동으로 가장 알맞은 것은 어느 것입니까? (　　)

① 쓰레기를 줍는다.
② 말동무가 되어 준다.
③ 큰 소리로 인사만 한다.
④ 물건을 같이 들어 드린다.
⑤ 방해가 되지 않게 재빨리 피한다.

18 다음 중 비밀 친구 활동을 하는 데 지켜야 할 규칙으로 옳은 것에 ○표를 하시오.

(1) 일정 기간을 정하지 않습니다. (　　)

(2) 아무도 모르게 친구에게 도움을 줍니다. (　　)

19 다음은 '눈덩이를 굴려라' 놀이의 규칙입니다. (　　) 안의 알맞은 말에 ○표를 하시오.

공격 편은 공을 (굴려서 / 던져서) 수비 편을 맞추고 수비 편은 공을 피합니다.

20 다음은 비밀 친구에게 줄 편지를 만드는 방법입니다. 순서에 맞게 기호를 쓰시오.

㉠ 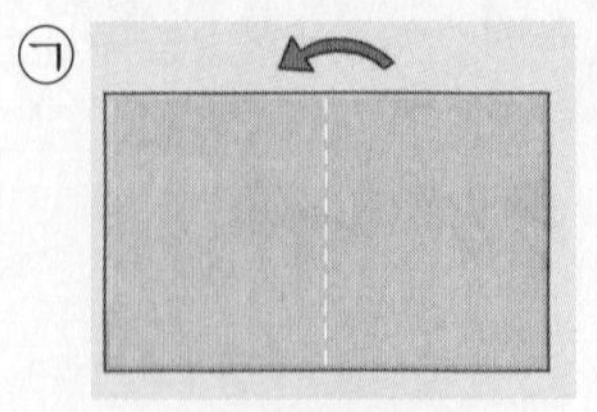
㉡ 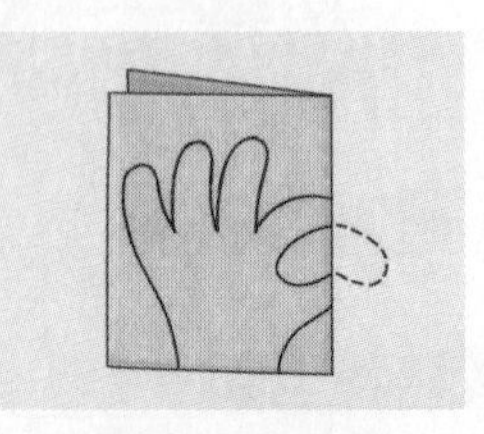
㉢ 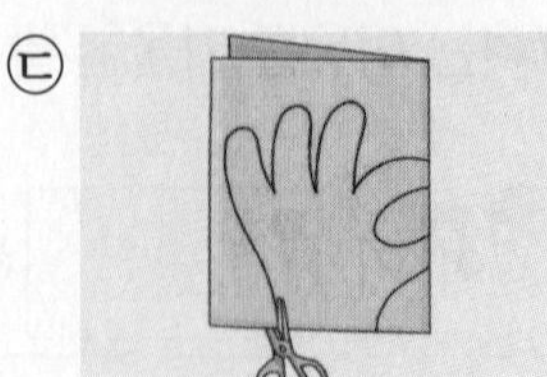
㉣ 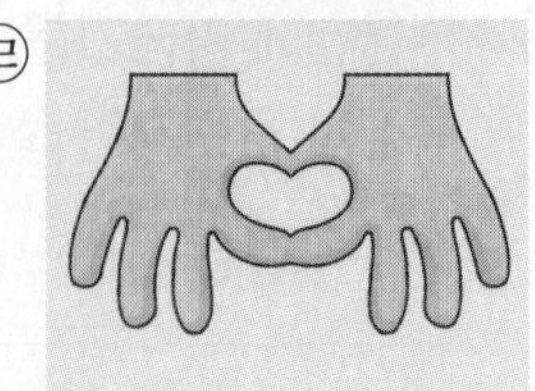

(　　　　　　)

힘이 되는
좋은 말

친절한 말은 아주 짧기 때문에
말하기가 쉽다.

하지만 그 말의 메아리는 무궁무진하게
울려 퍼지는 법이다.

Kind words can be short and easy to speak,
but their echoes are truly endless.

테레사 수녀

친절한 말, 따뜻한 말 한마디는 누군가에게 커다란 힘이 될 수도 있어요.
나쁜 말 대신 좋은 말을 하게 되면 언젠가 나에게 보답으로 돌아온답니다.
앞으로 나쁘고 거친 말 대신 좋고 예쁜 말만 쓰기로 우리 약속해요!

book.chunjae.co.kr

우등생 세트 특별부록 2

과목별 **단원평가 문제집**

정답과 **풀이**

1·2

천재교육

걱정하지 마

내일 시험이 걱정이야?
걱정하지 마.
오늘 공부하면 돼.

어제 못한 일이 걱정이야?
걱정하지 마.
오늘 하면 돼.

너의 오늘을 위해 우리가 도와줄게.
걱정하지 마.
너의 내일을 위해 우리 같이 힘내자.

과목별 단원평가 문제집

1-2 정답과 풀이

- 국어 2쪽
- 수학 10쪽
- 가을・겨울 22쪽

1-2 국어

1단원 소중한 책을 소개해요

4~6쪽 단원평가 1회

1 ⑤ 2 ④ 3 발가락 4 ① 5 ⑤
6 ④ 7 지현 8 아기의 첫 번째 생일에
9 ①, ⑤ 10 (1) ㉡ (2) ㉠ (3) ㉢ 11 ㈐ 12 ④
13 ⑤ 14 ④ 15 (1) 깎 (2) 닦 (3) 쌌
16 ③ 17 우주 18 ㉯ 나는 재미있는 이야기책을 좋아합니다. 19 ③ 20 ③

1 도서관에서 봉사 활동으로 책 정리를 한 것은 책을 읽은 경험이 아닙니다.

2 시의 제목이나, 시에 나타난 표현 등을 통하여 발가락이 움직이는 모습을 나타낸 시라는 것을 알 수 있습니다.

3 '저희'는 시의 제목인 발가락을 가리킵니다.

4 1연에서 발가락이 심심할 때면 움직인다고 했습니다.

5 이 시는 발가락이 움직이는 모습을 '꼼질꼼질'이라고 표현한 부분이 재미있습니다. 발가락이 생긴 모양을 표현한 것은 아닙니다.

6 발가락이 움직이는 모습을 나타내는 표현으로는 '꼼지락꼼지락'이 알맞습니다. '꼼지락꼼지락'은 '꼼질꼼질'과 같은 뜻을 가진 말입니다.
꼼질꼼질: 몸을 계속 천천히 좀스럽게 움직이는 모양을 흉내 내는 말.

7 지현이는 열 개의 발가락을 보고 바다에 있는 섬의 모습을 떠올렸습니다.

8 우리 조상들은 아기의 첫 번째 생일에 돌잔치를 했습니다.

9 돌잔치에서는 맛있는 음식을 차려 나누어 먹고 돌잡이를 했습니다.

10 우리 조상들은 돌잡이 물건의 특징에 빗대어 아기의 장래와 성격을 짐작해 보았습니다.

더 알아보기

아기가 돌잡이에서 잡는 물건에 따라 아기의 장래와 성격에 대한 생각이 달랐습니다. 실은 아주 길기 때문에 오래 살 것이라고 생각하였고, 책은 공부를 하는 물건이므로 공부를 잘할 것이라고 생각하였습니다. 쌀은 옛날에 중요한 재산이었기 때문에 부자가 될 것이라고 생각하였습니다.

11 우리 조상들은 돌잔치를 하면서 아기가 건강하고 행복하게 자라기를 바랐습니다.

12 돌잡이를 하는 장소에 대해서는 나와 있지 않습니다.

13 '낚'과 '섞'은 받침으로 'ㄲ'이 들어간 글자입니다.

14 문장에는 '썼'이 들어가야 하므로 받침은 'ㅆ'입니다.

15 (1)에는 '깎', (2)에는 '닦', (3)에는 '쌌'이 들어가야 알맞습니다.

16 이 글은 '내'가 여러 종류의 책을 좋아한다는 내용입니다.

17 우주를 나타낸 그림이므로 '우주'에 대한 책이 알맞습니다.

채점 기준

그림의 내용과 관련하여 '별', '행성', '인공위성'과 같은 낱말을 썼어도 모두 정답으로 합니다.

18 글의 '나'처럼 어떤 종류의 책을 좋아하는지 생각하여 써 봅니다.

채점 기준

내가 좋아하는 책이 어떠한 책인지 맞춤법에 맞게 쓴 답안이면 모두 정답으로 합니다. 간단히 책의 제목만 적은 답안은 정답으로 인정하지 않습니다.

19 카메라 모양의 책이라고 하였으므로 ③과 같은 책일 것입니다.

20 재미있게 읽은 책에 대하여 떠올린 내용으로 '책을 산 장소'는 알맞지 않습니다.

더 알아보기

책에 대해 소개할 내용으로는 책의 제목, 등장인물, 줄거리, 재미있었던 부분, 책을 읽고 난 생각이나 느낌, 책을 소개하고 싶은 까닭 등 여러 가지가 있습니다.

2단원 소리와 모양을 흉내 내요

7~9쪽 단원평가 2회

1 (1) ㉢ (2) ㉠ (3) ㉡ 2 (2) × 3 ①
4 ⓔ 반짝반짝 5 활짝 6 ② 7 ③, ⑤
8 ④ 9 (1) ○ 10 헉헉헉 11 ㉮
12 ①, ⑤ 13 멍멍 14 (1) ○ 15 (1) ○
16 앉, 있, 많, 앉 17 ④ 18 ③ 19 ⓔ 하늘이 맑습니다.(맑은 하늘에 구름이 떠갑니다.)
20 ⓔ 지글지글 – 글썽글썽

1 암탉은 '꼬꼬댁', 거위는 '꽥꽥', 염소는 '매' 하고 웁니다.

2 오뚝이는 흔들거리면서도 쓰러지지 않으므로 오뚝이의 움직임을 흉내 내는 말은 '흔들흔들'이 알맞습니다.

왜 틀렸을까?

'팡팡'은 풍선이 터지는 소리나 물건이 튀는 소리나 모양을 흉내 내는 말입니다. 오뚝이가 흔들흔들 움직이는 모양과는 어울리지 않습니다.

3 그림 ㈎는 사과나무에 사과가 많이 매달려 있는 모양을 표현하였습니다.

4 ㈏는 밤하늘의 별이 밝게 빛나는 그림이므로 흉내 내는 말 '반짝반짝'이 들어가야 알맞습니다.

5 해바라기 꽃이 화사하게 핀 모양을 흉내 내는 말은 '활짝'이 가장 어울립니다.

더 알아보기

'솔솔'은 바람이 부드럽게 부는 모양을, '쨍쨍'은 햇볕이 몹시 내리쬐는 모양을 흉내 내는 말입니다.

6 '씽씽'은 사람이나 물체가 바람을 일으킬 만큼 빠르게 달리는 소리나 모양을 흉내 내는 말입니다.

7 신기한 이야기를 들을 때 두 눈이 반짝거리는 얼굴 표정을 표현하기에 알맞은 흉내 내는 말은 '반짝반짝', '초롱초롱'입니다.

8 달리기를 하기 전에 긴장하여 가슴이 뛰는 모양을 '벌렁벌렁'으로 표현하였습니다.

9 '다다다다'는 다리가 재빠르게 움직이는 모습을 나타내는 말이므로 어울리는 그림은 (1)입니다.

10 숨을 몰아쉬는 소리를 흉내 내는 말은 '헉헉헉'입니다.

11 '씽씽 달리다', '씽씽 지나가다'와 같이 그 뜻을 생각해 봅니다. 빠르게 달려가는 모습을 표현한 것은 ㉮가 알맞습니다.

12 우리 가족은 공원에 가서 단풍과 고추잠자리를 보았습니다.

13 강아지가 짖는 소리를 흉내 내는 말은 '멍멍'입니다.

14 (1)의 그림과 어울리는 흉내 내는 말은 '울긋불긋'이고, 그림 (2)에서 사진을 찍는 소리를 흉내 내는 말은 '찰칵'이 어울립니다. '울긋불긋'은 진하고 엷은 갖가지 색깔이 한데 뒤섞여 있는 모양을 흉내 내는 말입니다.

왜 틀렸을까?

'냠냠'은 음식을 맛있게 먹는 소리나 모양을 흉내 내는 말입니다.

15 '없' 자는 받침이 'ㅄ'입니다. 'ㅄ'은 하나의 받침이므로 'ㅂ'과 'ㅅ'으로 나누지 않습니다.

16 '앉, 있, 많'은 받침에 두 개의 자음자가 붙어 있는 글자입니다.

17 '위에 올려놓다.'를 뜻하는 말 '얹다'에는 받침 'ㄵ'이 쓰입니다.

18 '괜찮다'에서 '찮' 자의 받침은 'ㄶ'이 쓰입니다.

19 받침 'ㄺ'이 들어가는 낱말로 '맑다'를 떠올릴 수 있습니다.

채점 기준

받침 'ㄺ'이 들어가는 낱말 '맑다'를 떠올려 맞춤법에 맞게 문장을 썼으면 모두 정답으로 합니다. '맑은 하늘을 보았다.', '하늘이 맑았다.'와 같은 문장도 모두 정답으로 합니다.

20 '지'로 시작하는 낱말을 떠올려 끝말잇기를 합니다. 단, 두 개의 칸 중 하나 이상은 반드시 흉내 내는 말이어야 합니다. ⓔ 강아지 – 지렁이 – 이글이글 / 강아지 – 지도 – 도란도란

정답과 풀이 4~9쪽

3단원 문장으로 표현해요

10~12쪽 단원평가 3회

1 ⑤ 2 예 한 아이가 넘어졌습니다. 3 ①
4 작은따옴표 5 ④ 6 " "
7 (2)○ 8 민수 9 ㈏ 10 여러 개
11 (1) 동생이 (2) 웃습니다 12 ①, ④ 13 ②
14 ④ 15 삶 16 ⑤ 17 사자 18 ②
19 (1) ㈏ (2) ㈎ 20 해진

1 남자아이가 만세를 부르고 있습니다.

2 줄넘기를 하다가 한 아이가 넘어진 그림입니다.

채점 기준

상	그림에 어울리는 내용으로 문장을 썼습니다.
중	그림에서 알 수 있는 내용과 알 수 없는 내용을 포함하여 문장을 썼습니다.
하	낱말만 간단히 쓰거나 그림과 어울리지 않는 내용의 문장을 썼습니다.

3 토끼를 나오게 한 마술사의 마술이 멋있었기 때문에 손뼉을 쳤습니다.

4 작은따옴표는 인물이 마음속으로 한 말을 적을 때 씁니다.

5 ㉡은 마술사의 말을 적은 것으로, 이와 같이 인물이 소리 내어 한 말을 적을 때 씁니다.

6 마술사가 소리 내어 한 말입니다.

7 여자아이에게 책을 주워 주어서 고맙다는 말을 하고 싶었을 것입니다.

8 민수가 쓴 문장은 '친구가 친절하면 좋겠다.'로 고쳐 써야 합니다.

9 ㈏가 더 자세하게 나타냈습니다.

10 ㈏는 단풍이 물든 모습을 두 개의 문장으로 표현하여 더 자세하게 표현하였습니다.

11 문장의 뜻이 통하도록 알맞은 말을 넣어 봅니다.

12 '맑' 자와 '굵' 자의 받침에는 'ㄱ'과 'ㄹ'이 들어가 있습니다.

13 ② '넓' 자의 받침이 'ㄼ'입니다.

14 음식을 나타내는 낱말이 들어가야 알맞습니다.

15 '삶' 자에는 받침 'ㄻ'이 들어가 있습니다.

16 초원에는 많은 동물이 모여 살기 때문에 다툼이 많다고 하였습니다.

17 사자는 원숭이와 기린에게 서로 조금씩만 양보하라고 말해서 서로 화해시켰습니다.

18 사자가 원숭이와 기린에게 서로 조금씩만 양보하라고 말한 것으로 보아 지혜롭고 남에게 양보하는 성격임을 짐작할 수 있습니다.

19 원숭이는 잠을 좀 더 자고 싶었고, 기린은 배가 고파서 나뭇잎을 먹고 싶었습니다.

20 원숭이가 기린에게 잠자는 데에 방해가 된다고 화를 냈으므로 원숭이에게는 기린에게 양보하라는 말을 해 주는 것이 알맞습니다.

4단원 바른 자세로 말해요

13~15쪽 단원평가 4회

1 ② 2 ④ 3 왱왱이 말 벌레 4 딴생각
5 ④, ⑤ 6 바라보며 7 상수 8 ③
9 (1) ㈎ (2) ㈏ (3) ㈐ 10 ④ 11 ㈑ 12 ⑤
13 ③ 14 ⑤ 15 예 화가 난 목소리
16 ④ 17 ① 18 표정 19 ⑤ 20 (2)○

1 친구와 떠들면서 이야기를 듣는 것은 바른 자세가 아닙니다.

2 토토는 기차놀이를 하느라고 엄마의 말을 듣지 못했습니다.

3 왱왱이 말 벌레는 토토가 딴생각을 하면 귀에 들어가지 못하고 밖에서 맴도는 말을 먹고 있었습니다.

4 토토가 딴생각을 하면 말이 귀로 들어가지 못하고 밖에서 맴돈다고 하였습니다.

5 토토는 엄마의 눈을 쳐다보며 엄마의 말에 귀를 기울이며 들었기 때문에 엄마의 말을 잘 들을 수 있었습니다.

6 여럿이 함께 들을 때에는 말하는 사람을 바라보며 듣는 것이 바른 예절입니다.

7 모두 들을 수 있게 큰 소리로 말해야 합니다.

8 아버지는 할아버지의 생신 선물을 준비하라면서 세 딸에게 콩 한 알씩을 주었습니다.

9 큰딸과 둘째 딸은 콩 한 알을 하찮게 여겼고, 막내딸은 콩 한 알도 귀중하게 여겼습니다.

10 딸들이 어떤 선물을 준비할지 기대하는 마음이 나타나 있습니다.

11 큰딸의 마음을 생각하며 인상을 찌푸린 표정과 불만 섞인 목소리로 읽을 수 있습니다.

12 막내딸이 콩 한 알을 미끼로 써서 꿩을 잡고 꿩을 팔아 병아리 한 쌍을 샀습니다.

13 콩 한 알로 꿩을 잡아서 그 꿩으로 병아리를 사고, 닭으로 키워 달걀을 낳게 한 행동으로 보아 현명한 성격임을 알 수 있습니다.

14 아버지가 선물을 가져오라고 하자 아무 말도 못하고 고개를 수그린 것으로 보아 선물을 준비하지 못했음을 알 수 있습니다.

15 콩 한 알을 소중히 여기지 않은 딸들에게 실망하여 화가 난 목소리로 말했을 것입니다.

채점 기준

상	두 딸에게 화가 나거나 실망한 아버지의 마음을 살펴 썼습니다.
하	아버지의 마음을 파악하지 못한 답을 썼습니다.

16 사람들은 막내딸이 할아버지의 생신 선물로 송아지를 가져와서 깜짝 놀랐습니다.

17 막내딸이 콩 한 알로 송아지를 사게 된 이야기를 듣고 막내딸이 대견하여 기뻤을 것입니다.

18 느낌을 살려 이야기를 읽으면 실감 나게 이야기를 들을 수 있습니다.

19 잘하는 것을 따라할 수 있는 방법은 소개할 내용으로 알맞지 않습니다.

20 잘하는 것을 소개할 때는 듣는 사람을 바라보며 또박또박 말해야 합니다.

5단원 알맞은 목소리로 읽어요

16~18쪽 단원평가 5회

1 ②, ③ 2 ③ 3 민재 4 ④ 5 꾀꼬리 6 (2)○ 7 ⑤ 8 ⑤ 9 ①, ⑤ 10 도경 11 ③ 12 (1)○ 13 (2)○ 14 ② 15 다섯 마리(5마리) 16 ④ 17 ②, ⑤ 18 (1)○ 19 (1) ② (2) ① 20 예 화난 목소리 / 울먹이는 목소리 / 슬픈 목소리

1 젓가락 두 짝이 똑같고, 윷가락 네 짝이 똑같다고 하였습니다. 나머지는 서로 짝을 이루어서 똑같은 물건이 아닙니다.

2 구두는 서로 짝을 이루며 모양이 똑같으므로 ㉠ 부분에 바꾸어 쓸 수 있는 물건입니다.

3 '무엇이', '똑같은가', '똑같아요' 등이 되풀이되어 나오는 노랫말입니다.

4 학교에서 공 굴리기 놀이를 하였습니다.

5 꾀꼬리처럼 알맞은 빠르기로 또박또박 글을 읽는 것이 좋습니다.

6 꾀꼬리처럼 글을 읽으면 듣는 사람이 편안하게 들을 수 있고, 글의 내용도 잘 이해할 수 있습니다.

7 집에 즐거운 일이 있으면 다 부른다고 하였습니다.

8 즐거운 일 덕분에 다 불러서 집이 꽉 찼습니다.

9 '집에 즐거운 일이 있으면'과 '너도 와'가 시에서 두 번 쓰였습니다. 이렇게 시에서 여러 번 나오는 말을 반복되는 말이라고 합니다.

10 즐거운 일이 생겨서 친구들을 부른 경험을 구별해 봅니다.

11 즐겁고 행복한 마음이 느껴지는 시입니다.

12 친구를 초대하는 말이므로, 부르는 말의 느낌을 살려 읽을 수 있습니다.

13 아이는 둥지에 있는 새알을 보고 모두 꺼내 가야겠다고 말하였습니다.

14 아이가 알을 모두 꺼내 가려고 하자, 새는 새끼들이 알에서 나오면 그때 가져가라고 하였습니다.

아이가 다시 찾아오자, 이번에는 새끼 새에 털이 나면 다시 오라고 하였습니다. 이처럼, 어미 새는 새끼 새들을 지키기 위해 계속 아이를 돌려보냈습니다.

15 새끼 새는 모두 다섯 마리였습니다.

16 나무는 좋은 친구였던 새들이 떠나자 슬퍼서 울고 있었습니다.

17 나무는 아이 때문에 친구를 잃어서 슬프고, 아이가 원망스러울 것입니다.

18 아이는 나무의 말을 듣고 미안하였을 것입니다.

19 이야기를 설명하는 부분과 인물이 말하는 부분을 구별해서 읽어야 합니다.

20 나무의 마음을 생각하며 어울리는 목소리를 떠올려 봅니다.

채점 기준

상	나무의 슬픈 마음, 화난 마음, 아이를 원망하는 마음 등이 느껴지는 목소리를 썼습니다.
중	'큰 목소리' 등과 같이 상황에는 어울리지만 나무의 마음이 뚜렷하게 드러나지 않게 썼습니다.
하	나무의 마음이 뚜렷하게 드러나지 않는 목소리에 대하여 썼습니다.

6단원 고운 말을 해요

19~21쪽 단원평가 6회

1 (2)○ 2 달콤 3 ② 4 과일나무
5 ㉢ 6 고운 말 7 ㉣ 8 ⑤
9 ① 10 (1)○ 11 (1)㉮ (2)㉯ 12 ⑤
13 ④ 14 ⑤ 15 (2)○ 16 ④ 17 ㉯
18 ⑤ 19 ② 20 기분

1 친구에게 노래를 잘한다는 칭찬을 들으면 기분이 좋을 것입니다.

2 달콤 박쥐는 동물들을 반겨 주었지만, 뾰족 박쥐는 반갑게 맞아 주지 않았습니다.

3 ㉠과 같은 말을 들으면 기분이 좋지 않을 것입니다.

4 달콤 박쥐는 과일나무에 열린 탐스러운 열매를 동물들과 나누어 먹었습니다.

5 과일나무에게 고맙다고 인사하는 말은 고운 말에 해당합니다.

6 뾰족 박쥐는 고운 말을 쓰지 않았고, 달콤 박쥐는 고운 말을 잘 썼습니다. 이처럼 고운 말을 쓰면 듣는 사람의 기분을 좋게 합니다.

채점 기준

상	'고운 말'을 바르게 썼습니다.
하	'말'이라고만 간단히 썼습니다.

7 고운 말을 쓰면 친구와 사이좋게 지낼 수 있지만, 내가 하고 싶은 대로 할 수 있게 되는 것은 아닙니다.

8 '짜증 나.'와 같은 말을 들으면 기분이 상할 수도 있습니다.

9 새 장난감이 생겨서 기분이 좋을 것입니다.

10 희동이는 새 장난감을 가진 세현이가 부러웠을 것입니다.

11 장난감을 망가뜨린 희동이는 미안할 것이고, 세현이는 속상할 것입니다.

12 그런 기분이 든 까닭을 함께 말하면 기분이 더 잘 드러나게 말할 수 있습니다.

13 듣는 사람을 생각하며 기분을 말할 때, 먼저 자신의 솔직한 기분을 생각해 봅니다.

14 승혁이가 시형이에게 축구를 하자고 하였습니다.

15 지금 축구를 할 수 없는 까닭을 말하며 승혁이의 기분이 상하지 않게 말한 것을 찾습니다.

17 옷을 젖게 한 친구가 사과하였으므로, 사과한 친구의 기분을 생각하여 사과를 받아 줍니다.

18 엄마의 친구분을 처음 뵙는 그림이므로, 자신의 이름을 밝히며 공손하게 인사합니다.

19 우체부 아저씨께서 편지를 가져다주셨으므로, 고마운 마음이나 감사한 마음을 담아 인사합니다.

20 고운 말로 인사하면 서로 더욱 친해질 수 있고, 듣는 사람의 기분을 좋게 합니다.

7단원 무엇이 중요할까요

22~24쪽 단원평가 7회

1 닭 2 ③, ④ 3 ① 4 ① 5 ⑤
6 (1) ㉮ (2) ㉯ 7 "멈춰라, 소금!" 8 행동
9 ④ 10 ⑤ 11 ② 12 (1) ②, ④ (2) ③
(3) ①, ② (4) ③ 13 ㉯, ㉰, ㉮ 14 ⑤
15 불조심 16 (1) ○ 17 ⑤
18 (1) 예 음식을 골고루 먹자 (2) 예 음식을 골고루 먹어야 한다는 것이 중요한 내용이기 때문이다.
19 ㉰ 20 ⑤

1 농장에서 키우는 날개가 있는 동물은 닭, 오리, 거위 등이 있습니다. 그중에 "꼭꼭 꼬끼오." 하고 우는 동물은 닭입니다.

3 사람들은 신기한 맷돌을 마음씨 착한 임금님에게 하늘이 내려 주신 상이라고 생각했습니다.

4 도둑은 고약한 마음을 먹고 맷돌을 훔쳤습니다.

5 가난한 사람들에게 쌀과 옷을 나누어 주는 행동을 보고 임금님의 성격을 알 수 있습니다.

6 임금님은 맷돌 앞에서 "나와라, 옷!"이라고 외쳤고, 도둑은 "나와라, 소금!"이라고 외쳤습니다.

7 도둑은 "멈춰라, 소금!"이라는 말을 잊어버려서 맷돌과 함께 바닷속에 가라앉고 말았습니다.

8 인물의 생각이나 말, 행동을 살펴보면 인물이 한 일을 알 수 있습니다.

10 '나'는 회전목마를 탈 생각에 마음이 설렜습니다.

11 친구들이 솜사탕을 먹는 것을 부러워하였습니다.

12 가족들이 놀이공원에 가서 각각 무엇을 했는지 글을 꼼꼼하게 읽어 봅니다.

13 글쓴이는 가족과 함께 놀이공원에 가서 회전목마를 타고 솜사탕을 먹었습니다.

14 글쓴이는 소방관 아저씨의 말씀을 듣고 불이 나면 큰 소리로 주변에 알려야 한다는 것을 알았습니다.

15 글쓴이는 앞으로 불조심을 해야겠다는 생각을 하였습니다.

16 '아저씨'나 '큰 소리'는 글의 내용을 잘 드러내는 제목이 아닙니다.

17 좋아하는 음식만 골라 먹으면 건강이 나빠질 수 있기 때문에 음식을 골고루 먹어야 한다는 내용의 글입니다.

18 채점 기준

상	'음식', '음식을 골고루 먹어야 합니다' 등과 같이 글의 내용에 어울리는 제목을 붙이고 그 까닭을 알맞게 썼습니다.
중	제목을 알맞게 붙였지만 까닭을 구체적으로 쓰지 못하였습니다.
하	중요하지 않은 내용을 제목으로 붙였습니다.

19 사서 선생님께도 소곤소곤 말해야 합니다.

20 도서관에서 지켜야 할 일에 대한 내용이므로 '도서관 예절'이 제목으로 알맞습니다.

8단원 띄어 읽어요

25~27쪽 단원평가 8회

1 ② 2 (2) ○ 3 ②, ③ 4 (3) ○ 5 ③
6 ㉰ 7 비사치기 8 미영 9 ㉣
10 ②, ⑤ 11 ② 12 (1) ㉡ (2) ㉠ 13 (1) ㉡
(2) ㉠ (3) ㉢ 14 ④ 15 동수
16 예 약을 먹을 때 주의 사항을 읽는다. 17 엄마
18 ③ 19 ⑤ 20 ④

1 추석에는 햇과일과 햇곡식으로 음식을 만들고, 차례를 지냅니다.

2 글을 전부 쉬지 않고 읽으면 글의 내용을 이해하기 어렵습니다.

3 글을 바르게 띄어 읽어야 글의 내용을 정확히 알 수 있고, 뜻을 쉽게 이해할 수 있습니다.

4 (1)과 (2)는 글쓴이가 개미들의 모습을 본 것입니다.

5 문장이 끝나는 부분에 ∨를 합니다. ①, ②, ④, ⑤는 문장이 끝나는 곳이 아니므로 ∨를 하지 않습니다.

6 ⩔를 한 곳에서는 잠시 쉬었다가 읽습니다.

7 비사치기에 대하여 설명한 글입니다.

8 상대방이 세워 놓은 돌멩이를 다 넘어뜨리는 편이 이깁니다.

9 문장과 문장 사이에 표시한 ㉠~㉢은 띄어 읽는 곳으로 알맞습니다. ㉣은 문장이 끝나는 곳이 아닙니다.

10 지우개의 생김새 가운데 모양과 색깔에 대하여 설명하였습니다.

11 글 ㈏에서 설명하는 대상은 가위입니다.

12 설명하는 대상의 특성을 나누어 살펴보면 설명하는 글의 내용을 이해할 수 있습니다. 가위를 사용할 때 잡는 곳은 손잡이이고, 물건을 자르는 곳은 날입니다.

13 무는 소화에 도움을 주고 당근에는 눈에 좋은 영양소가 매우 많습니다. 고구마나 우엉을 먹으면 변비에 잘 걸리지 않습니다.

14 이 글을 읽으면 뿌리를 먹는 채소의 종류와 좋은 점을 알 수 있습니다.

15 글의 제목이나 내용을 읽으면서 설명하는 내용에 대하여 알 수 있습니다.

16 채점 기준

'컴퓨터 게임하는 방법을 읽고 나서 게임을 한다.', '장난감 조립 방법을 읽는다.', '놀이 기구 타는 법을 읽고 놀이 기구를 탄다.' 등과 같이 일상생활에서 설명하는 글을 읽는 때를 떠올려 쓰면 정답으로 인정합니다.

17 글의 처음 부분에서 '나'는 엄마 품에 폭 안길 만큼 아주 작다고 하였습니다.

18 '나'는 하루하루 조금씩 자란다고 하였습니다. 이 글에 강아지와 들판을 뛰어다닌다는 내용은 나타나 있지 않습니다.

19 '나'는 작지만 조금씩 쉬지 않고 자라고 있다는 것을 말하고 있습니다.

20 목소리의 변화 없이 움직이지 않고 글을 읽으면 실감 나지 않습니다.

9단원 겪은 일을 글로 써요

28~30쪽 단원평가 9회

1 (1) ㈐ (2) ㈎ (3) ㈏ 2 단풍 3 ① 4 ②
5 ④ 6 ① 7 ③ 8 (1) ㈐ (2) ㈏ (3) ㈎
9 달리기 10 ⑤ 11 ⑤ 12 ㉤, ㉥ 13 ①
14 ⑤ 15 ㊎ 힘들게 달렸는데도 꼴찌를 해서
16 ㈏ → ㈎ → ㈑ → ㈐ 17 (2) ○
18 ④ 19 ㉡ 20 ③

1 여자아이가 겪은 일이 무엇인지 그림을 잘 살펴봅니다. (1)은 아침 등굣길에 친구를 만난 그림, (2)는 음악 시간에 노래를 부르는 그림, (3)은 수족관에 가서 물고기를 사는 그림입니다.

2 물고기가 단풍처럼 빨갛기 때문에 단풍이라는 이름을 지어 준 것입니다.

3 글쓴이는 하루 동안 일어난 일 중에서 물고기를 산 일이 가장 기억에 남았기 때문에 일기에 그 일을 썼습니다.

4 가을 운동회는 학교 운동장에서 열렸습니다.

5 민희는 학생과 부모님이 함께 모둠을 이루어서 한 줄다리가 무척 신이 났다고 했습니다.

6 겪은 일을 이야기할 때에는 언제, 어디에서, 누구와 어떤 일을 겪었는지, 그리고 그때 어떤 생각이나 느낌이 들었는지를 함께 말해야 겪은 일이 자세하게 드러나게 말할 수 있습니다.

7 놀이터에서 동생과 놀다가 일어난 일에 대하여 쓴 글입니다.

8 '나'가 놀이터에서 놀 때 일어난 일에 따라 생각이나 느낌이 어떻게 바뀌었는지 살펴봅니다.

동생과 모래 장난을 하며 놀 때	재미있었다.
모래가 눈에 들어갔을 때	화가 났다.
엄마한테 꾸중을 들었을 때	억울했다.

9 운동회에서 달리기를 한 일에 대하여 쓴 글입니다.

10 달리기에서 일 등을 하지 못해서 아쉬웠다고 했습니다.

11 우리 모둠은 장난감 가게를 만들었습니다.

12 ㉠, ㉡, ㉢, ㉣은 겪은 일에 해당합니다.

13 '달리다'는 생각이나 느낌을 나타내는 말이 아니라 행동이나 움직임을 나타내는 말입니다.

14 체육 시간에 있었던 일입니다.

15 '나'가 왜 실망스러워했는지를 글에서 찾아 써 봅니다.

채점 기준

상	'힘들게 달렸는데도 꼴찌를 했기 때문'이라는 점을 명확하고 구체적으로 썼습니다.
중	'꼴찌를 했기 때문에' 등과 같이 실망스러워한 상황을 구체적으로 쓰지 않았습니다.
하	'나'가 실망스러워한 까닭을 알맞게 쓰지 못했습니다.

16 '나'가 처음에 무엇을 했는지 살펴보고 그다음에 어떤 일이 있었는지를 순서대로 정리해 봅니다.

17 겪은 일 가운데에서 친구들에게 위로받은 일을 중요하게 생각하여 제목을 '고마운 친구들'이라고 붙인 것입니다.

18 날씨를 '해가 반짝'이라고 표현한 것으로 보아 날씨가 맑았다는 것을 알 수 있습니다.

19 ㉠은 '겪은 일', ㉡은 '생각이나 느낌'에 해당하는 내용입니다.

20 자신이 겪은 일을 떠올려서 일기에 쓸 내용을 생각해야 합니다.

10단원 인물의 말과 행동을 상상해요

31~32쪽 단원평가 10회

1 ③ 2 ② 3 토끼, 사자, 악어, 원숭이, 곰
4 ⑤ 5 (1) ㉮ (2) ㉱ (3) ㉯ (4) ㉰ (5) ㉲
6 예 춤출 때 입으려고 7 무지개 양말
8 (1) ○ 9 ① 10 ⑤ 11 ④ 12 (2) ○

1 무시무시한 괴물이 별들을 모두 삼키고 사라져서 마을은 온통 캄캄한 어둠으로 뒤덮였고, 마을 사람들은 슬픔에 빠졌습니다.

2 별을 되찾기 위해 길을 떠난 노랑이, 초록이, 주홍이는 마을에서 가장 용감합니다.

3 노랑이, 초록이, 주홍이는 토끼, 사자, 악어, 원숭이, 곰을 차례대로 만났습니다.

4 괴물은 별을 먹고 반짝반짝 멋있어져서 친구들과 뛰어놀고 싶다고 말했습니다.

5 동물들의 대답에서 괴물의 모습을 나타낸 말을 찾아봅니다. 귀는 토끼처럼 쫑긋쫑긋하게, 배는 곰처럼 빵빵하게, 갈기는 사자처럼 북슬북슬하게, 이빨은 악어처럼 뾰족뾰족하게, 꼬리는 원숭이처럼 길쭉길쭉하게 그리는 것이 알맞습니다.

6 글 (나)에서 새들은 춤을 출 때 입으려고 재봉사에게 옷을 부탁했습니다.

채점 기준

상	'춤출 때 입으려고'와 같이 새들이 옷을 부탁한 까닭을 명확하게 썼습니다.
중	'춤을 추려고', '춤을 추고 싶어서'와 같이 옷을 부탁한 까닭을 잘 드러내지 못했습니다.
하	옷을 부탁한 까닭을 알맞게 쓰지 못했습니다.

7 오징어는 다리를 뽐내기 위해서 무지개 양말을 만들어 달라고 했을 것입니다.

8 사자는 재봉사에게 바람 불면 털이 눈을 가려서 모자를 만들어 달라고 부탁했습니다.

9 토끼는 팔랑거리는 치마를 입고 깡충깡충 뛰면서 춤을 출 것입니다.

10 인물의 모습과 행동을 상상하는 것과 일어난 일을 순서대로 정리하는 것은 관련이 없습니다.

11 인물들이 밝은 표정으로 친구에게 같이 놀자고 말하고 있으므로 기분이 좋고 밝은 목소리가 어울립니다.

12 기지개를 켜는 모습에 알맞은 행동은 자리에서 일어나 몸을 쭉 펴는 것입니다.

1-2 수학

1단원 100까지의 수

34~36쪽 기본 단원평가 1회

1 60
2 80 ; 팔십 또는 여든
3 7, 2 ; 72
4 ㉢
5 100, 백
6 >
7 (선 잇기)
8 79, 82, 83
9

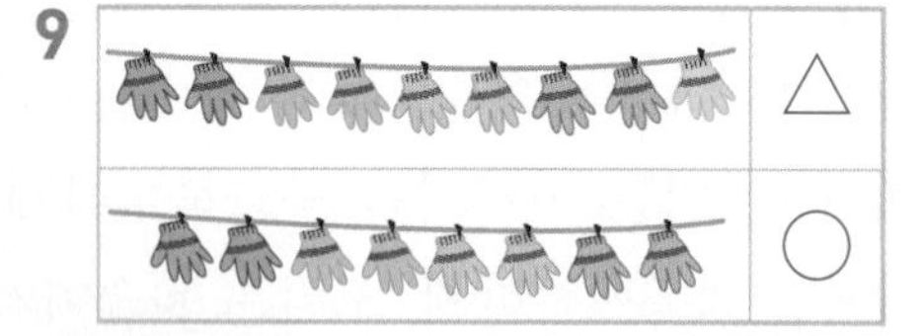

10 68, 70
11 90
12 64에 ○표, 62에 △표
13 73개
14 ④
15 시후
16 88
17 90
18 5개
19 85
20 예 10개씩 묶음의 수가 같으므로 낱개의 수를 비교합니다. 낱개의 수가 7<□이므로 □ 안에 들어갈 수 있는 수는 8, 9입니다. ; 8, 9

2 10개씩 묶음이 8개이므로 80입니다. 80은 팔십 또는 여든이라고 읽습니다.

3 10개씩 묶음 7개와 낱개 2개이므로 72입니다.

4 ㉠, ㉡, ㉣ 10개씩 묶음 8개와 낱개 3개는 83이고 팔십삼 또는 여든셋이라고 읽습니다.
㉢ 예순셋은 63입니다.

5 99 다음의 수는 100이고 백이라고 읽습니다.

6 10개씩 묶음의 수가 같으므로 낱개의 수를 비교하면 8>4입니다. ⇨ 98>94

7 69(육십구, 예순아홉), 73(칠십삼, 일흔셋)
84(팔십사, 여든넷)

8 80 바로 앞의 수는 79, 81 바로 뒤의 수는 82, 82 바로 뒤의 수는 83입니다.

9 위쪽에 있는 장갑은 9개로 둘씩 짝을 지을 수 없으므로 홀수이고, 아래쪽에 있는 장갑은 8개로 둘씩 짝을 지을 수 있으므로 짝수입니다.

10 69보다 1만큼 더 작은 수는 69 바로 앞의 수인 68이고, 69보다 1만큼 더 큰 수는 69 바로 뒤의 수인 70입니다.

11 89와 91 사이의 수는 90입니다.

12 • 63보다 1만큼 더 큰 수: 63 바로 뒤의 수인 64
• 63보다 1만큼 더 작은 수: 63 바로 앞의 수인 62

13 10개씩 묶음 7개와 낱개 3개인 수는 73입니다.

14 낱개의 수가 1, 3, 5, 7, 9인 수가 홀수이므로 홀수가 아닌 것은 ④ 54입니다.

15 75<82이므로 동화책을 더 많이 읽은 사람은 시후입니다.

16 낱개 18개는 10개씩 묶음 1개와 낱개 8개인 수와 같습니다. 따라서 10개씩 묶음 7개와 낱개 18개는 10개씩 묶음 8개와 낱개 8개인 수와 같으므로 88입니다.

17 10개씩 묶음의 수를 비교하면 9>8>6이므로 90>81>69입니다. 따라서 가장 큰 수는 90입니다.

18 54보다 크고 60보다 작은 수는 55, 56, 57, 58, 59로 모두 5개입니다.

19 10개씩 묶음의 수에 가장 큰 수인 8을 놓고, 낱개의 수에 두 번째로 큰 수인 5를 놓습니다.
따라서 만들 수 있는 가장 큰 수는 85입니다.

20 채점 기준

상	낱개의 수를 바르게 비교하여 들어갈 수 있는 수를 모두 구했습니다.
중	낱개의 수를 바르게 비교하였으나 들어갈 수 있는 수를 모두 구하지 못했습니다.
하	수의 크기를 비교하는 방법을 알지 못하여 들어갈 수 있는 수를 구하지 못했습니다.

37~39쪽 **실력** **단원평가 2회**

1 70 ; 칠십 또는 일흔

2 아흔 　일흔 　구십 　90

3 일흔넷, 74에 ○표

4 $<$

5

6 ⑤

7 육십구, 예순아홉

8 42, 90 ; 75, 69

9

77	78	79	80	81	82
83	84	85	86	87	88
89	90	91	92	93	94

10 96, 95

11 54, 74

12 68개

13 49, 51, 63, 77, 80

14 8개

15

10개씩 묶음	낱개	수
6	2	62
7	13	83

16 혁수

17 (○)( )

18 68

19 4개

20 예 74는 10개씩 묶음 7개와 낱개 4개입니다. 이 중에서 10개씩 묶음 5개를 빼면 10개씩 묶음 $7-5=2$(개)와 낱개 4개가 남습니다. 따라서 남은 사과는 24개입니다. ; 24개

3 10개씩 묶음 7개와 낱개 4개이므로 74입니다. 74는 칠십사 또는 일흔넷이라고 읽습니다.

4 10개씩 묶음의 수를 비교하면 $8<9$이므로 $89<90$입니다.

5 • 69와 71 사이에 있는 수는 70입니다.
• 77 다음 수는 78입니다.

6 ⑤ 90보다 1만큼 더 큰 수는 91입니다.

7 68 다음의 수는 69입니다. 69는 육십구 또는 예순아홉이라고 읽습니다.

8 짝수는 낱개의 수가 2, 4, 6, 8, 0인 수이고, 홀수는 낱개의 수가 1, 3, 5, 7, 9인 수입니다.

10 수를 1씩 작아지도록 거꾸로 세어 보면 98－97－96－95－94입니다.

11 64보다 10만큼 더 작은 수는 10개씩 묶음의 수가 1만큼 더 작은 54이고, 64보다 10만큼 더 큰 수는 10개씩 묶음의 수가 1만큼 더 큰 74입니다.

12 10개씩 묶음 6개와 낱개 8개는 68입니다.

13 10개씩 묶음의 수를 비교하면 $4<5<6<7<8$이므로 $49<51<63<77<80$입니다.

14 80은 10개씩 묶음이 8개이므로 봉지는 모두 8개 필요합니다.

15 • 62 ⇨ 10개씩 묶음 6개와 낱개 2개인 수
• 83 ⇨ 10개씩 묶음 8개와 낱개 3개인 수
⇨ 10개씩 묶음 7개와 낱개 13개인 수

16 팔십이: 82, 칠십팔: 78, 아흔: 90
$78<82<90$이므로 고구마를 가장 적게 캔 사람은 혁수입니다.

17 • 76과 82 사이에 있는 수는 77, 78, 79, 80, 81로 5개입니다.
• 92와 97 사이에 있는 수는 93, 94, 95, 96으로 4개입니다.

18 낱개의 수가 8인 수는 □8입니다. □8은 58과 70 사이에 있는 수이므로 조건을 모두 만족하는 수는 68입니다.

19 10개씩 묶음의 수가 같으므로 낱개의 수를 비교하면 $5<\square$입니다. 따라서 □ 안에 들어갈 수 있는 수는 6, 7, 8, 9로 4개입니다.

20 **채점 기준**

상	74를 10개씩 묶음과 낱개의 수로 바르게 나타내어 남은 사과의 수를 구했습니다.
중	74를 10개씩 묶음과 낱개의 수로 나타내었으나 남은 사과의 수를 구하지 못했습니다.
하	74를 10개씩 묶음과 낱개의 수로 나타내지 못하고 남은 사과의 수도 구하지 못했습니다.

2단원 덧셈과 뺄셈(1)

40~42쪽 기본 단원평가 3회

1 45
2 40
3 (1) 44 (2) 13
4 90에 ○표
5 69
6 23
7 58
8

	2	[4]
+	[3]	3
	[5]	[7]

9 15+12=27, 27자루
10 15−12=3, 3자루
11 (위에서부터) 86, 59, 84
12 ⑤
13 58개
14 40, 2
15 예 [37]+[20]=[57]
[37]−[20]=[17]
16 89, 23
17 4, 3
18 ㉢
19 98개
20 예 만들 수 있는 가장 큰 몇십몇은 76이고, 가장 작은 몇십몇은 13입니다. 따라서 두 수의 합은 76+13=89입니다. ; 89

1 10개씩 묶음 4개와 낱개 5개이므로 40+5=45입니다.

2 10개씩 묶음 5개에서 10개씩 묶음 1개를 덜어내면 10개씩 묶음 4개가 남습니다.
⇨ 50−10=40

4 60+30=90

5 37과 32의 합을 구합니다. ⇨ 37+32=69

6 56−33=23

7 21+37=58

8 10개씩 묶음 2개와 낱개 4개는 24이고, 10개씩 묶음 3개와 낱개 3개는 33이므로 24+33을 계산합니다. 따라서 10개씩 묶음끼리 더하고 낱개끼리 더하면 24+33=57입니다.

9 (파란 색연필 수)+(빨간 색연필 수)
=15+12=27(자루)

10 (파란 색연필 수)−(빨간 색연필 수)
=15−12=3(자루)

11 6+80=86, 53+6=59, 4+80=84

12 ① 36−13=23 ② 34+11=45
③ 49−25=24 ④ 75−24=51
⑤ 26+32=58

13 (민우가 딴 딸기의 수)+(아버지가 딴 딸기의 수)
=18+40=58(개)

14 • 13+42는 10과 40을 더하여 50을 구하고 3과 2를 더하여 5를 구한 후 50과 5를 더하여 구할 수 있습니다.
• 13+42는 13과 40을 더하여 53을 구하고 53에 2를 더하여 구할 수 있습니다.

15 20+37=57의 덧셈식도 만들 수 있습니다.

16 가장 큰 수는 56이고, 가장 작은 수는 33입니다.
⇨ 합: 56+33=89,
차: 56−33=23

17 낱개의 자리: 5+□=8 ⇨ □=3
10개씩 묶음의 자리: □+2=6 ⇨ □=4

18 ㉠ 80−60=20 ㉡ 15+42=57
㉢ 96−24=72
⇨ 72>57>20이므로 계산 결과가 가장 큰 것은 ㉢입니다.

19 (사과의 수)=56개
(귤의 수)=56−14=42(개)
따라서 바구니 안에 들어 있는 사과와 귤은 모두 56+42=98(개)입니다.

20 채점 기준

상	가장 큰 수와 가장 작은 수를 만들어 합을 바르게 구했습니다.
중	가장 큰 수와 가장 작은 수를 만들었으나 합을 바르게 구하지 못했습니다.
하	가장 큰 수와 가장 작은 수를 만들지 못하여 합을 구하지 못했습니다.

43~45쪽 **실력 단원평가 4회**

1 24, 59　　2 43, 33
3 (1) 38 (2) 14　　4 89, 27
5 >　　6 23, 46
7 ㉢　　8 58, 98, 89
9 38명　　10 13명
11
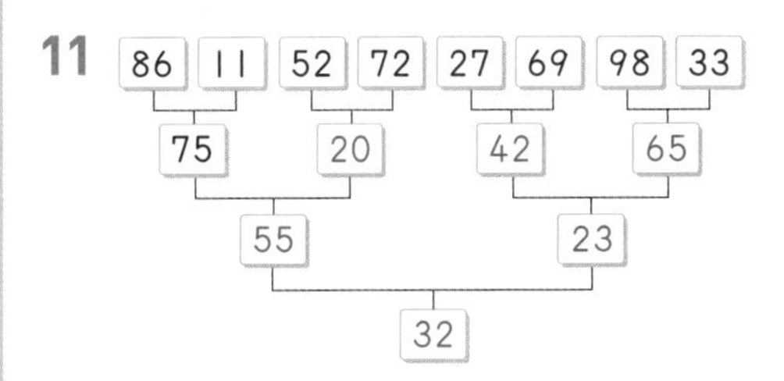

12 ㉢　　13 31대
14 ④　　15 8, 5
16 22, 44
17 [26]+[42]=68 또는 [42]+[26]=68
18 99
19 예 88−50=38이므로 34+□<38입니다. 34와 □의 합이 38보다 작으려면 □ 안에 들어갈 수 있는 수는 1, 2, 3입니다. 따라서 □ 안에 들어갈 수 있는 수는 모두 3개입니다. ; 3개
20 17자루

3 10개씩 묶음끼리, 낱개끼리 계산합니다.

4 합: 31+58=89, 차: 58−31=27

5 27+31=58, 43−11=32
⇨ 58>32

6 58−35=23, 23+23=46

7 ㉠ 64−51=13　㉡ 72−62=10
㉢ 83−42=41
⇨ 계산 결과가 30보다 큰 것은 ㉢입니다.

8 ■: 16+42=58
▲: 75+23=98
●: 56+33=89

9 (유진이네 반 학생 수)
=(남학생 수)+(여학생 수)
=21+17=38(명)

10 (성민이네 반 남학생 수)
=(성민이네 반 학생 수)−(여학생 수)
=35−22=13(명)

11 72−52=20, 69−27=42, 98−33=65,
75−20=55, 65−42=23, 55−23=32

12 ㉠ 23+54=77, ㉡ 41+36=77,
㉢ 62+25=87, ㉣ 16+61=77
따라서 계산 결과가 다른 것은 ㉢입니다.

13 (더 주차할 수 있는 자동차 수)
=48−17=31(대)

14 ① 26−13=13　② 34−11=23
③ 49−25=24　④ 57−24=33
⑤ 75−43=32
따라서 계산한 값이 가장 큰 것은 ④입니다.

15 낱개의 자리: 7−□=2 ⇨ □=5
10개씩 묶음의 자리: □−3=5 ⇨ □=8

16 11+11=22이므로 ●=22입니다.
●+●=22+22=44이므로 ▲=44입니다.

17 낱개의 수의 합이 8이 되는 두 수를 찾아 더해 보면 26+42=68, 14+64=78입니다.
따라서 두 수의 합이 68이 되는 두 수는 26, 42입니다.

18 만들 수 있는 가장 큰 몇십몇은 75, 가장 작은 몇십몇은 24입니다.
⇨ 75+24=99

19 채점 기준

상	88−50을 구하여 □ 안에 들어갈 수 있는 수를 바르게 구했습니다.
중	88−50을 바르게 구하였으나 □ 안에 들어갈 수 있는 수를 바르게 구하지 못했습니다.
하	88−50을 구하지 못하여 □ 안에 들어갈 수 있는 수를 구하지 못했습니다.

20 (희주가 가지고 있는 연필 수)
=21+7=28(자루)
(현경이가 가지고 있는 연필 수)
=28−11=17(자루)

3단원 여러 가지 모양

46~48쪽 기본 단원평가 5회

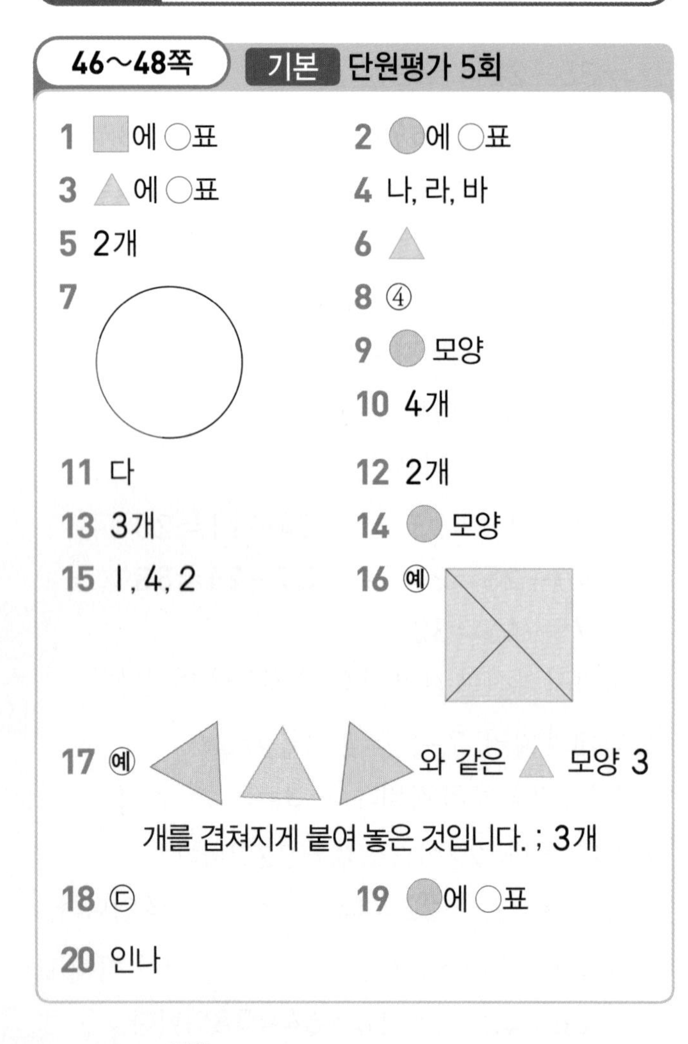

1 공책은 ■ 모양입니다.

2 시계는 ● 모양입니다.

3 표지판은 ▲ 모양입니다.

5 ● 모양을 본뜬 것은 가, 마로 2개입니다.

6 ■ 모양: 3개, ▲ 모양: 1개, ● 모양: 2개
⇨ 본뜬 모양 중 개수가 가장 적은 모양은 ▲ 모양입니다.

8 냄비 뚜껑, 도넛, 탬버린, 접시는 ● 모양이고, 깃발은 ▲ 모양입니다.
따라서 모양이 다른 것은 깃발입니다.

9 탬버린과 바퀴의 모양은 ● 모양입니다.

10 ■ 모양을 ■ ■ ■ ■ 로 모두 4개 이용하여 꾸몄습니다.

11 탬버린과 케이크를 종이 위에 대고 본뜨면 ● 모양이 나오고, 선물 상자를 종이 위에 대고 본뜨면 ■ 모양이 나옵니다.

12 10원짜리 동전은 ● 모양이므로 찾을 수 있는 ● 모양은 ● ● 로 2개입니다.

13 삼각자는 ▲ 모양이므로 찾을 수 있는 ▲ 모양은 ◀ ◀ ◀ 로 3개입니다.

14 뾰족한 곳이 없고 병뚜껑과 같은 모양은 ● 모양입니다.

15 ■ 모양 1개, ▲ 모양 4개, ● 모양 2개를 이용하여 꾸몄습니다.

16 와 같은 방법으로 자를 수도 있습니다.
만들 수 있는 방법은 여러 가지입니다.

17

채점 기준

상	겹쳤을 때의 모양을 알고 ▲ 모양 몇 개를 붙여 놓은 것인지 바르게 구했습니다.
중	겹쳤을 때의 모양은 알지만 ▲ 모양 몇 개를 붙여 놓은 것인지는 바르게 구하지 못했습니다.
하	겹쳤을 때의 모양을 몰라서 ▲ 모양 몇 개를 붙여 놓은 것인지는 바르게 구하지 못했습니다.

18 ㉢을 붙여 보면 와 같이 ● 모양을 만들 수 있습니다.

19 와 같이 자른 롤케이크에서 ● 모양을 찾을 수 있습니다.

20 동우가 만든 모양에서 ■ 모양은 2개이고 인나가 만든 모양에서 ■ 모양은 3개입니다.
따라서 ■ 모양을 더 많이 이용하여 꾸민 사람은 인나입니다.

49~51쪽 실력 단원평가 6회

1 가, 다, 바
2 라, 마
3 ▢에 ○표
4 (선 잇기)
5 (○)( )( )
6 가, 나, 바
7 ○ 모양
8 (삼각형 그리기)
9 (점판에 삼각형, 사각형 그리기)
10 예 (점판에 삼각형, 사각형 그리기)
11 예 텔레비전의 모양은 ▢ 모양이고, 표지판, 시계, 리모콘 중에서 ▢ 모양은 리모콘입니다. ; 다
12 1개
13 1개, 4개, 1개
14 6개
15 6개
16 ㉢
17 ㉡
18 예 (사각형 나누기)
19 △ 모양, 6개
20 예 ▢ 모양 3개, △ 모양 4개, ○ 모양 3개를 이용했으므로 △ 모양을 가장 많이 이용했습니다. ; △ 모양

4 △ 모양 : 반듯한 선 3개, 뾰족한 곳 3군데가 있습니다.
○ 모양 : 둥근 부분만 있고 뾰족한 곳이 없습니다.

6 ○ 모양의 물건은 탬버린, CD, 피자로 가, 나, 바입니다.

8 △ 모양이므로 반듯한 선 3개, 뾰족한 곳 3군데가 되도록 그립니다.

11 채점 기준

상	텔레비전의 모양을 알고 같은 모양의 물건을 바르게 찾았습니다.
중	텔레비전의 모양은 알지만 같은 모양의 물건은 바르게 찾지 못했습니다.
하	텔레비전의 모양을 알지 못해서 같은 모양의 물건도 바르게 찾지 못했습니다.

12 ▢ 모양 : 

⇨ 1개

△ 모양 : (삼각자), (트라이앵글) ⇨ 2개

따라서 △ 모양은 ▢ 모양보다 $2 - 1 = 1$(개) 더 많습니다.

15 (① ② ③ ④ ⑤ ⑥) ⇨ △ 모양: 6개

16 (그림)와 같이 ▢ 모양을 만들 수 있습니다.

17 (그림)와 같이 △ 모양을 만들 수 있습니다.

18 (그림)와 같은 방법으로도 자를 수 있습니다.

19 (그림) ⇨ (그림)

색종이를 점선을 따라 자르면 위와 같은 △ 모양이 6개 생깁니다.

20 채점 기준

상	▢, △, ○ 모양을 바르게 찾아 가장 많이 이용한 모양을 바르게 구했습니다.
중	▢, △, ○ 모양 중 2개만 바르게 찾아서 가장 많이 이용한 모양을 바르게 구하지 못했습니다.
하	▢, △, ○ 모양을 바르게 찾지 못해 가장 많이 이용한 모양도 구하지 못했습니다.

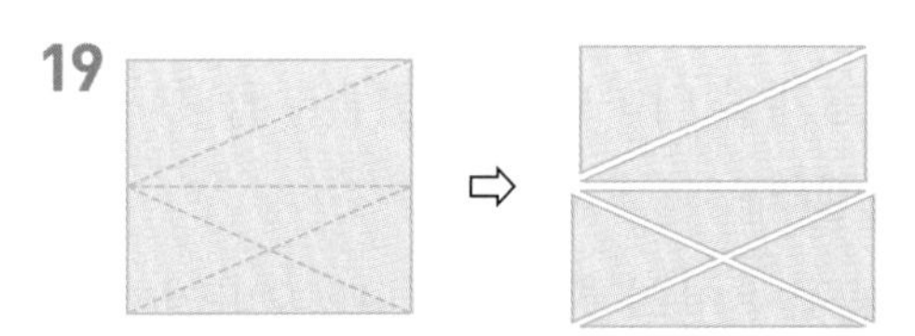
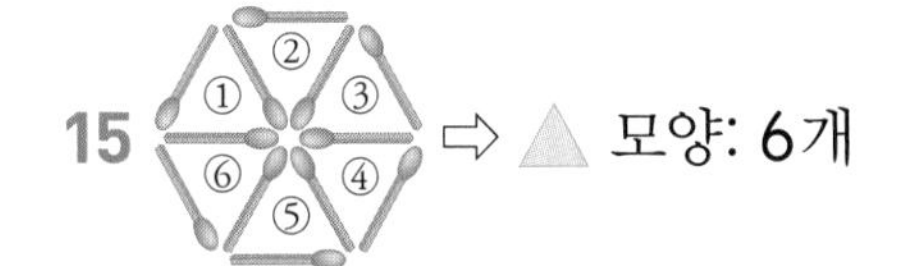
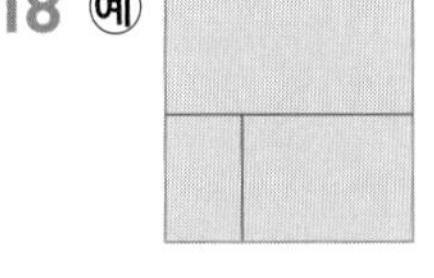

4단원 덧셈과 뺄셈(2)

52~54쪽 기본 단원평가 7회

1 11, 11　　2 10
3 2　　4 11, 11
5 $5+2+1=\boxed{8}$ (5+2 → 7, 7+1 → 8)　　6 (선 잇기)
7 (선 잇기)　　8 3, 3
9 (1) 5 (2) 6
10 ②　　11 10, 2
12 (1) (3+7)+5=15 (2) 7+(6+4)=17
13 (1) 14 (2) 12
14 <　　15 ④
16 3　　17 10−7=3, 3개
18 1개　　19 3
20 예 주연이가 모은 구슬은 2+5+5=12(개)이고, 민호가 모은 구슬은 4+6+5=15(개)입니다. 따라서 구슬을 더 많이 모은 사람은 민호입니다. ; 민호

1 6개하고 5개가 더 있으므로 6하고 7, 8, 9, 10, 11입니다. ⇨ 6+5=11

2 별 4개와 별 6개를 더하면 별 10개가 됩니다. ⇨ 4+6=10(개)

3 닭 10마리에서 8마리를 덜어 내면 2마리가 남습니다. ⇨ 10−8=2(마리)

4 2+9와 9+2의 계산 결과는 11로 서로 같습니다.

더 알아보기

2에서 9를 이어 세는 것보다 9에서 2를 이어 세는 것이 더 편하기 때문에 2+9를 9+2로 바꿔서 계산하면 편리합니다.

6 4+3+2=7+2=9, 9−4−1=5−1=4, 2+3+1=5+1=6

7 5+5=10, 8+2=10, 3+7=10

8 7에서 3칸 더 간 수가 10이므로 7+3=10입니다.

9 (1) 5에 5를 더하면 10이므로 □=5입니다.
(2) 6에 4를 더하면 10이므로 □=6입니다.

10 ①, ③, ④, ⑤ : 10, ② 9

11 10+0=10, 10−8=2

12 (1) (3+7)+5=10+5=15
(2) 7+(6+4)=7+10=17

13 (1) (1+9)+4=10+4=14
(2) 2+(5+5)=2+10=12

14 (1+9)+3=10+3=13,
4+(7+3)=4+10=14

15 ① 4−1−2=3−2=1
② 7−3−2=4−2=2
③ 8−3−2=5−2=3
④ 9−4−1=5−1=4
⑤ 6−1−3=5−3=2

16 가장 큰 수는 9이므로 9−4−2=5−2=3입니다.

17 채점 기준

상	뺄셈식을 세우고 답을 바르게 구했습니다.
중	뺄셈식을 세웠지만 계산 과정에서 실수가 있어 답을 바르게 구하지 못했습니다.
하	뺄셈식을 세우지 못하여 답도 구하지 못했습니다.

18 8−4−3=4−3=1(개)

19 ●+2=10이므로 ●=8입니다.
10−▲=5이므로 ▲=5입니다.
따라서 ●−▲=8−5=3입니다.

20 채점 기준

상	주연이와 민호가 모은 구슬 수를 구한 후 바르게 비교하여 답을 구했습니다.
중	주연이와 민호가 모은 구슬 수는 구하였으나 바르게 비교하지 못했습니다.
하	주연이와 민호가 모은 구슬 수를 구하지 못해 답도 구하지 못했습니다.

55~57쪽 실력 단원평가 8회

1 2, 3, 8

2 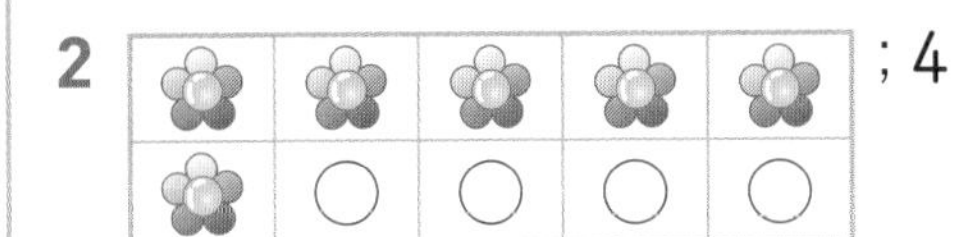 ; 4

3 10, 14

4 5, 5

5 $9-3-4=\boxed{2}$ ($9-3=\boxed{6}$, $6-4=\boxed{2}$)

6 8

7 16

8 (1) $8+(7+3)=18$ (2) $(6+4)+5=15$

9 8, 15

10 <

11

1+9	9+1	6+3
3+7	7+1	8+1
4+5	2+8	5+5

12 덧셈식 예 $\boxed{1}+\boxed{9}=\boxed{10}$

빼셈식 예 $\boxed{10}-\boxed{1}=\boxed{9}$

13 ㉢, ㉠, ㉡

14 6

15 ㉢, ㉠, ㉡, ㉣

16 3장

17 예 진호가 어제와 오늘 산 공책의 수에 어머니께서 더 준 공책의 수를 더하면 진호가 가지고 있는 공책은 모두 $3+7+5=10+5=15$(권)입니다. ; 15권

18 5

19 18점

20 6점

1 사과 3개, 배 2개, 복숭아 3개를 더하면 $3+2+3=5+3=8$(개)입니다.

3 9와 1을 더하면 10이 됩니다.

4 오른쪽으로 10칸 간 다음 왼쪽으로 5칸 되돌아 왔으므로 $10-5=5$입니다.

5 세 수의 뺄셈은 앞에서부터 차례로 계산합니다.

6 2와 더해서 10이 되는 수는 8이므로 $\square=8$입니다.

7 5와 5를 더해 10을 만든 뒤 6을 더합니다.

8 (1) $8+(7+3)=8+10=18$

(2) $(6+4)+5=10+5=15$

9 2와 8을 더하면 10이므로 $(2+8)+5=10+5=15$입니다.

10 $7-1-4=6-4=2$,

$2+3+1=5+1=6$

⇨ $2<6$

11 $1+9=10$, $9+1=10$, $6+3=9$,

$3+7=10$, $7+1=8$, $8+1=9$,

$4+5=9$, $2+8=10$, $5+5=10$

12 $1+9=10$ 또는 $9+1=10$의 덧셈식을 만들 수 있고, $10-1=9$ 또는 $10-9=1$의 뺄셈식을 만들 수 있습니다.

13 ㉠ $10-\square=4$, $\square=6$

㉡ $10-\square=7$, $\square=3$

㉢ $10-\square=1$, $\square=9$

14 가장 큰 수: 10, 가장 작은 수: 4

⇨ $10-4=6$

15 ㉠ $(4+6)+3=10+3=13$

㉡ $(5+5)+4=10+4=14$

㉢ $2+(9+1)=2+10=12$

㉣ $5+(2+8)=5+10=15$

16 민규가 유정이에게 준 붙임딱지의 수를 □라고 하면 $7+\square=10$이므로 $\square=3$입니다. 따라서 민규가 유정이에게 준 붙임딱지는 3장입니다.

17 채점 기준

상	진호가 산 공책의 수에 어머니께서 준 공책 수를 더하여 답을 바르게 구했습니다.
중	진호가 산 공책의 수를 바르게 구하였으나 어머니께서 준 공책의 수를 더하는 과정에서 계산이 틀렸습니다.
하	식을 바르게 세우지 못해 틀렸습니다.

18 $4+2+3=6+3=9$이므로 ▲$=9$입니다.

▲$-3-1=9-3-1=5$이므로 ●$=5$입니다.

19 $(4+6)+8=10+8=18$(점)

20 세 번째 화살을 쏘아서 얻은 점수를 □라고 하면 $10+\square=16$, $\square=6$입니다. 따라서 세 번째 화살은 6점짜리에 맞혔습니다.

5단원 시계 보기와 규칙 찾기

58~60쪽 기본 단원평가 9회

1 4시

2 2시 30분

3 

4 

5 

6

7

8

9 9

10 20

11 3시 30분

12 20, 26

13 9, 1

14 1, 2, 3

15 ㉑ 21부터 시작하여 오른쪽으로 1칸 갈 때마다 1씩 커집니다.

16 ㉑ 5부터 시작하여 아래쪽으로 1칸 갈 때마다 10씩 커집니다.

17 46, 47, 48, 49, 50

18 ㉑ 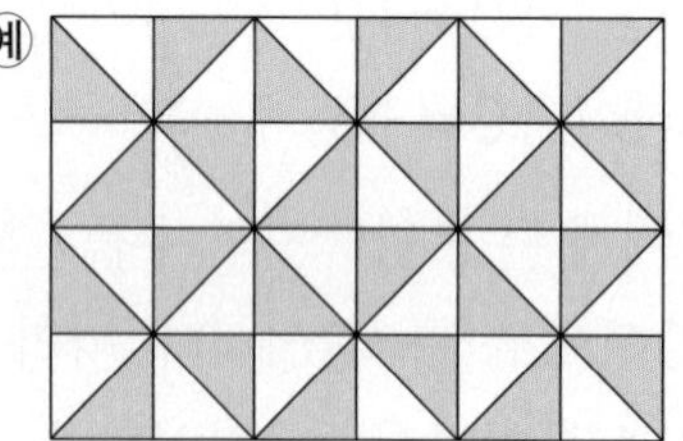

19 , 4시

20 ㉑ 500원−50원−50원−100원이 반복되는 규칙이므로 동전 20개를 늘어놓았을 때 놓이는 50원짜리 동전은 10개입니다. ; 10개

3 3시이므로 긴바늘이 12를 가리키도록 그립니다.

4 1시 30분이므로 짧은바늘이 1과 2 사이에 있도록 그립니다.

5 ■ ▲이 반복되는 규칙이므로 □ 안에 알맞은 모양은 ■ 입니다.

6 ☆ ☆ ✹이 반복되는 규칙이므로 □ 안에 알맞은 모양은 ✹ 입니다.

7 오른쪽과 왼쪽을 번갈아 가며 색칠하는 규칙입니다.

8 시계 방향으로 한 칸씩 옮겨 가며 색칠하는 규칙입니다.

9 1부터 2씩 커지는 규칙이므로 빈 곳에 알맞은 수는 7보다 2만큼 더 큰 수인 9입니다.

10 4부터 4씩 커지는 규칙이므로 빈 곳에 알맞은 수는 16보다 4만큼 더 큰 수인 20입니다.

11 짧은바늘이 3과 4 사이에 있고, 긴바늘이 6을 가리키므로 3시 30분입니다.

12 17보다 3만큼 더 큰 수는 20, 23보다 3만큼 더 큰 수는 26입니다.

13 13보다 4만큼 더 작은 수는 9, 5보다 4만큼 더 작은 수는 1입니다.

14 수박은 1, 바나나는 2, 딸기는 3으로 나타내는 규칙입니다.

15 수 배열표에서 가로에 있는 수는 오른쪽으로 1칸 갈 때마다 1씩 커집니다.

16 수 배열표에서 세로에 있는 수는 아래쪽으로 1칸 갈 때마다 10씩 커집니다.

17 45보다 1만큼 더 큰 46부터 1씩 커지도록 쓰면 46, 47, 48, 49, 50입니다.

19 시계의 긴바늘이 한 바퀴 돌면 짧은바늘은 수가 쓰여진 눈금 한 칸만큼 움직입니다.

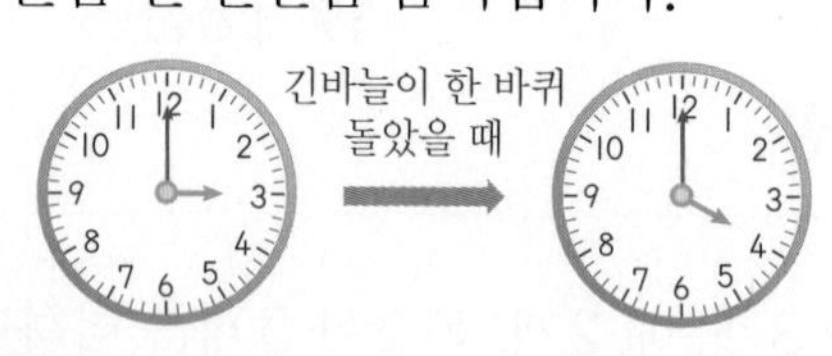

20 채점 기준

상	동전이 반복되는 규칙을 찾아 동전을 늘어놓았을 때 50원짜리 동전이 놓이는 개수를 바르게 구했습니다.
중	동전이 반복되는 규칙을 찾았으나 동전을 늘어놓았을 때 50원짜리 동전이 놓이는 개수를 구하지 못했습니다.
하	동전이 반복되는 규칙을 찾지 못해 동전을 늘어놓았을 때 50원짜리 동전이 놓이는 개수를 구하지 못했습니다.

61~63쪽 **실력 단원평가 10회**

1 7시　　　2 11시 30분

3 ㉡　　　4 ㉠

5 　　　6

7 7, 8, 6 또는 8, 7, 6

8 예 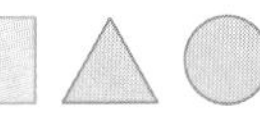 이 반복되는 규칙입니다.

9 △

10 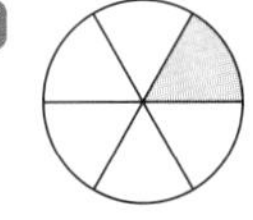　　　11 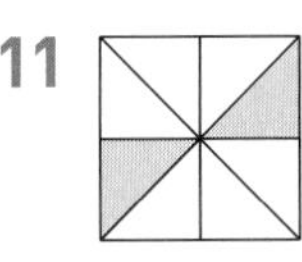

12 ○, △, □

13 예 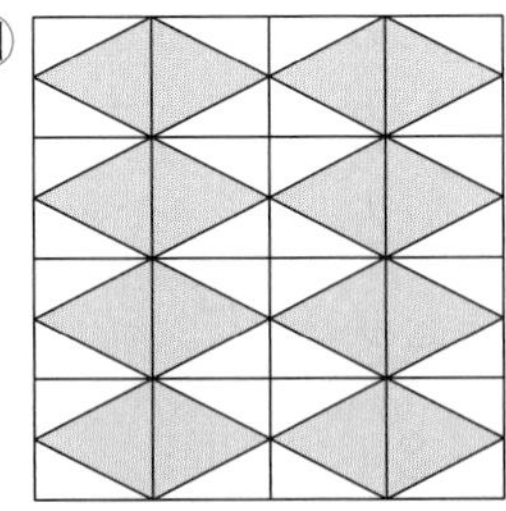

14 7시 30분　　　15 12, 12

16 나라　　　17 미하

18 예 26부터 ↙ 방향으로 6씩 커집니다.

19 18, 25, 32, 39

20 51

1 짧은바늘이 7, 긴바늘이 12를 가리키므로 7시입니다.

2 : 앞의 수가 11이고 : 뒤의 수가 30이므로 11시 30분입니다.

3 △ □ ○ ○이 반복되는 규칙이므로 □ 안에 알맞은 모양은 □입니다.

4 ◪ ◪ □이 반복되는 규칙이므로 □ 안에 알맞은 모양은 ◪입니다.

5 1시이므로 짧은바늘이 1, 긴바늘이 12를 가리키도록 나타냅니다.

6 12시 30분이므로 짧은바늘이 12와 1 사이, 긴바늘이 6을 가리키도록 나타냅니다.

9 □ △ ○ □이 반복되는 규칙이므로 □ 안에 알맞은 모양은 △입니다.

10 ◔의 색칠한 부분이 시계 반대 방향으로 한 칸씩 건너 뛰는 규칙입니다.

11 ⊠의 색칠한 부분이 시계 방향으로 한 칸씩 옮겨 가는 규칙입니다.

12 바위는 ○, 가위는 △, 보는 □로 나타내는 규칙입니다.

14 거울에 비친 시계의 짧은바늘이 7과 8 사이에 있고 긴바늘이 6을 가리킵니다.
따라서 시계가 나타내는 시각은 7시 30분입니다.

15 12시는 짧은바늘과 긴바늘이 모두 12를 가리킵니다.

16~17 승희 : 9시 30분, 나라 : 8시,
미하 : 10시 30분
가장 먼저 잠든 사람은 나라이고, 가장 늦게 잠든 사람은 미하입니다.

18 색칠한 수들은 26, 32, 38, 44, 50이므로 ↙ 방향으로 6씩 커지는 규칙이 있습니다.

채점 기준

상	수 배열표의 색칠한 수들의 규칙을 바르게 설명했습니다.
중	수 배열표의 색칠한 수들의 규칙을 설명하였으나 약간 미흡합니다.
하	수 배열표의 색칠한 수들의 규칙을 찾지 못했습니다.

19 수 배열표의 세로에 있는 수들은 7씩 커지는 규칙입니다.
⇨ 11 − 18 − 25 − 32 − 39
(7만큼 더 큰 수, 7만큼 더 큰 수, 7만큼 더 큰 수, 7만큼 더 큰 수)

20 수 배열표에서 세로로 있는 수들은 아래로 한 칸씩 내려갈수록 7씩 커지는 규칙입니다.
⇨ 30−37−44−51이므로 ♡에 알맞은 수는 51입니다.

정답과 풀이 58~63쪽

6단원 덧셈과 뺄셈(3)

64~66쪽 기본 단원평가 11회

1 (왼쪽부터) 14, 14, 4

2 (왼쪽부터) 16, 16, 6

3 (왼쪽부터) 2, 15

4 (왼쪽부터) 4, 6

5 (왼쪽부터) 1, 16

6 (왼쪽부터) 5, 9

7 (1) 15 (2) 6

8 4, 5, 6

9 14, 10

10 >

11 (위에서부터) 13, 11, 15

12 ( )( )(○)

13

$14-6$	$14-7$	$14-8$	$14-9$
8	7	6	5
	$15-7$	$15-8$	$15-9$
	8	7	6
		$16-8$	$16-9$
		8	7
			$17-9$
			8

14

15 ②

16 ⓒ, ⓛ, �, ⓔ

17 13개

18 $14-5=9$, 9개

19 주호

20 예 성진이가 읽은 동화책은 $13-8=5$(권)입니다. 따라서 혜빈이와 성진이가 한 달 동안 읽은 동화책은 모두 $13+5=18$(권)입니다.
; 18권

1 6과 8을 모으면 10과 4가 되어 14이고, 14는 10과 4로 가르기를 할 수 있습니다.

2 7과 9를 모으면 10과 6이 되어 16이고, 16은 10과 6으로 가르기를 할 수 있습니다.

3 7을 2와 5로 가르기를 하여 2와 앞의 수 8을 먼저 더해 10을 만들고 남은 5를 더하면 15입니다.

4 8을 4와 4로 가르기를 하여 14에서 4를 먼저 빼고 남은 10에서 4를 빼면 6입니다.

5 7을 6과 1로 가르기를 하여 9와 1을 먼저 더해 10을 만들고 남은 6을 더하면 16입니다.

6 6을 5와 1로 가르기를 하여 15에서 5를 먼저 빼고 남은 10에서 1을 빼면 9입니다.

7 (1) $6+9=15$ (9를 5와 1로 가르기)

(2) $13-7=6$ (7을 3과 4로 가르기)

8 왼쪽 수는 모두 같고 오른쪽 수가 1씩 작아지면 차는 1씩 커집니다.
⇨ $12-8=4$, $12-7=5$, $12-6=6$

9 $8+6=14$, $14-4=10$

10 $4+8=12$, $12-3=9$
⇨ $12>9$

11 $6+7=13$, $5+6=11$, $8+7=15$

12 $8+6=14$, $8+7=15$, $8+8=16$

13 $14-6=8$, $15-7=8$, $16-8=8$, $17-9=8$

14 $7+5=12$, $13-6=7$, $6+9=15$,
$15-8=7$, $8+4=12$, $8+7=15$

15 ① $12-4=8$ ② $13-9=4$ ③ $15-7=8$
④ $11-3=8$ ⑤ $16-8=8$

16 ㉠ $4+9=13$ ㉡ $1+8+2=11$
㉢ $12-4=8$ ㉣ $17-3=14$

17 (현석이가 가지고 있는 초콜릿 수)
=(처음에 가지고 있던 초콜릿 수)
+(친구에게 더 받은 초콜릿 수)
$=8+5=13$(개)

18 (남은 사탕 수)
=(가지고 있던 사탕 수)−(먹은 사탕 수)
$=14-5=9$(개)

19 연수: $8+4=12$, 주호: $7+7=14$
따라서 놀이에서 이긴 사람은 주호입니다.

20 채점 기준

상	성진이가 읽은 동화책 수를 구한 후 혜빈이와 성진이가 읽은 동화책 수를 바르게 구했습니다.
중	성진이가 읽은 동화책 수는 구했으나 혜빈이와 성진이가 읽은 동화책 수를 구하지 못했습니다.
하	성진이가 읽은 동화책 수를 구하지 못하여 답을 구하지 못했습니다.

67~68쪽 실력 단원평가 12회

1 예

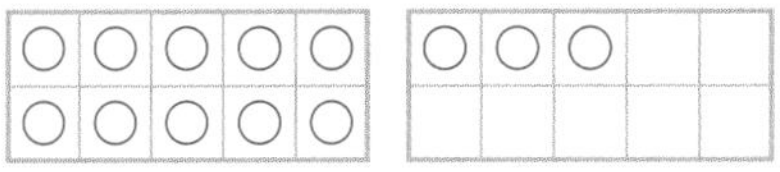

○	○	○	○	○
○	○	○	○	○

○	○	○		

; (왼쪽부터) 13, 13, 3

2 (1) 14 (2) 7

3 (왼쪽부터) 2, 15

4 (왼쪽부터) 4, 7

5 $16-7=9$ (16을 10과 6으로 가르기)

10 6

6 (1) 17 (2) 9

7 ( )(○)
(○)( )

8 <

9

−	6	7
14	8	7
15	9	8

10

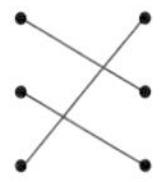

11 예 $14-5=9$

12 6개

13 15개

14 9컵

15 (위에서부터) 14, 다 ; 13, 람; 16, 쥐

16 예 $7+9=16$

17 예 과일을 재서는 $8+6=14$(개) 먹었고, 지영이는 $5+7=12$(개) 먹었습니다. 따라서 $14>12$이므로 재서가 과일을 더 많이 먹었습니다. ; 재서

18 16

19 5개

20 주연

1 9와 4를 모으면 10과 3이 되어 13이고, 13은 10과 3으로 가르기를 할 수 있습니다.

2 (1) 8과 6을 모으면 10과 4가 되어 14입니다.
(2) 17은 10과 7로 가르기를 할 수 있습니다.

3 7을 2와 5로 가르기를 하여 2와 앞의 수 8을 먼저 더해 10을 만들고 남은 5를 더하면 15입니다.

4 7을 4와 3으로 가르기를 하여 14에서 4를 먼저 빼고 남은 10에서 3을 빼면 7입니다.

5 16을 10과 6으로 가르기를 하여 10에서 먼저 7을 빼고 남은 3과 6을 더합니다.

7 $17-9=8$, $13-6=7$, $16-9=7$, $11-2=9$

8 $14-9=5$, $17-8=9$ ⇨ $5<9$

9 $14-6=8$, $14-7=7$, $15-6=9$, $15-7=8$

10 $8+3=11$, $6+8=14$, $6+9=15$,
$8+7=15$, $5+6=11$, $7+7=14$

11 달걀의 수에서 닭의 수를 빼면 $14-5=9$입니다.

12 사탕 16개 중 10개를 상자에 담으면 6개가 남습니다.

13 (검은 바둑돌 수)+(흰 바둑돌 수)
$=8+7=15$(개)

14 (어제 마신 물의 컵 수)−(오늘 마신 물의 컵 수)
$=14-5=9$(컵)

15 $6+8=14$ ⇨ 다, $9+4=13$ ⇨ 람,
$7+9=16$ ⇨ 쥐

16 $4+7=11$, $4+9=13$, $7+9=16$이므로 만들 수 있는 덧셈식은 $7+9=16$ 또는 $9+7=16$입니다.

17 채점 기준

상	재서와 지영이가 먹은 과일 수를 구한 후 수의 크기 비교를 바르게 하여 답을 구했습니다.
중	재서와 지영이가 먹은 과일 수를 바르게 구했지만 수의 크기 비교를 하는 과정에서 실수가 있었습니다.
하	재서와 지영이가 먹은 과일 수를 바르게 구하지 못하여 답을 구하지 못했습니다.

18 $15-7=8$이므로 ■$=8$입니다.
■$+8=8+8=16$이므로 ●$=16$입니다.

19 $12-6=6$, $8+4=12$이므로 $6<\square<12$입니다.
따라서 □ 안에 들어갈 수 있는 수는 7, 8, 9, 10, 11로 모두 5개입니다.

20 혜주: $9+2=11$(점), 보람: $7+6=13$(점),
주연: $6+8=14$(점)
따라서 점수의 합이 가장 높은 사람은 주연이입니다.

1-2 가을·겨울

가을 ❶ 내 이웃 이야기

70~72쪽 단원평가 1회

1 ㉮ 감사 2 ② 3 ㉡ 4 영수 5 ①
6 ③ 7 ③ 8 (1) ㉡ (2) ㉠
9 ❶ ㉮ 본, 읽은 ❷ ㉮ 다른 친구 10 ㉠ 11 ②
12 ② 13 ① 14 덜, 빨리 15 ㉡
16 ㉠, ㉮ 집에서는 뛰어다니지 않는다. 17 ⑤
18 ④ 19 효민 20 (1) ㉡ (2) ㉠

1 이웃이 음식을 들고 우리 집에 찾아오면 반갑게 인사하며 맞이하고, 음식을 두 손으로 받은 다음 감사하다는 인사말을 합니다.

2 놀이 기구에서 뛰어내리면 다칠 수 있습니다.

3 버스 안에서 뛰어다니면 위험합니다.

4 버스를 타거나 내릴 때에는 차례를 지킵니다.

5 마트는 공공장소이므로 뛰어다니지 않습니다.

6 '꼬리 잇기' 놀이에서, 가위바위보에서 진 친구는 이긴 친구의 뒤에 서서 이웃이 됩니다.

7 단옷날은 그네를 타거나 씨름을 했습니다.

8 음식을 배달하는 식당 주인은 낮이나 저녁에, 교통 봉사자는 아침이나 낮에 쉽게 만날 수 있습니다.

9 내가 다 읽은 책은 친구에게 나누어 줍니다.

채점 기준

상	❶에 '본', '읽은' 등을 쓰고, ❷에 '다른 친구'라고 정확히 씀.
하	❶과 ❷ 중 하나만 정확히 씀.

10 나눔 장터를 이용하면 쓰레기의 양이 줄어듭니다.

11 리코더는 리듬 악기가 아닙니다.

12 의사는 아플 때 도움을 주는 이웃입니다.

13 친구와 싸운 것은 고마운 이웃의 모습이 아닙니다.

14 일을 이웃과 함께하면 힘이 덜 들고 일을 빨리 끝낼 수 있습니다.

15 ㈎ 부분 다음의 노랫말로 보아 장 서방이 무엇을 먹고 살았는지 묻는 노랫말이 가장 알맞습니다.

16 집에서 뛰어다니면 이웃집까지 소리가 울리게 되어 생활하는 데 방해가 됩니다.

채점 기준

상	㉠을 쓰고, '집에서는 뛰어다니지 않는다.'와 같이 듣기 싫은 소리가 나지 않게 하기 위해 해야 할 일을 정확히 씀.
하	㉠을 썼으나, 듣기 싫은 소리가 나지 않게 하기 위해 해야 할 일을 쓰지 못함.

17 이웃에서는 다양한 소리를 들을 수 있습니다.

18 종이컵을 네 개, 세 개, 두 개, 한 개 순으로 쌓았으므로, 필요한 종이컵의 개수는 열 개입니다.

19 한글을 모른다고 놀리지 말고 친절하게 가르쳐 주어야 합니다.

20 손가락 도장 위에 이웃의 특징이 나타나도록 얼굴을 꾸며 완성합니다.

가을 ❷ 현규의 추석

73~75쪽 단원평가 2회

1 ⑤ 2 ㉡, ㉢ 3 받는 4 ② 5 ㉢
6 ㉠ 7 ①, ③ 8 ㉮ 콩 주머니 모으기 놀이
9 ⑤ 10 ㉮ 농부 아저씨 11 ❶ ㉮ 익어
❷ ㉮ 단풍 12 ④ 13 (1) ○ (2) ○ (3) ×
14 ㉮ 잠자리 집에 들어간다. 15 ㉠
16 꽹과리 17 투호 놀이 18 ②
19 ㉢ 20 ④

1 추석에 받을 수 있는 용돈은 조사할 내용으로 알맞지 않습니다.

2 추석에는 씨름이나 강강술래와 같은 놀이를 하고, 달맞이나 구름보기를 합니다.

3 가위를 다른 사람에게 건네줄 때에는 손잡이가 받는 사람을 향하도록 하여 건네주어야 합니다.

4 추석이나 설날과 같은 명절에는 한복을 입습니다.

5 '칙칙폭폭 기차놀이'에서는 여러 명의 친구들이 들어가는 줄이 필요합니다.

6 과수원에서 과일을 거두어들이는 ㉠은 추수하는 모습에 해당합니다.

7 추석에 주로 먹는 음식에는 과일, 송편 등이 있습니다.

8 콩 주머니 모으기 놀이는 콩 주머니를 더 많이 모은 편이 이기는 놀이입니다.

9 참외는 여름에 나오는 과일입니다.

10 곡식을 열심히 키워 주신 농부 아저씨께 감사하는 마음을 갖습니다.

11 가을이 되면 곡식과 열매가 익어 가고, 단풍이 들어 산이 온통 울긋불긋합니다.

채점 기준

상	❶ '익어', ❷ '단풍'을 정확히 씀.
하	❶과 ❷ 중 하나만 정확히 씀.

12 단풍잎, 은행잎, 국화는 식물이고, 메뚜기는 동물입니다.

13 잠자리는 한 개의 꼬리가 있습니다.

14 잠자리 잡기 놀이에서 잡힌 잠자리는 잠자리 집에 들어갑니다.

채점 기준

상	'잠자리 집에 들어간다.' 등과 같은 내용을 정확히 씀.
하	다른 편에게 잡혔을 때 해야 할 일을 썼지만 표현이 부족함.

15 ㉠은 낙엽 밟기 놀이, ㉡은 낙엽 뿌리기 놀이입니다.

16 꽹과리의 소리는 '갠지 개갱'으로 표현할 수 있습니다.

17 투호 놀이는 통 안에 화살을 던져 집어 넣는 놀이입니다.

18 강강술래는 원을 그리며 춤을 추는 놀이입니다.

19 음식은 남기지 않고 다 먹습니다.

20 추석에 대해 조사할 것 중에서 추석에 일어난 사고는 적당하지 않습니다.

76~78쪽 단원평가 3회

1 ② 2 현주 3 남생이 놀이 4 ㉠
5 ㉡ 6 예 그릇, 도자기 등 7 ❶ 예 습도 ❷ 예 햇빛 8 ①, ⑤ 9 ㉡ 10 ⑤ 11 성진
12 ㉢, 무궁화 13 ② 14 ㉠ 15 ㉠, ㉢
16 (2) ○ (3) ○ 17 예 조상이 같다, 한반도에 산다, 한복을 입는다, 김치를 먹는다, 명절이 같다. 등
18 (1) ○ (2) ○ 19 ① 20 ㉠

1 사방치기는 땅에 판 모양을 그린 다음, 일정한 순서에 따라 돌을 던지거나 주우면서 노는 놀이입니다.

2 한복은 윗옷과 아래옷으로 분리되어 있습니다.

3 선생님과 학생들이 친구의 특징으로 노랫말을 바꾸어 남생이 놀이를 하고 있습니다.

4 앞소리꾼은 주고받는 노래를 부를 때 먼저 부르면서 놀이 현장을 주도하는 사람을 말합니다.

5 잡채는 우리나라의 전통 음식입니다.

6 지점토를 이용하여 그릇을 만든 모습입니다.

7 창호지 문은 습도를 조절해 주고, 공기와 햇빛이 통과되어 사람들의 건강에 좋습니다.

채점 기준

상	❶ '습도', ❷ '햇빛'을 정확히 씀.
하	❶과 ❷ 중 하나만 정확히 씀.

8 족자를 만들 때는 색연필, 가위, 풀, 색도화지, 수수깡, 실 등의 준비물이 필요합니다.

9 태극 문양은 파란색과 빨간색으로 되어 있고, 음(파랑)과 양(빨강)의 조화를 나타냅니다.

10 애국가는 큰소리로 씩씩하게 불러야 합니다.

11 무궁화는 우리나라 꽃으로, 꽃잎이 다섯 장이고, 여름에 피며, 꽃잎의 색은 여러 가지입니다.

12 ㉢에 들어갈 알맞은 노랫말은 무궁화입니다.

13 만리장성, 피라미드, 인디언, 햄버거, 피자, 해바라기 등은 우리나라를 상징하는 것이 아닙니다.

14 남한 학생은 학교에서 점심을 먹지만 북한 학생은 대부분 집에서 점심을 먹습니다.

15 북한은 여행 증명서가 있어야 여행을 다닐 수 있습니다.

16 다리 빼기 놀이는 두 다리를 먼저 접은 사람이 이기는 놀이입니다.

17 남한과 북한은 문자, 풍습, 문화 등이 같습니다.

채점 기준

상	'조상이 같다, 한반도에 산다, 한복을 입는다, 김치를 먹는다, 명절이 같다.' 등 남한과 북한의 공통점 두 가지를 정확히 씀.
하	남한과 북한의 공통점을 한 가지만 정확히 씀.

18 통일이 된다고 해도 기차를 타고 미국으로 갈 수는 없습니다.

19 통일은 남한과 북한이 같은 나라가 되는 것입니다.

20 ㉡과 ㉢은 통일과 관련이 없는 다짐이나 바람입니다.

겨울 ❷ 우리의 겨울

79~80쪽 단원평가 4회

1 (1) 눈 (2) 돋보기 2 재활용 시디 3 (2)에 ○표 4 ㉡ 5 ❶ 예 공기 ❷ 예 건조 6 ㉠ 7 예 차갑다. 8 (1) ㉡ (2) ㉠ 9 ③ 10 골판지 11 ㉡ 12 (2)에 ○표 13 ㉢ 14 예 신문지 15 ㉠ 16 예 어려운 이웃을 도와주기 위해서이다. 17 ④ 18 (2)에 ○표 19 굴려서 20 ㉠, ㉡, ㉢, ㉣

1 돋보기를 이용하여 눈으로 관찰하는 모습입니다.

2 사용하지 않는 시디와 작은 유리구슬을 이용하여 팽이를 만들 수 있습니다.

3 딱지가 잘 넘어가게 하려면 얇은 딱지는 옆 모퉁이를 비스듬히 내리치고, 두꺼운 딱지는 위에서 힘껏 내리치면 됩니다.

4 ㉠은 둘이서 발을 맞대어 균형을 잡는 모습입니다.

5 겨울철에는 공기가 건조하기 때문에 가습기를 사용하여 습도를 높일 수 있습니다.

채점 기준

상	❶ '공기', ❷ '건조'라고 정확히 씀.
하	❶과 ❷ 중 하나만 정확히 씀.

6 겨울을 건강하게 보내기 위해 보습제를 바르고, 하루에 세 번 이상 창문을 열어 환기를 합니다.

7 하늘에서 내리는 눈을 손으로 만지면 차갑습니다.

8 ㉠은 '반짝반짝', ㉡은 '송이송이' 노랫말을 몸으로 표현한 것입니다.

9 스케이트를 타기 위해서는 스케이트와 헬멧, 장갑, 무릎 보호대 등이 필요합니다.

10 띠 골판지를 돌돌 말아서 눈사람의 얼굴과 몸을 만들고 글루 건으로 마무리하여 만든 것입니다.

11 눈사람을 부르는 듯한 손짓을 하며 '집으로 들어갈까'를 표현한 것입니다.

12 등을 세우고 앉아 고개는 정면을 보며 노래를 부릅니다.

13 두 손에 짐을 든 친구가 문 앞에 서 있으면 "내가 문을 열어 줄까?"라고 말하고 문을 열어 줍니다.

14 신문지나 종이 등을 이용하여 눈덩이를 만들 수 있습니다.

15 ㉡은 눈 오는 날을 주제로 한 작품입니다.

16 구세군 냄비로 모금한 성금은 어려운 이웃을 돕는 데 쓰입니다.

채점 기준

상	'어려운 이웃을 돕기 위해서이다.' 등 어려운 이웃 돕기와 관련된 내용을 정확히 씀.
중	이웃 돕기와 관련지어 썼지만 표현이 부족함.

17 선생님의 짐을 나누어 듭니다.

18 비밀 친구 활동은 3일이나 일주일 등으로 일정 기간을 정해서 합니다.

19 공격 편은 공을 던지지 않습니다.

20 비밀 친구에게 줄 편지에 하고 싶은 말이나 칭찬을 씁니다.

과목별 **단원평가 문제집**

정답과 풀이

과목별 **단원평가 문제집**

정답과 풀이

※ 주의
책 모서리에 다칠 수 있으니 주의하시기 바랍니다.
부주의로 인한 사고의 경우 책임지지 않습니다.

우등생 수학 연산력 문제집

차례

1학년 2학기 연산 단원으로만 구성되어 있습니다.

1단원 100까지의 수 ······ 2쪽

2단원 덧셈과 뺄셈(1) ······ 16쪽

4단원 덧셈과 뺄셈(2) ······ 38쪽

5단원 시계 보기와 규칙 찾기 ······ 60쪽

6단원 덧셈과 뺄셈(3) ······ 70쪽

▶ 정답 ······ 89쪽

1-2

1단원 100까지의 수

① 몇십, 99까지의 수

몇십 알아보기

10개씩 묶음	수	
	쓰기	읽기
6	60	육십, 예순
7	70	칠십, 일흔
8	80	팔십, 여든
9	90	구십, 아흔

10개씩 묶음 ■개 ⇨ ■0

99까지의 수 알아보기

예

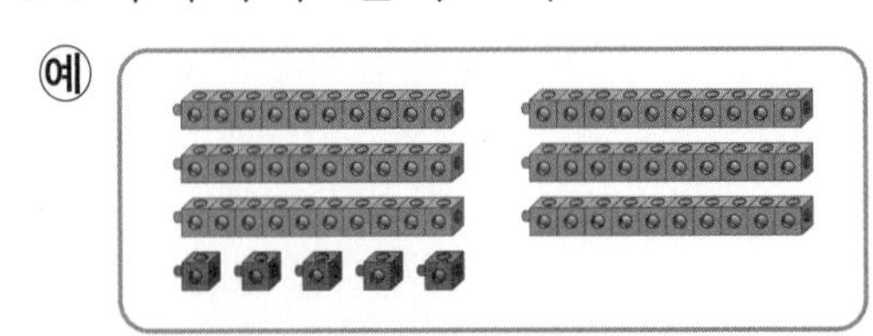

10개씩 묶음 6개와 낱개 5개

⇨

쓰기	읽기
65	육십오, 예순다섯

10개씩 묶음 ■개와 낱개 ▲개 ⇨ ■▲

그림을 보고 수를 세어 ▢ 안에 써넣으시오.

1

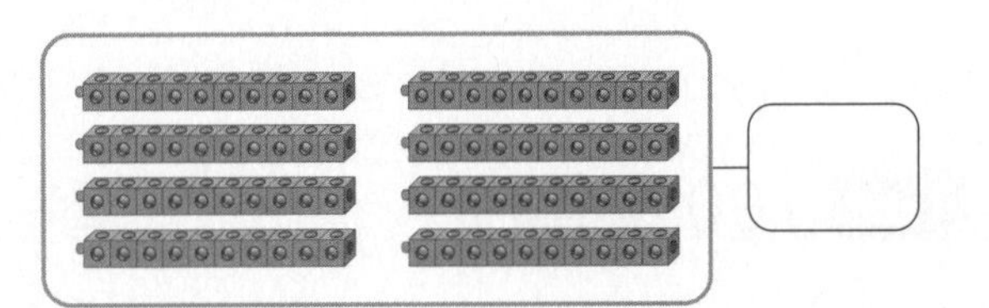

2

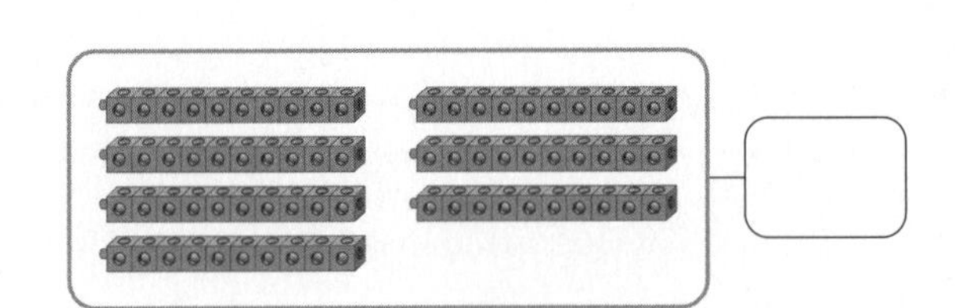

3

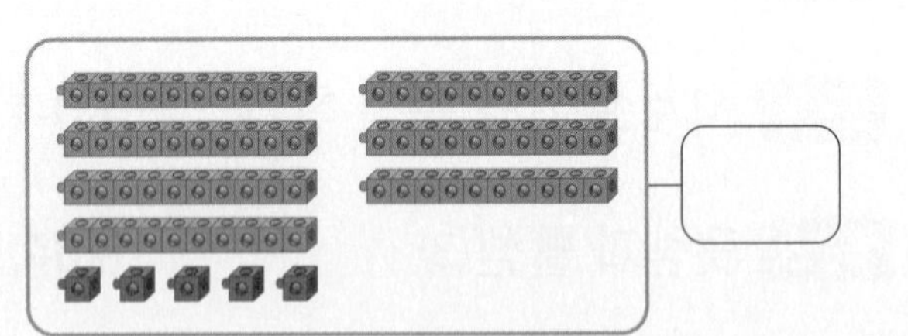

4

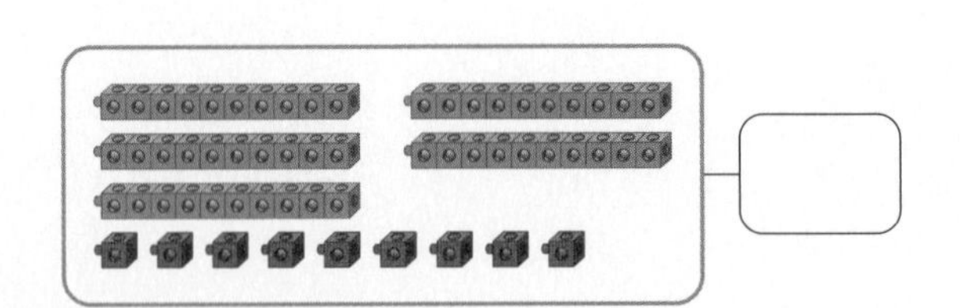

5

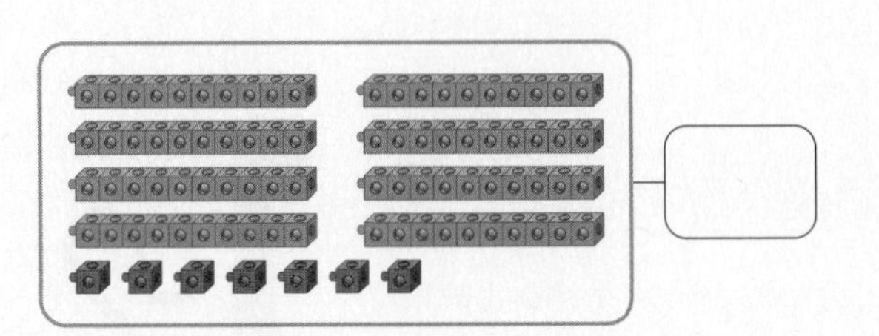

6

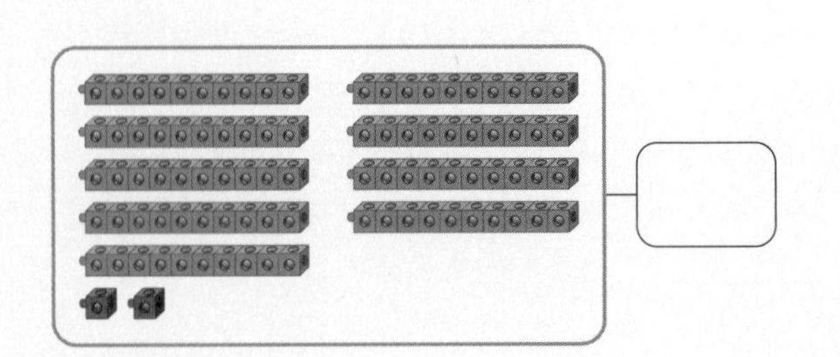

☐ 안에 알맞은 수를 써넣으시오.

1

10개씩 묶음	낱개
7	0

⇨ ☐

2

10개씩 묶음	낱개
6	0

⇨ ☐

3

10개씩 묶음	낱개
9	0

⇨ ☐

4

10개씩 묶음	낱개
8	0

⇨ ☐

5

10개씩 묶음	낱개
9	5

⇨ ☐

6

10개씩 묶음	낱개
7	9

⇨ ☐

7

10개씩 묶음	낱개
8	3

⇨ ☐

8

10개씩 묶음	낱개
6	4

⇨ ☐

9

10개씩 묶음	낱개
9	8

⇨ ☐

10

10개씩 묶음	낱개
8	5

⇨ ☐

수를 세어 쓰고 두 가지 방법으로 읽으시오.

1

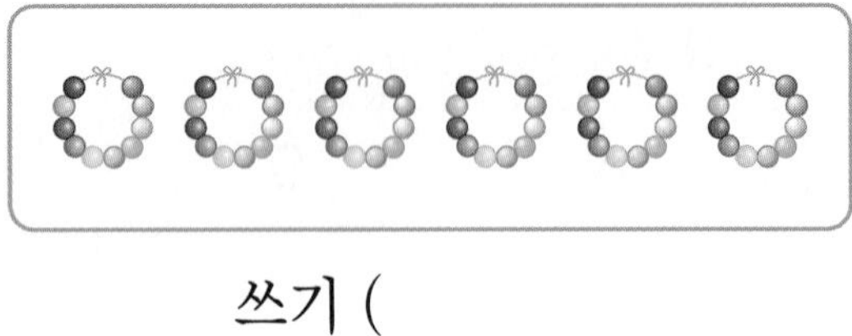

쓰기 (　　　　　　　　)

읽기 (　　　　　,　　　　　)

2

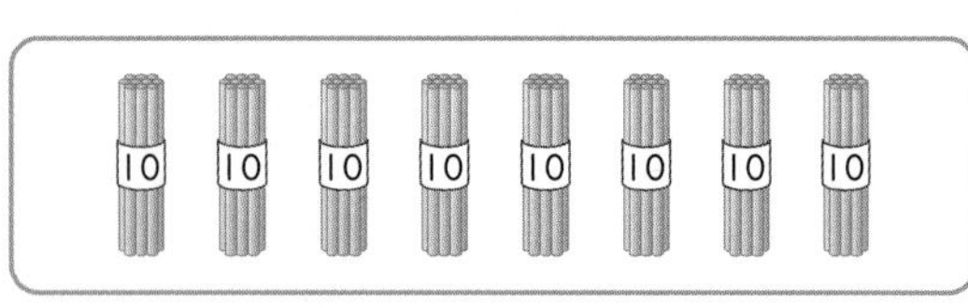

쓰기 (　　　　　　　　)

읽기 (　　　　　,　　　　　)

3

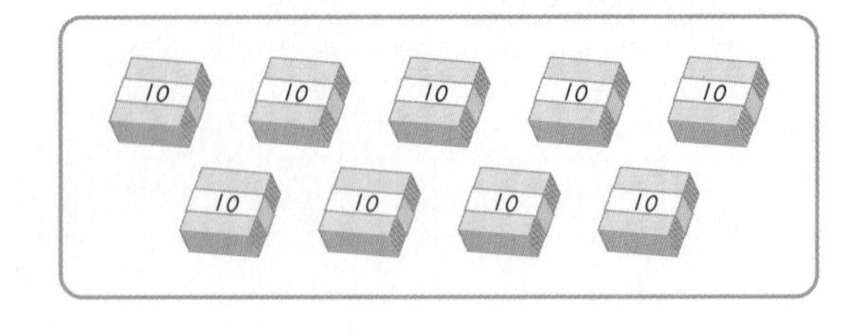

쓰기 (　　　　　　　　)

읽기 (　　　　　,　　　　　)

4

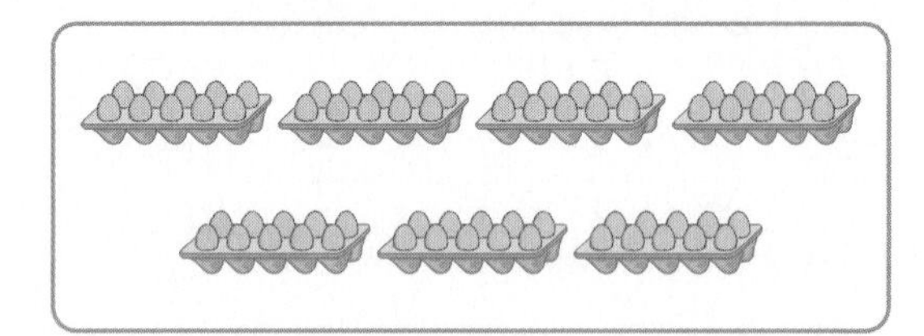

쓰기 (　　　　　　　　)

읽기 (　　　　　,　　　　　)

5

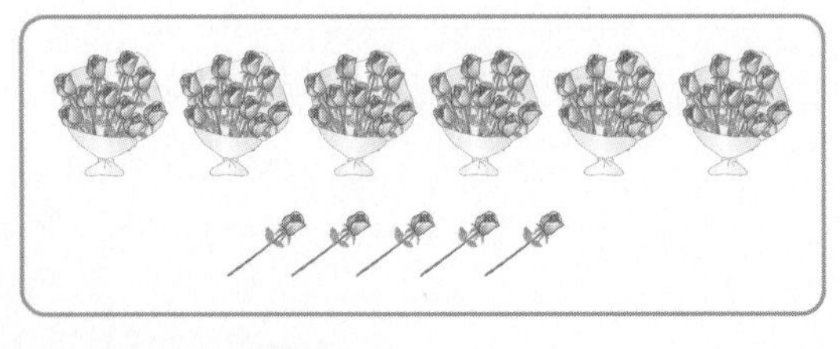

쓰기 (　　　　　　　　)

읽기 (　　　　　,　　　　　)

6

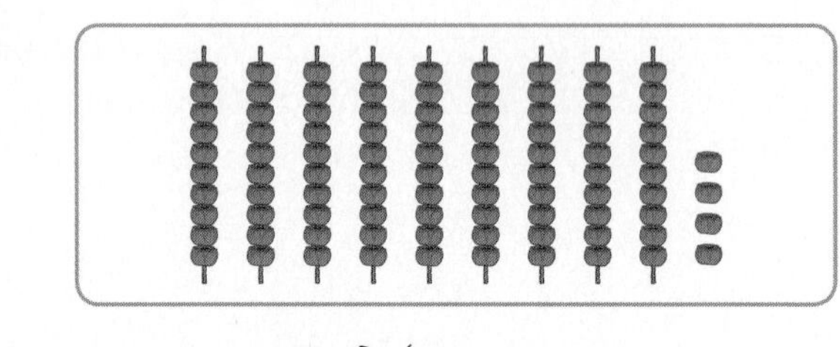

쓰기 (　　　　　　　　)

읽기 (　　　　　,　　　　　)

7

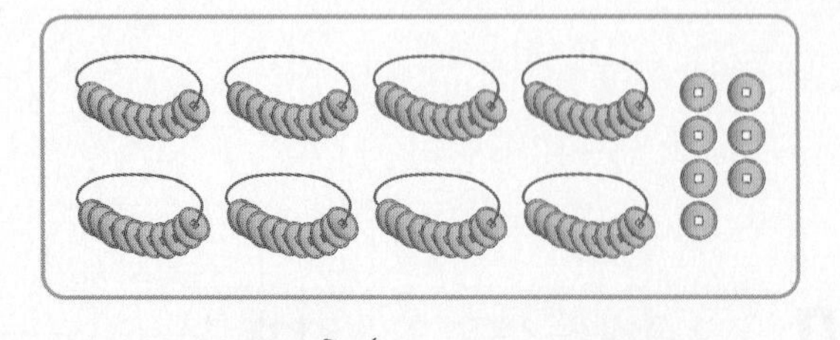

쓰기 (　　　　　　　　)

읽기 (　　　　　,　　　　　)

8

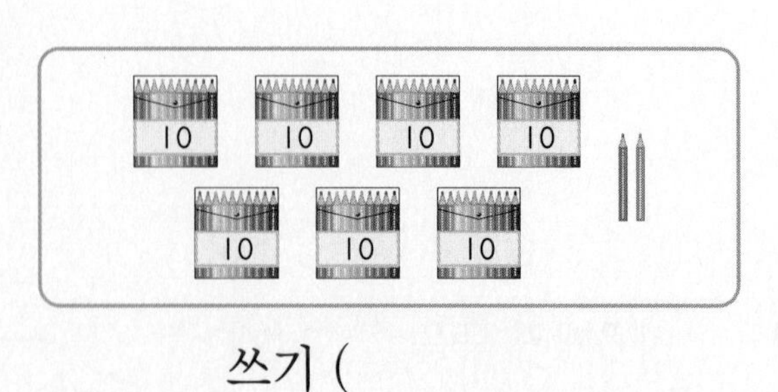

쓰기 (　　　　　　　　)

읽기 (　　　　　,　　　　　)

수를 읽은 것을 보고 수로 나타내시오.

1 육십일

(　　　　　　)

2 아흔

(　　　　　　)

3 여든둘

(　　　　　　)

4 아흔아홉

(　　　　　　)

5 칠십

(　　　　　　)

6 여든여섯

(　　　　　　)

7 일흔여섯

(　　　　　　)

8 구십팔

(　　　　　　)

9 쉰여덟

(　　　　　　)

10 칠십구

(　　　　　　)

2 수의 순서

100 알아보기

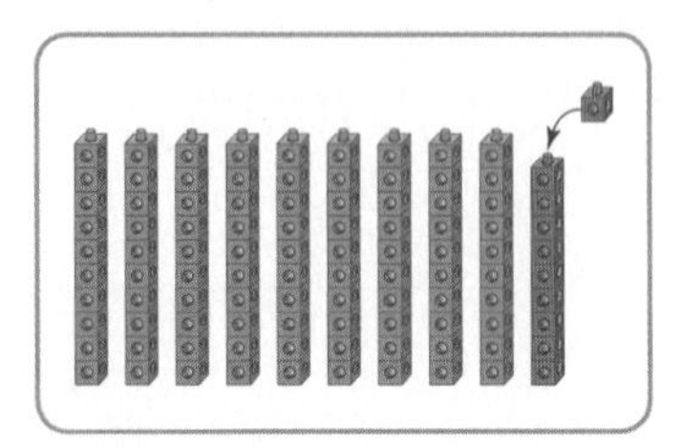

99보다 1만큼 더 큰 수를 100이라고 합니다.
100은 백이라고 읽습니다.

⇨

쓰기	읽기
100	백

1만큼 더 큰 수와 1만큼 더 작은 수

1만큼 더 작은 수 — 1만큼 더 큰 수

69 — 70 — 71

- 70보다 1만큼 더 큰 수: 71
- 70보다 1만큼 더 작은 수: 69
- 69와 71 사이의 수: 70

수를 순서대로 썼을 때
- 바로 앞에 오는 수 ⇨ 1만큼 더 작은 수
- 다음에 오는 수 ⇨ 1만큼 더 큰 수

수의 순서대로 빈 곳에 알맞은 수를 써넣으시오.

1 56 — [ ] — 58 — [ ]

2 70 — [ ] — 72 — [ ]

3 65 — [ ] — [ ] — 68

4 [ ] — 89 — [ ] — 91

5 72 — 73 — [ ] — [ ]

6 69 — [ ] — [ ] — 72

7 [ ] — 80 — [ ] — 82

8 97 — 98 — [ ] — [ ]

빈 곳에 알맞은 수를 써넣으시오.

1 1만큼 더 작은 수 / 1만큼 더 큰 수

[ ] — 83 — [ ]

2 1만큼 더 작은 수 / 1만큼 더 큰 수

[ ] — 59 — [ ]

3 1만큼 더 작은 수 / 1만큼 더 큰 수

[ ] — 67 — [ ]

4 1만큼 더 작은 수 / 1만큼 더 큰 수

[ ] — 91 — [ ]

5 1만큼 더 작은 수 / 1만큼 더 큰 수

[ ] — 58 — [ ]

6 1만큼 더 작은 수 / 1만큼 더 큰 수

[ ] — 80 — [ ]

7 사이의 수

70 — [ ] — 72

8 사이의 수

98 — [ ] — 100

9 사이의 수

88 — [ ] — 90

10 사이의 수

64 — [ ] — 66

3 수의 크기 비교하기

10개씩 묶음의 수가 다른 경우

10개씩 묶음의 수가 클수록 큰 수입니다.

예 58과 71의 크기 비교

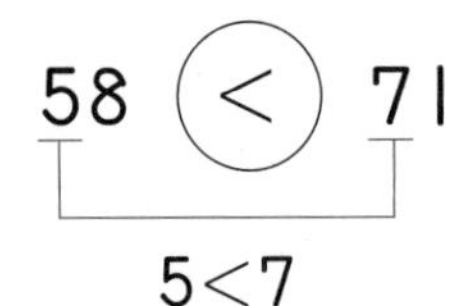

⇨ 58은 71보다 작습니다.
71은 58보다 큽니다.

10개씩 묶음의 수가 같은 경우

낱개의 수가 클수록 큰 수입니다.

예 79와 74의 크기 비교

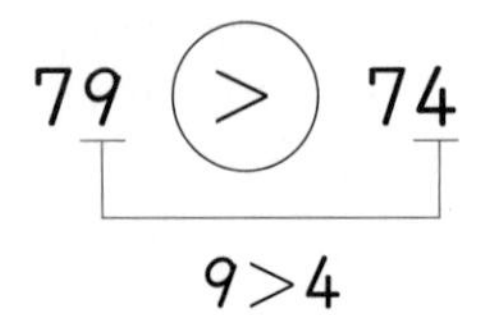

⇨ 79는 74보다 큽니다.
74는 79보다 작습니다.

그림을 보고 □ 안에 알맞은 수를 써넣으시오.

1

52

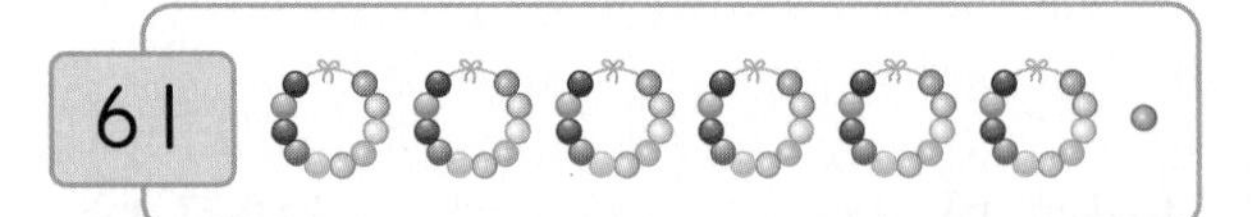

□ 은/는 □ 보다 큽니다.

2

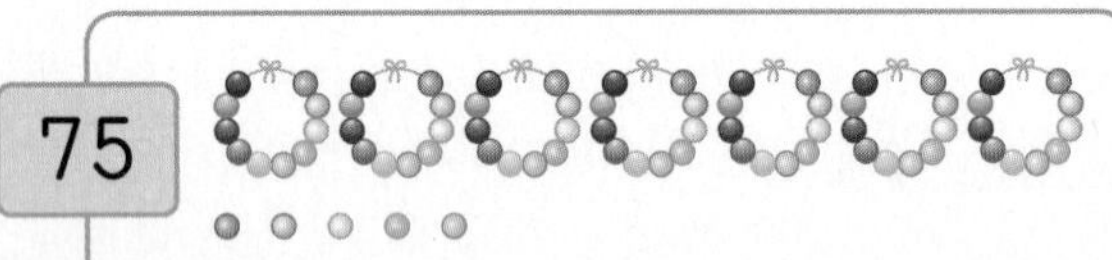

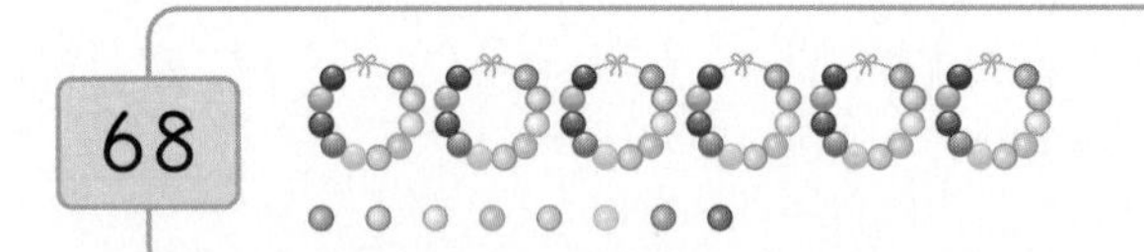

□ 은/는 □ 보다 큽니다.

3

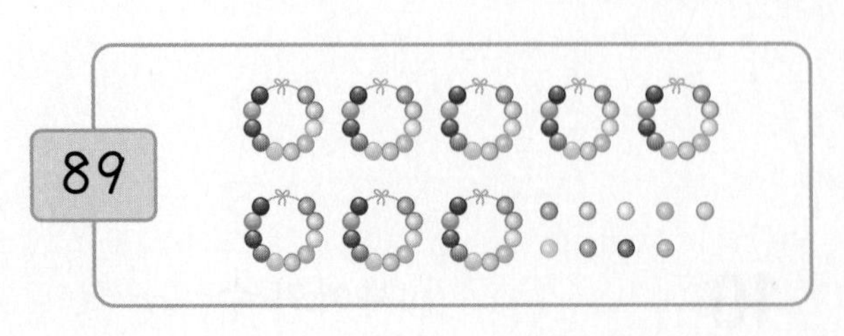

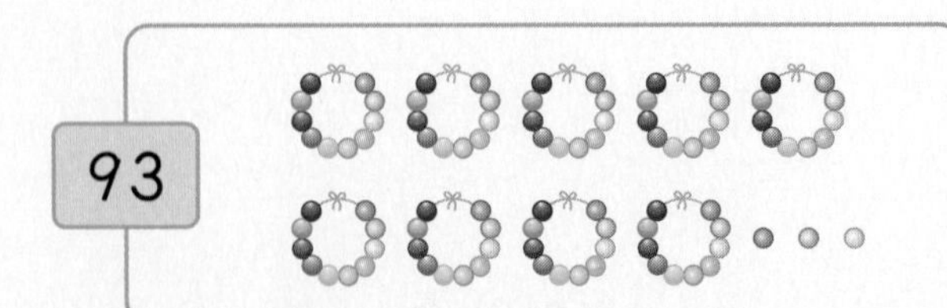

□ 은/는 □ 보다 큽니다.

수를 세어 쓰고 더 큰 수에 ◯표, 더 작은 수에 △표 하시오.

1

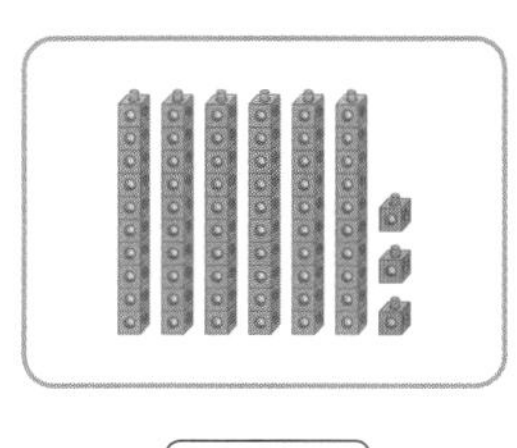

2

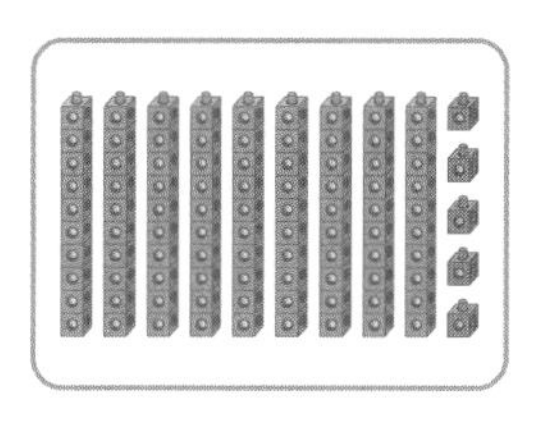

3

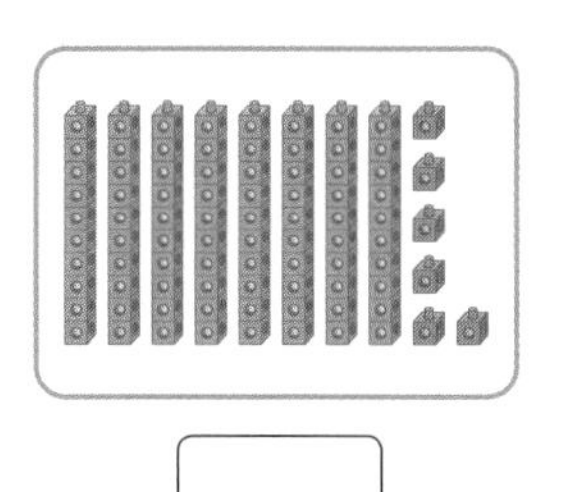

4

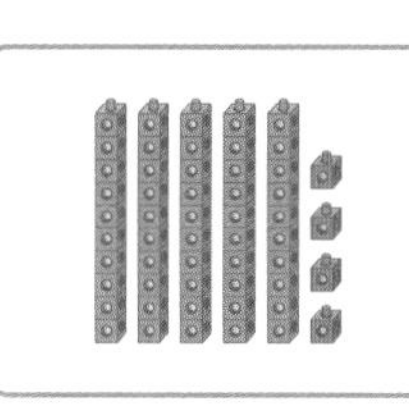

5

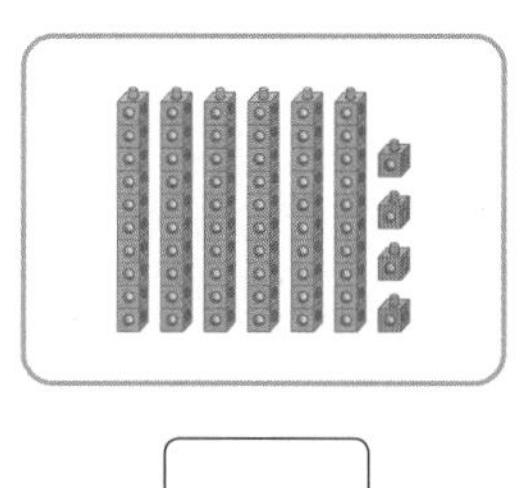

6

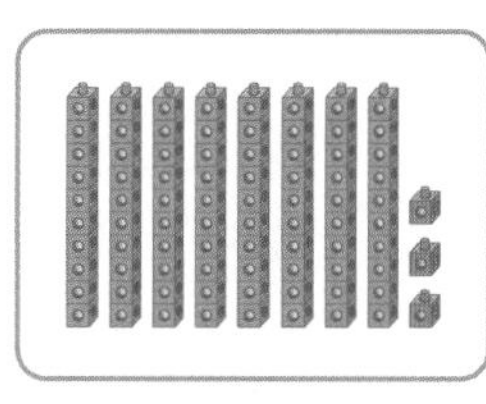

7

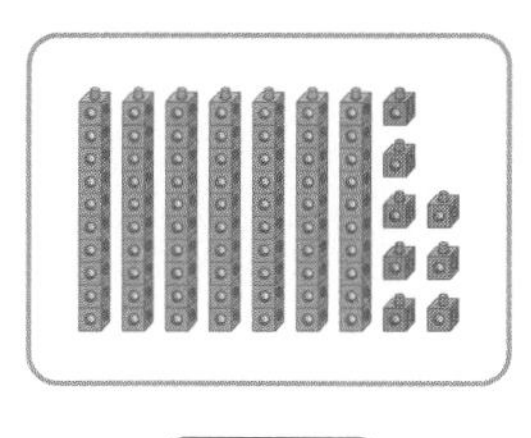

8

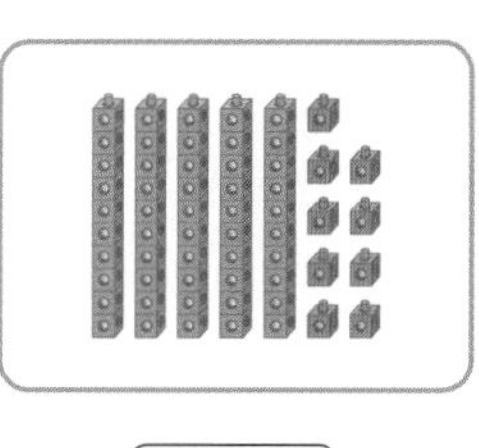

○ 안에 >, <를 알맞게 써넣으시오.

1 64 ○ 90

2 75 ○ 52

3 83 ○ 84

4 65 ○ 62

5 96 ○ 94

6 81 ○ 53

7 66 ○ 78

8 57 ○ 60

9 85 ○ 70

10 97 ○ 88

11 63 ○ 67

12 58 ○ 56

가장 큰 수에 ◯표, 가장 작은 수에 △표 하시오.

1

61	55	82

2

92	75	64

3

80	87	83

4

69	85	77

5

56	51	59

6

75	70	74

7

96	90	91

8

71	73	78

9

63	62	68

10

87	97	69

4 짝수와 홀수

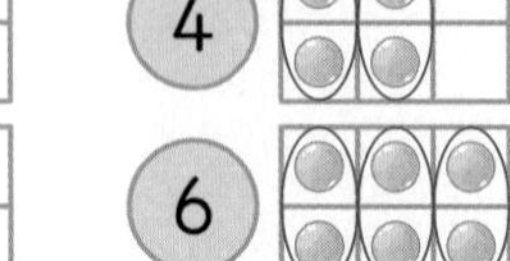

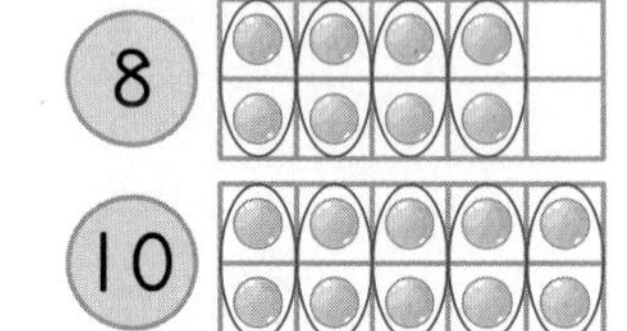

1	2
3	4
5	6
7	8
9	10

- 짝수: 2, 4, 6, 8, 10과 같이 둘씩 짝을 지을 수 있는 수
- 홀수: 1, 3, 5, 7, 9와 같이 둘씩 짝을 지을 수 없는 수

그림을 보고 짝수인지 홀수인지 ◯표 하시오.

1

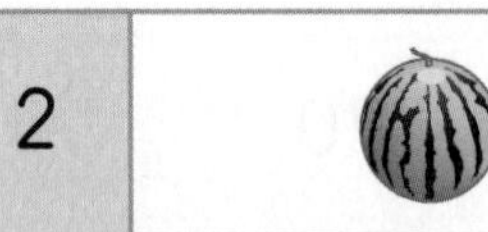
2

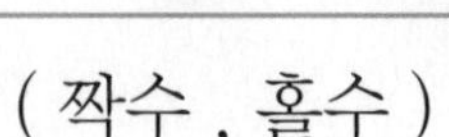
(짝수 , 홀수)

2

5

(짝수 , 홀수)

3

7
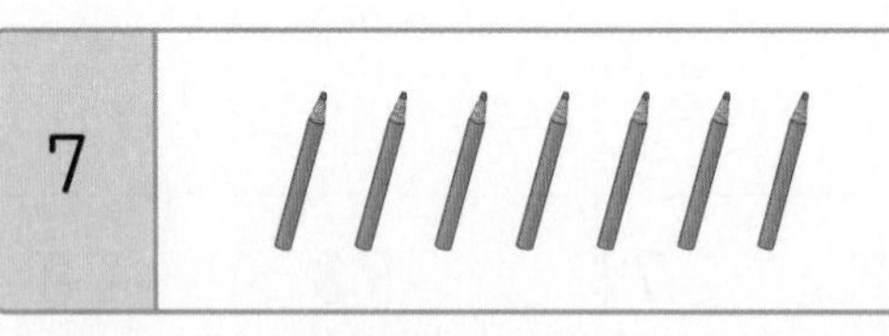

(짝수 , 홀수)

4

10
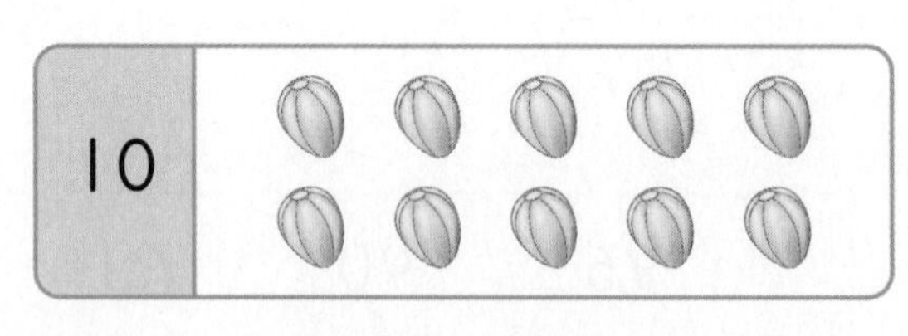

(짝수 , 홀수)

5

11
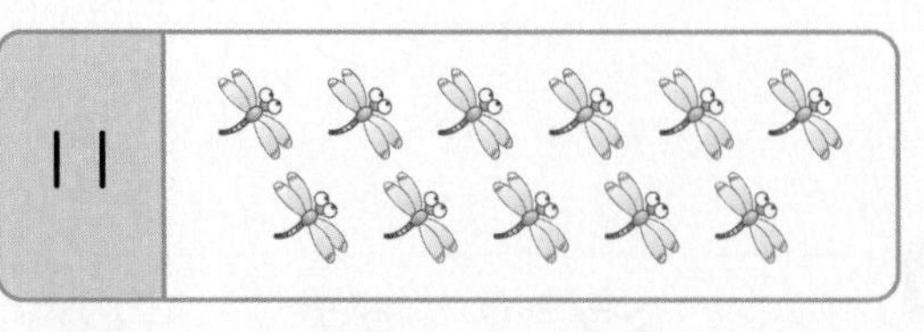

(짝수 , 홀수)

6

12

(짝수 , 홀수)

수를 쓰고 짝수인지 홀수인지 ○표 하시오.

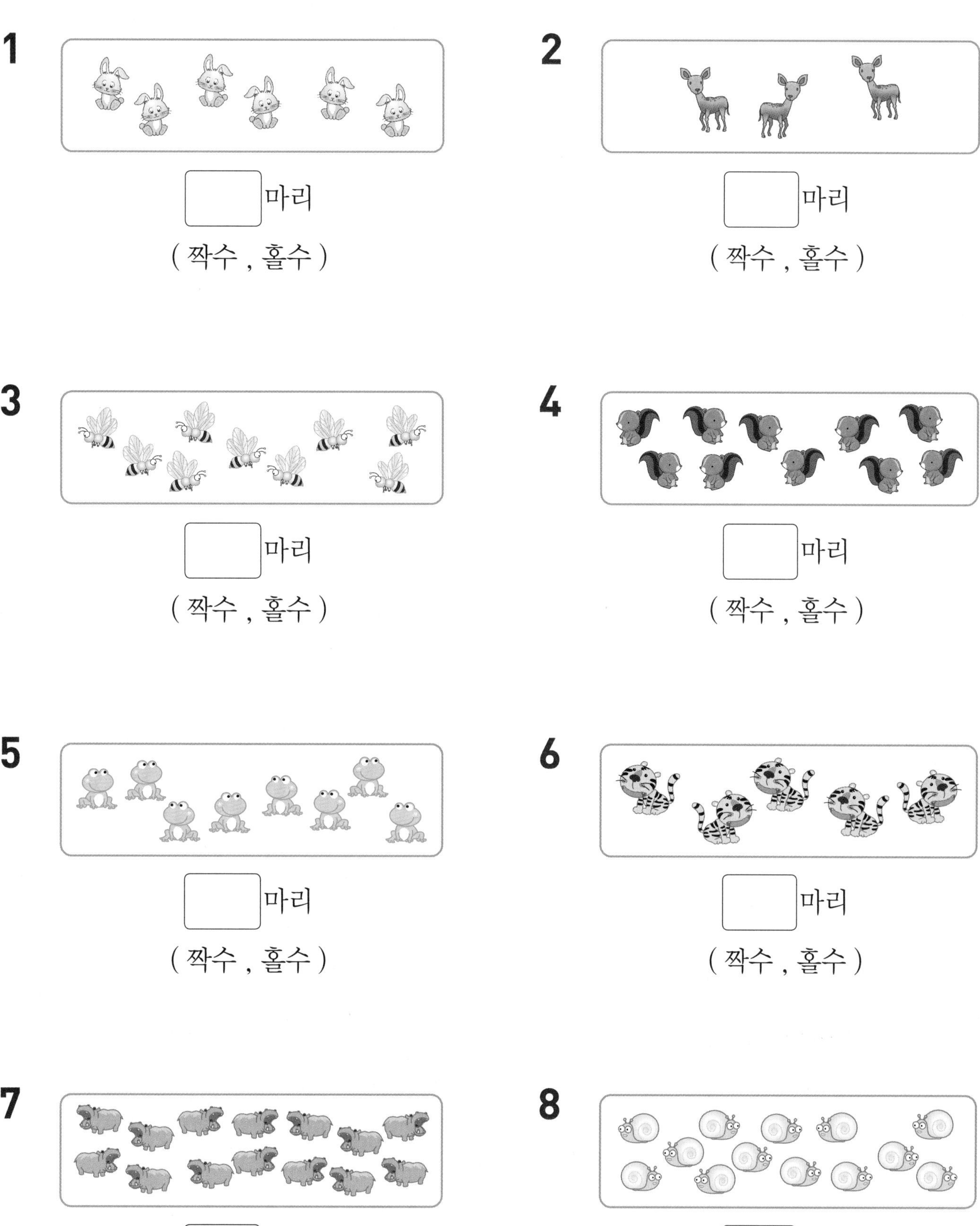

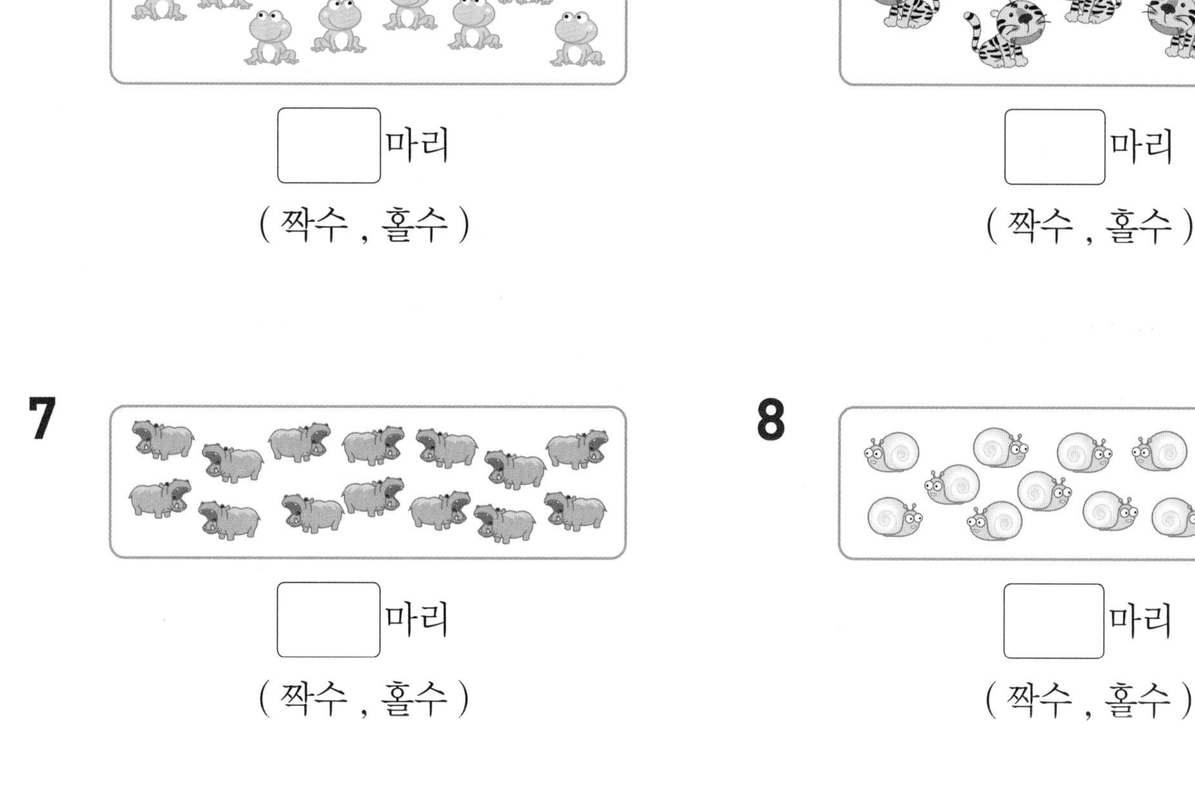

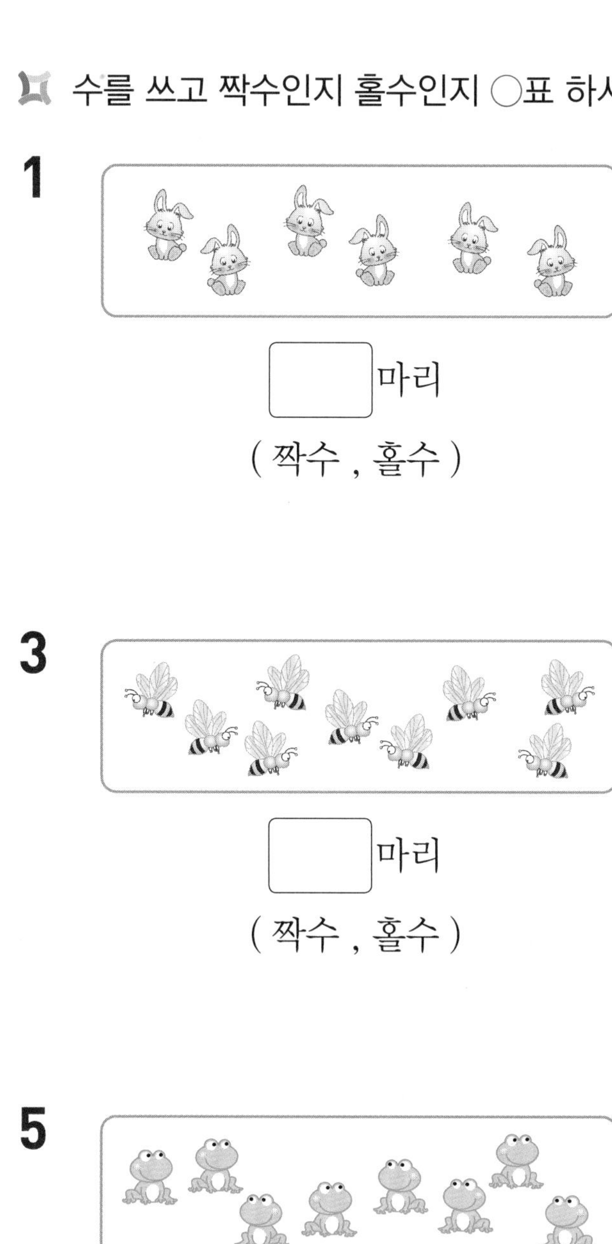

1

□마리

(짝수 , 홀수)

2

□마리

(짝수 , 홀수)

3

□마리

(짝수 , 홀수)

4

□마리

(짝수 , 홀수)

5

□마리

(짝수 , 홀수)

6

□마리

(짝수 , 홀수)

7

□마리

(짝수 , 홀수)

8

□마리

(짝수 , 홀수)

잘 틀리는 계산 연습 모두 얼마인지 구하기

10개씩 묶음	낱개
6	12

⇨ 72

① (낱개 12개)
=(10개씩 묶음 1개와 낱개 2개)
② (10개씩 묶음 6개와 낱개 12개)
=(10개씩 묶음 7개와 낱개 2개)
=72

빈 곳에 알맞은 수를 써넣으시오.

1

10개씩 묶음	낱개
8	11

⇨ □

2

10개씩 묶음	낱개
7	10

⇨ □

3

10개씩 묶음	낱개
5	16

⇨ □

4

10개씩 묶음	낱개
6	14

⇨ □

5

10개씩 묶음	낱개
7	19

⇨ □

6

10개씩 묶음	낱개
5	13

⇨ □

7

10개씩 묶음	낱개
8	17

⇨ 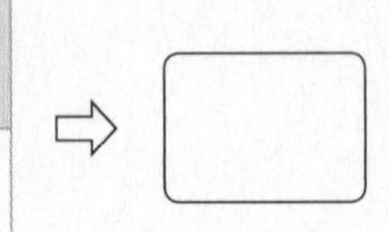

8

10개씩 묶음	낱개
6	18

⇨ □

수로 나타내어 더 큰 수 찾기

육십구	○
예순일곱	

- 각각을 수로 나타내어 크기를 비교합니다.
  ① 육십구: 69, 예순일곱: 67
  ② 69>67이므로 더 큰 수는 육십구입니다.

더 큰 수에 ○표 하시오.

1

팔십삼	
여든여섯	

2

오십구	
예순둘	

3

아흔	
일흔다섯	

4

칠십이	
일흔셋	

5

팔십구	
일흔일곱	

6

쉰여덟	
예순	

7

육십칠	
예순넷	

8

아흔다섯	
오십육	

2단원 덧셈과 뺄셈(1)

1 덧셈하기(1), (2)

덧셈하기(1)

• 32+6의 계산

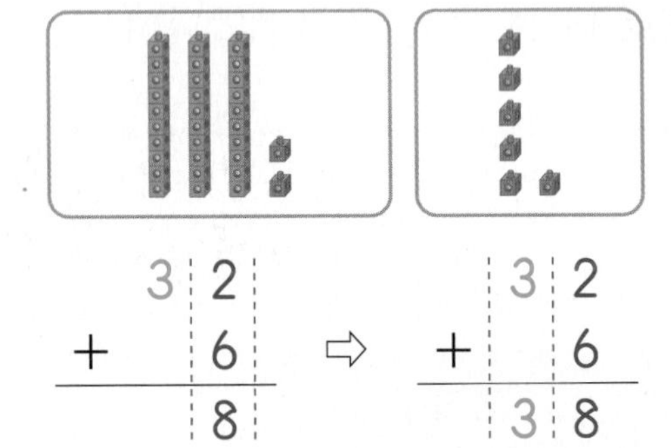

$$\begin{array}{r} 3\,2 \\ +\quad 6 \\ \hline 8 \end{array} \Rightarrow \begin{array}{r} 3\,2 \\ +\quad 6 \\ \hline 3\,8 \end{array}$$

날개끼리 더하고 10개씩 묶음은 그대로 내려 씁니다.

덧셈하기(2)

• 20+40의 계산

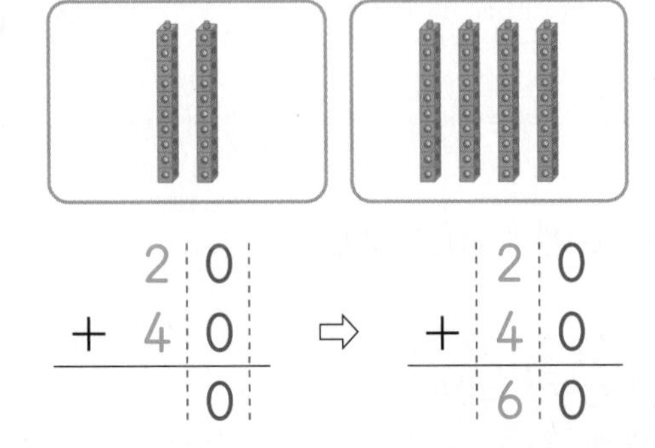

$$\begin{array}{r} 2\,0 \\ +\ 4\,0 \\ \hline 0 \end{array} \Rightarrow \begin{array}{r} 2\,0 \\ +\ 4\,0 \\ \hline 6\,0 \end{array}$$

낱개에 0을 내려 쓰고 10개씩 묶음끼리 더합니다.

덧셈을 하시오.

1
$$\begin{array}{r} 4\,4 \\ +\quad 5 \\ \hline \end{array}$$

2
$$\begin{array}{r} 2\,0 \\ +\,2\,0 \\ \hline \end{array}$$

3
$$\begin{array}{r} 3\,5 \\ +\quad 1 \\ \hline \end{array}$$

4
$$\begin{array}{r} 3\,0 \\ +\,5\,0 \\ \hline \end{array}$$

5
$$\begin{array}{r} 7\,2 \\ +\quad 3 \\ \hline \end{array}$$

6
$$\begin{array}{r} 8\,0 \\ +\,1\,0 \\ \hline \end{array}$$

덧셈을 하시오.

1 52+4

2 46+2

3 60+2

4 54+5

5 72+6

6 13+2

7 5+21

8 7+62

9 20+50

10 30+30

11 30+40

12 60+30

빈 곳에 알맞은 수를 써넣으시오.

1

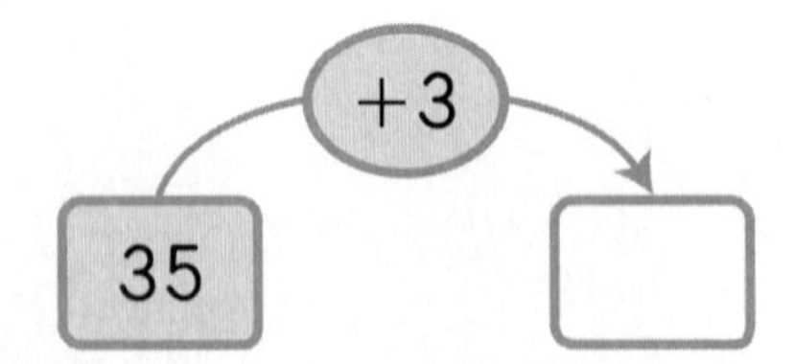

2

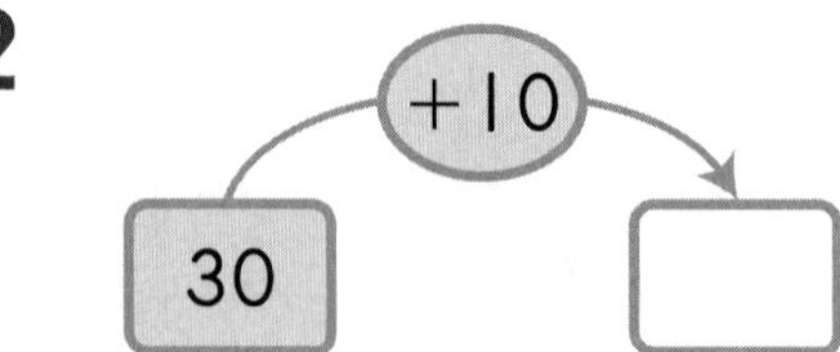

3

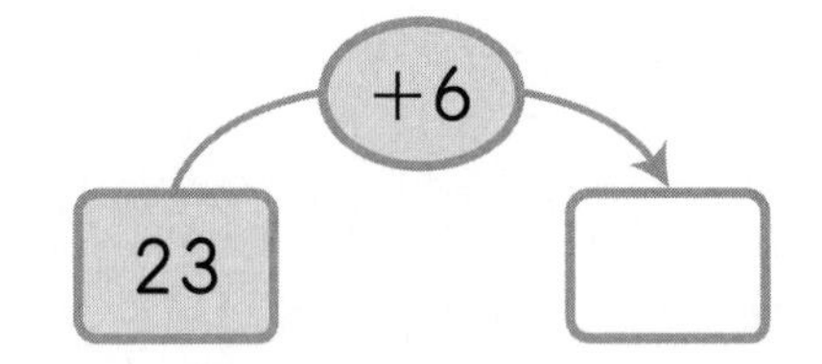

4

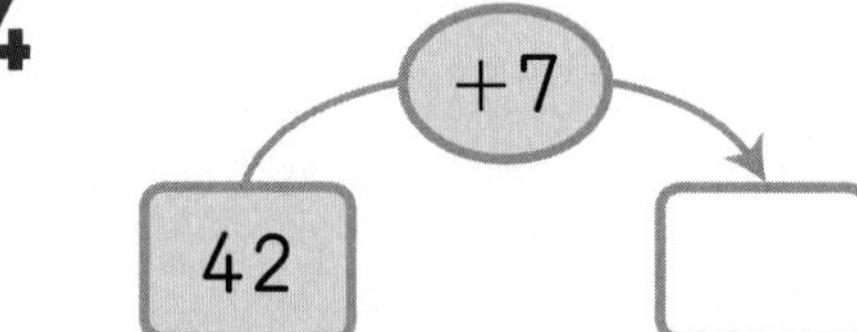

5

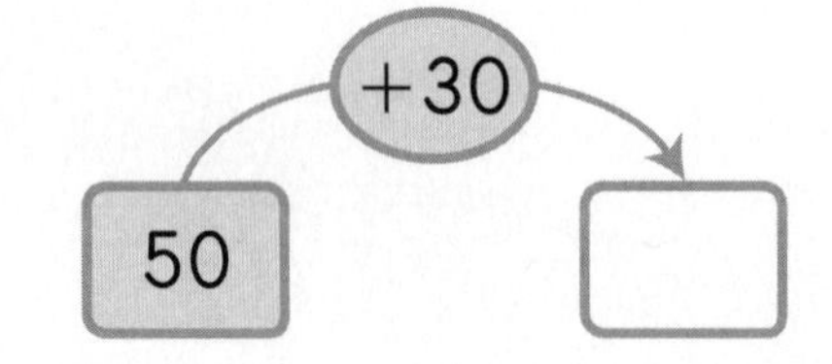

6

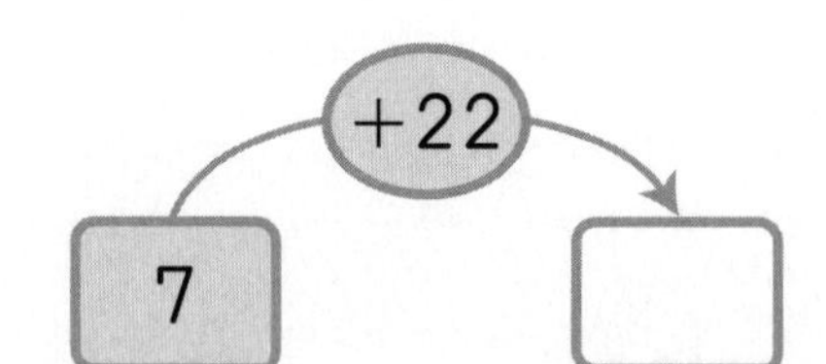

7

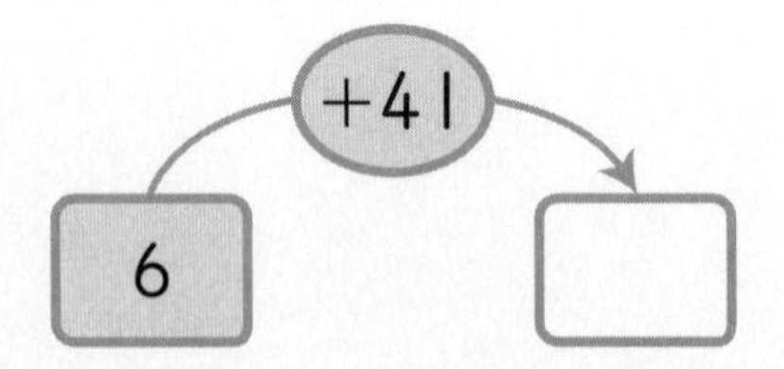

8

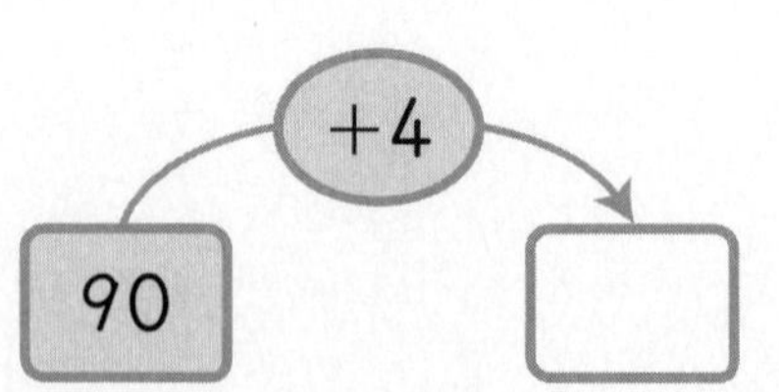

9

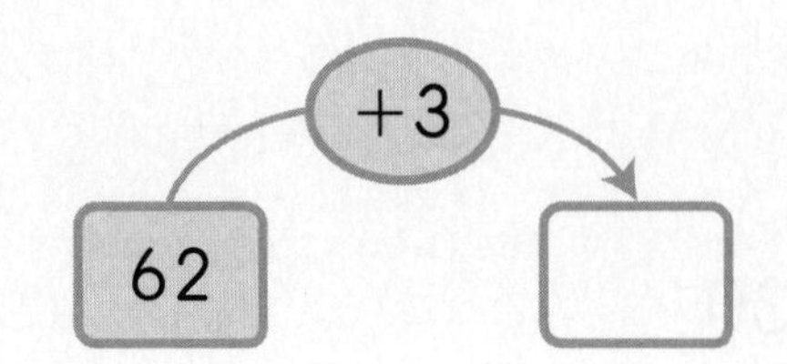

10

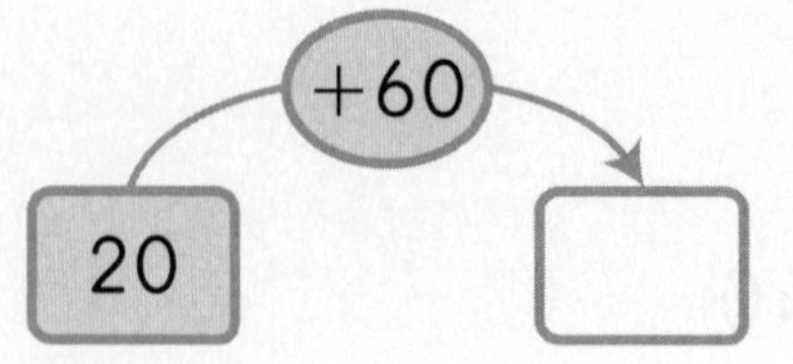

두 수의 합을 구하시오.

1

40	7

(　　　　　)

2

25	3

(　　　　　)

3

40	20

(　　　　　)

4

10	40

(　　　　　)

5

52	2

(　　　　　)

6

36	2

(　　　　　)

7

8	21

(　　　　　)

8

5	80

(　　　　　)

9

40	50

(　　　　　)

10

73	4

(　　　　　)

2 덧셈하기(3)

56+22의 계산

(1) 그림으로 알아보기

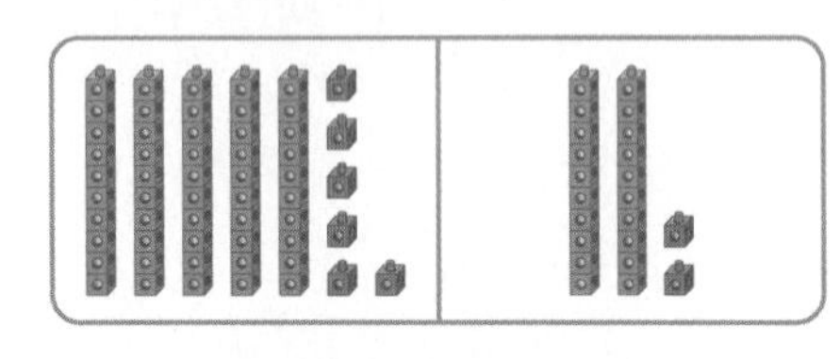

⇨ 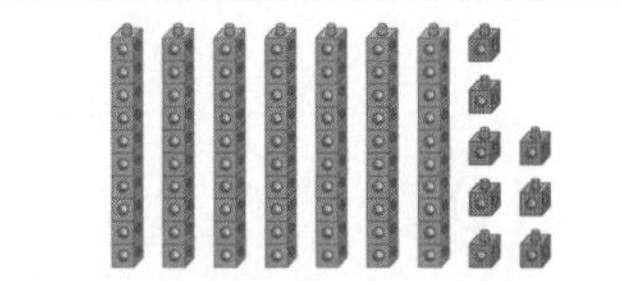

더하면 10개씩 묶음 7개와 낱개 8개가 되므로 56+22=78입니다.

(2) 세로 계산 방법 알아보기

10개씩 묶음은 10개씩 묶음끼리 한 줄로 맞추고, 낱개는 낱개끼리 줄을 맞추어 씁니다.

$$\begin{array}{r} 56 \\ +\ 22 \\ \hline 8 \end{array} \Rightarrow \begin{array}{r} 56 \\ +\ 22 \\ \hline 78 \end{array}$$

낱개는 낱개끼리, 10개씩 묶음은 10개씩 묶음끼리 더합니다.

덧셈을 하시오.

1 $\begin{array}{r} 61 \\ +\ 28 \\ \hline \end{array}$

2 $\begin{array}{r} 23 \\ +\ 14 \\ \hline \end{array}$

3 $\begin{array}{r} 52 \\ +\ 41 \\ \hline \end{array}$

4 $\begin{array}{r} 76 \\ +\ 12 \\ \hline \end{array}$

5 $\begin{array}{r} 34 \\ +\ 24 \\ \hline \end{array}$

6 $\begin{array}{r} 24 \\ +\ 55 \\ \hline \end{array}$

덧셈을 하시오.

1 26+13

2 48+21

3 51+27

4 52+42

5 32+24

6 62+35

7 34+12

8 41+17

9 53+25

10 35+51

11 62+27

12 46+33

□ 안에 알맞은 수를 써넣으시오.

1

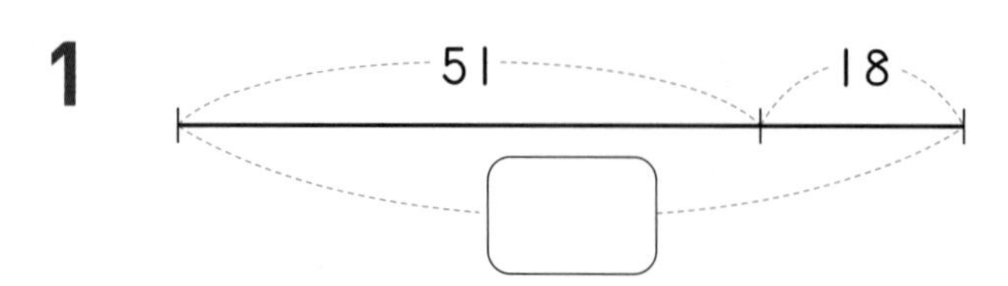

2

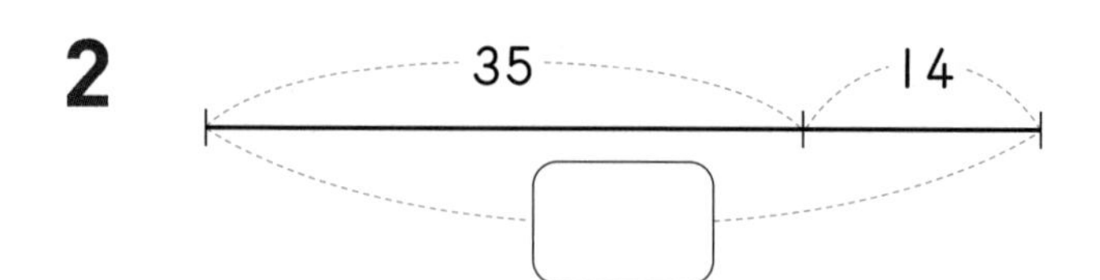

3

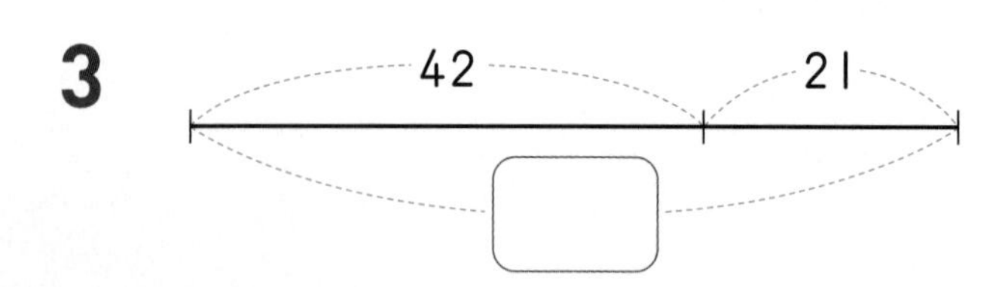

4

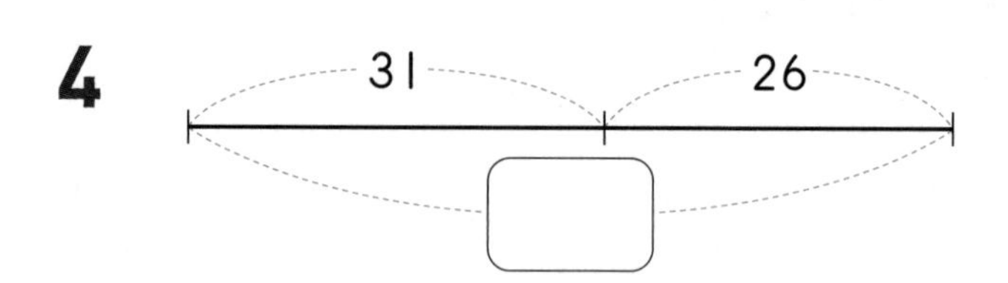

5

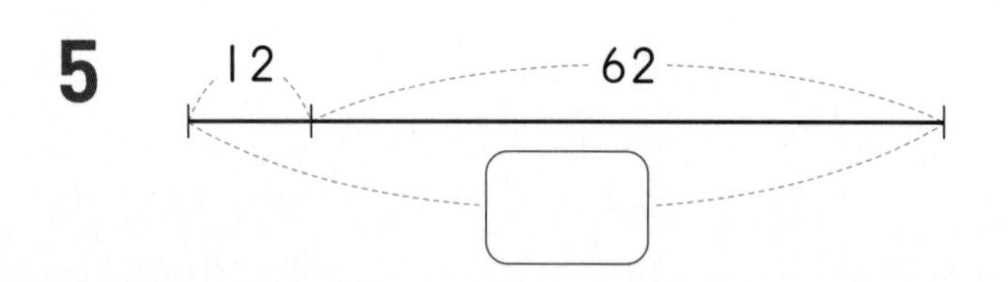

6

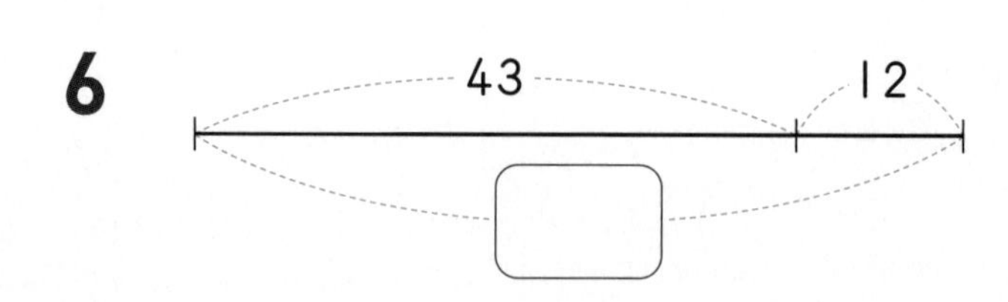

7

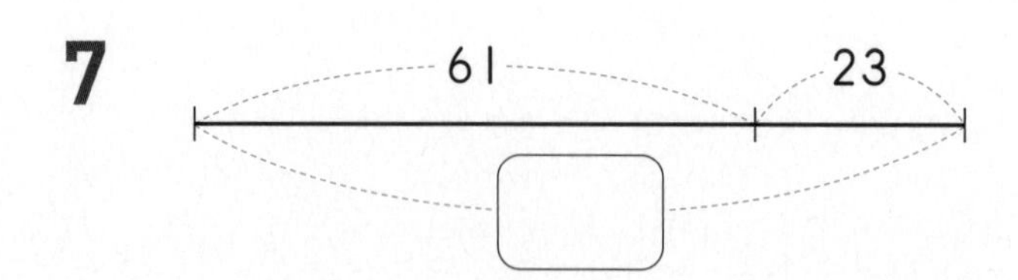

8

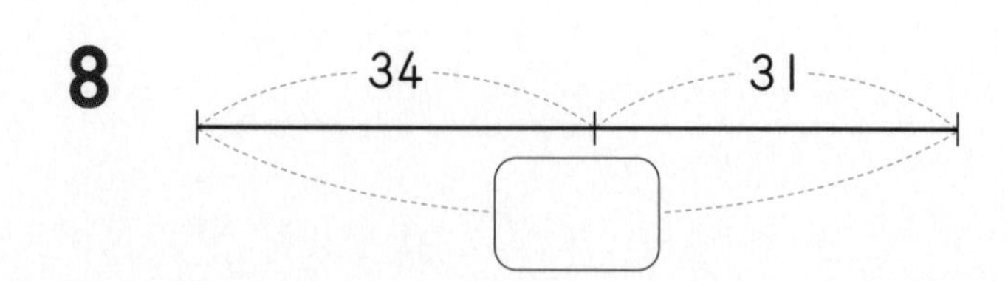

9

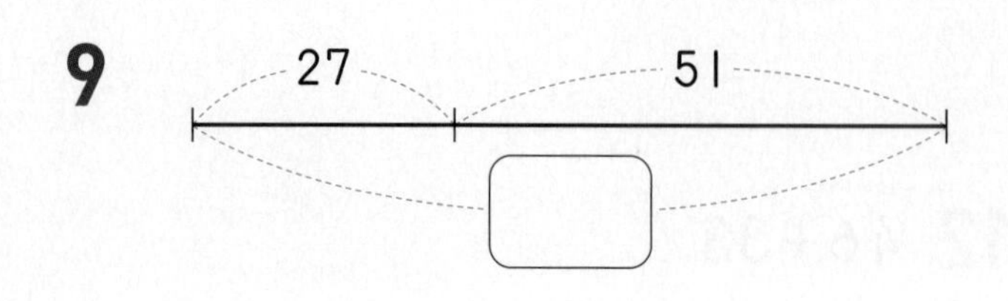

10

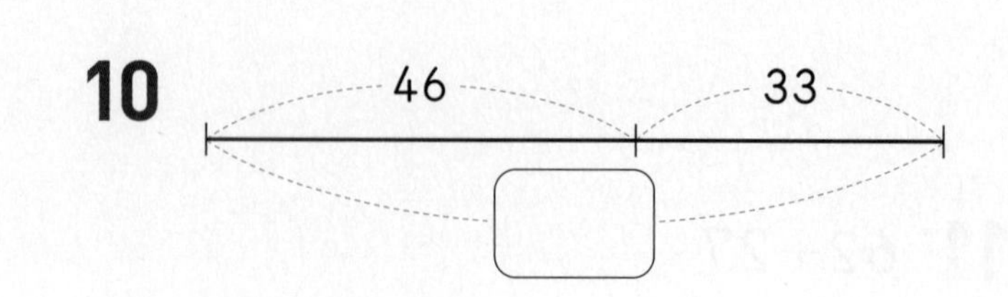

두 수의 합을 빈칸에 써넣으시오.

1

54	32

2

42	20

3

35	51

4

70	15

5

11	63

6

62	34

7

48	41

8

21	54

9

42	37

10

35	24

3 그림을 보고 덧셈하기

그림을 보고 덧셈식 만들기

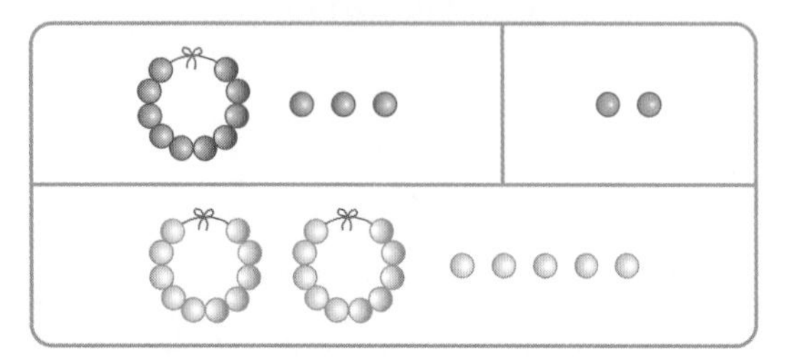

(1) 빨간 구슬과 파란 구슬은 모두 몇 개입니까?

빨간 구슬 수 ← → 파란 구슬 수

13+2=15

(2) 빨간 구슬과 노란 구슬은 모두 몇 개입니까?

빨간 구슬 수 ← → 노란 구슬 수

13+25=38

여러 가지 방법으로 덧셈하기

$$\begin{array}{r} 1\ 3 \\ +\ 2\ 5 \\ \hline 3\ 8 \end{array}$$

방법 1 10과 20을 더해서 30을 구하고, 3과 5를 더해서 8을 구합니다.

방법 2 13과 20을 더해서 33을 구하고, 33에 5를 더해서 38을 구합니다.

방법 3 10과 25를 더해서 35를 구하고, 35에 3을 더해서 38을 구합니다.

그림을 보고 덧셈을 하시오.

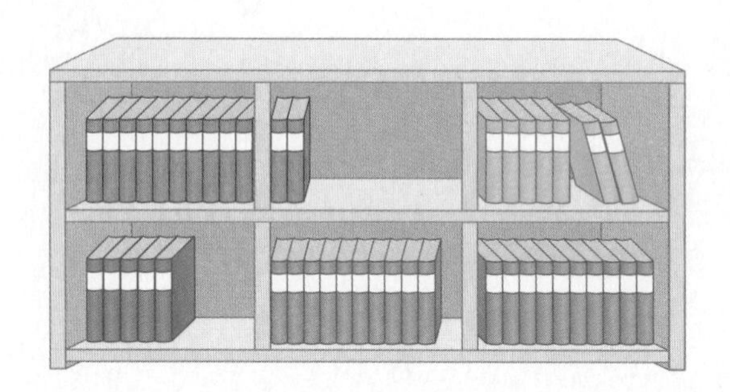

1 빨간색 책과 초록색 책은 모두 몇 권입니까?

☐ + ☐ = ☐ ⇨ ☐ 권

2 빨간색 책과 보라색 책은 모두 몇 권입니까?

☐ + ☐ = ☐ ⇨ ☐ 권

3 아랫줄에 있는 책은 모두 몇 권입니까?

☐ + ☐ = ☐ ⇨ ☐ 권

여러 가지 방법으로 계산하려고 합니다. ▢ 안에 알맞은 수를 써넣으시오.

1

$$\begin{array}{r} 31 \\ +\ 28 \\ \hline 59 \end{array}$$

방법 1 30과 ▢을 더하고 1과 ▢을 더합니다.

방법 2 31에 20을 더하고 ▢을 더합니다.

방법 3 30에 28을 더하고 ▢을 더합니다.

2

$$\begin{array}{r} 16 \\ +\ 41 \\ \hline 57 \end{array}$$

방법 1 10과 ▢을 더하고 6과 ▢을 더합니다.

방법 2 16에 40을 더하고 ▢을 더합니다.

방법 3 10에 41을 더하고 ▢을 더합니다.

3

$$\begin{array}{r} 53 \\ +\ 15 \\ \hline 68 \end{array}$$

방법 1 50과 ▢을 더하고 3과 ▢를 더합니다.

방법 2 53에 10을 더하고 ▢를 더합니다.

방법 3 50에 15를 더하고 ▢을 더합니다.

4

$$\begin{array}{r} 67 \\ +\ 21 \\ \hline 88 \end{array}$$

방법 1 60과 ▢을 더하고 7과 ▢을 더합니다.

방법 2 67에 20을 더하고 ▢을 더합니다.

방법 3 60에 21을 더하고 ▢을 더합니다.

4 뺄셈하기(1), (2)

뺄셈하기(1)

• 37−5의 계산

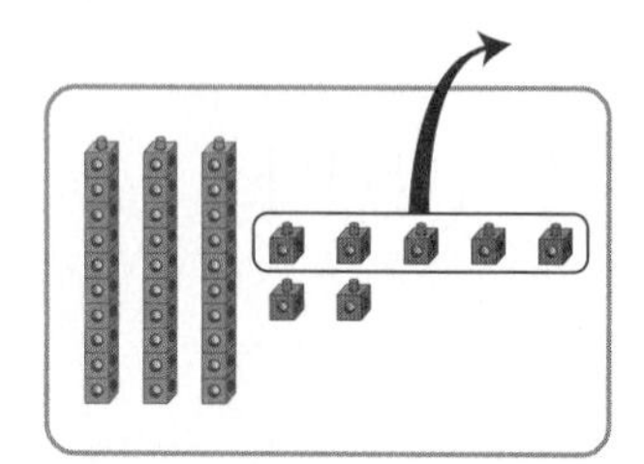

$$\begin{array}{r} 37 \\ -\ \ 5 \\ \hline 2 \end{array} \Rightarrow \begin{array}{r} 37 \\ -\ \ 5 \\ \hline 32 \end{array}$$

날개끼리 빼고 10개씩 묶음은 그대로 내려 씁니다.

뺄셈하기(2)

• 70−20의 계산

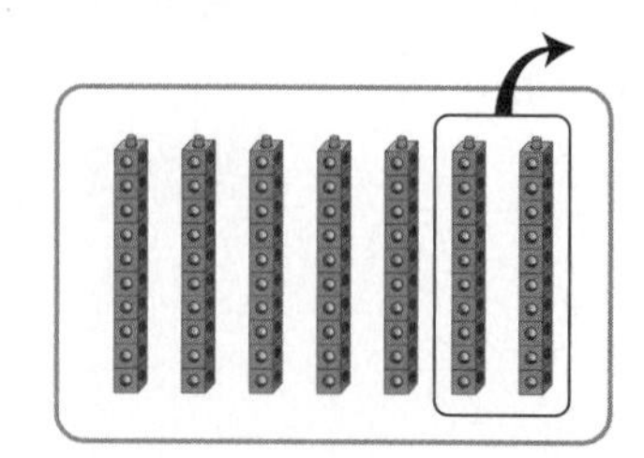

$$\begin{array}{r} 70 \\ -20 \\ \hline 0 \end{array} \Rightarrow \begin{array}{r} 70 \\ -20 \\ \hline 50 \end{array}$$

날개에 0을 내려 쓰고 10개씩 묶음끼리 뺍니다.

뺄셈을 하시오.

1
$$\begin{array}{r} 49 \\ -\ \ 3 \\ \hline \end{array}$$

2
$$\begin{array}{r} 50 \\ -10 \\ \hline \end{array}$$

3
$$\begin{array}{r} 67 \\ -\ \ 4 \\ \hline \end{array}$$

4
$$\begin{array}{r} 90 \\ -70 \\ \hline \end{array}$$

5
$$\begin{array}{r} 95 \\ -\ \ 2 \\ \hline \end{array}$$

6
$$\begin{array}{r} 80 \\ -40 \\ \hline \end{array}$$

빨셈을 하시오.

1 $56-4$

2 $98-5$

3 $49-7$

4 $53-2$

5 $66-4$

6 $78-5$

7 $89-3$

8 $89-6$

9 $90-10$

10 $70-20$

11 $80-50$

12 $40-10$

□ 안에 알맞은 수를 써넣으시오.

1

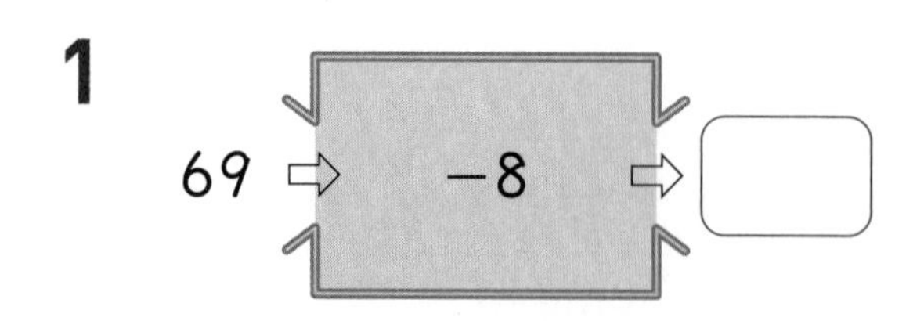

2

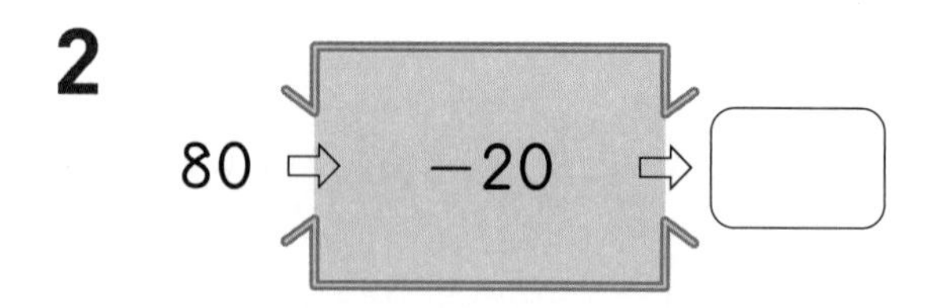

3

93 ⇨ −2 ⇨ □

4

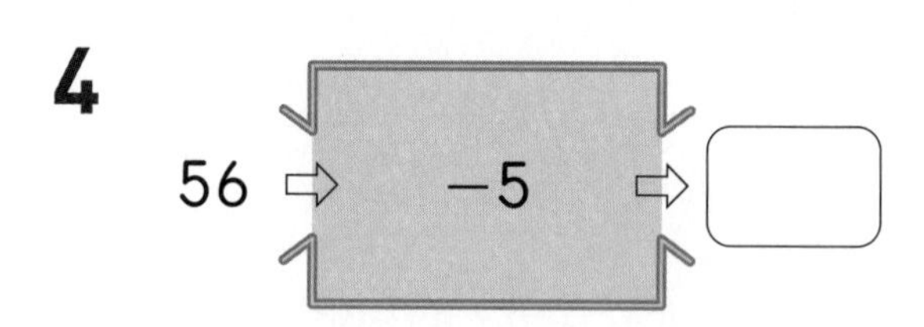

5

70 ⇨ −60 ⇨ □

6

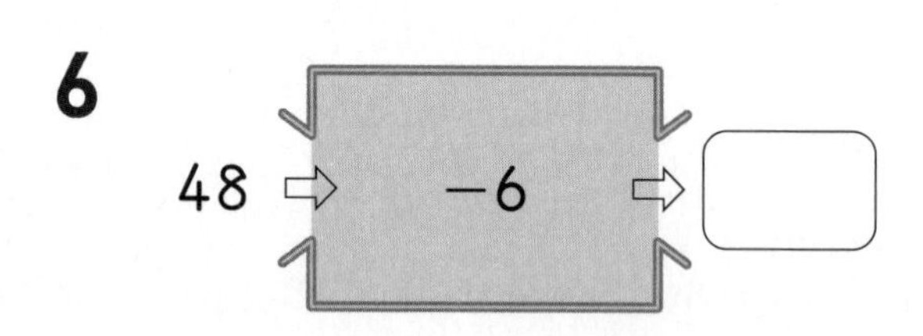

7

43 ⇨ −2 ⇨ □

8

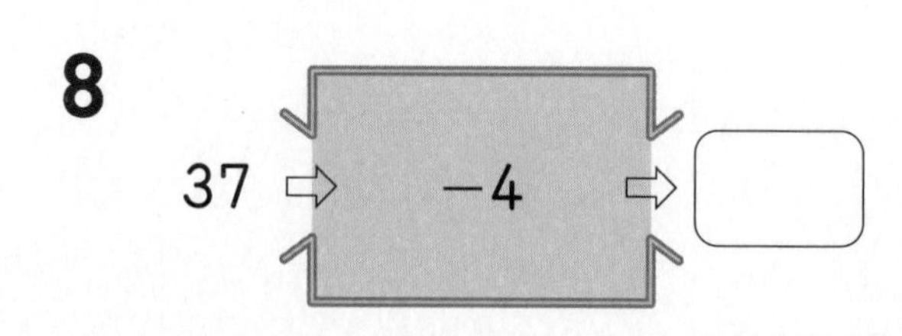

9

20 ⇨ −10 ⇨ □

10

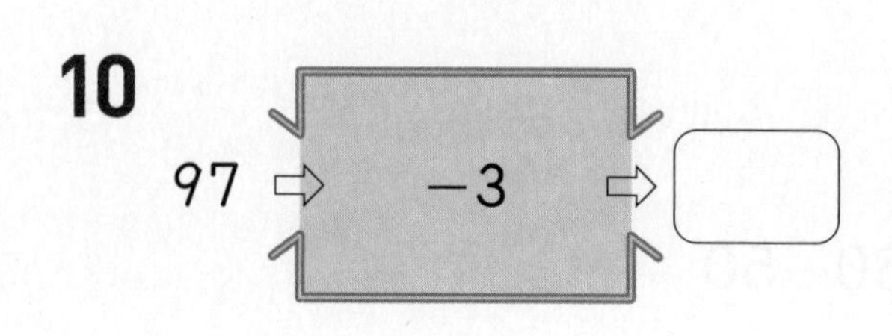

두 수의 차를 구하시오.

1

48	3

(　　　　)

2

80	70

(　　　　)

3

90	30

(　　　　)

4

88	7

(　　　　)

5

4	49

(　　　　)

6

68	4

(　　　　)

7

87	2

(　　　　)

8

59	6

(　　　　)

9

78	5

(　　　　)

10

10	50

(　　　　)

5 뺄셈하기(3)

✸ 46−24의 계산

(1) 그림으로 알아보기

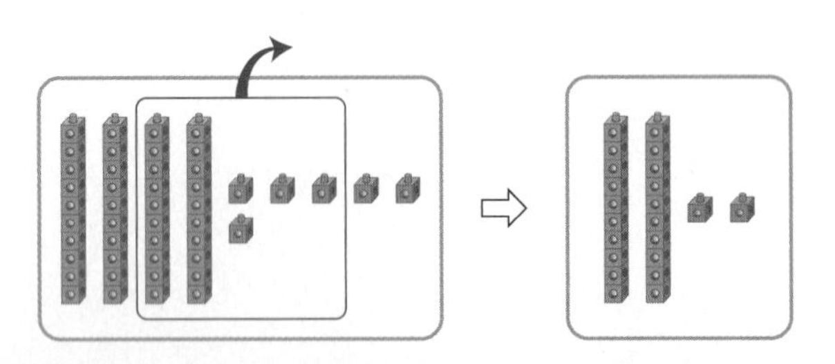

10개씩 묶음 4개와 낱개 6개에서 10개씩 묶음 2개와 낱개 4개를 덜어 내면 10개씩 묶음 2개와 낱개 2개가 남으므로 22입니다.

(2) 세로 계산 방법 알아보기

10개씩 묶음은 10개씩 묶음끼리 한 줄로 맞추고, 낱개는 낱개끼리 줄을 맞추어 씁니다.

$$\begin{array}{r} 46 \\ -\ 24 \\ \hline 2 \end{array} \Rightarrow \begin{array}{r} 46 \\ -\ 24 \\ \hline 22 \end{array}$$

낱개는 낱개끼리, 10개씩 묶음은 10개씩 묶음끼리 뺍니다.

뺄셈을 하시오.

1
$$\begin{array}{r} 75 \\ -\ 53 \\ \hline \end{array}$$

2
$$\begin{array}{r} 98 \\ -\ 77 \\ \hline \end{array}$$

3
$$\begin{array}{r} 64 \\ -\ 13 \\ \hline \end{array}$$

4
$$\begin{array}{r} 86 \\ -\ 52 \\ \hline \end{array}$$

5
$$\begin{array}{r} 24 \\ -\ 11 \\ \hline \end{array}$$

6
$$\begin{array}{r} 49 \\ -\ 34 \\ \hline \end{array}$$

뺄셈을 하시오.

1 93－71

2 54－31

3 62－10

4 87－21

5 57－32

6 96－55

7 85－61

8 45－30

9 69－25

10 78－46

11 82－40

12 59－25

1

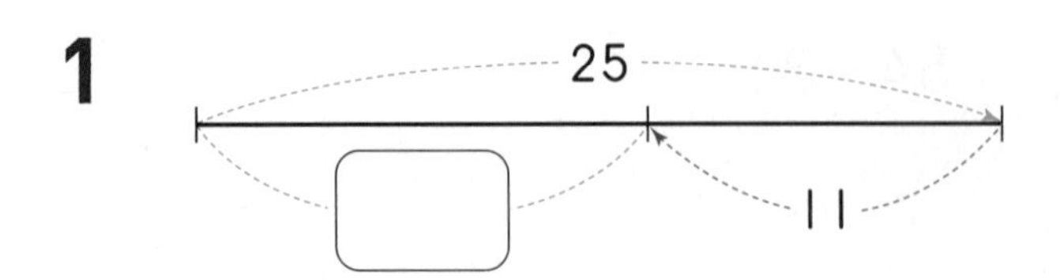

2

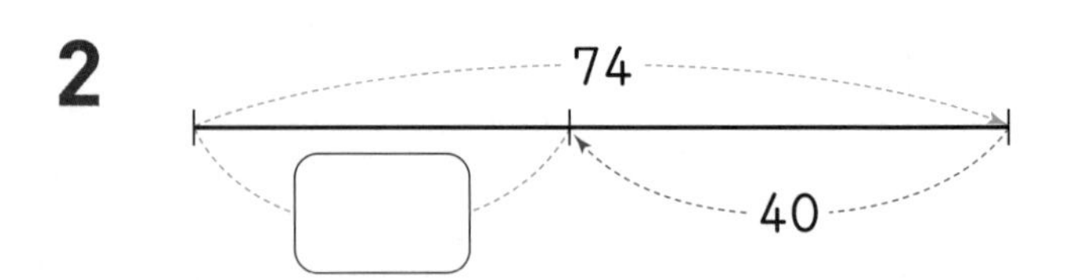

3

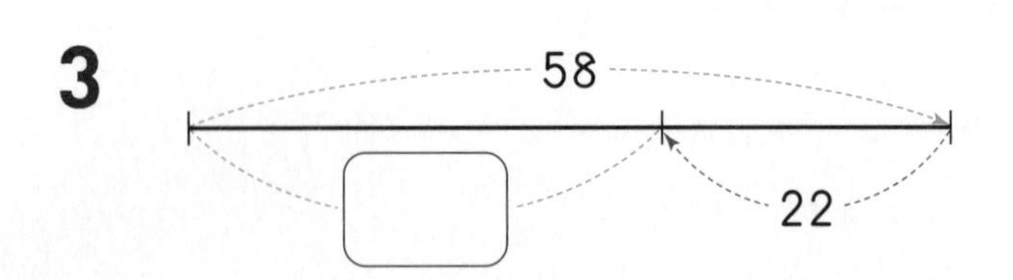

4

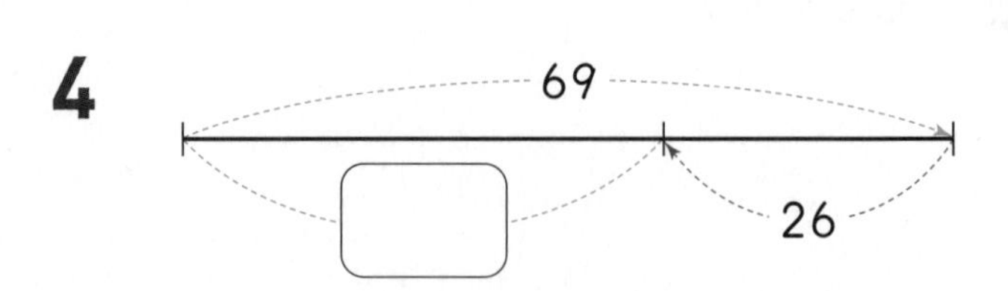

5

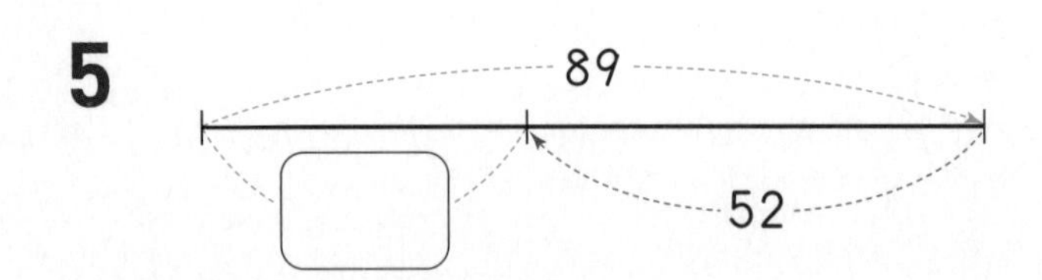

6

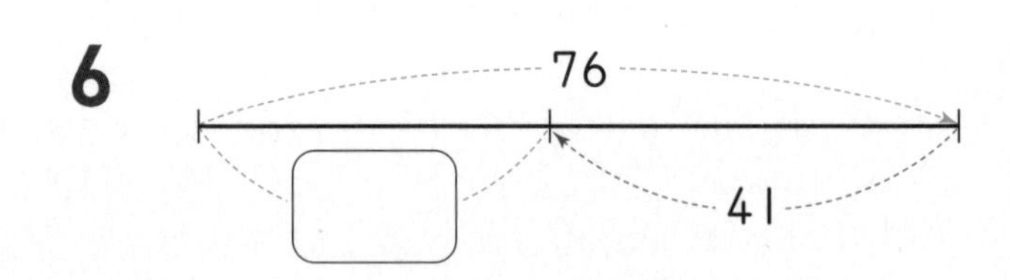

7

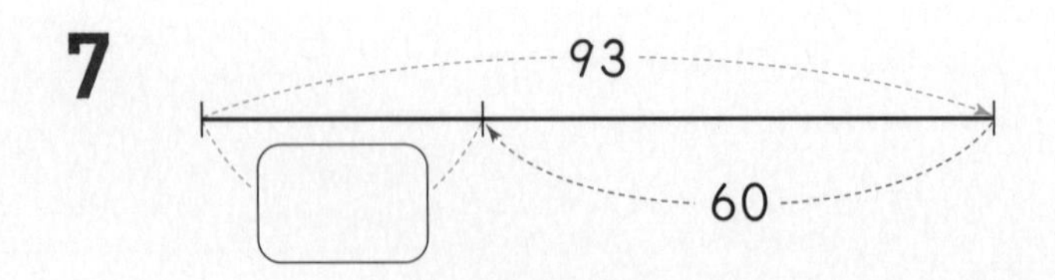

8

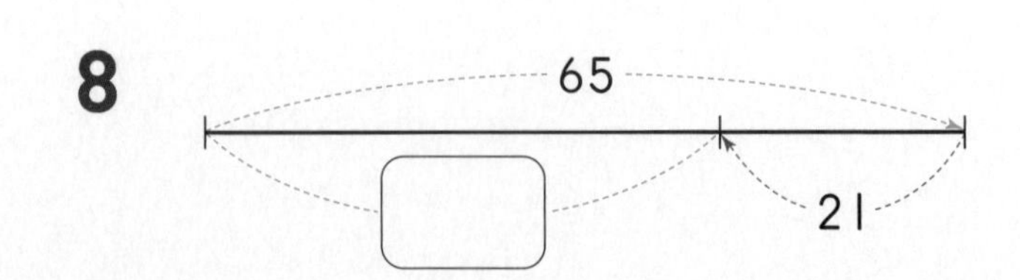

9

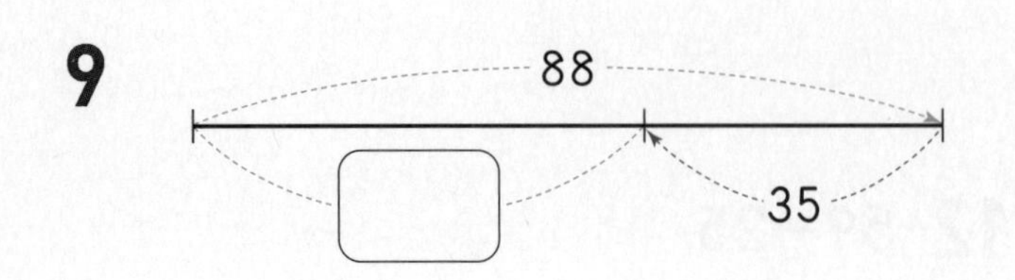

10

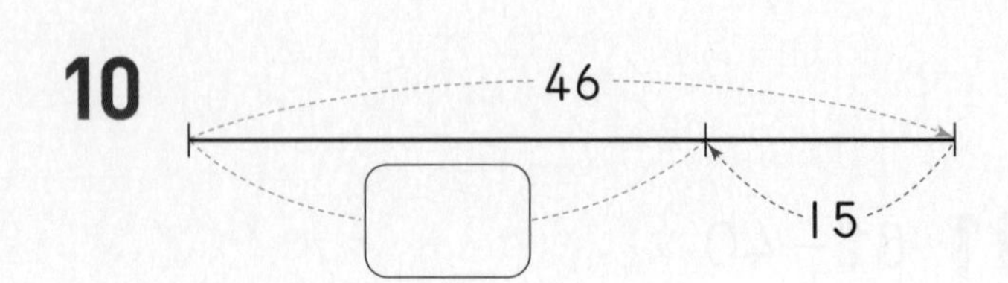

빈칸에 알맞은 수를 써넣으시오.

1

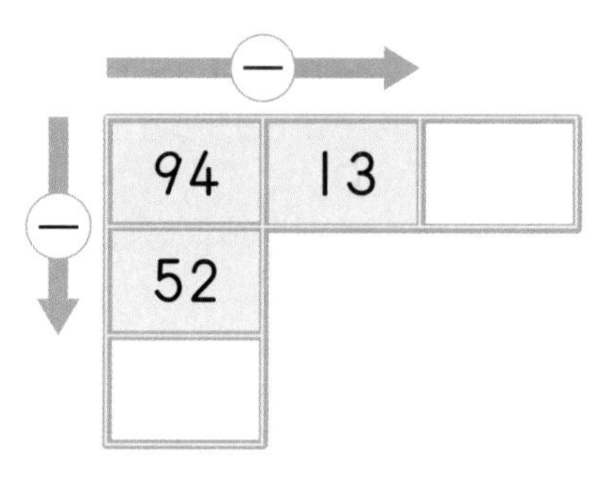

2

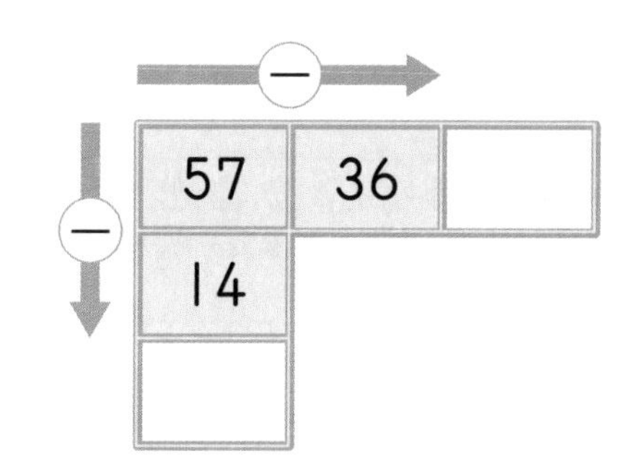

3

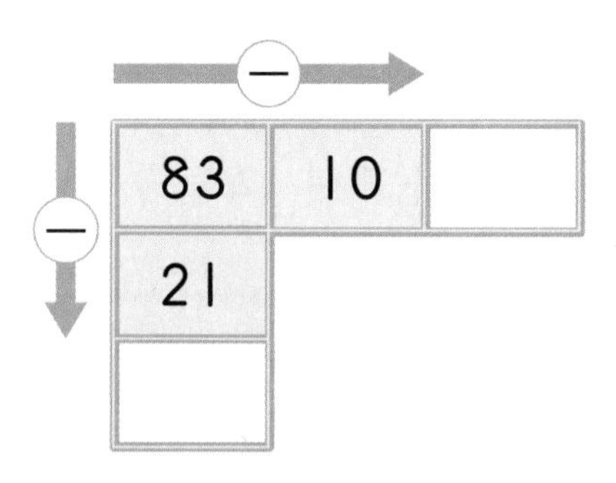

4

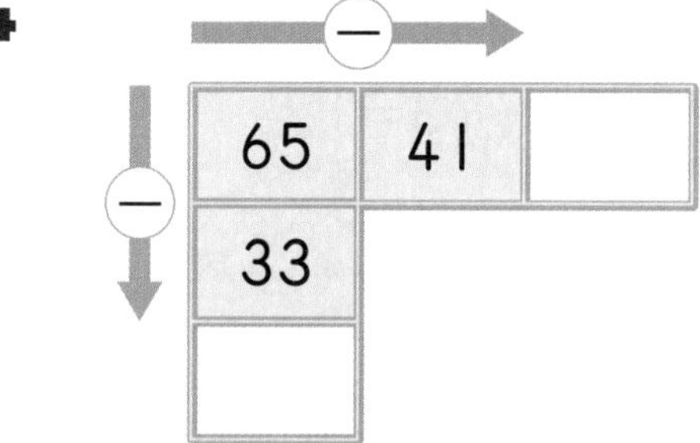

5

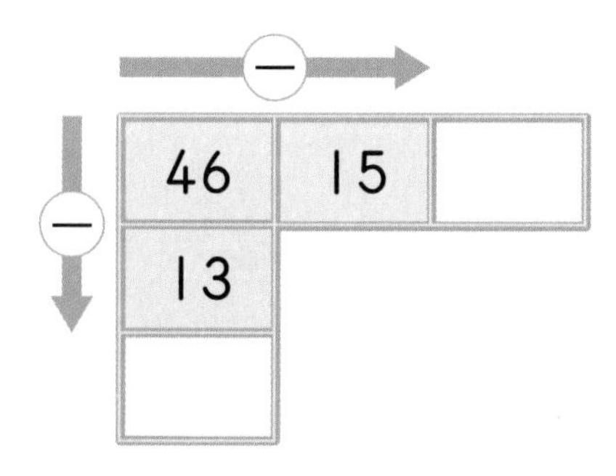

6

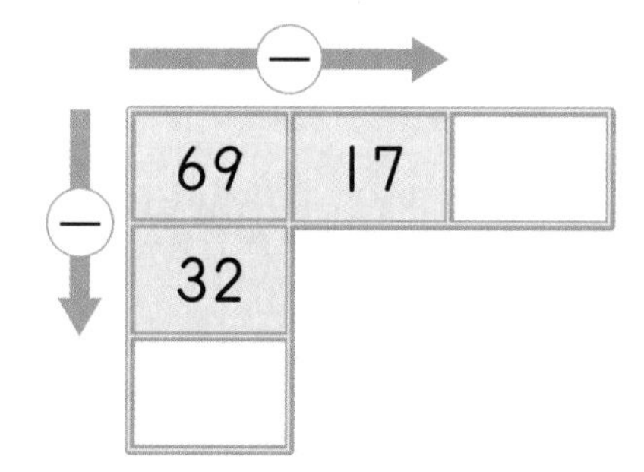

7

−

86 41

61

8

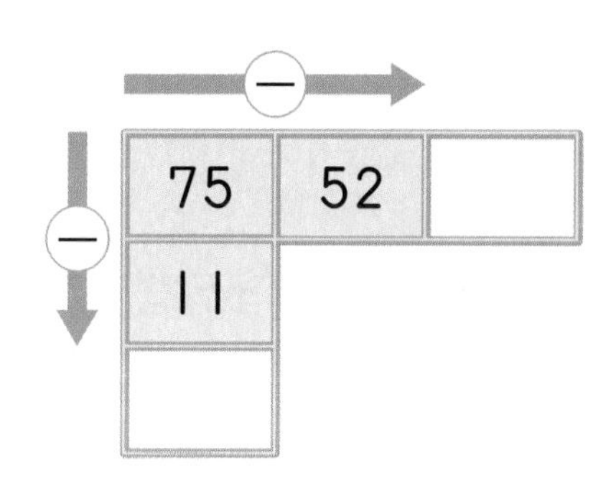

6 그림을 보고 뺄셈하기

그림을 보고 뺄셈식 만들기

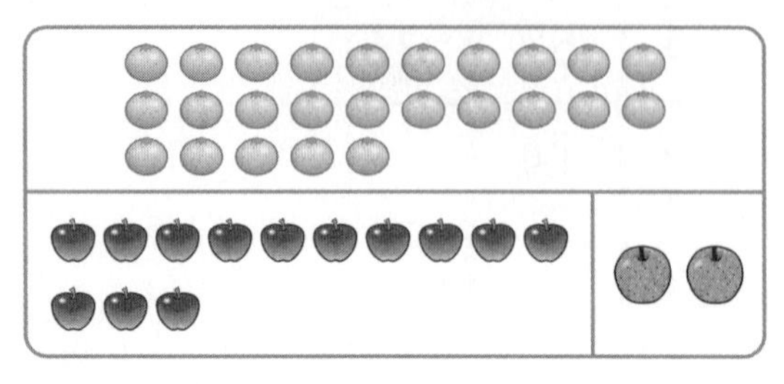

(1) 사과는 배보다 몇 개 더 많습니까?

$13-2=11$ (13: 사과의 수, 2: 배의 수)

(2) 귤은 사과보다 몇 개 더 많습니까?

$25-13=12$ (25: 귤의 수, 13: 사과의 수)

여러 가지 방법으로 뺄셈하기

$$\begin{array}{r} 75 \\ -\ 61 \\ \hline 14 \end{array}$$

방법 1 70에서 60을 빼서 10을 구하고, 5에서 1을 빼서 4를 구합니다.

방법 2 75에서 60을 빼서 15를 구하고, 15에서 1을 빼서 14를 구합니다.

방법 3 75에서 1을 빼서 74를 구하고, 74에서 60을 빼서 14를 구합니다.

그림을 보고 뺄셈을 하시오.

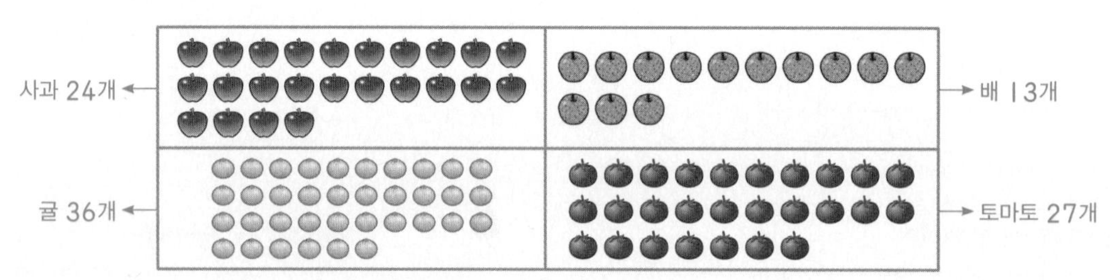

1 사과가 24개 있습니다. 3개를 먹으면 몇 개가 남습니까?

☐ − ☐ = ☐ ⇨ ☐개

2 귤이 36개 있습니다. 학생 4명에게 한 개씩 나누어 주면 몇 개가 남습니까?

☐ − ☐ = ☐ ⇨ ☐개

3 토마토는 배보다 몇 개 더 많습니까?

☐ − ☐ = ☐ ⇨ ☐개

여러 가지 방법으로 계산하려고 합니다. □ 안에 알맞은 수를 써넣으시오.

1

$$\begin{array}{r} 98 \\ -\ 46 \\ \hline 52 \end{array}$$

방법 1 90에서 □을 빼고, 8에서 □을 뺍니다.

방법 2 98에서 40을 빼고 다시 □을 뺍니다.

방법 3 98에서 6을 빼고 다시 □을 뺍니다.

2

$$\begin{array}{r} 63 \\ -\ 21 \\ \hline 42 \end{array}$$

방법 1 60에서 □을 빼고, 3에서 □을 뺍니다.

방법 2 63에서 20을 빼고 다시 □을 뺍니다.

방법 3 63에서 1을 빼고 다시 □을 뺍니다.

3

$$\begin{array}{r} 59 \\ -\ 18 \\ \hline 41 \end{array}$$

방법 1 50에서 □을 빼고, 9에서 □을 뺍니다.

방법 2 59에서 10을 빼고 다시 □을 뺍니다.

방법 3 59에서 8을 빼고 다시 □을 뺍니다.

4

$$\begin{array}{r} 76 \\ -\ 23 \\ \hline 53 \end{array}$$

방법 1 70에서 □을 빼고, 6에서 □을 뺍니다.

방법 2 76에서 20을 빼고 다시 □을 뺍니다.

방법 3 76에서 3을 빼고 다시 □을 뺍니다.

이어서 계산하기

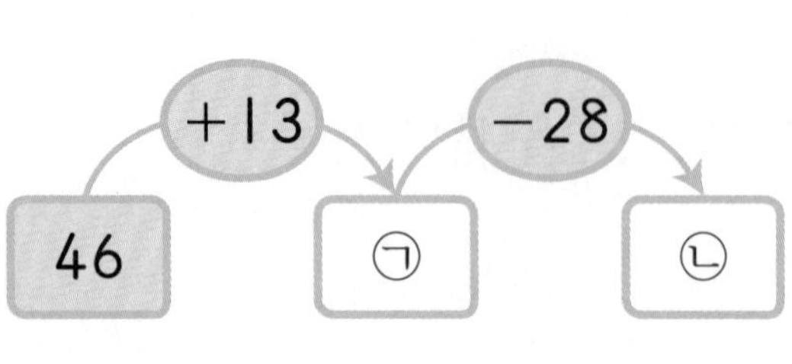

① ㉠은 덧셈을 이용합니다.
⇨ ㉠=46+13=59
② ㉡은 뺄셈을 이용합니다.
⇨ ㉡=59−28=31

빈 곳에 알맞은 수를 써넣으시오.

1

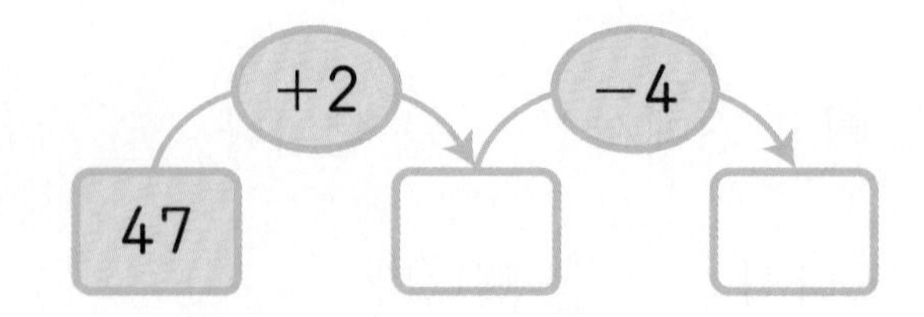

2

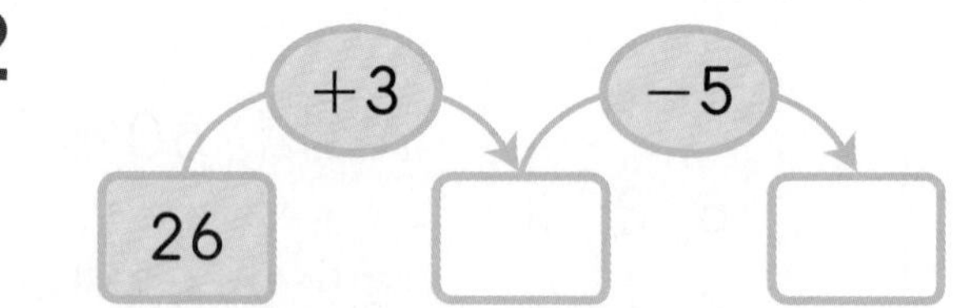

3

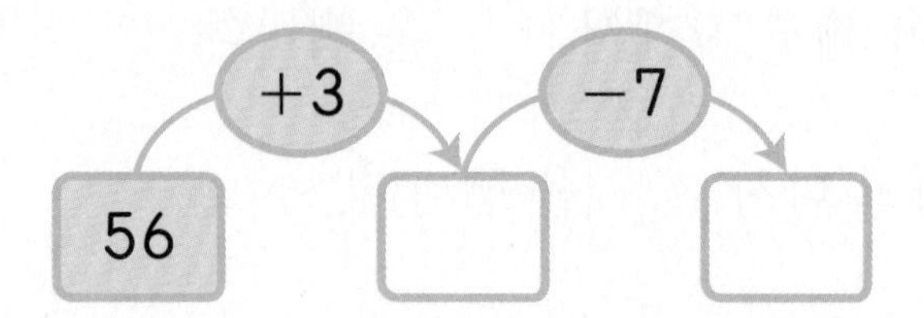

4

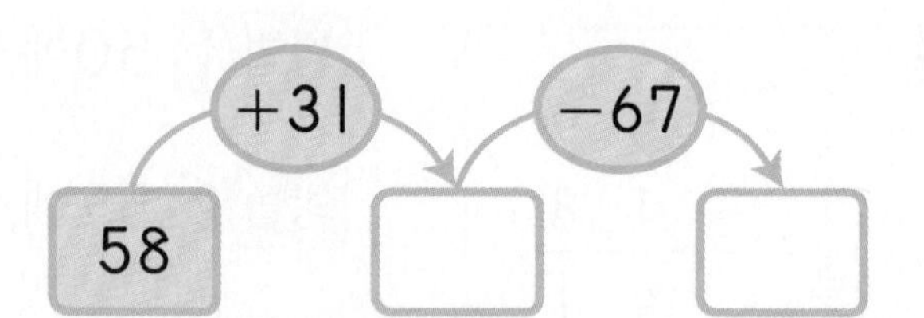

5

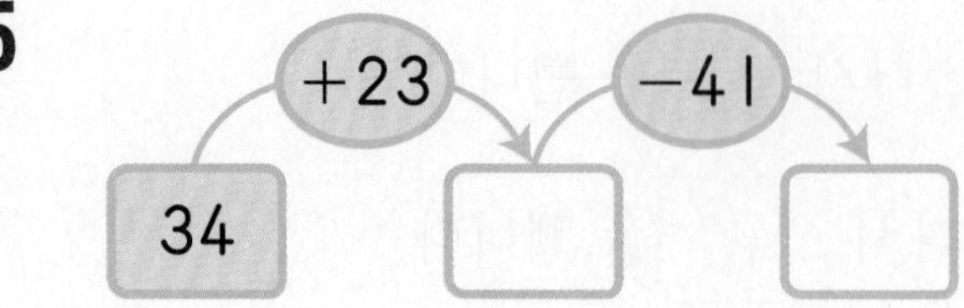

6

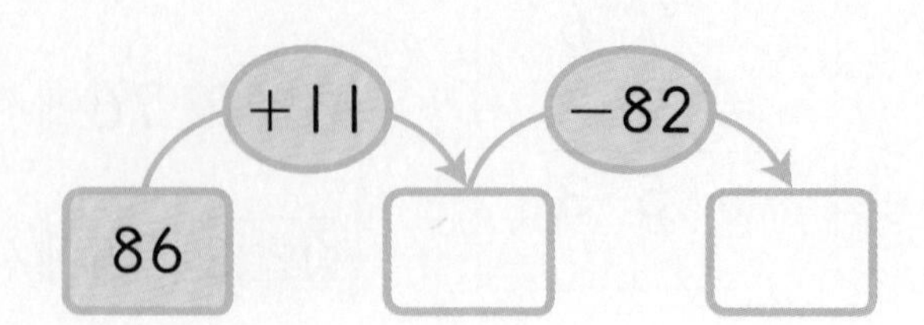

세로셈에서 모르는 수 구하기

	3	㉠
+	㉡	6
	8	9

• 같은 자리끼리 계산하여 모르는 수를 구합니다.
① ㉠+6=9
⇨ 3+6=9이므로 ㉠=3입니다.
② 3+㉡=8
⇨ 3+5=8이므로 ㉡=5입니다.

▢ 안에 알맞은 수를 써넣으시오.

1

	1	▢
+	▢	2
	3	5

2

	▢	6
+	1	▢
	7	8

3

	2	▢
+	▢	4
	4	5

4

	▢	3
+	5	▢
	8	6

5

	1	▢
+	▢	4
	6	8

6

	▢	2
+	3	▢
	5	6

4단원 덧셈과 뺄셈(2)

1 세 수의 덧셈

✱ 2+3+1의 계산

(1) 계산 이해하기

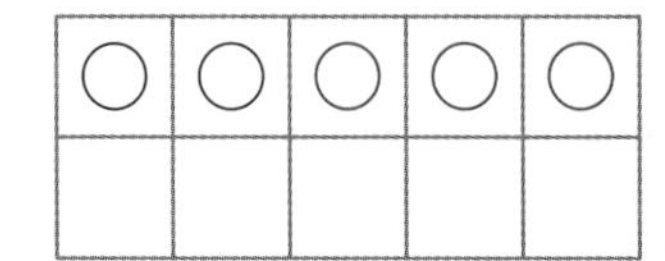

2+3=5 ⇨ 5+1=6

(2) 계산 방법

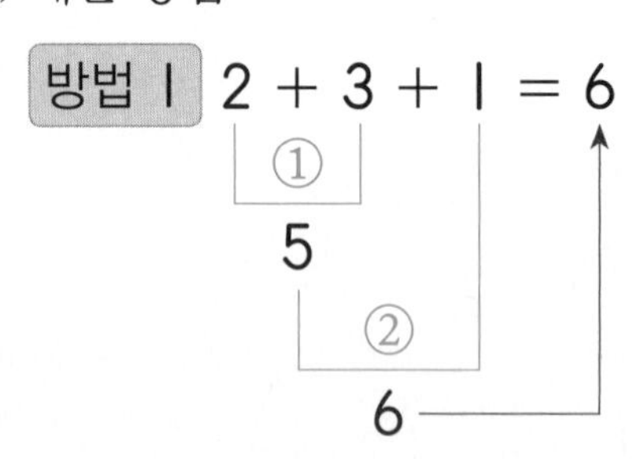

방법 1 2 + 3 + 1 = 6

① 5

② 6

방법 2

$$\begin{array}{r} 2 \\ +\ 3 \\ \hline 5 \end{array} \rightarrow \begin{array}{r} 5 \\ +\ 1 \\ \hline 6 \end{array}$$

세 수의 덧셈은 두 수를 더해 나온 수에 나머지 한 수를 더합니다.

□ 안에 알맞은 수를 써넣으시오.

1 2 + 1 + 5 = □

2 3 + 2 + 2 = □

3 4 + 2 + 3 = □

4 3 + 4 + 1 = □

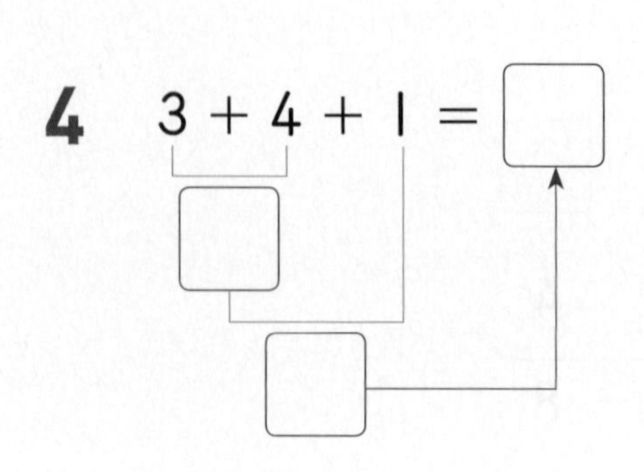

□ 안에 알맞은 수를 써넣으시오.

1 $2+4+1=\square$

$$\begin{array}{r} 2 \\ +\ 4 \\ \hline \square \end{array} \qquad \begin{array}{r} \square \\ +\ 1 \\ \hline \square \end{array}$$

2 $1+3+2=\square$

$$\begin{array}{r} 1 \\ +\ 3 \\ \hline \square \end{array} \qquad \begin{array}{r} \square \\ +\ 2 \\ \hline \square \end{array}$$

3 $5+3+1=\square$

$$\begin{array}{r} 5 \\ +\ 3 \\ \hline \square \end{array} \qquad \begin{array}{r} \square \\ +\ 1 \\ \hline \square \end{array}$$

4 $2+2+5=\square$

$$\begin{array}{r} 2 \\ +\ 2 \\ \hline \square \end{array} \qquad \begin{array}{r} \square \\ +\ 5 \\ \hline \square \end{array}$$

5 $6+2+1=\square$

$$\begin{array}{r} 6 \\ +\ 2 \\ \hline \square \end{array} \qquad \begin{array}{r} \square \\ +\ 1 \\ \hline \square \end{array}$$

6 $3+2+3=\square$

$$\begin{array}{r} 3 \\ +\ 2 \\ \hline \square \end{array} \qquad \begin{array}{r} \square \\ +\ 3 \\ \hline \square \end{array}$$

7 $4+2+2=\square$

$$\begin{array}{r} 4 \\ +\ 2 \\ \hline \square \end{array} \qquad \begin{array}{r} \square \\ +\ 2 \\ \hline \square \end{array}$$

8 $1+3+3=\square$

$$\begin{array}{r} 1 \\ +\ 3 \\ \hline \square \end{array} \qquad \begin{array}{r} \square \\ +\ 3 \\ \hline \square \end{array}$$

덧셈을 하시오.

1 $4+1+2$

2 $4+2+2$

3 $1+1+7$

4 $5+1+1$

5 $2+2+1$

6 $1+3+2$

7 $2+5+1$

8 $4+3+1$

9 $6+1+2$

10 $3+1+3$

11 $3+3+3$

12 $2+5+2$

빈 곳에 알맞은 수를 써넣으시오.

1

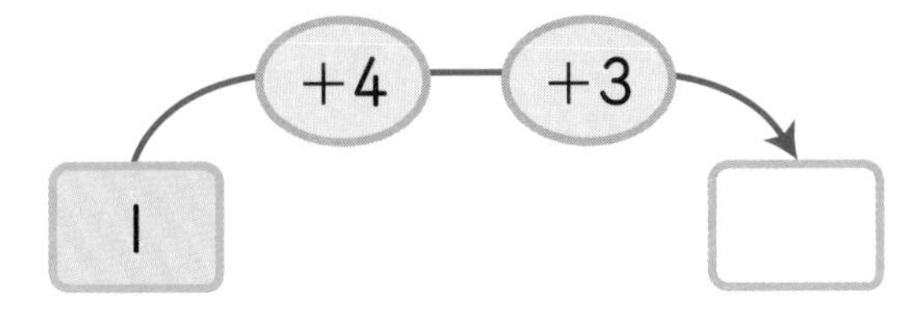

2

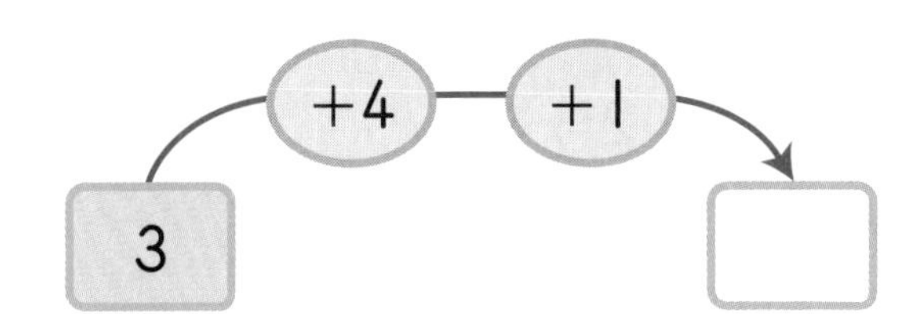

3

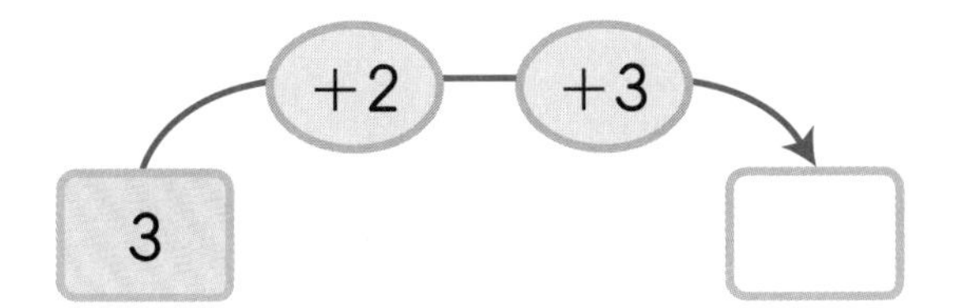

4

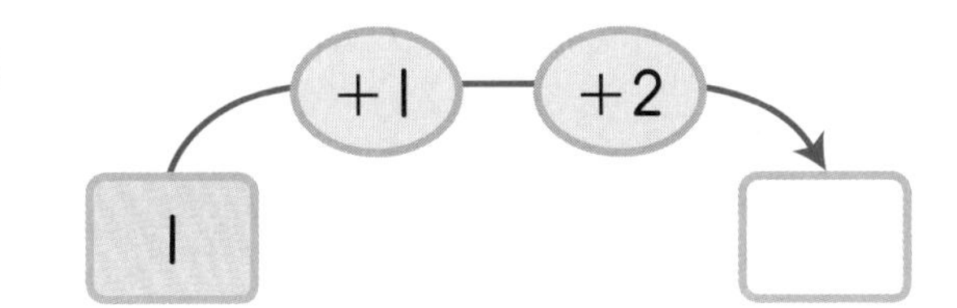

5

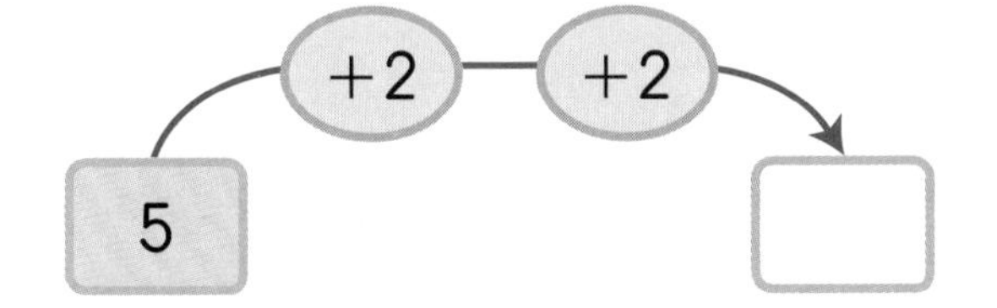

6

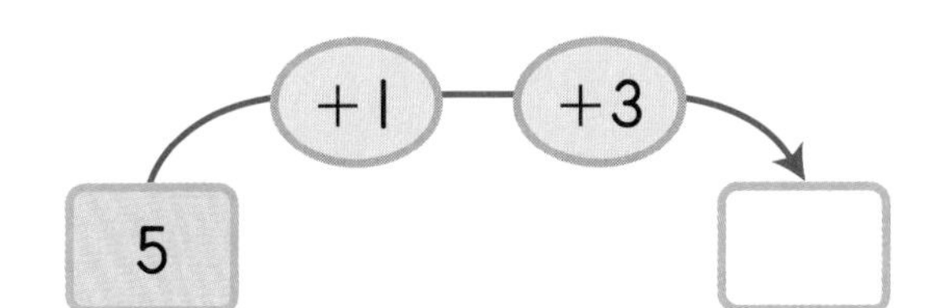

7

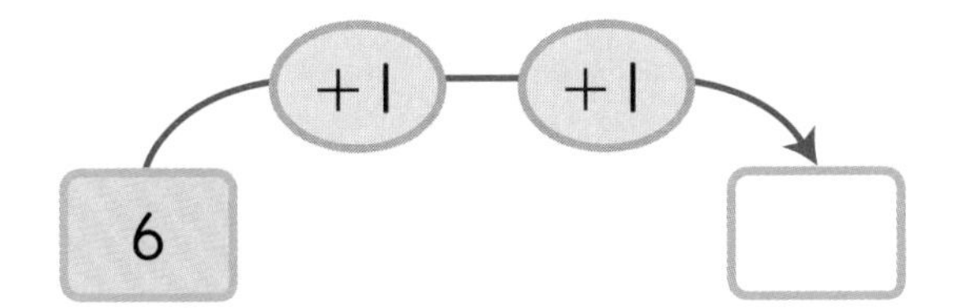

8

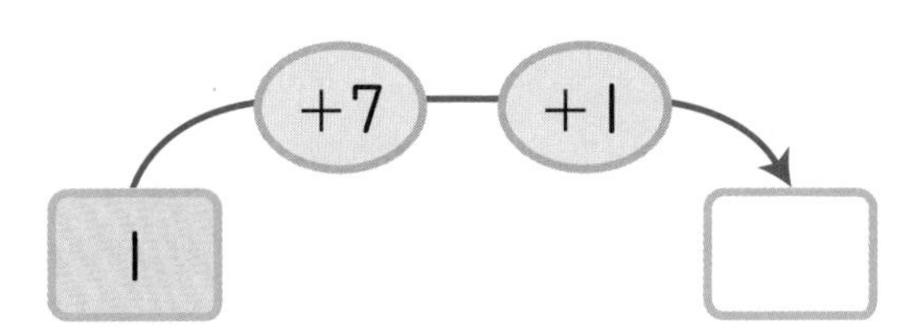

9

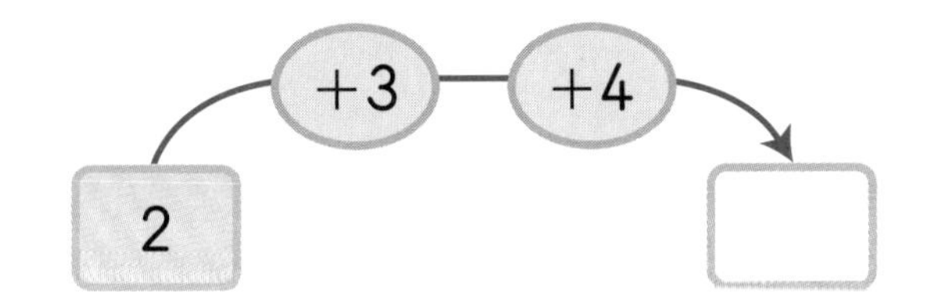

10

+1 +3

4

2 세 수의 뺄셈

✸ 8−3−2의 계산

(1) 계산 이해하기

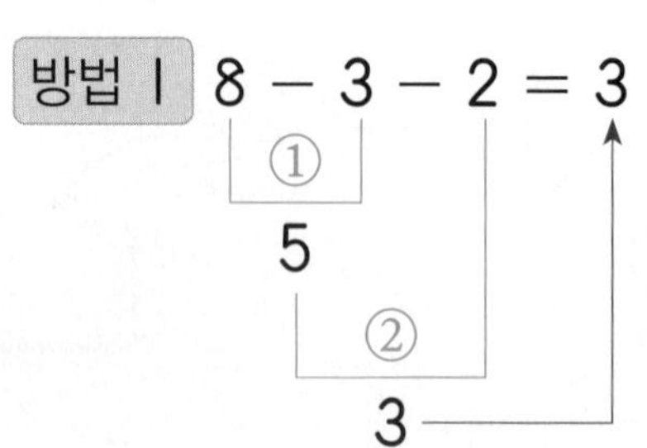

8−3=5 ⇨ 5−2=3

(2) 계산 방법

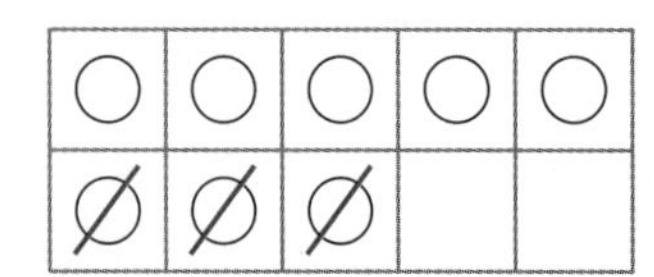

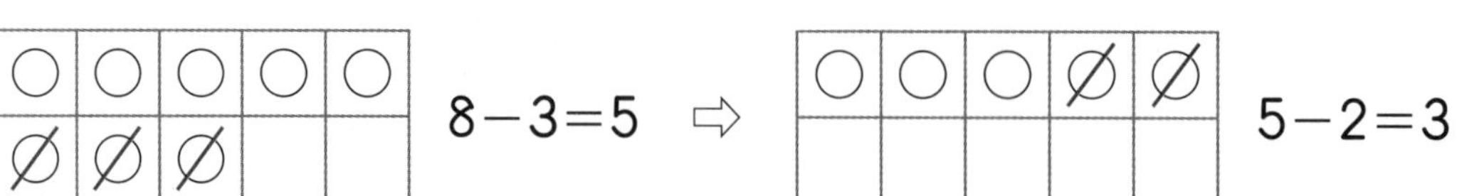

방법 1 8 − 3 − 2 = 3

방법 2

세 수의 뺄셈은 앞의 두 수를 먼저 빼고 나머지 한 수를 뺍니다.

□ 안에 알맞은 수를 써넣으시오.

1 9 − 1 − 4 = □

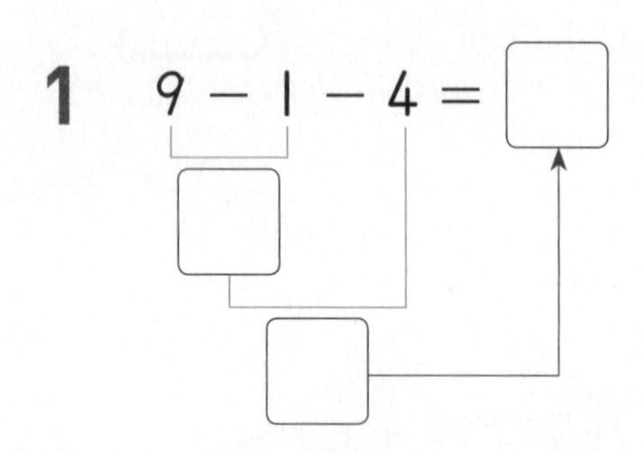

2 6 − 2 − 2 = □

3 7 − 4 − 2 = □

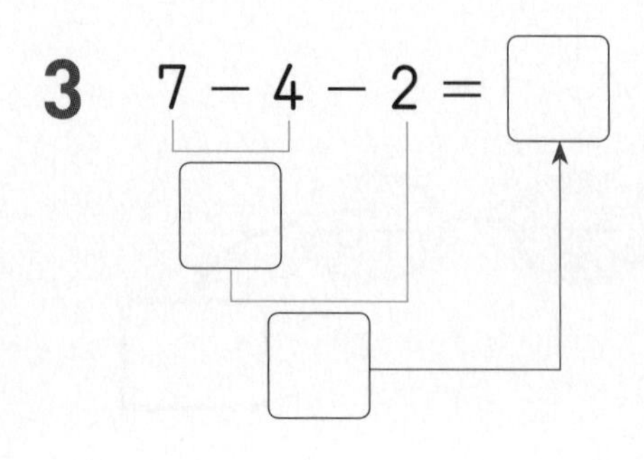

4 7 − 3 − 1 = □

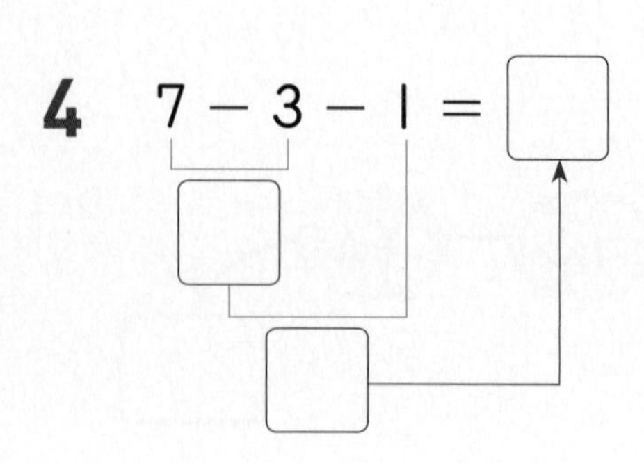

□ 안에 알맞은 수를 써넣으시오.

1 $7-2-3=\square$

$$\begin{array}{r} 7 \\ -\ 2 \\ \hline \square \end{array} \quad \begin{array}{r} \square \\ -\ 3 \\ \hline \square \end{array}$$

2 $9-5-1=\square$

$$\begin{array}{r} 9 \\ -\ 5 \\ \hline \square \end{array} \quad \begin{array}{r} \square \\ -\ 1 \\ \hline \square \end{array}$$

3 $6-1-4=\square$

$$\begin{array}{r} 6 \\ -\ 1 \\ \hline \square \end{array} \quad \begin{array}{r} \square \\ -\ 4 \\ \hline \square \end{array}$$

4 $8-4-3=\square$

$$\begin{array}{r} 8 \\ -\ 4 \\ \hline \square \end{array} \quad \begin{array}{r} \square \\ -\ 3 \\ \hline \square \end{array}$$

5 $9-2-3=\square$

$$\begin{array}{r} 9 \\ -\ 2 \\ \hline \square \end{array} \quad \begin{array}{r} \square \\ -\ 3 \\ \hline \square \end{array}$$

6 $8-1-5=\square$

$$\begin{array}{r} 8 \\ -\ 1 \\ \hline \square \end{array} \quad \begin{array}{r} \square \\ -\ 5 \\ \hline \square \end{array}$$

7 $6-3-2=\square$

$$\begin{array}{r} 6 \\ -\ 3 \\ \hline \square \end{array} \quad \begin{array}{r} \square \\ -\ 2 \\ \hline \square \end{array}$$

8 $9-6-2=\square$

$$\begin{array}{r} 9 \\ -\ 6 \\ \hline \square \end{array} \quad \begin{array}{r} \square \\ -\ 2 \\ \hline \square \end{array}$$

뺄셈을 하시오.

1 $9-1-4$

2 $4-1-2$

3 $9-5-2$

4 $8-4-3$

5 $9-7-1$

6 $7-2-1$

7 $8-3-3$

8 $7-3-2$

9 $9-2-3$

10 $8-1-1$

11 $7-1-4$

12 $9-1-3$

빈 곳에 알맞은 수를 써넣으시오.

1

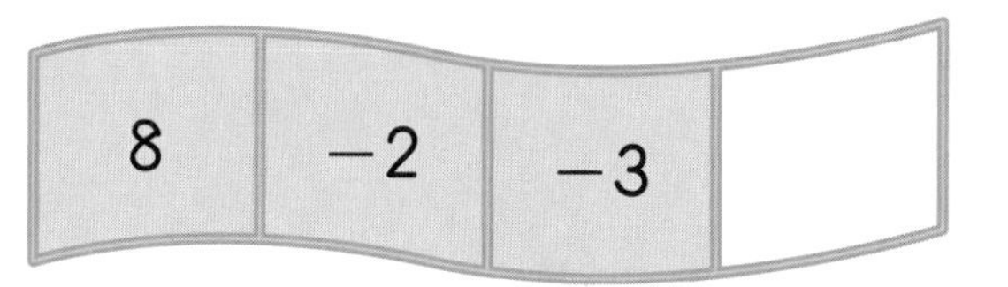

2

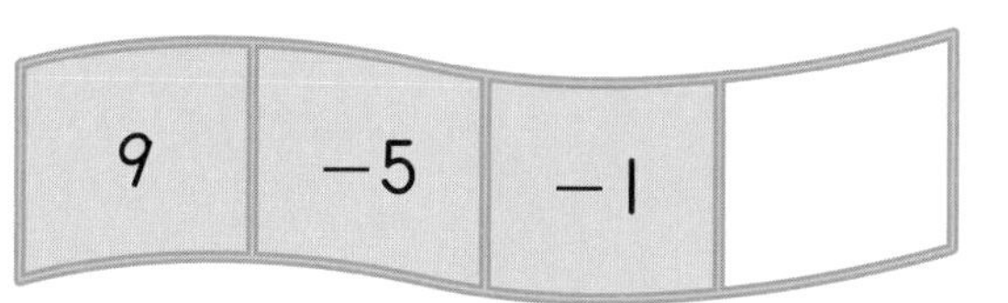

3

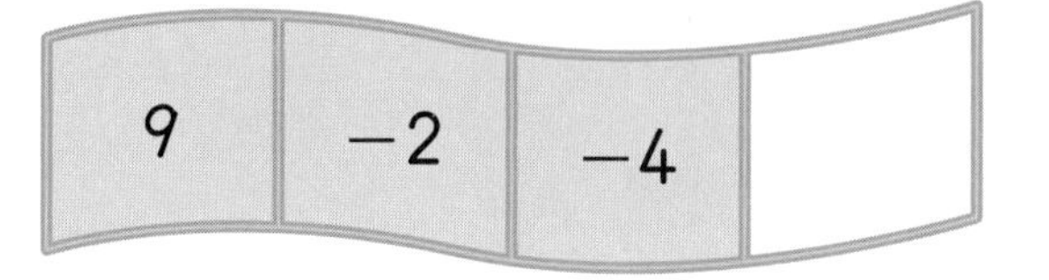

4

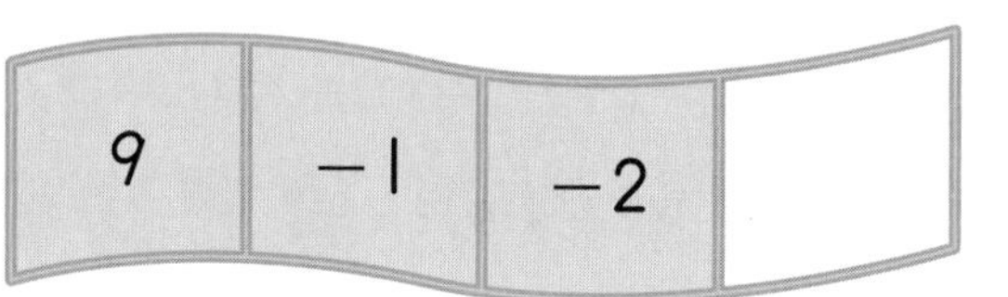

5

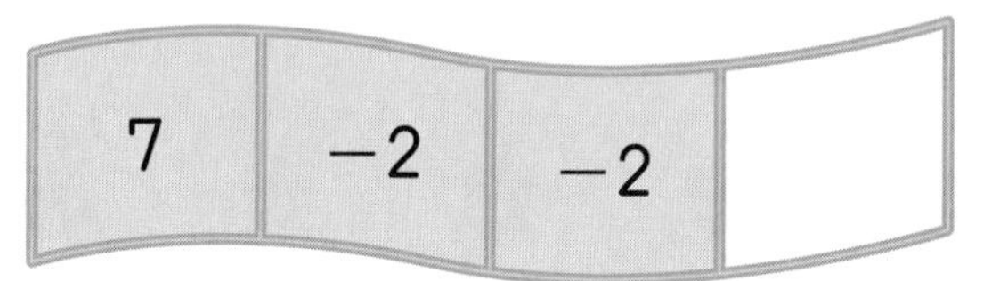

6

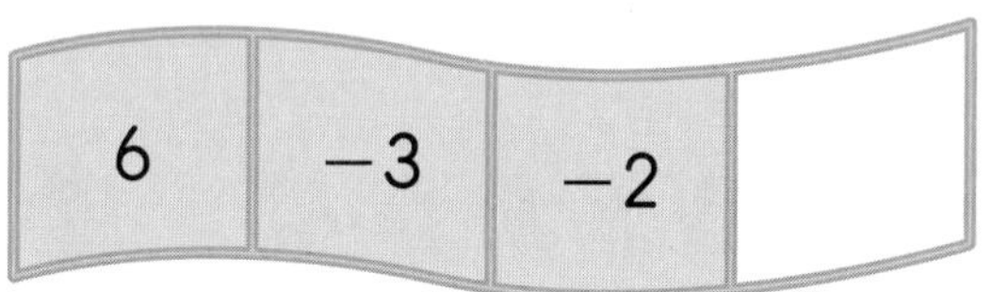

7

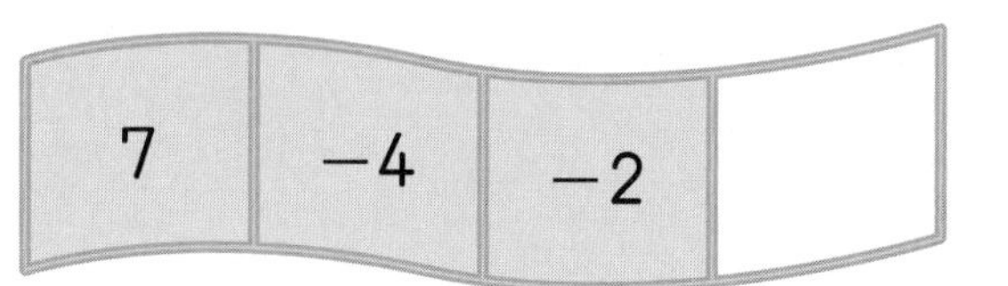

8

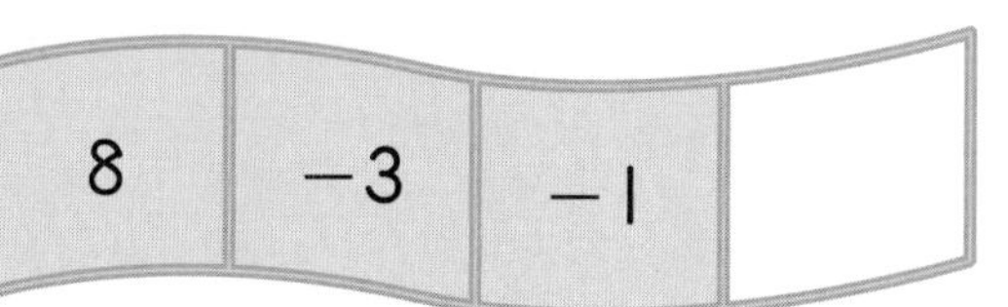

9

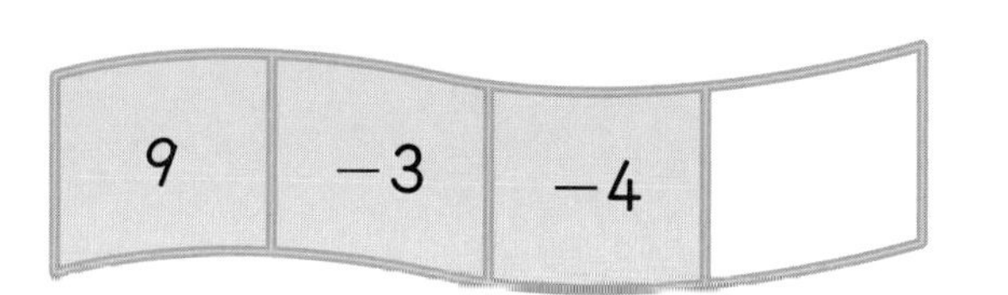

10

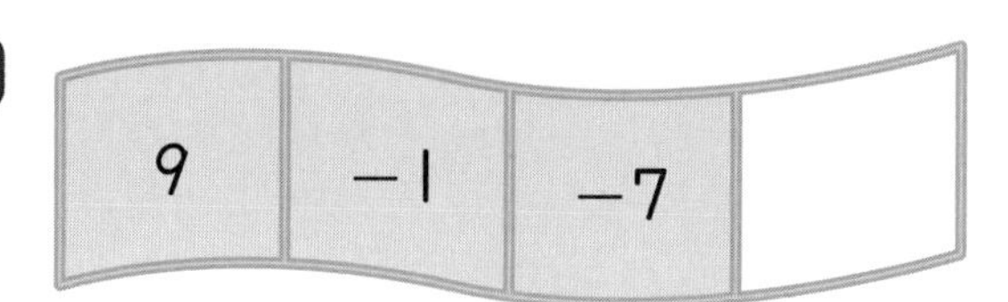

3 두 수의 덧셈

✸ 이어 세기로 두 수 더하기

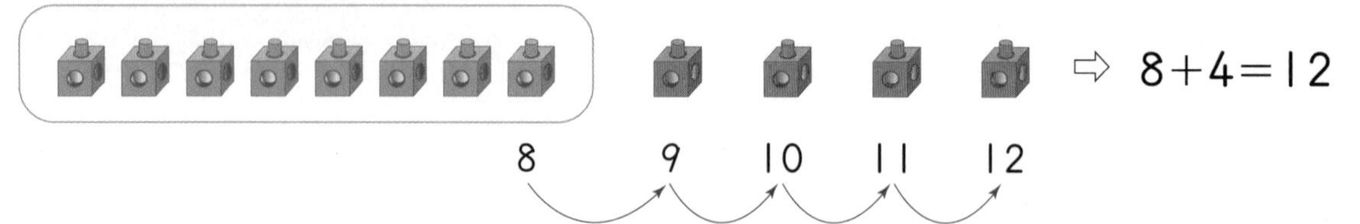

⇨ $8+4=12$

8 9 10 11 12

모형은 8개하고 4개 더 있으므로 8하고 9, 10, 11, 12입니다.

✸ 두 수를 바꾸어 더하고 결과 비교하기

⇨ $5+7=12$

⇨ $7+5=12$

두 수를 바꾸어 더해도 합이 같습니다.

□ 안에 알맞은 수를 써넣고 두 수를 더하시오.

1

6 7 8 9 10 □ □ □

$6+7=$ □

2

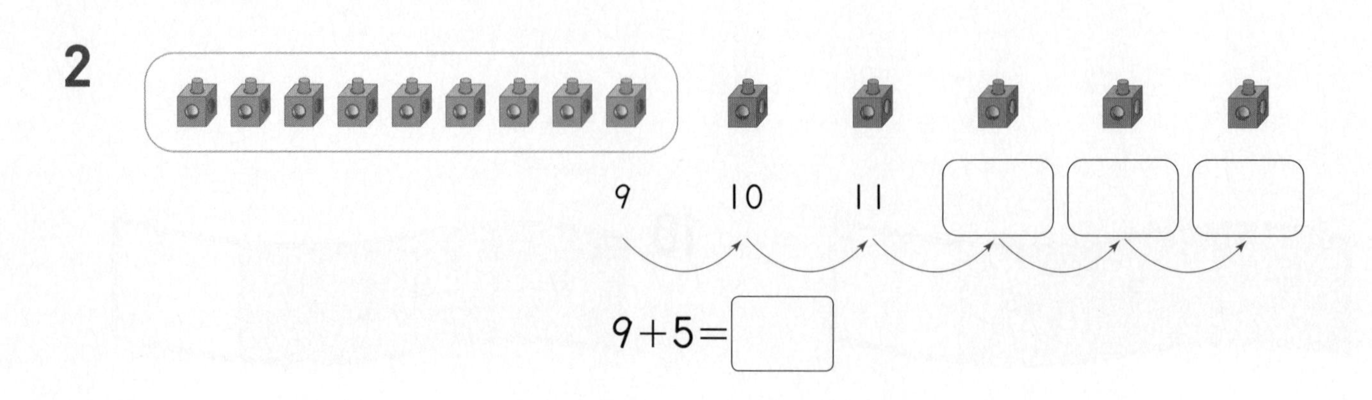

$9+5=$ □

두 수를 바꾸어 더하시오.

1

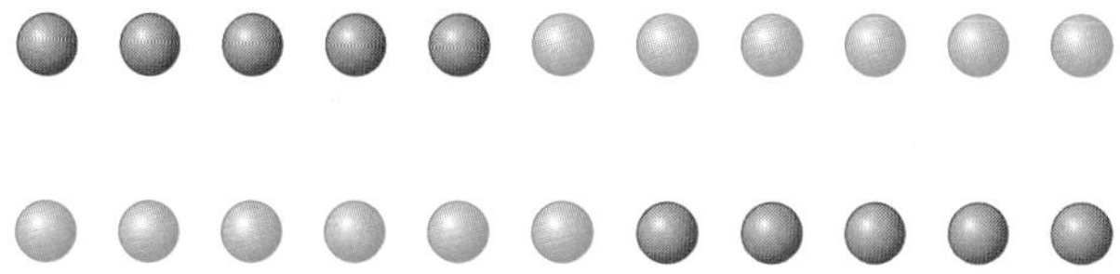

$5+6=$ □

$6+5=$ □

2

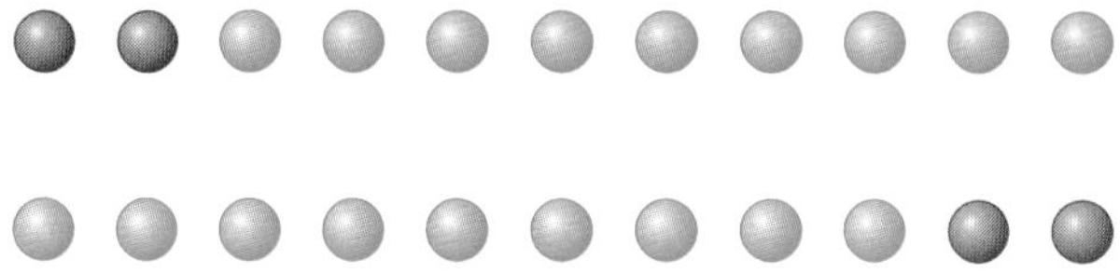

$2+9=$ □

$9+2=$ □

3

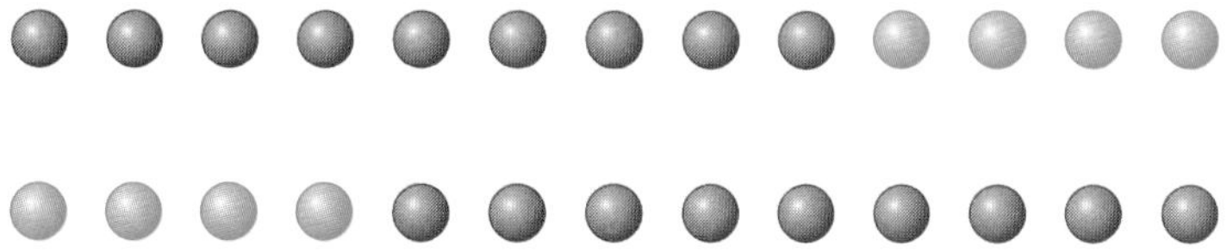

$9+4=$ □

$4+9=$ □

4

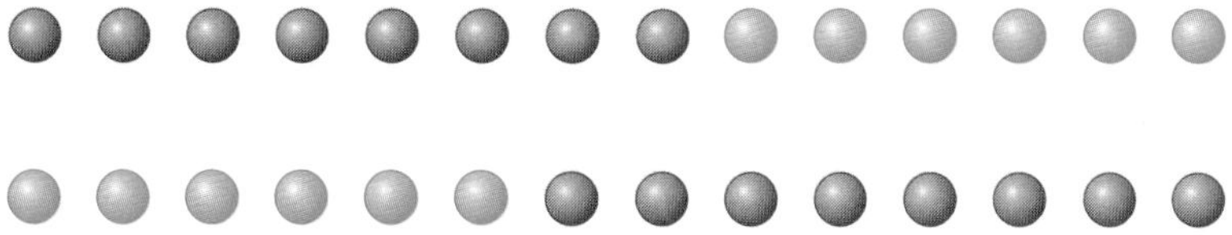

$8+6=$ □

$6+8=$ □

5

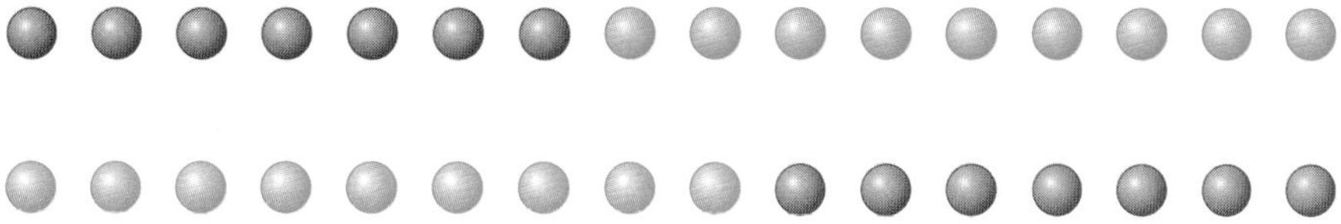

$7+9=$ □

$9+7=$ □

이어 세기로 두 수를 더하여 빈 곳에 알맞은 수를 써넣으시오.

1

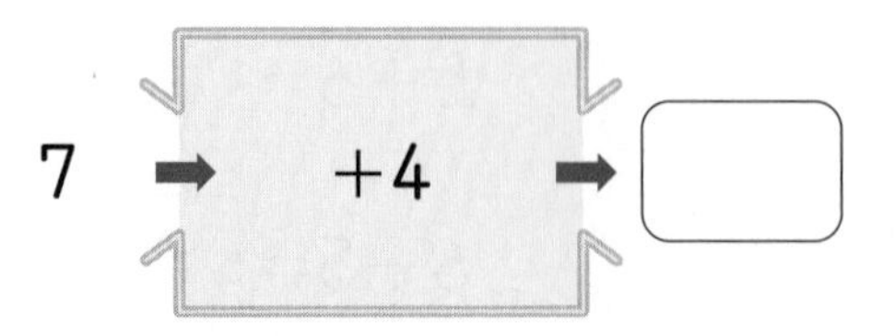

7 → +4 → □

2

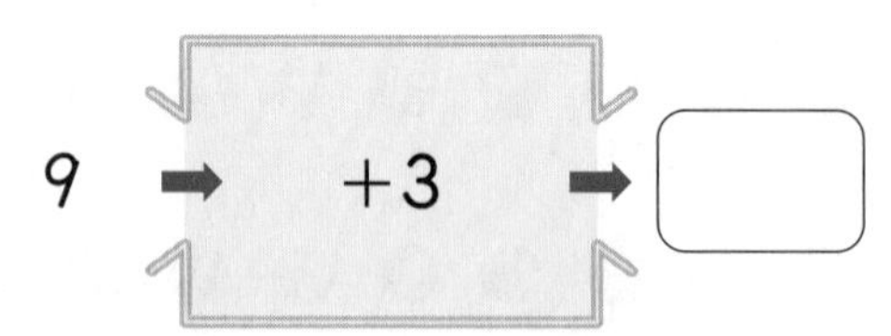

9 → +3 → □

3

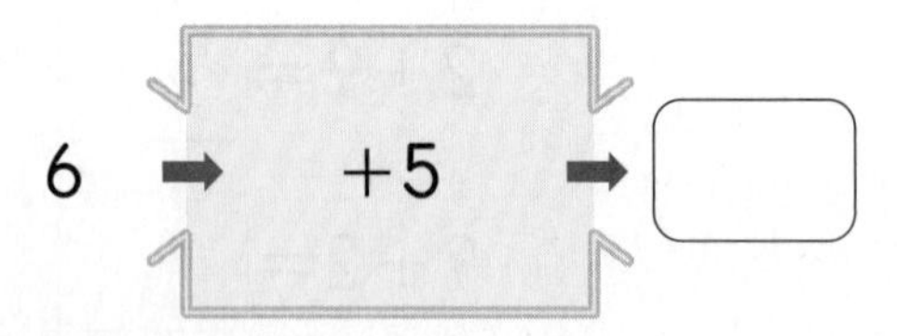

6 → +5 → □

4

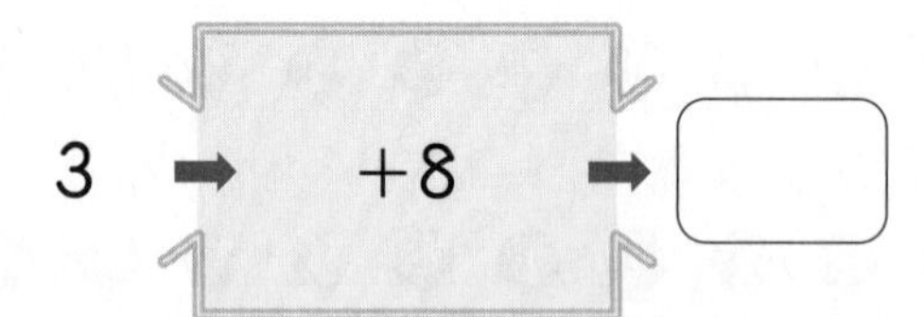

3 → +8 → □

5

8 → +6 → □

6

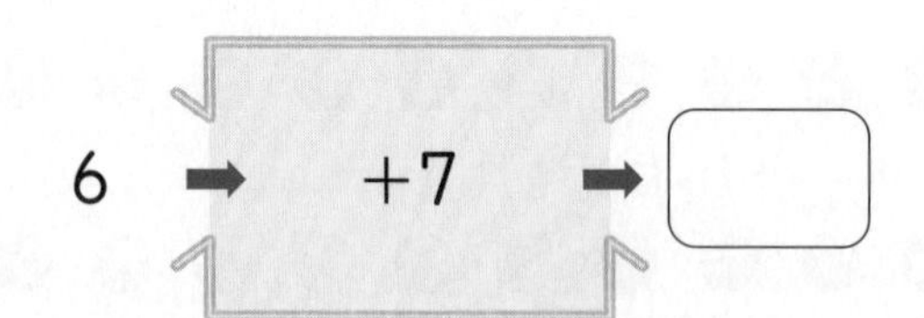

6 → +7 → □

7

9 → +7 → □

8

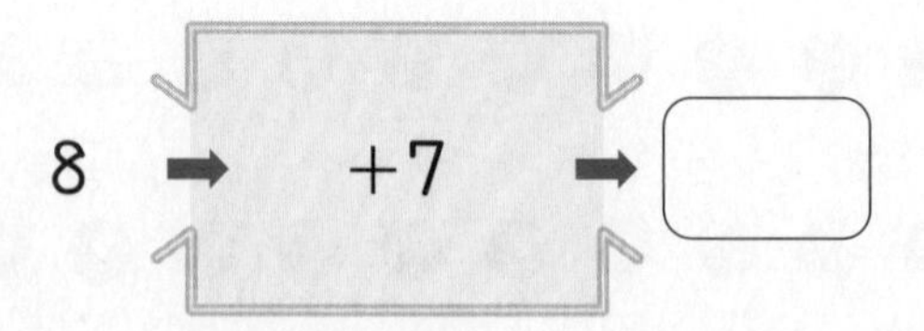

8 → +7 → □

9

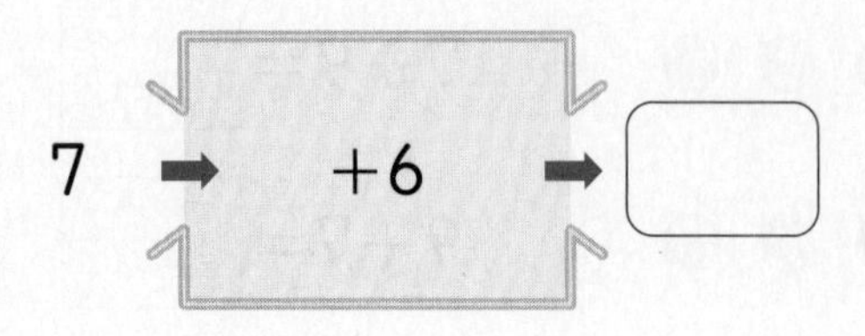

7 → +6 → □

10

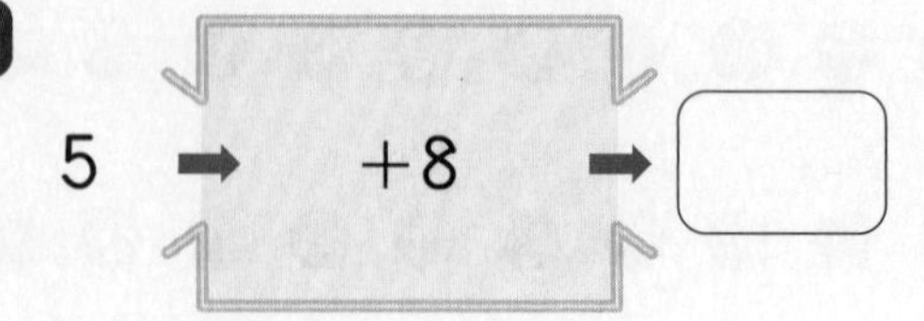

5 → +8 → □

합이 다른 것을 찾아 ○표 하시오.

1

6+7	7+6	5+7
(　　)	(　　)	(　　)

2

4+9	3+9	9+4
(　　)	(　　)	(　　)

3

5+7	9+5	7+5
(　　)	(　　)	(　　)

4

8+6	9+2	2+9
(　　)	(　　)	(　　)

5

4+7	8+5	5+8
(　　)	(　　)	(　　)

6

8+4	5+6	6+5
(　　)	(　　)	(　　)

7

9+6	3+8	6+9
(　　)	(　　)	(　　)

8

5+9	9+5	7+6
(　　)	(　　)	(　　)

9

7+8	8+7	5+6
(　　)	(　　)	(　　)

10

9+8	7+9	8+9
(　　)	(　　)	(　　)

4 10이 되는 더하기

10 만들기

1+9=10

2+8=10

3+7=10

4+6=10

5+5=10

6+4=10

7+3=10

8+2=10

9+1=10

10이 되는 더하기

• 10이 되는 더하기 하기

⇨ 5+5=10

○ 5개와 ○ 5개를 더하면 10개입니다.

• 10이 되는 더하기 만들기

⇨ 7+[3]=10

7과 더해서 10이 되는 수는 3입니다.

그림에 맞는 덧셈식을 만들어 보시오.

1

[ ]+[ ]=10

2

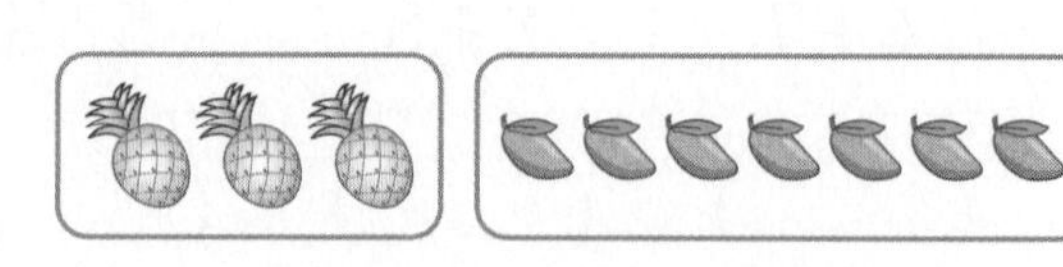

[ ]+[ ]=10

3

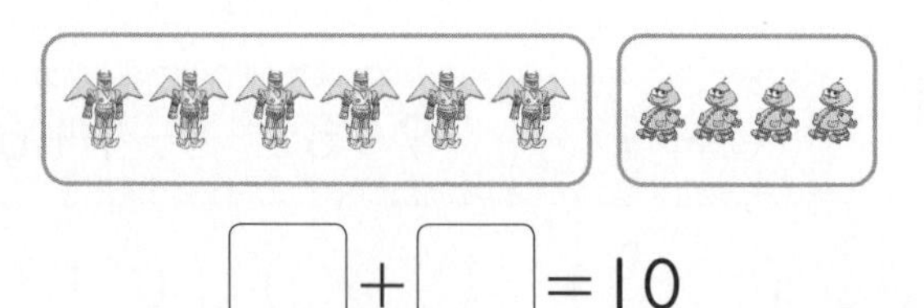

[ ]+[ ]=10

4

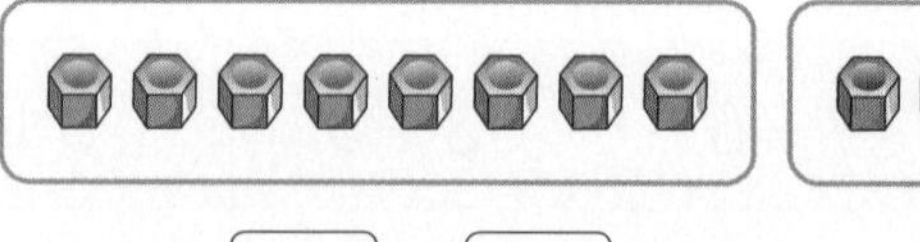

[ ]+[ ]=10

5

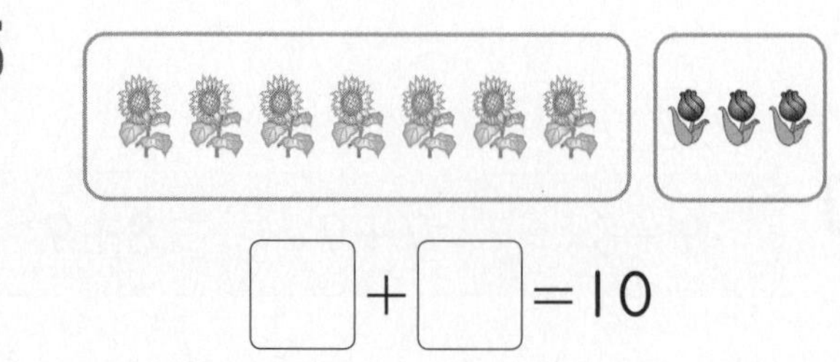

[ ]+[ ]=10

6

[ ]+[ ]=10

모두 10개가 되도록 ○를 그려 넣고 □ 안에 알맞은 수를 써넣으시오.

1

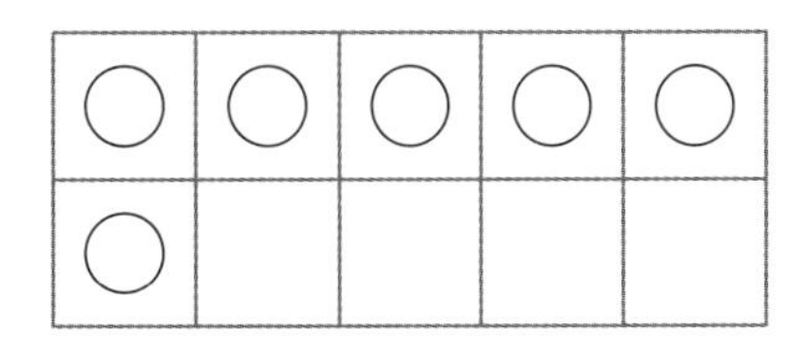

6+□=10

2

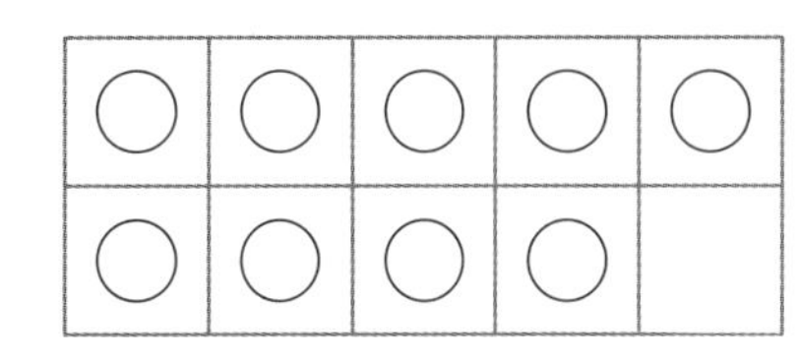

9+□=10

3

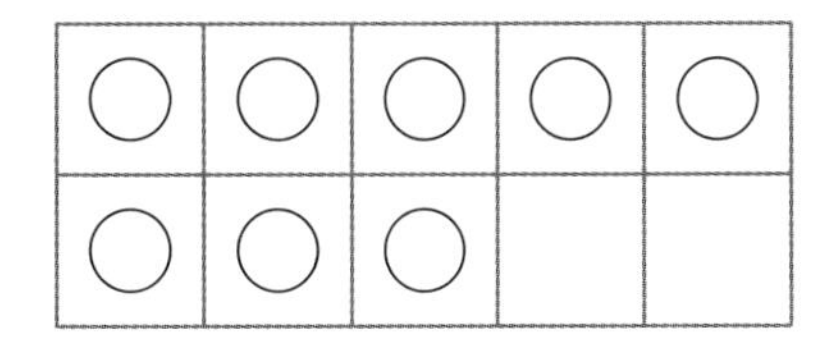

8+□=10

4

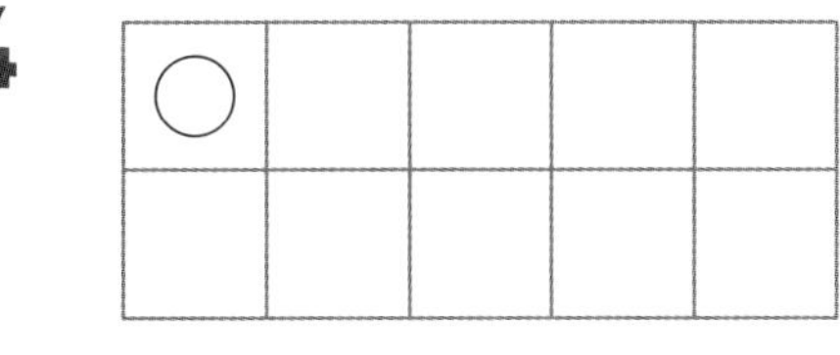

1+□=10

5

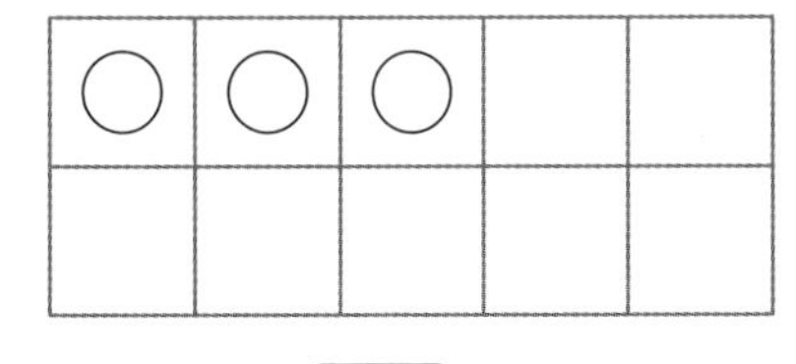

3+□=10

6

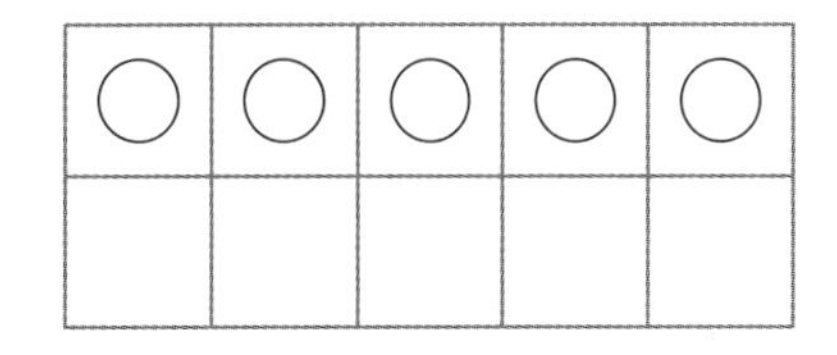

5+□=10

7

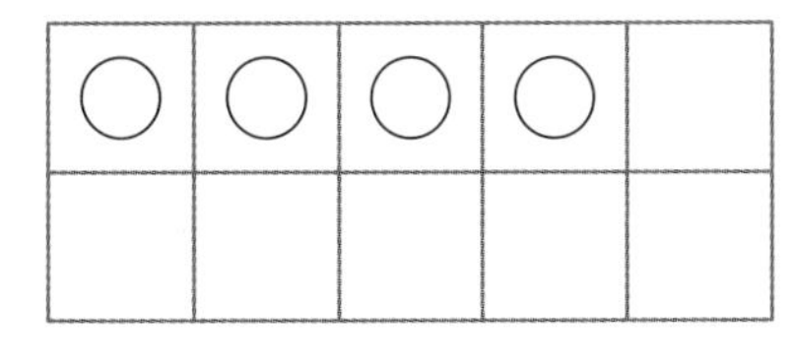

4+□=10

8

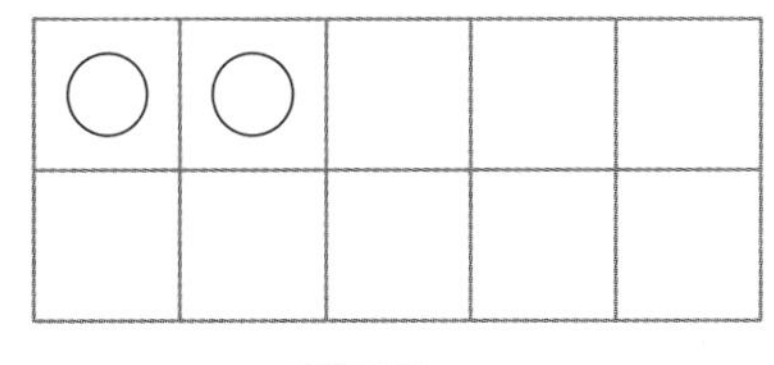

2+□=10

9

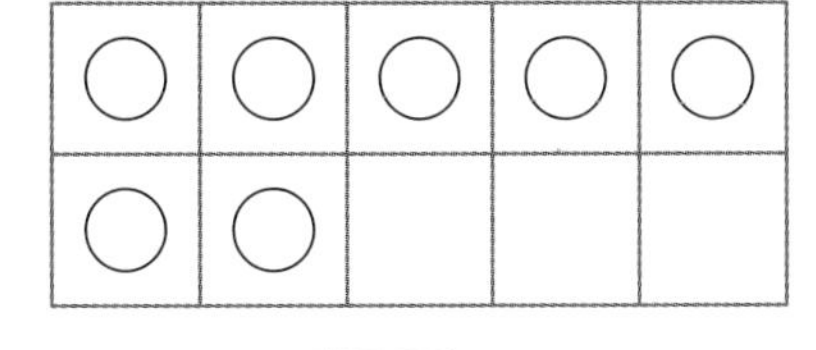

7+□=10

10

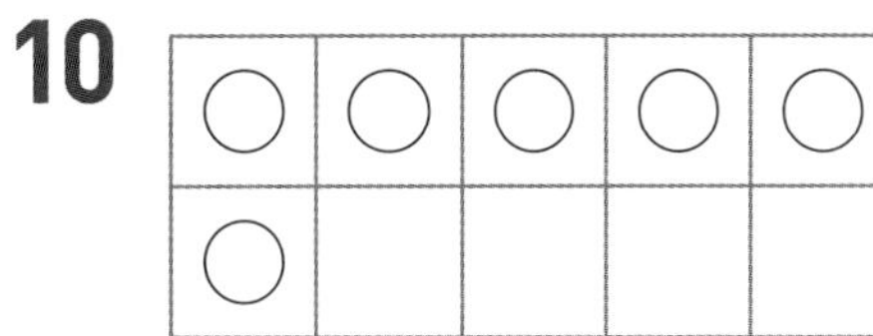

□+□=10

5 10에서 빼기

10에서 빼기 놀이

$10-1=9$

$10-2=8$

$10-3=7$

$10-4=6$

$10-5=5$

$10-6=4$

$10-7=3$

$10-8=2$

$10-9=1$

10에서 빼기

예 $10-4$의 계산

⇨ $10-4=6$

10에서 4를 빼면 6이 남습니다.

예 $10-2$의 계산

⇨ $10-2=8$

10에서 2를 빼면 8이 남습니다.

빼는 수만큼 ○를 /으로 지우고, □ 안에 알맞은 수를 써넣으시오.

1

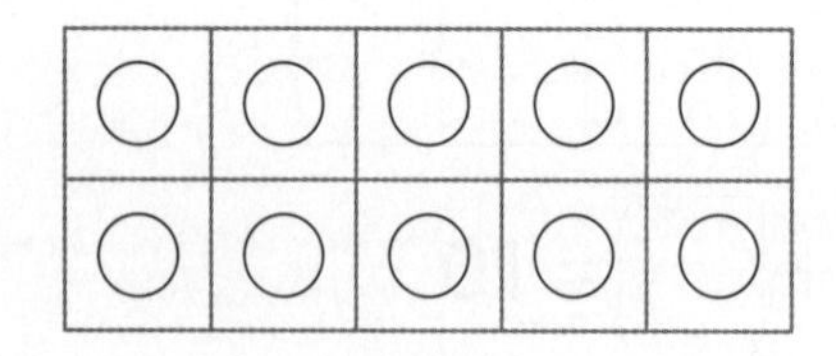

$10-3=\square$

2

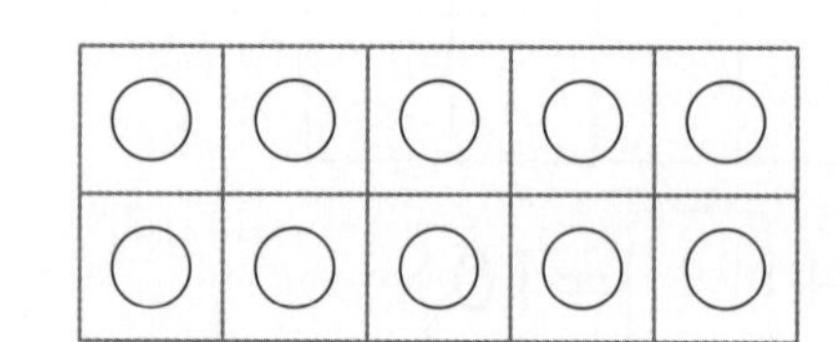

$10-1=\square$

3

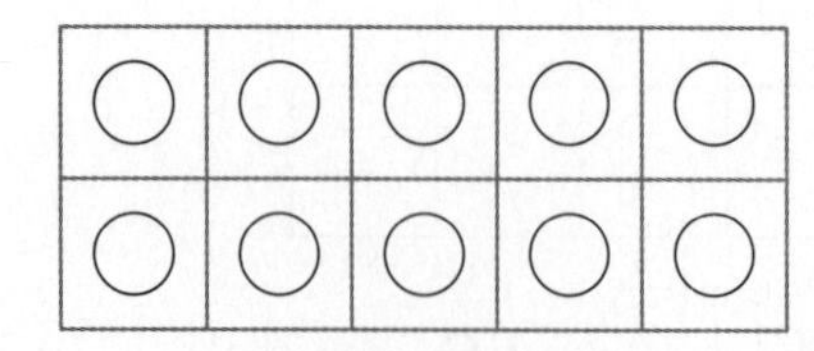

$10-5=\square$

4

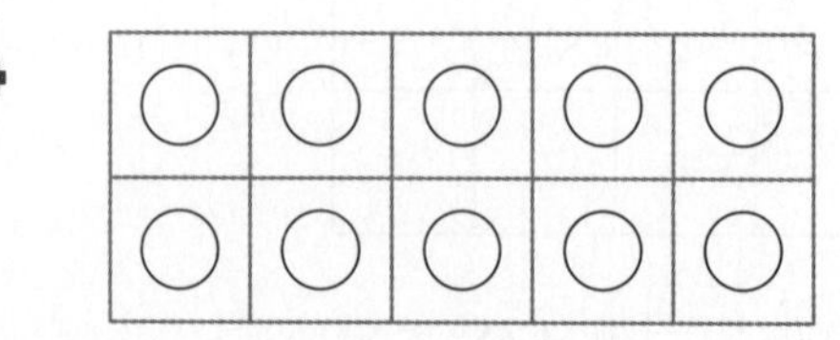

$10-6=\square$

5

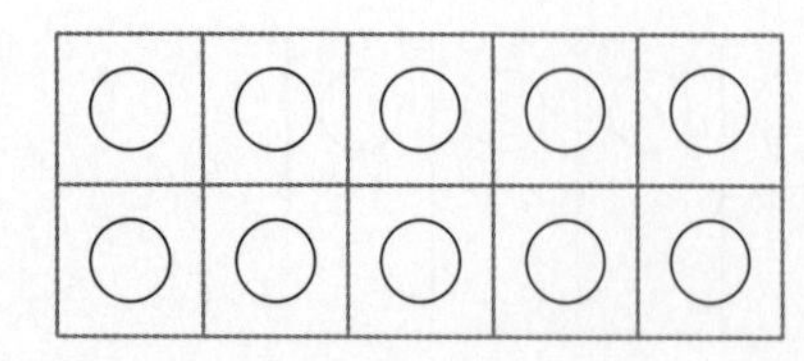

$10-2=\square$

6

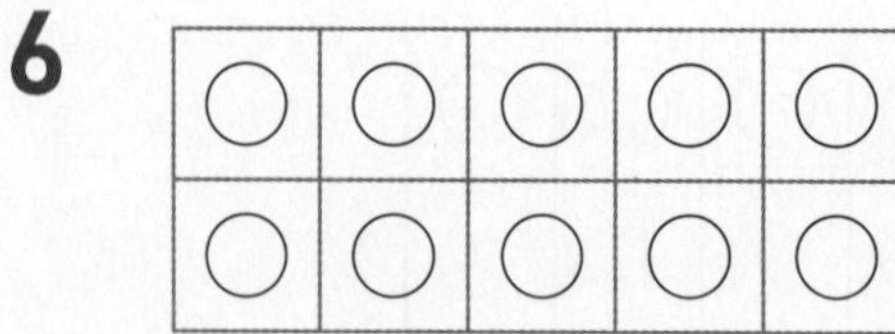

$10-7=\square$

파란색 모형은 빨간색 모형보다 몇 개 더 많은지 뺄셈식으로 알아보시오.

1

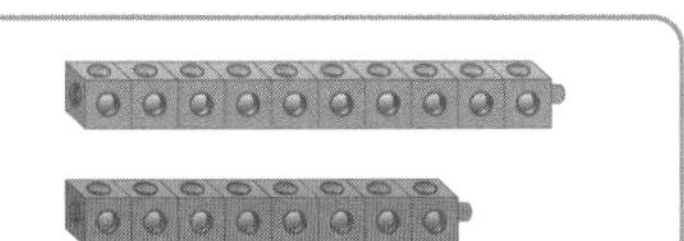

$10-8=\square$

2

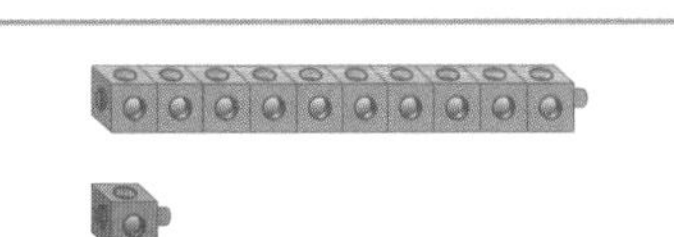

$10-1=\square$

3

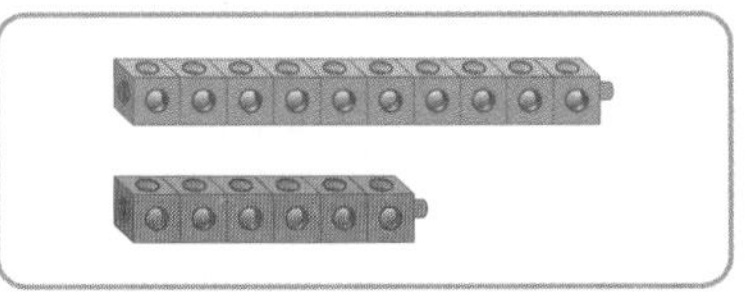

$10-6=\square$

4

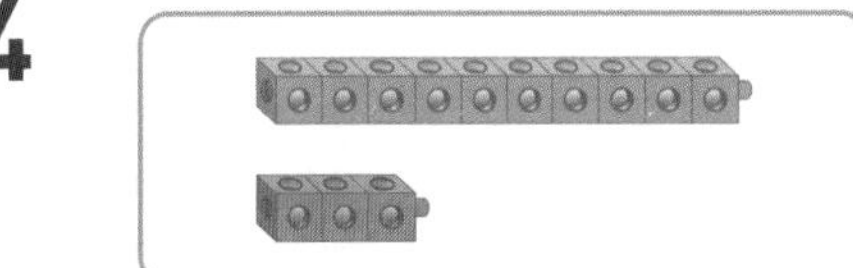

$10-3=\square$

5

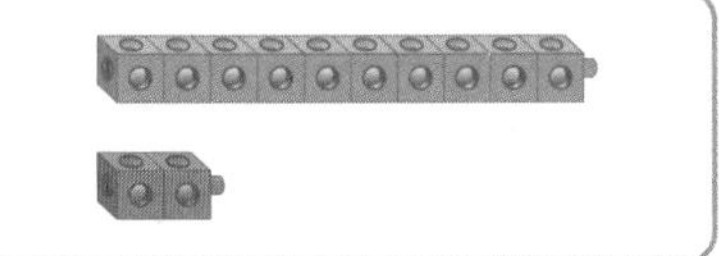

$10-2=\square$

6

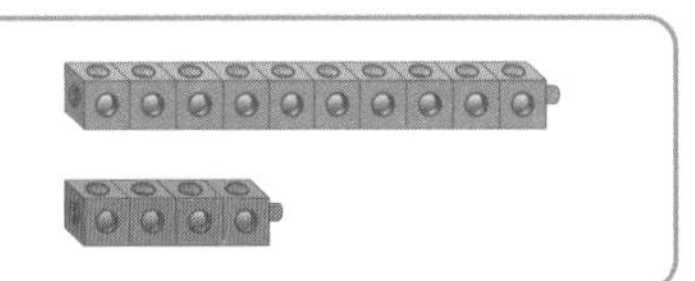

$10-4=\square$

7

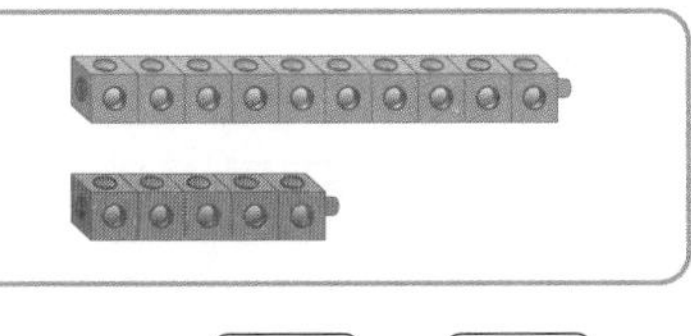

$10-\square=\square$

8

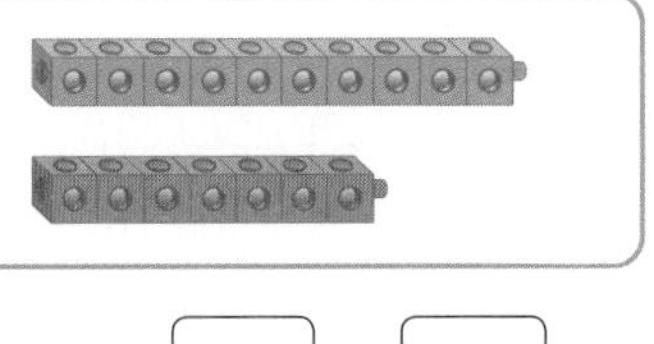

$10-\square=\square$

9

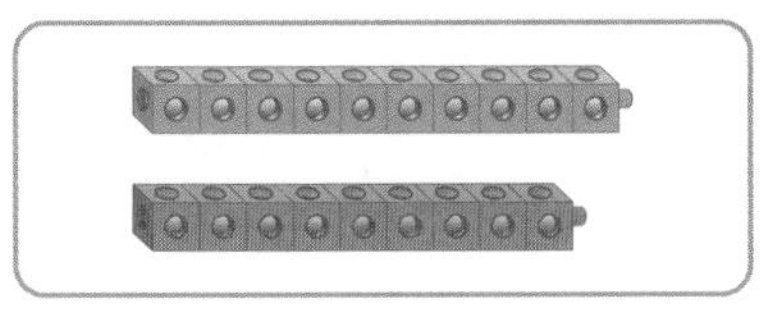

$10-\square=\square$

10

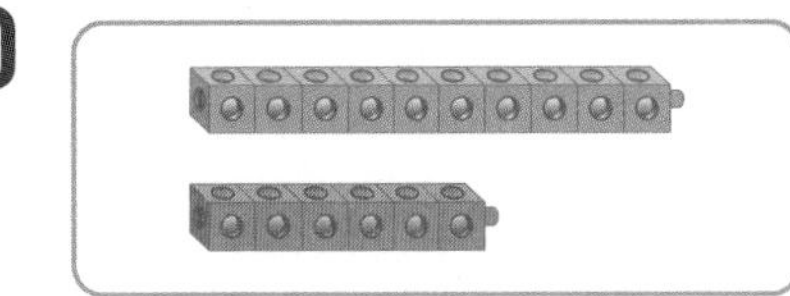

$10-\square=\square$

6 10을 만들어 더하기

앞의 두 수로 10을 만들어 세 수 더하기

• 7+3+8의 계산

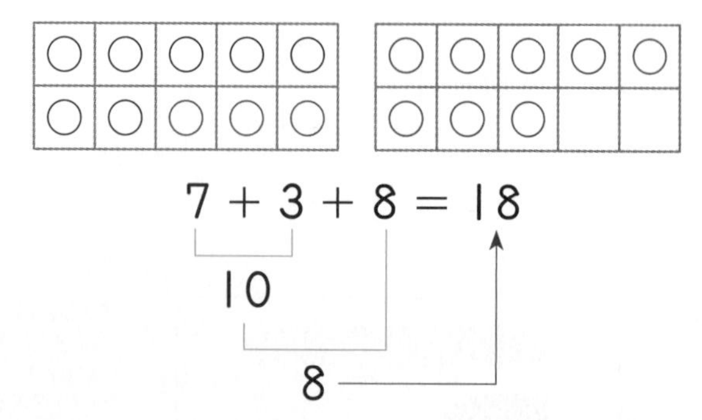

앞의 두 수 7과 3을 먼저 더해 10을 만든 뒤 10과 8을 더해 18을 구합니다.

뒤의 두 수로 10을 만들어 세 수 더하기

• 3+4+6의 계산

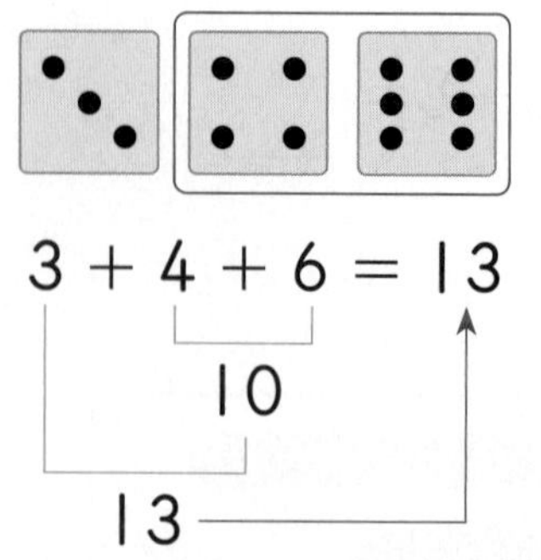

뒤의 두 수 4와 6을 먼저 더해 10을 만든 뒤 3과 10을 더해 13을 구합니다.

앞의 두 수로 10을 만들어 세 수를 더하시오.

1 2 + 8 + 4 = ☐

2 5 + 5 + 6 = ☐

3 9 + 1 + 5 = ☐

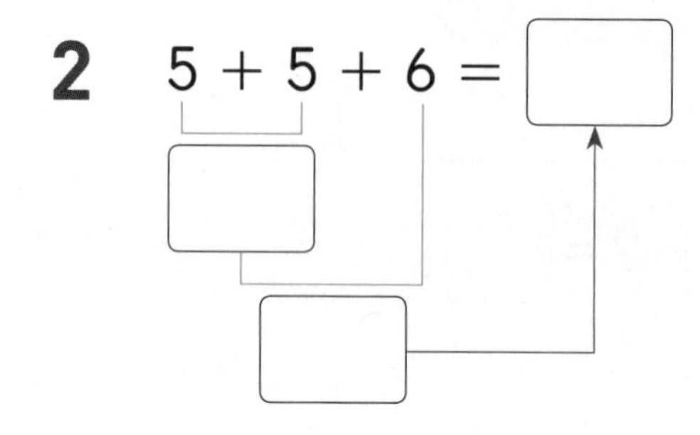

4 6 + 4 + 2 = ☐

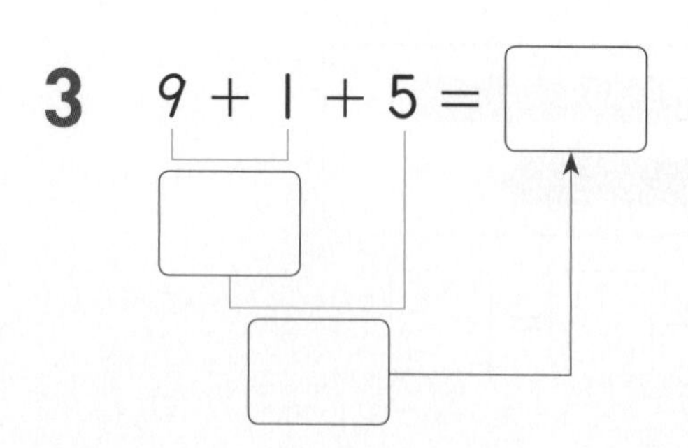

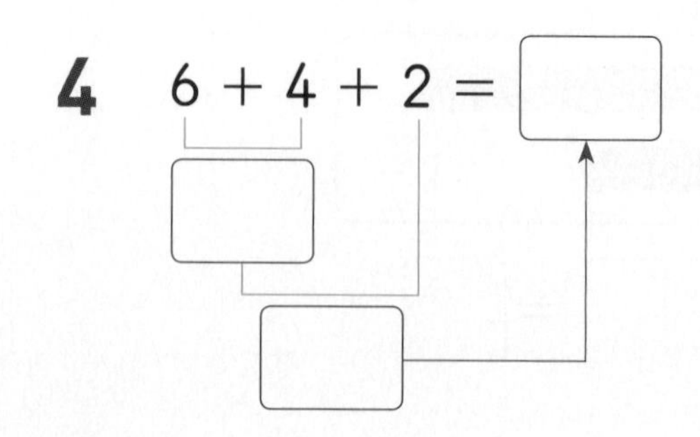

5 3 + 7 + 6 = ☐

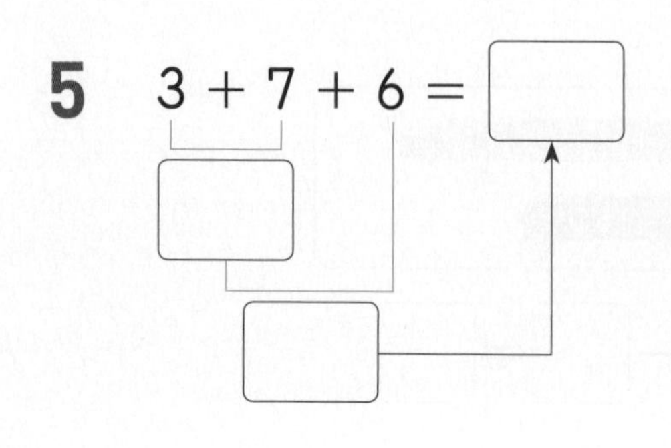

6 8 + 2 + 7 = ☐

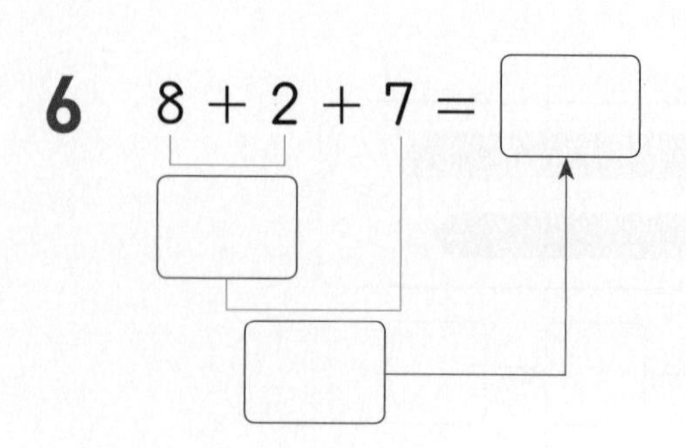

뒤의 두 수로 10을 만들어 세 수를 더하시오.

1 1 + 5 + 5 = □

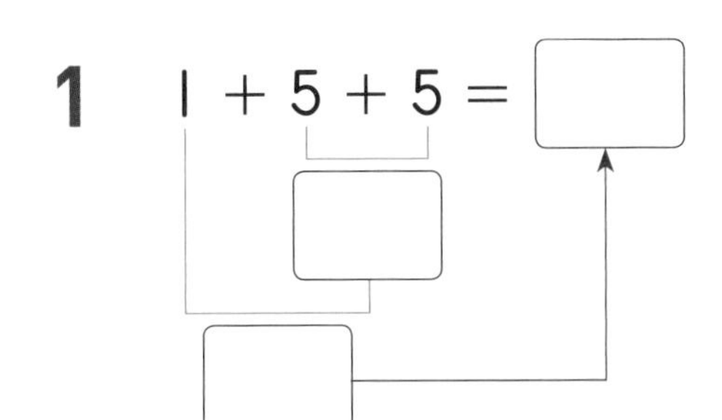

2 8 + 1 + 9 = □

3 5 + 6 + 4 = □

4 4 + 3 + 7 = □

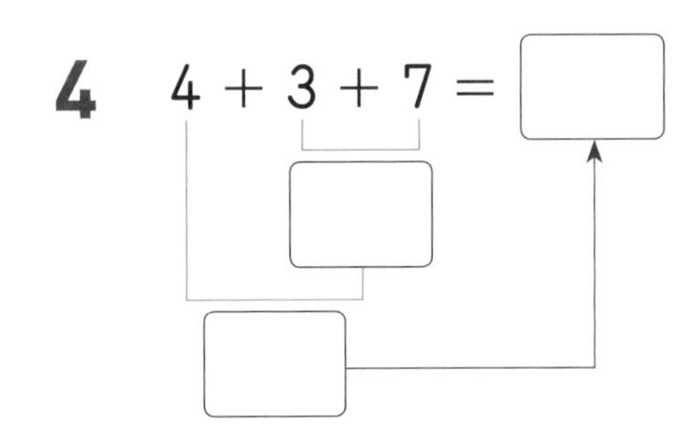

5 9 + 2 + 8 = □

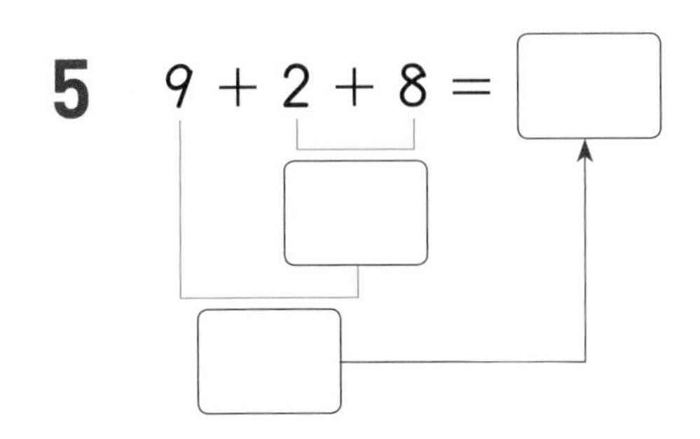

6 7 + 5 + 5 = □

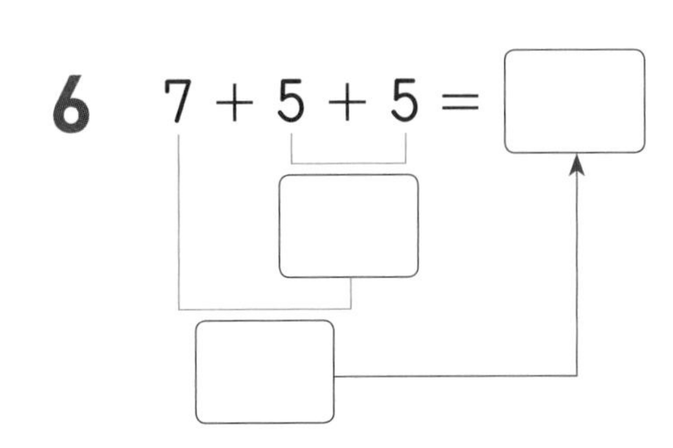

7 6 + 7 + 3 = □

8 2 + 4 + 6 = □

9 3 + 9 + 1 = □

10 8 + 8 + 2 = □

합이 10이 되는 두 수를 ◯로 묶고 세 수의 합을 구하시오.

1 $1+9+4=\square$

2 $8+6+4=\square$

3 $2+9+1=\square$

4 $4+5+5=\square$

5 $6+4+5=\square$

6 $8+2+9=\square$

7 $5+7+3=\square$

8 $2+8+3=\square$

9 $5+5+4=\square$

10 $1+9+4=\square$

11 $7+2+8=\square$

12 $3+7+6=\square$

13 $8+2+3=\square$

14 $1+5+5=\square$

세 수의 합을 빈 곳에 써넣으시오.

1

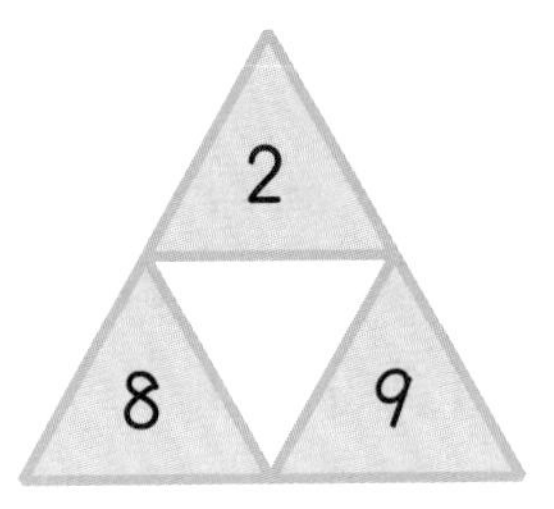

2

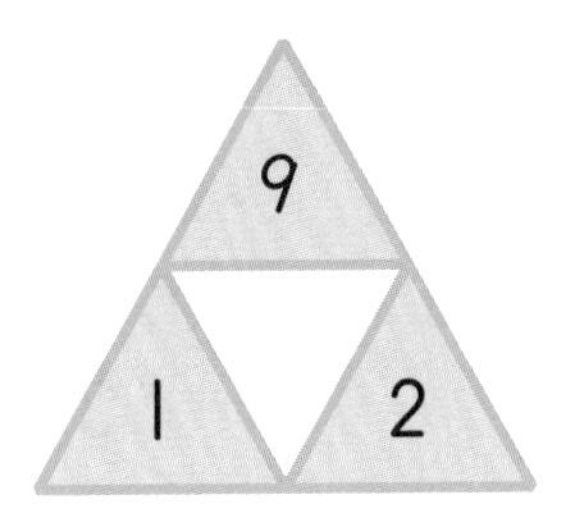

3

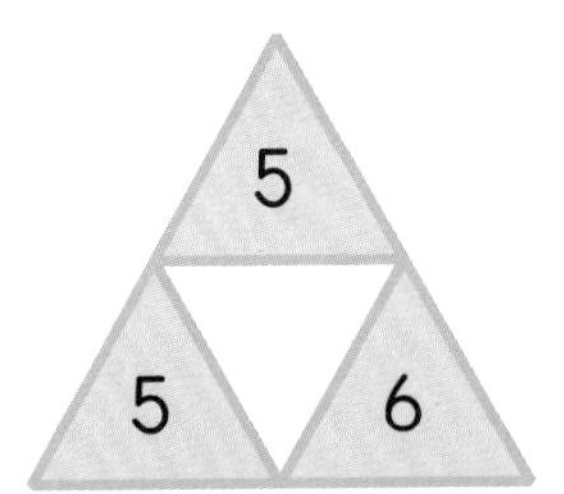

4

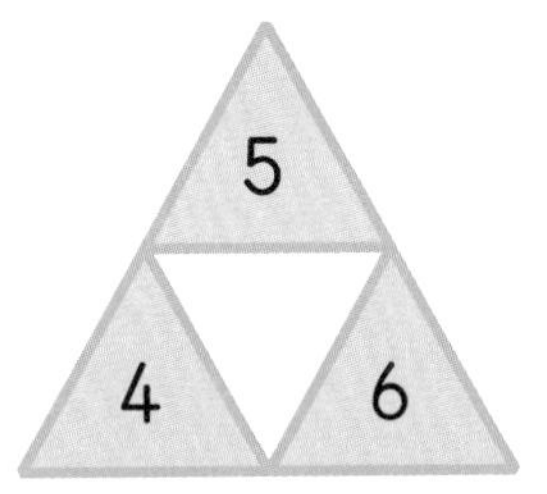

5

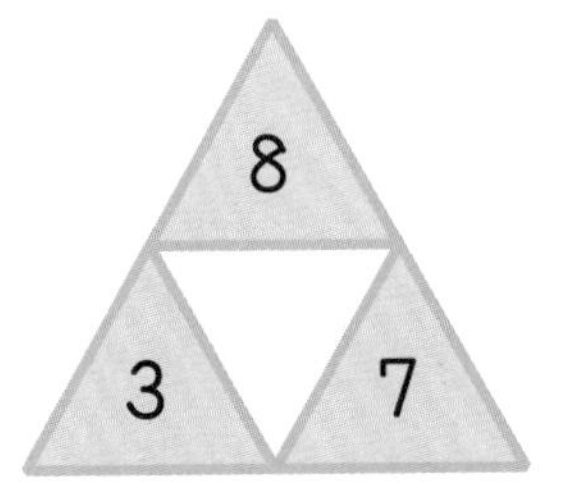

6

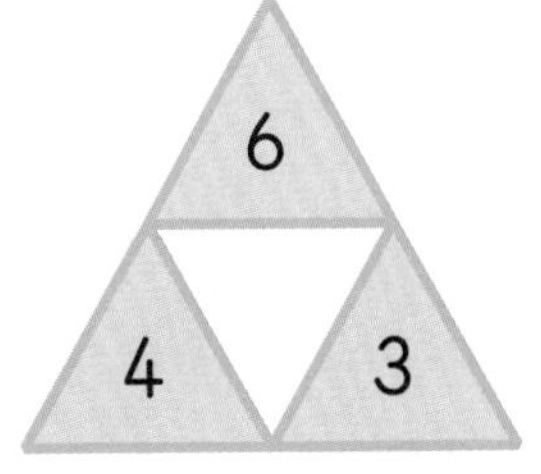

7

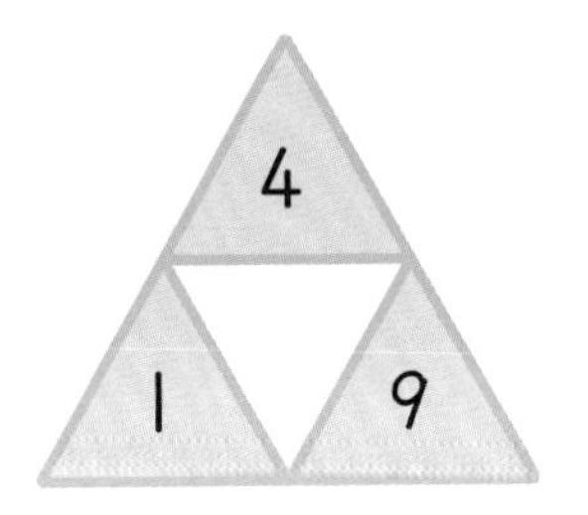

8

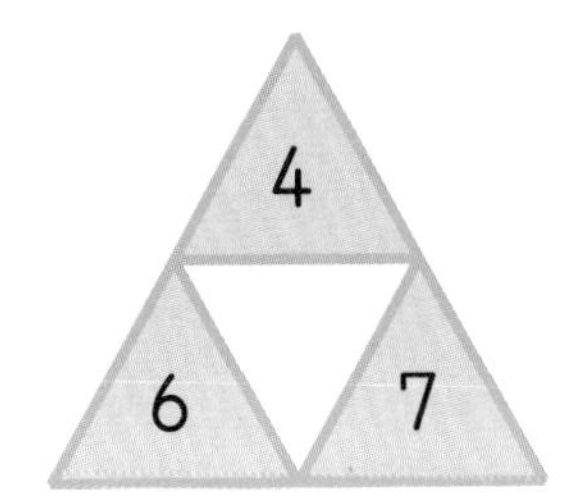

잘 틀리는 계산 연습

식 완성하기

3+2+㉠=㉡

• 밑줄 친 두 수의 합이 10이 되도록 ㉠, ㉡의 값 구하기
① 2와 더해서 10이 되는 수는 8이므로 ㉠은 8입니다.
② 3+2+8=3+10=13이므로 ㉡은 13입니다.

밑줄 친 두 수의 합이 10이 되도록 ○ 안에 수를 써넣고 식을 완성하시오.

1 5+4+○=□

2 3+○+4=□

3 8+9+○=□

4 ○+5+2=□

5 8+○+6=□

6 7+6+○=□

7 ○+9+4=□

8 9+7+○=□

□ 안에 알맞은 가장 큰 수 구하기

$8-2-2>\square$	① $8-2-2=4$ ② $4>\square$이어야 하므로 □ 안에 알맞은 가장 큰 수는 3입니다.

□ 안에 알맞은 가장 큰 수를 구하시오.

1 $9-3-2>\square$

(　　　　　)

2 $3+5+1>\square$

(　　　　　)

3 $8-4-1>\square$

(　　　　　)

4 $2+1+3>\square$

(　　　　　)

5 $4+2+2>\square$

(　　　　　)

6 $7-1-3>\square$

(　　　　　)

7 $8-5-1>\square$

(　　　　　)

8 $4+3+1>\square$

(　　　　　)

5단원 시계 보기와 규칙 찾기

1 몇 시, 몇 시 30분 알아보기

몇 시 알아보기

10:00

짧은바늘이 10, 긴바늘이 12를 가리킬 때 시계는 10시를 나타내고 열 시라고 읽습니다.

> 긴바늘이 12를 가리킬 때 시계는 '몇 시'를 나타냅니다.

몇 시 30분 알아보기

2:30

짧은바늘이 2와 3 사이에 있고, 긴바늘이 6을 가리킬 때 시계는 2시 30분을 나타내고 두 시 삼십 분이라고 읽습니다.

> 긴바늘이 6을 가리킬 때 시계는 '몇 시 30분'을 나타냅니다.

시각을 써 보시오.

1

☐ 시

2

☐ 시

3

☐ 시

4

☐ 시

5

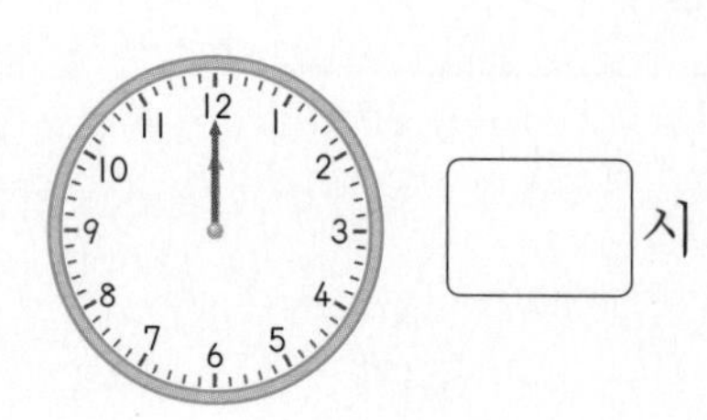

☐ 시

6

☐ 시

시각을 써 보시오.

1

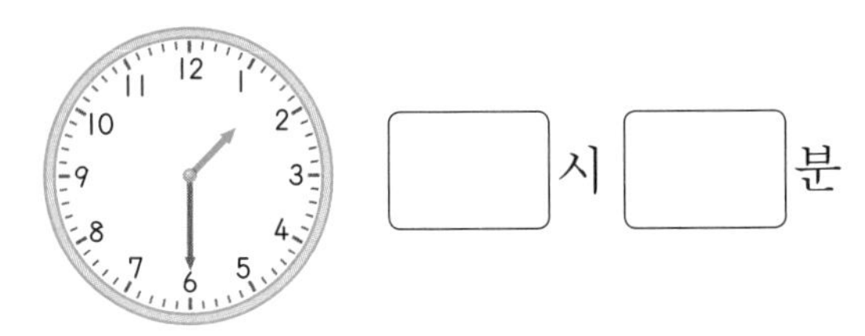

2

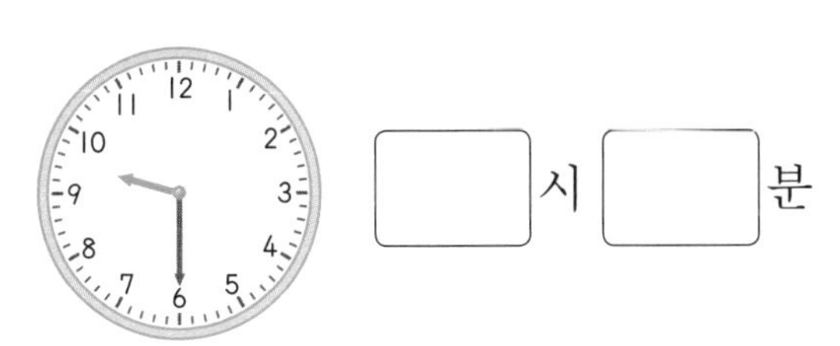

3

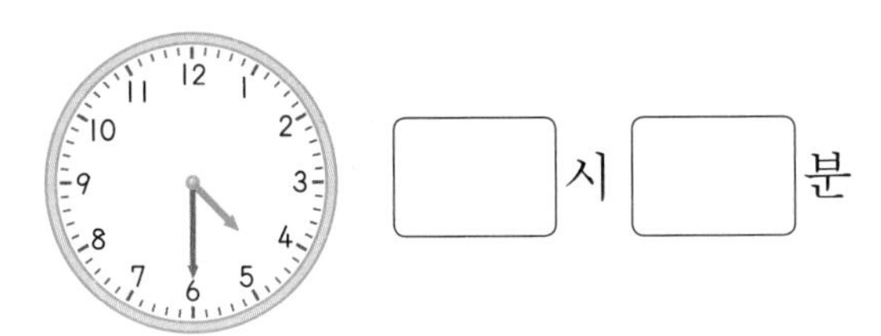

4

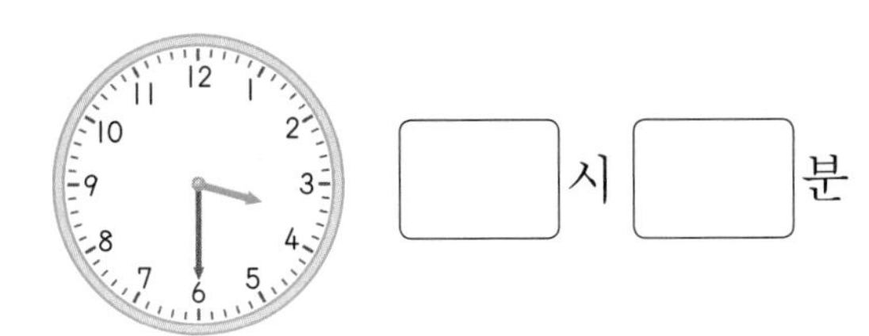

5

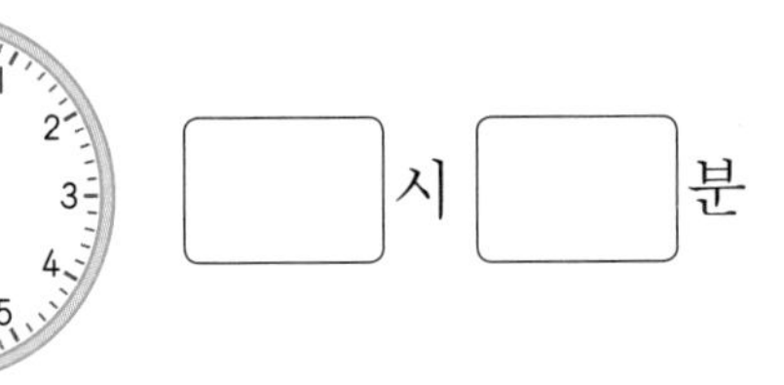

6

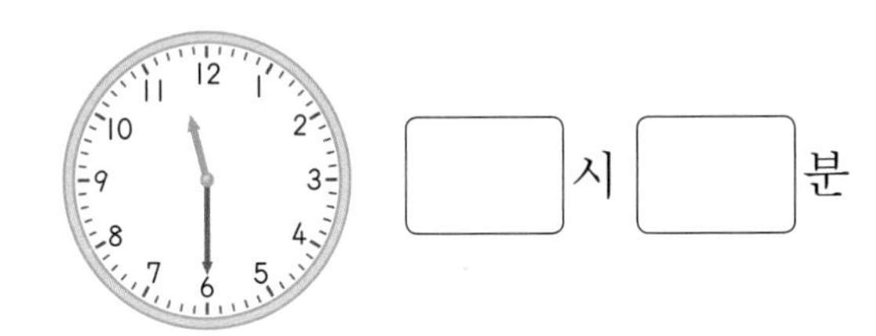

7

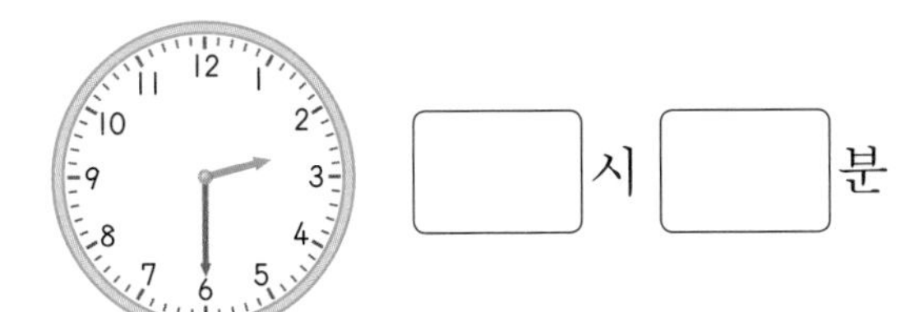

8

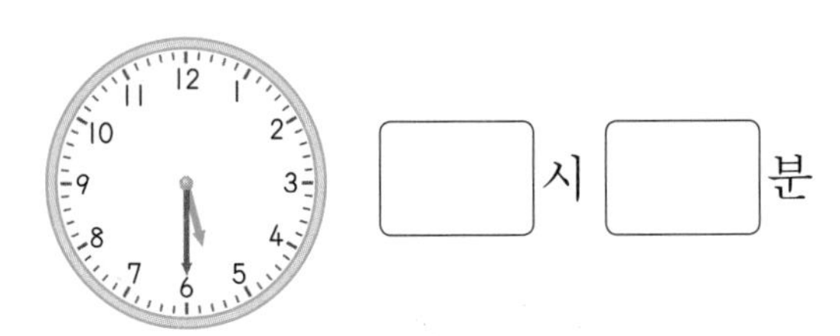

9

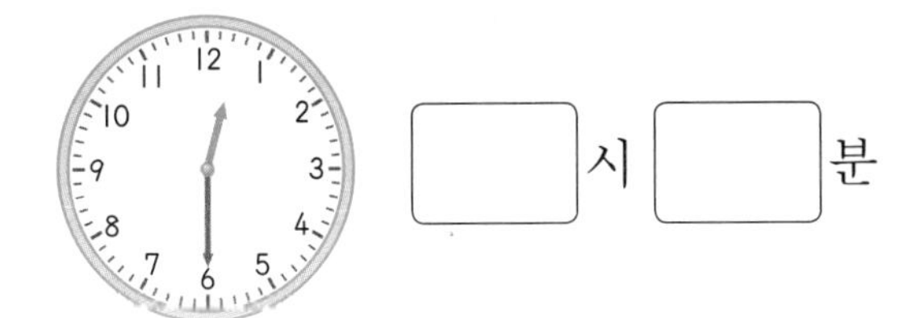

10

시곗바늘을 그려 넣고 시각을 써 보시오.

1

긴바늘 ⇨ 12
짧은바늘 ⇨ 9

☐ 시

2

긴바늘 ⇨ 12
짧은바늘 ⇨ 2

☐ 시

3

긴바늘 ⇨ 12
짧은바늘 ⇨ 7

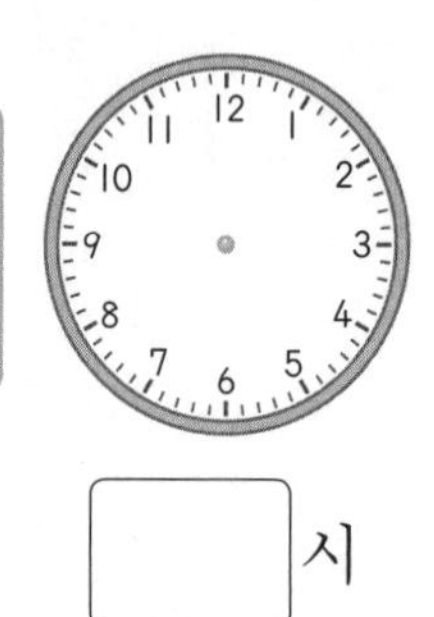

☐ 시

4

긴바늘 ⇨ 12
짧은바늘 ⇨ 5

☐ 시

5

긴바늘 ⇨ 12
짧은바늘 ⇨ 4

☐ 시

6

긴바늘 ⇨ 12
짧은바늘 ⇨ 10

☐ 시

7

긴바늘 ⇨ 12
짧은바늘 ⇨ 3

☐ 시

8

긴바늘 ⇨ 12
짧은바늘 ⇨ 6

☐ 시

시각에 맞게 시곗바늘을 그려 넣으시오.

1

10시 30분

2

12시 30분

3

5시 30분

4

11시 30분

5

6시 30분

6

8시 30분

7

2시 30분

8

3시 30분

9

4시 30분

10

7시 30분

② 수 배열에서 규칙 찾아보기

2	7	2	7	2	7	규칙 2와 7이 되풀이됩니다.
10	20	30	40	50	60	규칙 10부터 시작하여 10씩 커집니다.
13	11	9	7	5	3	규칙 13부터 시작하여 2씩 작아집니다.

반복되는 규칙에 따라 빈칸에 알맞은 수를 써넣으시오.

1 4 – 5 – 4 – 5 – 4 – 5 – 4 – 5 – 4 – □

2 10 – 2 – 10 – 2 – 10 – 2 – 10 – 2 – 10 – □

3 2 – 0 – 0 – 2 – 0 – 0 – 2 – 0 – □ – □

4 1 – 4 – 1 – 1 – 4 – 1 – 1 – 4 – □ – □

5 2 – 3 – 4 – 2 – 3 – 4 – 2 – □ – □ – □

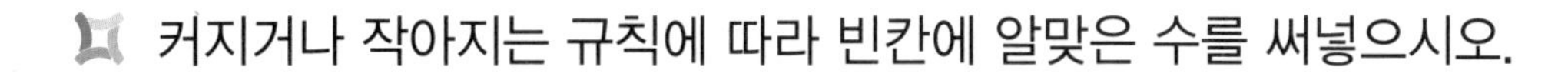

커지거나 작아지는 규칙에 따라 빈칸에 알맞은 수를 써넣으시오.

1 5 - 7 - 9 - 11 - ☐ - ☐

2 2 - 4 - 6 - 8 - ☐ - ☐

3 12 - 10 - 8 - 6 - ☐ - ☐

4 17 - 15 - 13 - 11 - ☐ - ☐

5 2 - 5 - 8 - 11 - ☐ - ☐

6 11 - 22 - 33 - ☐ - ☐ - ☐

7 10 - 9 - 8 - ☐ - ☐ - ☐

8 8 - 12 - 16 - ☐ - ☐ - ☐

9 40 - 35 - 30 - ☐ - ☐ - ☐

10 70 - 60 - 50 - ☐ - ☐ - ☐

③ 수 배열표에서 규칙 찾기

1	2	3	4	5	6	7	8	9	10
11	12	13	14	15	16	17	18	19	20
21	22	23	24	25	26	27	28	29	30

규칙 1 ·······에 있는 수들은 11부터 시작하여 오른쪽으로 1칸 갈 때마다 1씩 커집니다.

규칙 2 ·······에 있는 수들은 5부터 시작하여 아래쪽으로 1칸 갈 때마다 10씩 커집니다.

규칙 3 색칠한 수들은 2부터 시작하여 2씩 뛰어 세는 규칙입니다.

수 배열표를 보고 색칠한 수들의 규칙을 말해 보시오.

1

1	2	3	4	5	6	7	8	9	10
11	12	13	14	15	16	17	18	19	20
21	22	23	24	25	26	27	28	29	30

규칙 1부터 시작하여 ☐씩 커집니다.

2

71	72	73	74	75	76	77	78	79	80
81	82	83	84	85	86	87	88	89	90
91	92	93	94	95	96	97	98	99	100

규칙 71부터 시작하여 ☐씩 커집니다.

3

61	62	63	64	65	66	67	68	69	70
71	72	73	74	75	76	77	78	79	80
81	82	83	84	85	86	87	88	89	90

규칙 61부터 시작하여 ☐씩 커집니다.

4

21	22	23	24	25	26	27	28	29	30
31	32	33	34	35	36	37	38	39	40
41	42	43	44	45	46	47	48	49	50

규칙 22부터 시작하여 ☐씩 커집니다.

5

41	42	43	44	45	46	47	48	49	50
51	52	53	54	55	56	57	58	59	60
61	62	63	64	65	66	67	68	69	70

규칙 ☐부터 시작하여 ☐씩 커집니다.

6

51	52	53	54	55	56	57	58	59	60
61	62	63	64	65	66	67	68	69	70
71	72	73	74	75	76	77	78	79	80

규칙 ☐부터 시작하여 ☐씩 커집니다.

색칠한 규칙에 따라 수 배열표에 색칠하시오.

1

10	11	12	13	14	15
16	17	18	19	20	21
22	23	24	25	26	27

2

1	2	3	4	5	6
7	8	9	10	11	12
13	14	15	16	17	18

3

21	22	23	24	25	26
27	28	29	30	31	32
33	34	35	36	37	38

4

30	31	32	33	34	35
36	37	38	39	40	41
42	43	44	45	46	47

5

15	16	17	18	19	20
21	22	23	24	25	26
27	28	29	30	31	32

6

41	42	43	44	45	46
47	48	49	50	51	52
53	54	55	56	57	58

7

1	2	3	4	5	6	7	8
9	10	11	12	13	14	15	16
17	18	19	20	21	22	23	24

8

31	32	33	34	35	36	37	38
39	40	41	42	43	44	45	46
47	48	49	50	51	52	53	54

거울에 비친 시계의 시각 구하기

① 짧은바늘: 3과 4 사이, 긴바늘: 6
② 거울에 비친 시계가 나타내는 시각은
3시 30분입니다.

거울에 비친 시계가 나타내는 시각을 구하시오.

1  □시

2  □시 □분

3  □시

4  □시 □분

5  □시

6  □시 □분

7 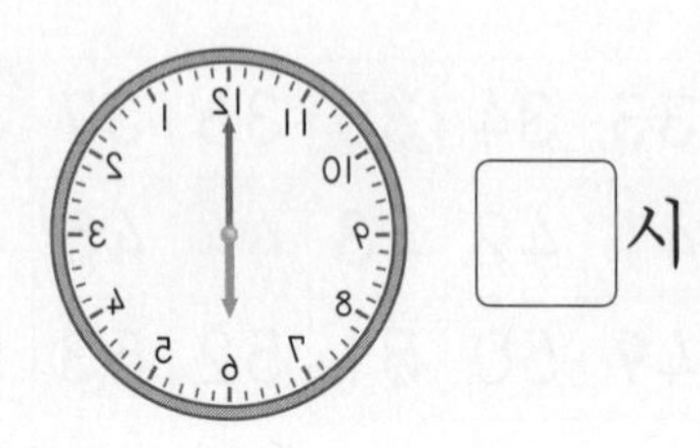 □시

8  □시 □분

잘 틀리는 계산 연습

같은 규칙으로 수 배열하기

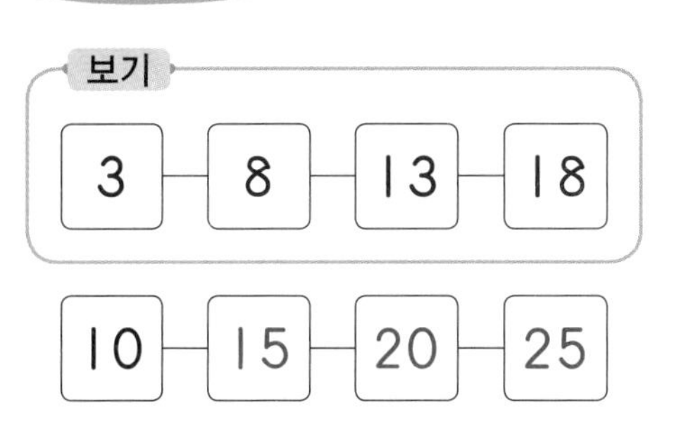

① 보기 의 규칙 찾기
3부터 시작하여 5씩 커지는 규칙입니다.

② 같은 규칙으로 수 배열하기
10부터 5씩 커지는 규칙으로 수를 쓰면
10－15－20－25입니다.

보기 와 같은 규칙으로 수를 배열하려고 합니다. 빈 곳에 알맞은 수를 써넣으시오.

1

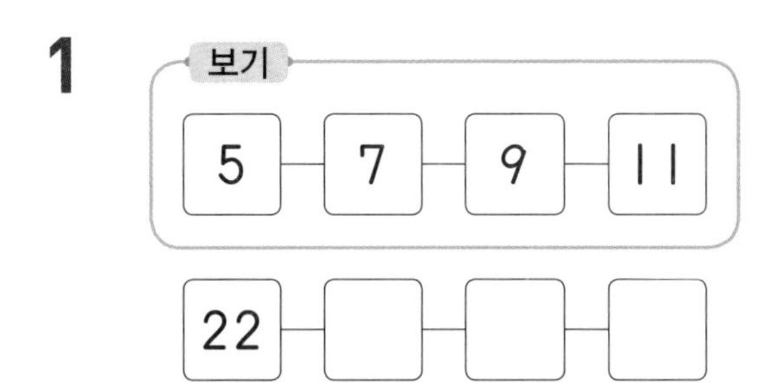

2

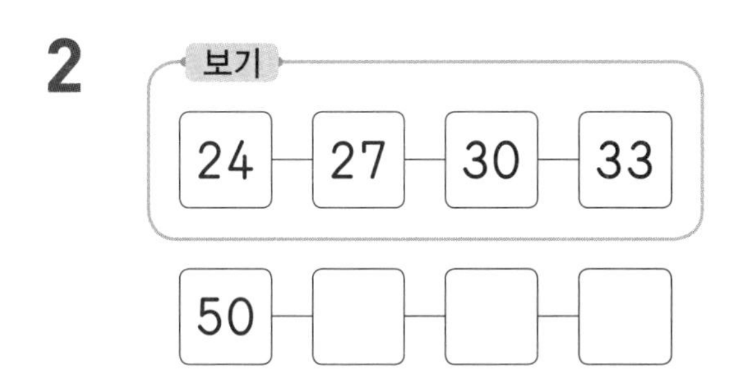

3

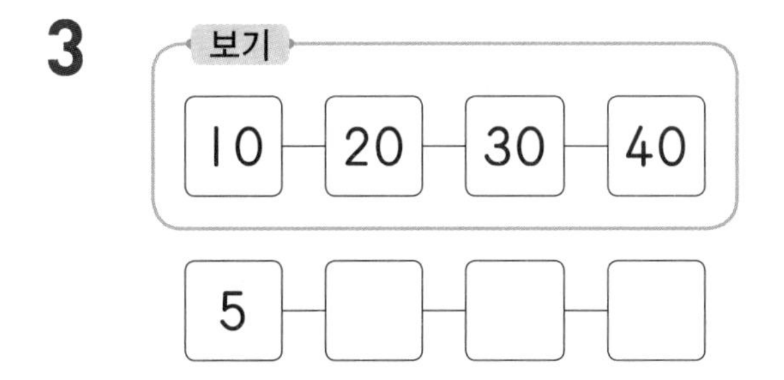

4

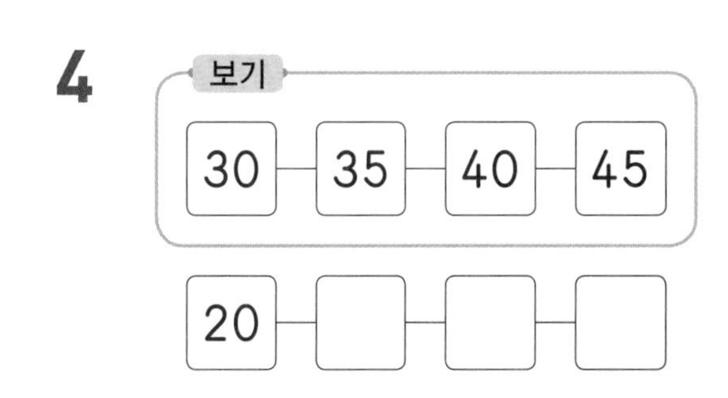

5

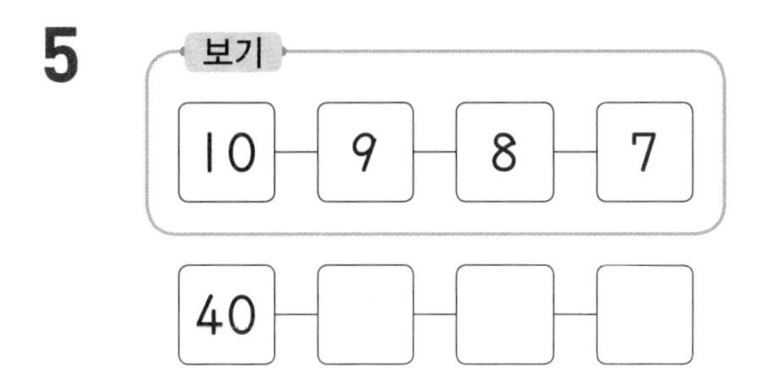

6

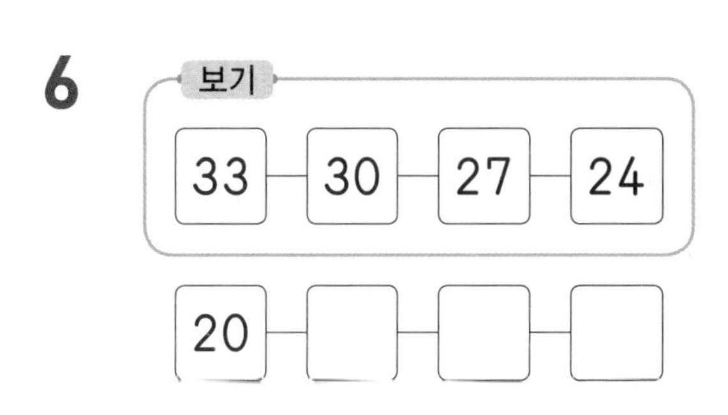

1 10을 이용하여 모으기와 가르기

7과 8을 모으면 10과 5가 되어 15가 됩니다.

15는 10과 5로 가르기를 할 수 있습니다.

알맞게 ○를 그려 넣고 빈 곳에 알맞은 수를 써넣으시오.

1

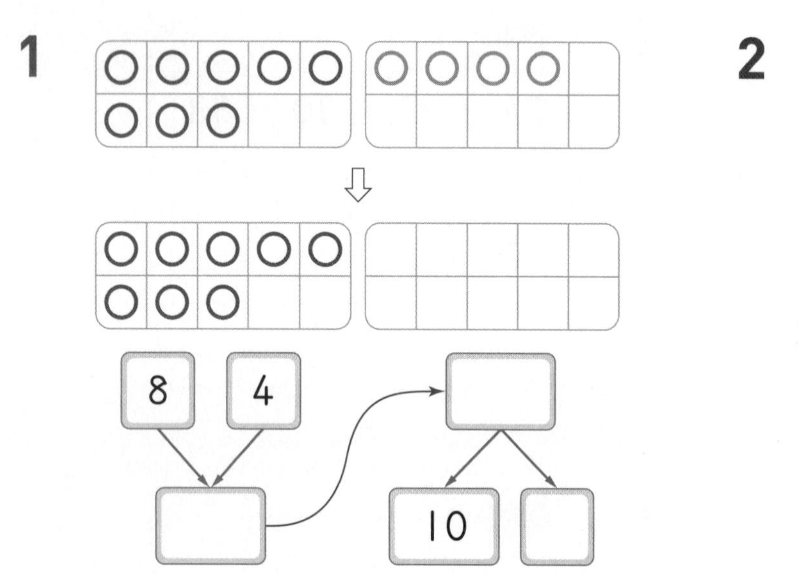

2

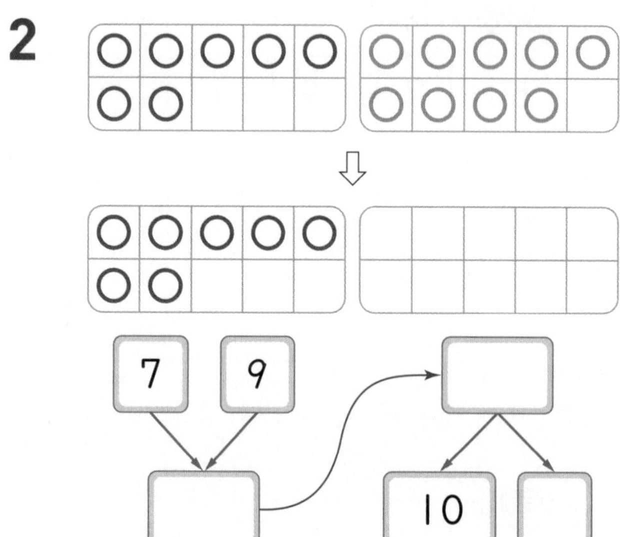

3

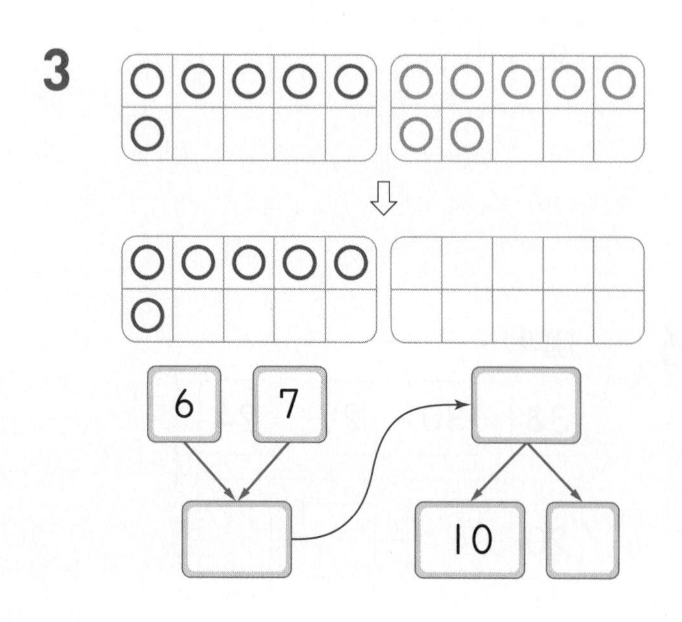

4

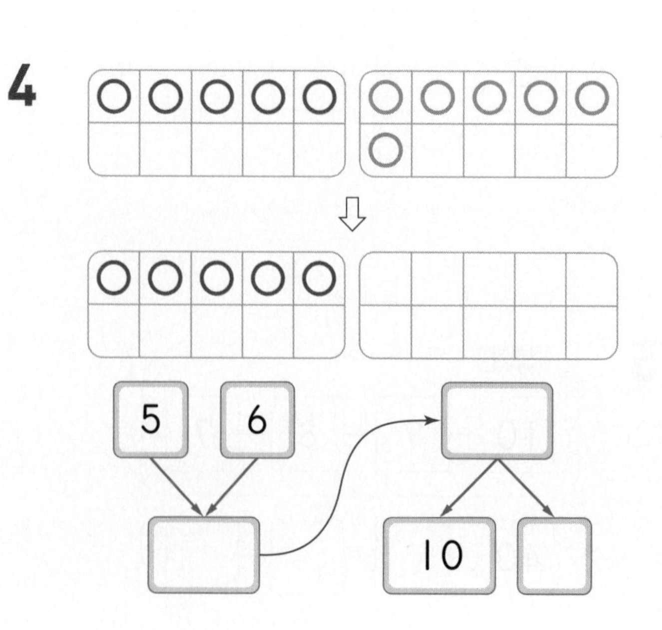

10을 이용하여 모으기와 가르기를 하시오.

1

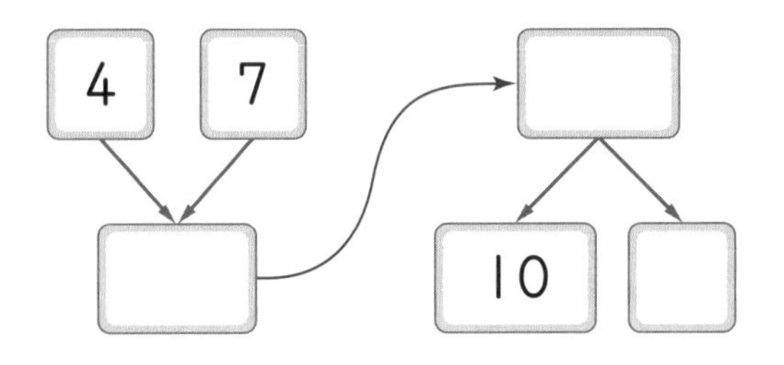

2

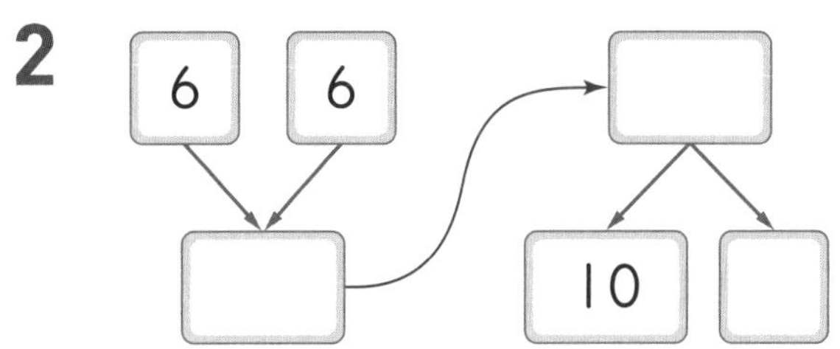

3

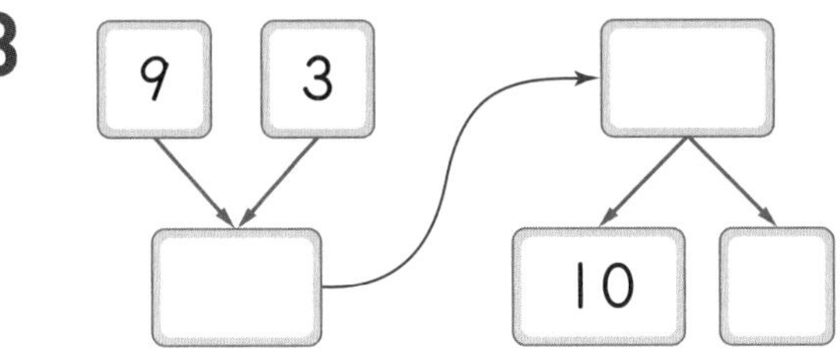

4

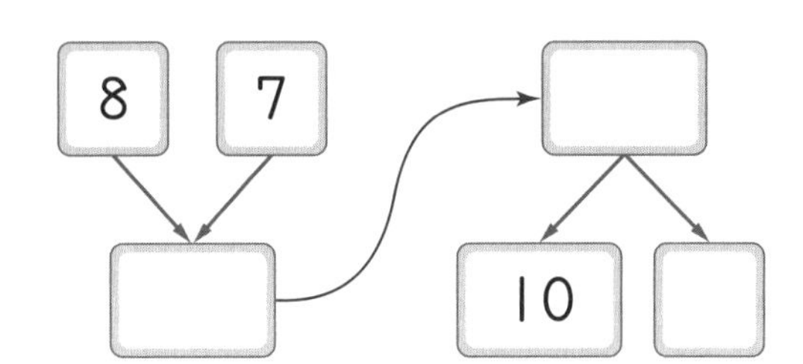

5

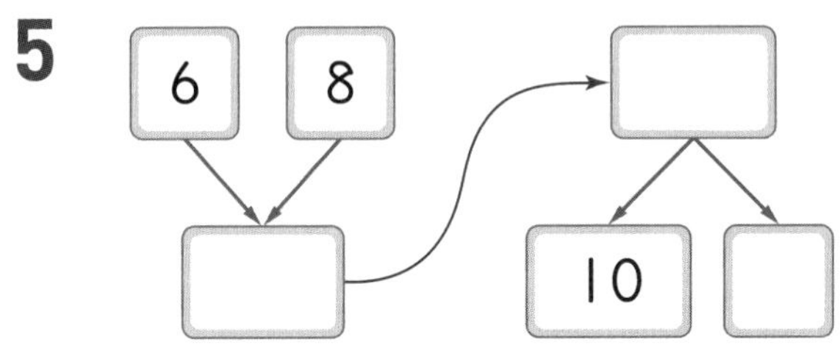

6

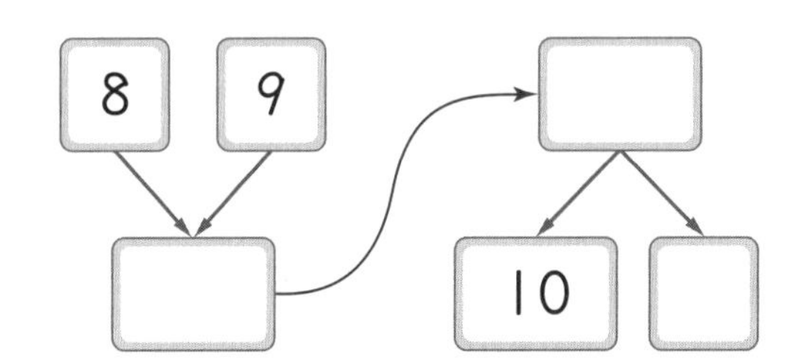

7

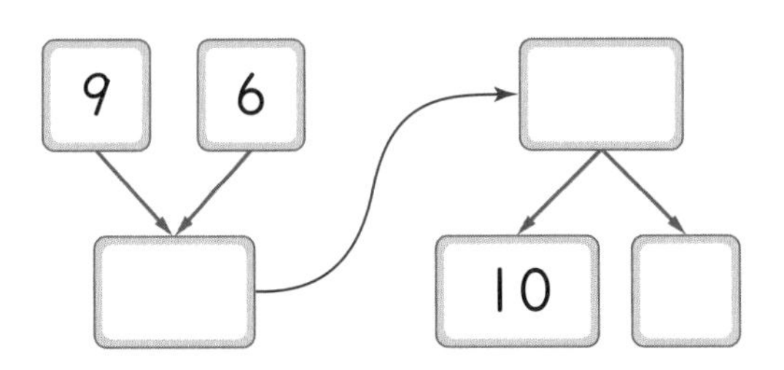

8

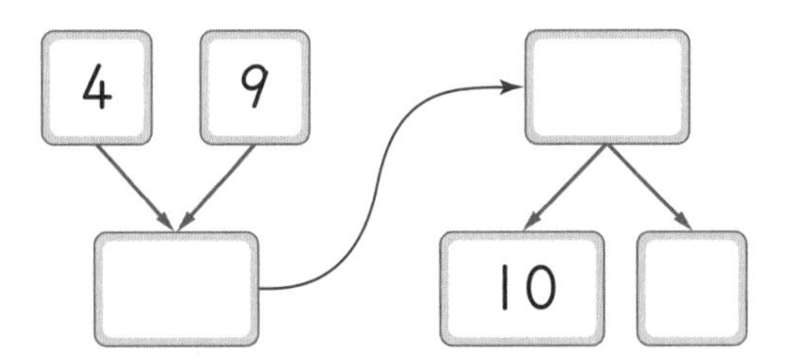

9

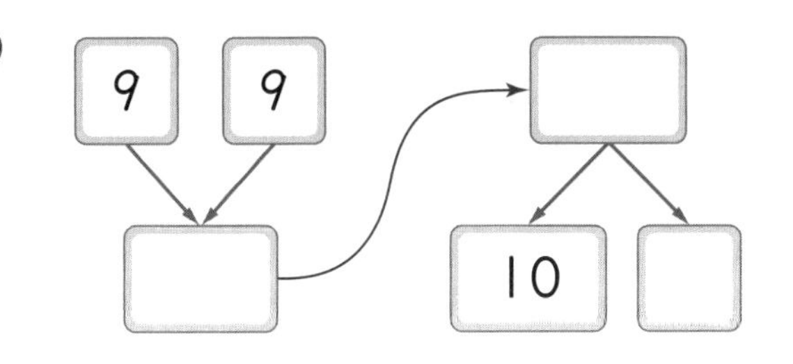

10

9 5

10

2 덧셈하기(1)

✸ 10을 만들어 덧셈하기

• 7+5의 계산

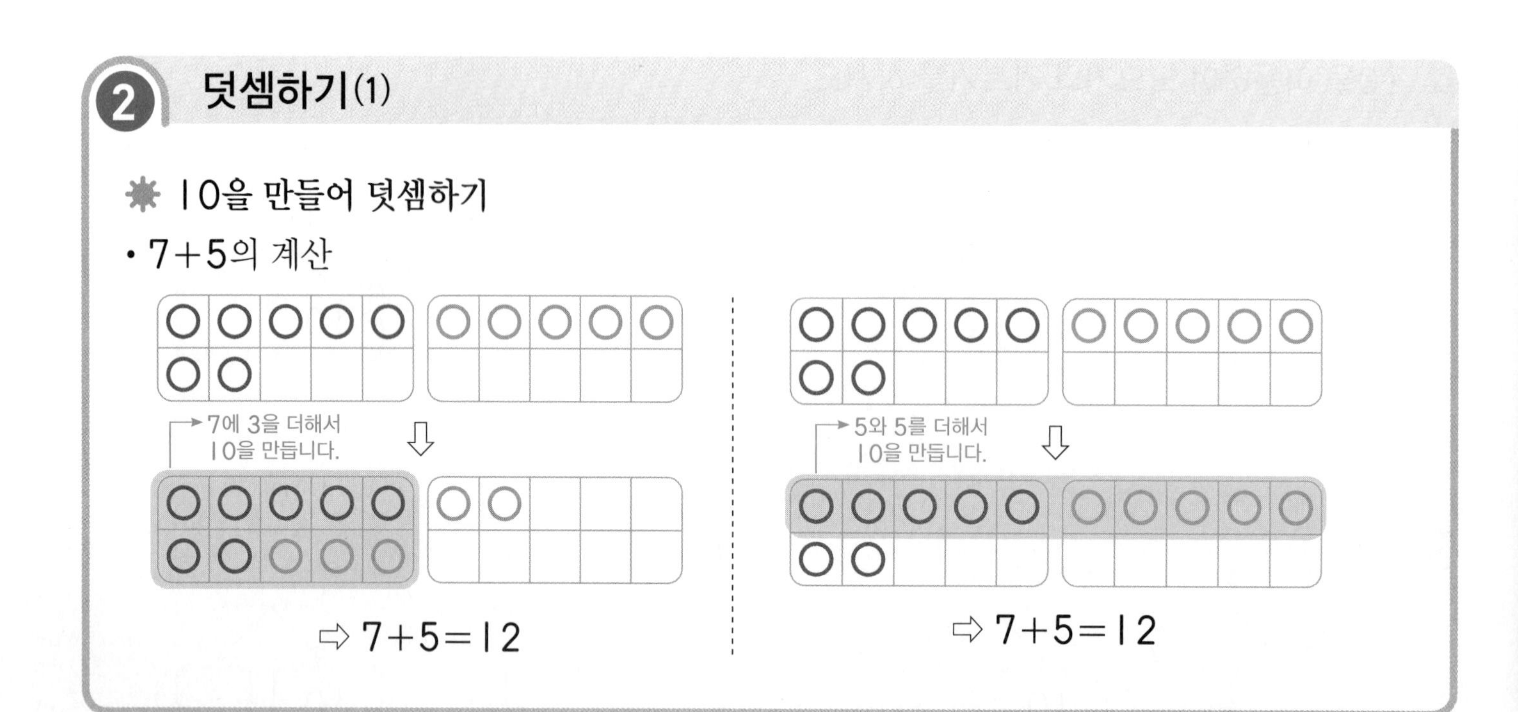

⇨ 7+5=12

⇨ 7+5=12

▢ 안에 알맞은 수를 써넣으시오.

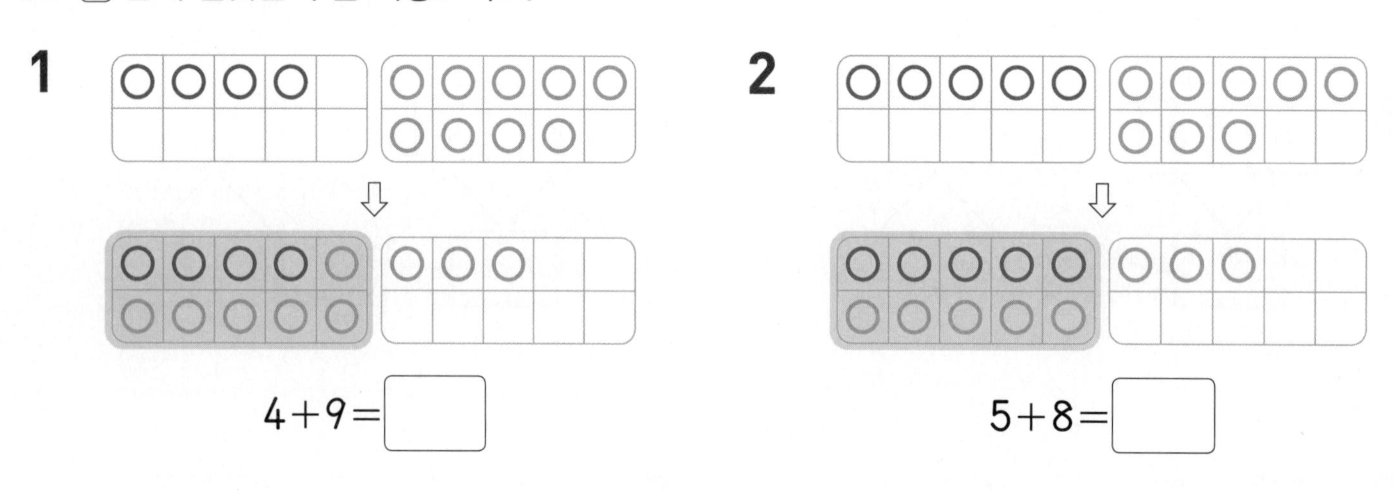

1 4+9=▢

2 5+8=▢

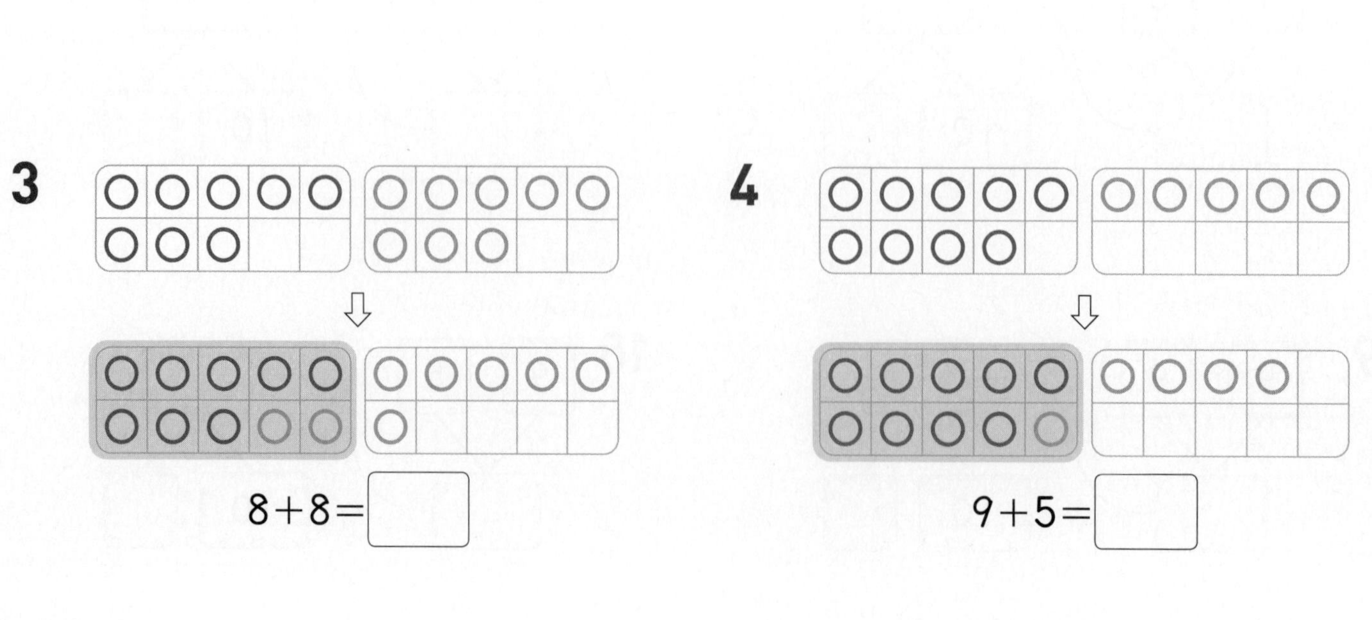

3 8+8=▢

4 9+5=▢

□ 안에 알맞은 수를 써넣으시오.

1

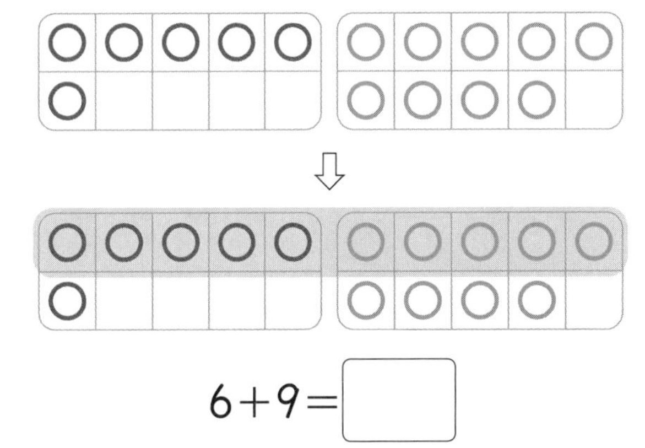

6+9=□

2

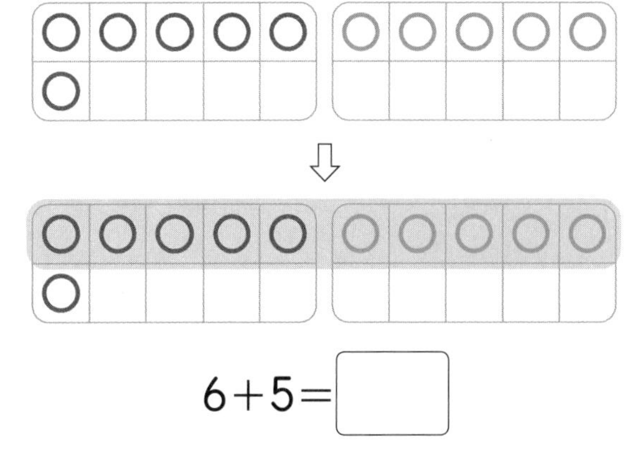

6+5=□

3

8+6=□

4

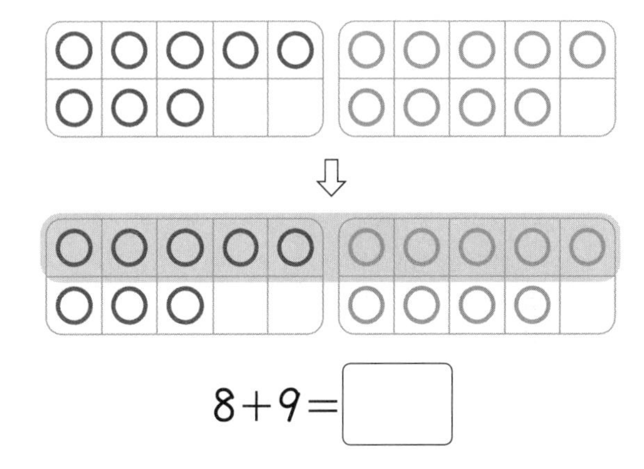

8+9=□

5

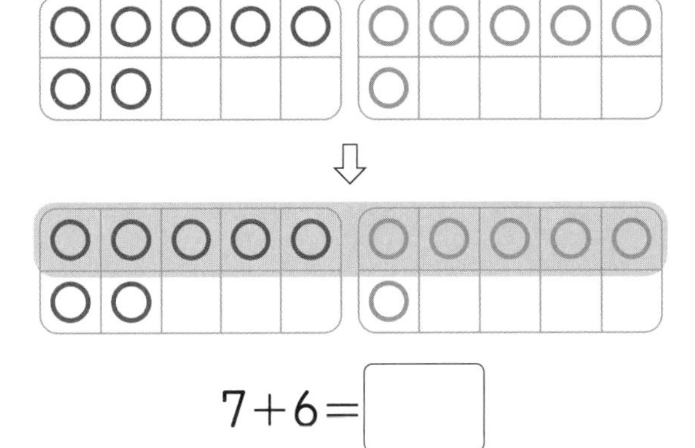

7+6=□

6

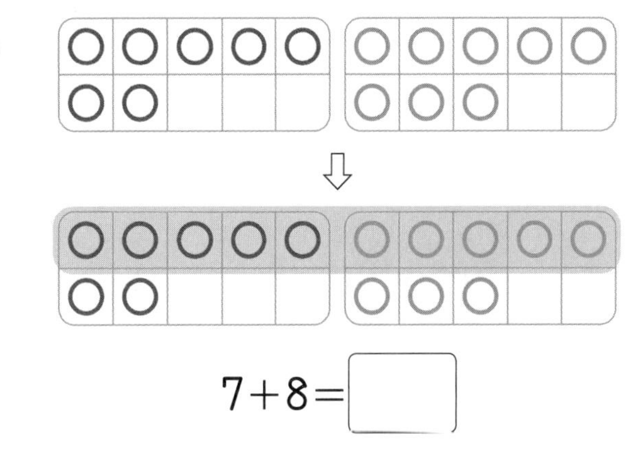

7+8=□

3 덧셈하기(2)

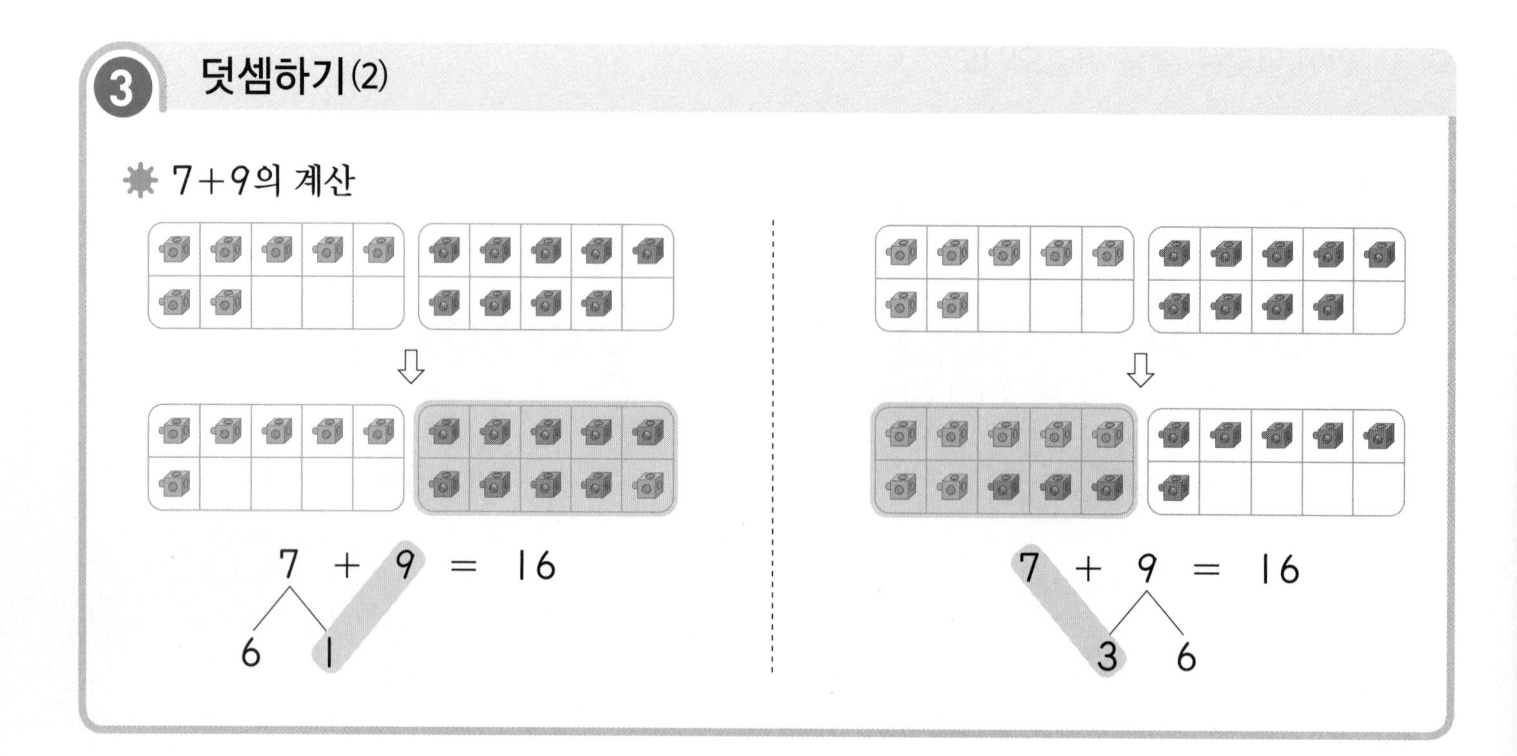

□ 안에 알맞은 수를 써넣으시오.

1 $6 + 7 = \square$ (6 → □, 3)

2 $8 + 5 = \square$ (5 → 2, □)

3 $7 + 4 = \square$ (7 → □, 6)

4 $9 + 6 = \square$ (6 → 1, □)

5 $3 + 8 = \square$ (3 → □, 2)

6 $8 + 9 = \square$ (9 → 2, □)

덧셈을 하시오.

1 $3+9$

2 $8+4$

3 $6+5$

4 $4+7$

5 $8+7$

6 $5+9$

7 $5+8$

8 $9+6$

9 $4+9$

10 $8+8$

11 $7+8$

12 $6+8$

빈 곳에 알맞은 수를 써넣으시오.

1

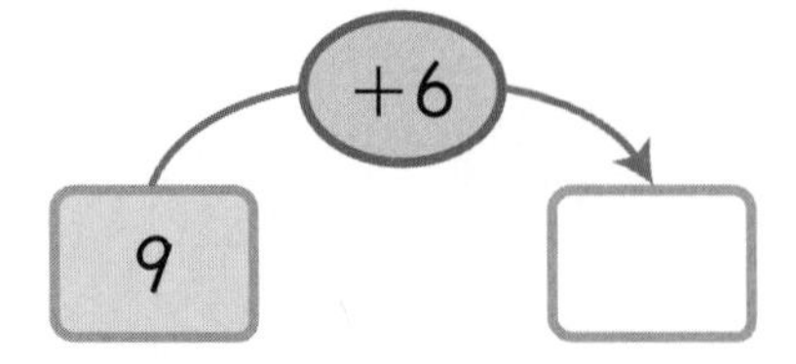

2

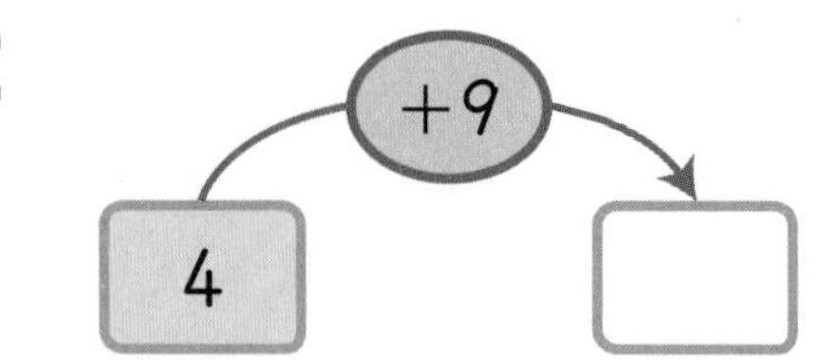

3

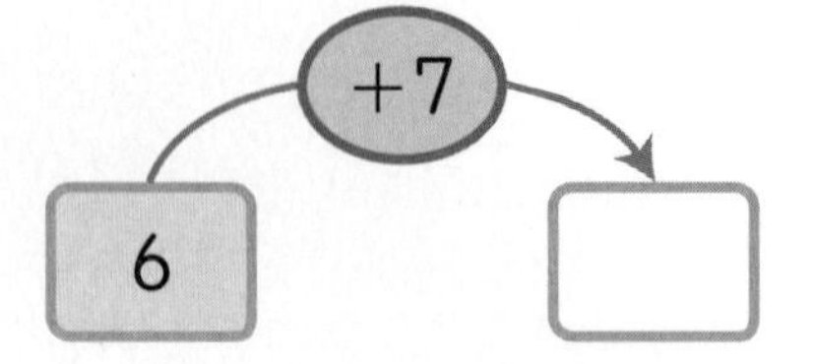

4

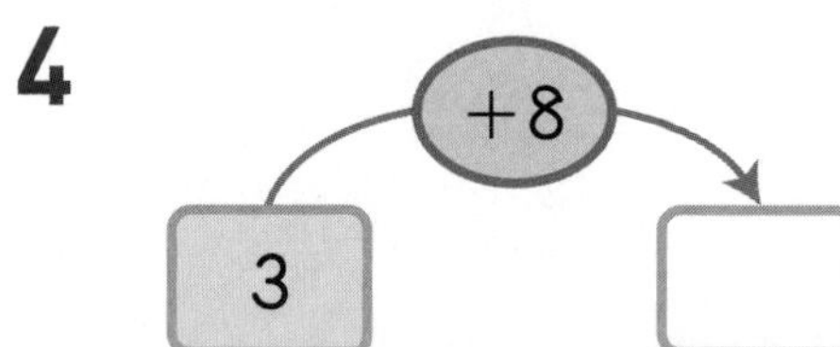

5

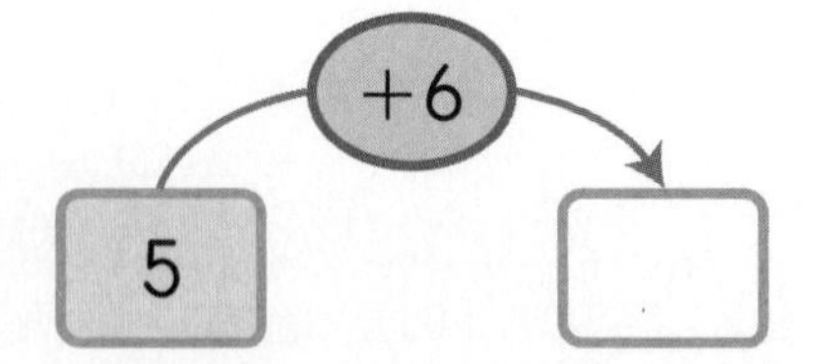

6

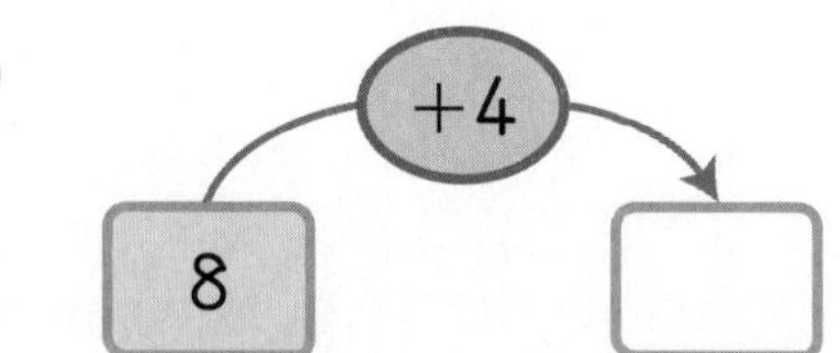

7

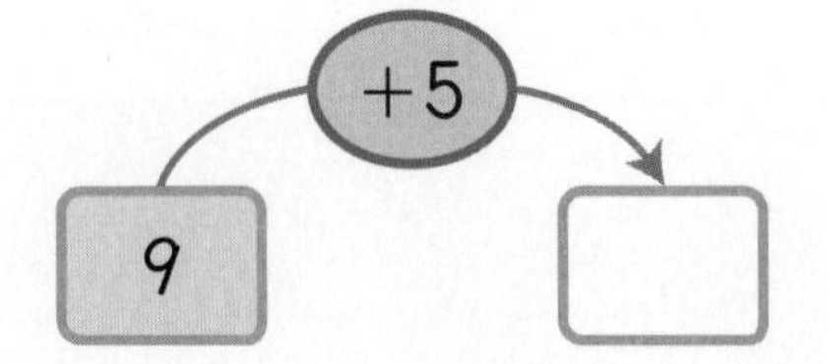

8

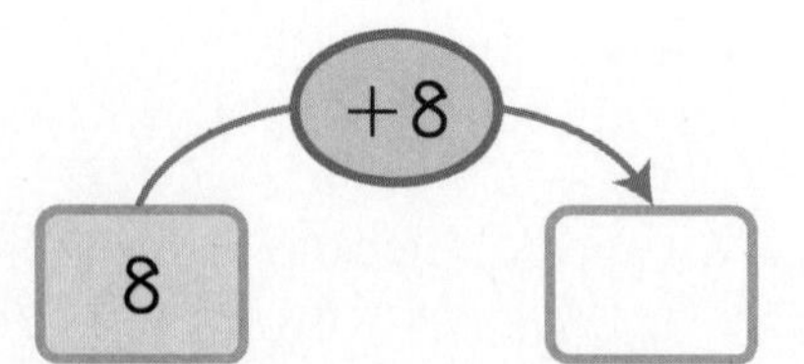

9

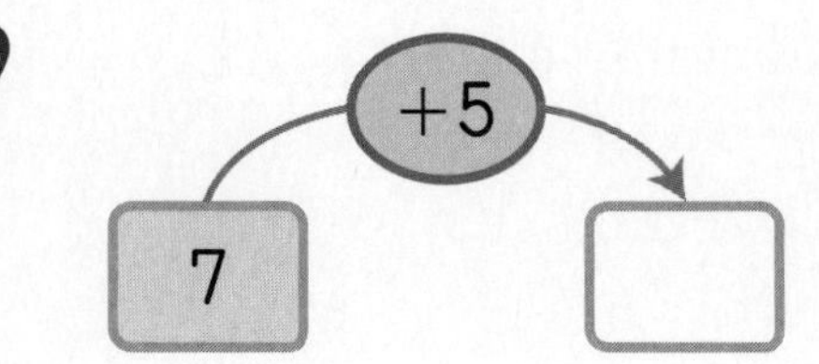

10

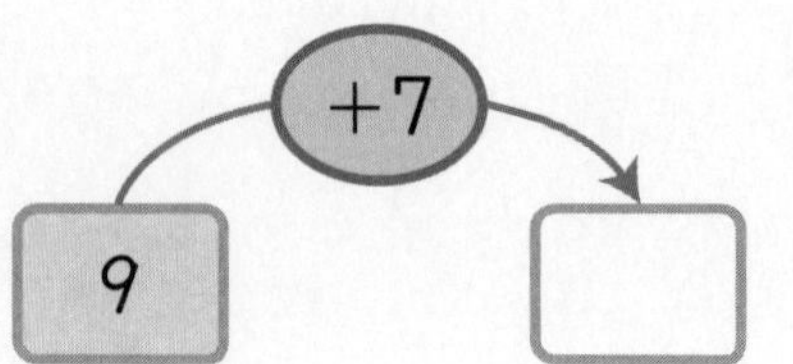

두 수의 합을 빈 곳에 써넣으시오.

1

9	2

2

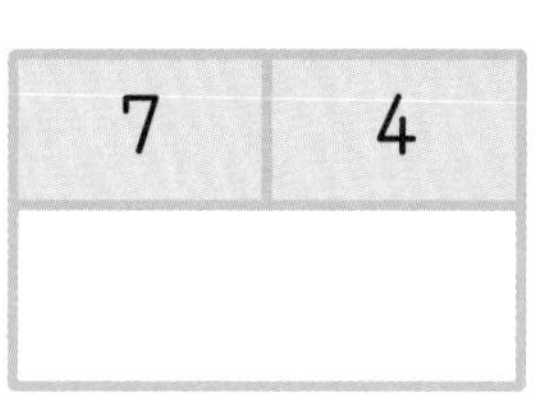

3

4	9

4

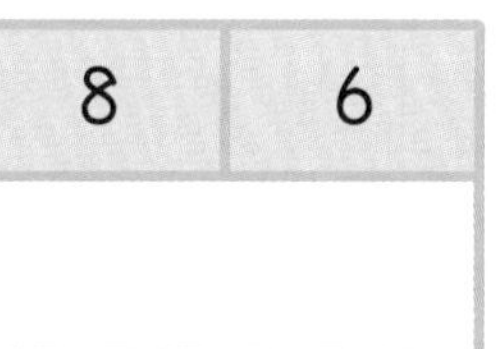

5

5	9

6

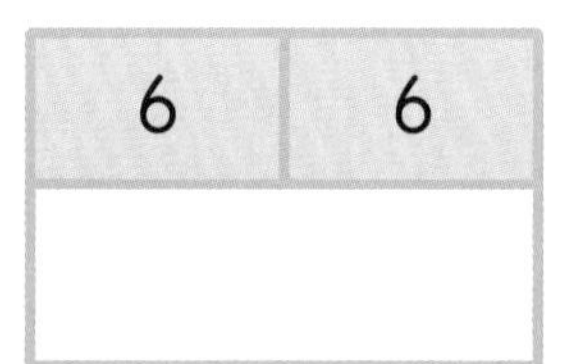

7

7	8

8

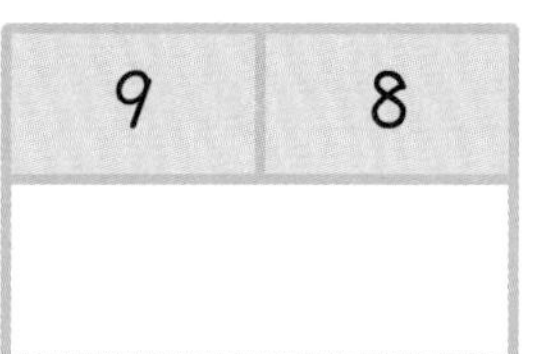

9

9	5

10

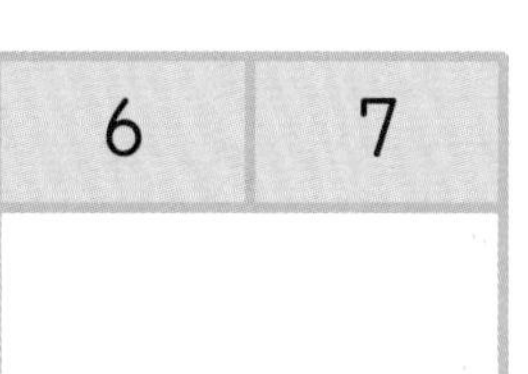

11

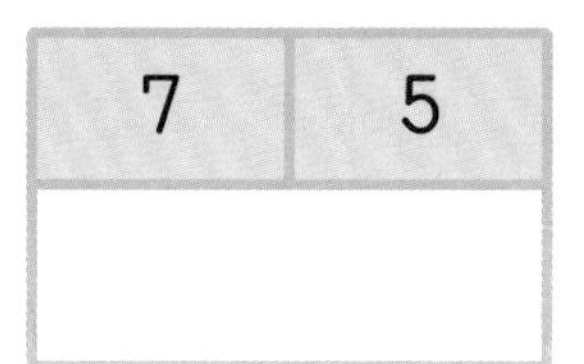

12

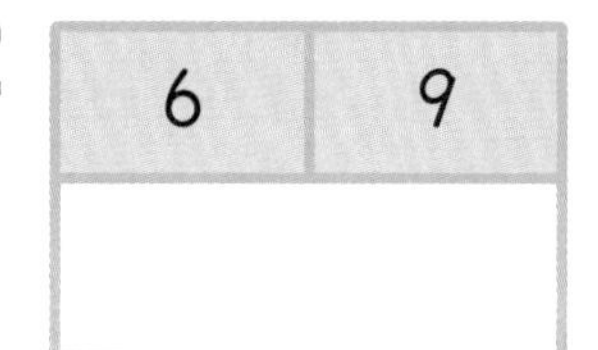

덧셈을 하시오.

1

5+6=11

5+7=12

5+8=□

5+9=□

2

8+5=13

8+6=□

8+7=□

8+8=□

3

8+7=15

7+7=14

6+7=□

5+7=□

4

9+9=18

8+9=□

7+9=□

6+9=□

5

6+5=11

5+6=11

6+7=□

7+6=□

6

8+6=□

6+8=□

7+9=□

9+7=□

7

5+5=□

5+6=□

8

7+7=□

7+8=□

빈칸에 알맞은 수를 써넣으시오.

1

6+5	6+6	6+7
11	12	
7+5	7+6	7+7
12		14
8+5	8+6	8+7
	14	15

2

2+6	2+7	2+8
8	9	
3+6	3+7	3+8
9		11
4+6	4+7	4+8
	11	12

3

4+2	4+3	4+4
6		8
5+2	5+3	5+4
7		9
6+2	6+3	6+4
8		10

4

7+1	7+2	7+3
8		
8+1	8+2	8+3
	10	11
9+1	9+2	9+3
10	11	12

5

5+7	5+8	5+9
12	13	14
6+7	6+8	6+9
13		
7+7	7+8	7+9
	15	16

6

6+4	6+5	6+6
	11	12
7+4	7+5	7+6
11		13
8+4	8+5	8+6
12	13	

4 뺄셈하기(1)

10이 되도록 뺀 후 계산하기 → 뒤의 수를 가르기 하여 빼기

• 12−4의 계산

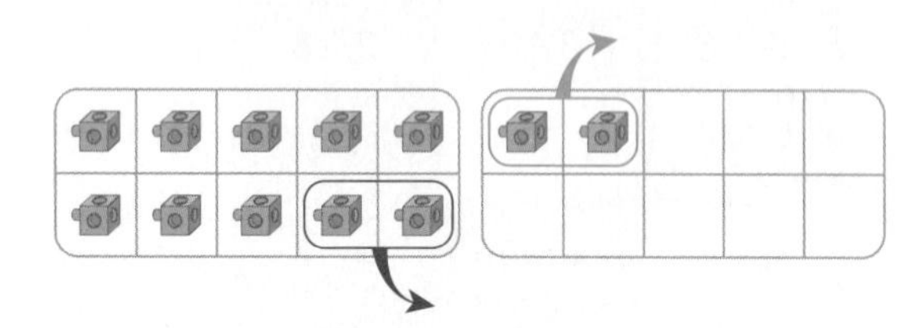

12 − 4 = 8
(4를 2와 2로 가르기)

12에서 먼저 2를 빼고 남은 10에서 2를 빼면 8입니다.

가르기를 하고 뺄셈을 하시오.

1 11 − 2 = ☐
(2를 1과 ☐로 가르기)

2 15 − 6 = ☐
(6을 5와 ☐로 가르기)

3 17 − 9 = ☐
(9를 7과 ☐로 가르기)

4 13 − 6 = ☐
(6을 3과 ☐로 가르기)

5 14 − 9 = ☐
(9를 4와 ☐로 가르기)

6 11 − 7 = ☐
(7을 1과 ☐로 가르기)

보기 와 같이 ○을 ／으로 지워 뺄셈을 하시오.

보기

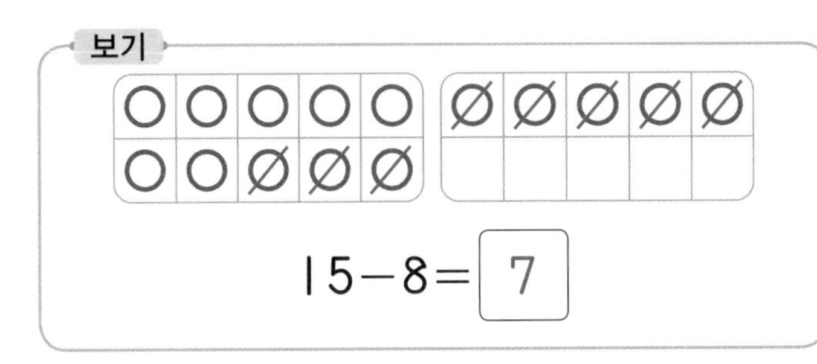

$15-8=$ 7

1

$12-6=$ □

2

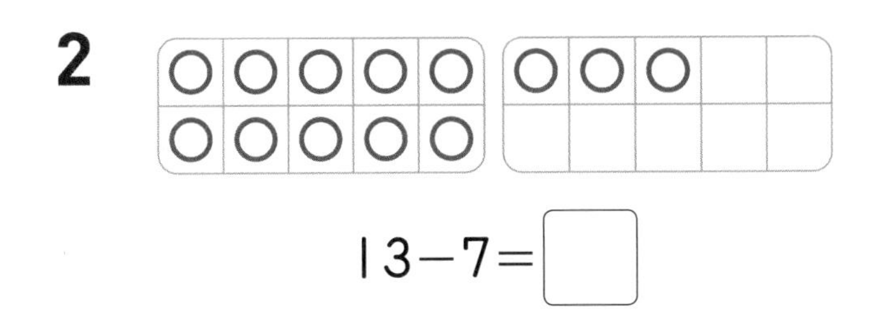

$13-7=$ □

3

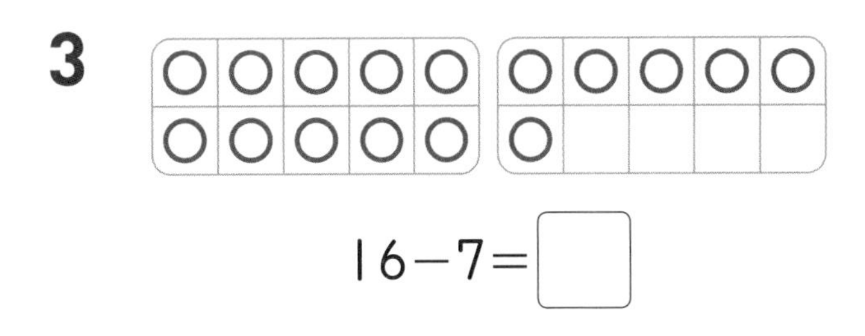

$16-7=$ □

4

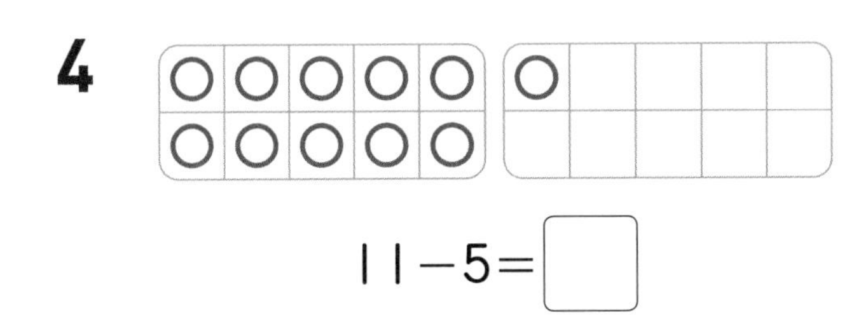

$11-5=$ □

5

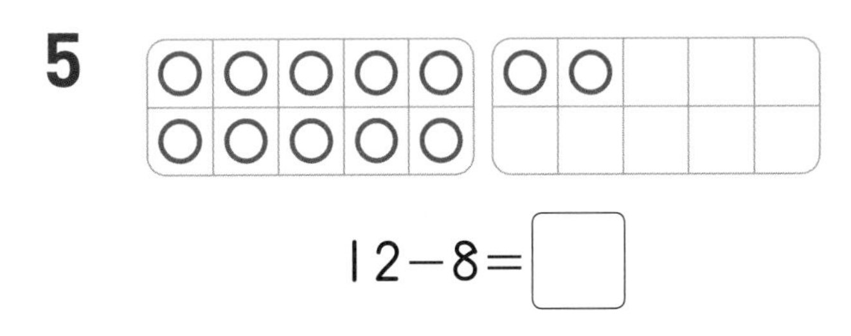

$12-8=$ □

6

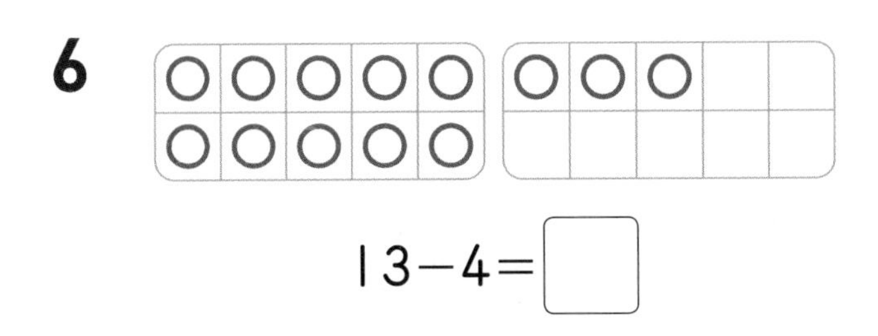

$13-4=$ □

7

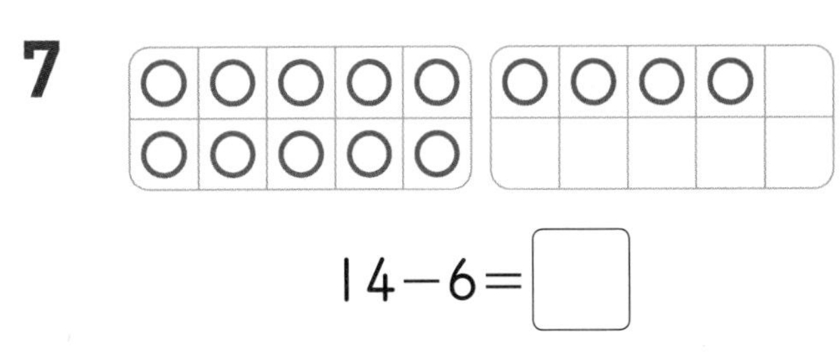

$14-6=$ □

8

$17-8=$ □

9

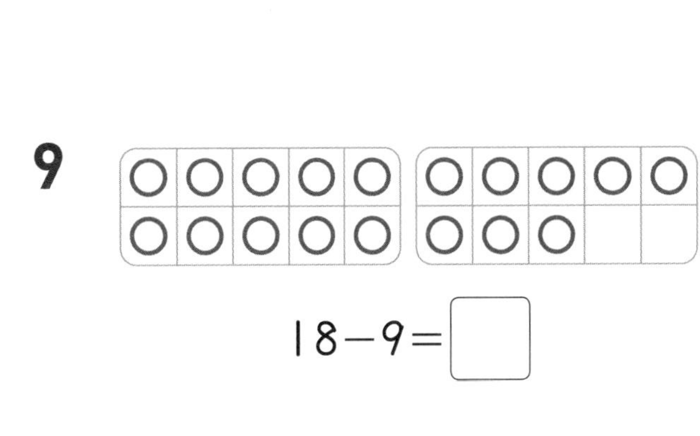

$18-9=$ □

5 뺄셈하기(2)

✱ 10에서 뺀 후 계산하기 → 앞의 수를 가르기 하여 빼기

• 13−7의 계산

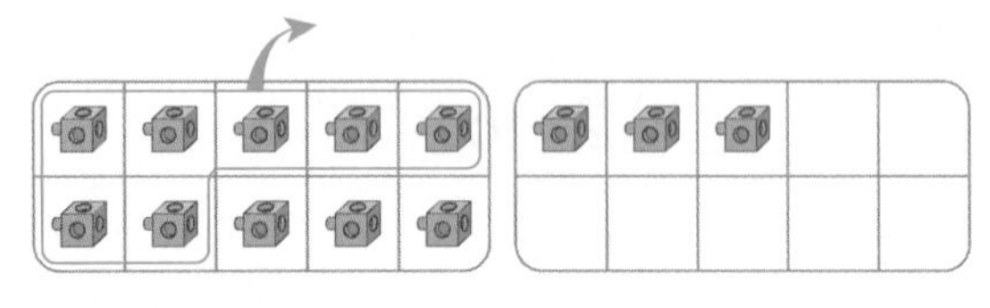

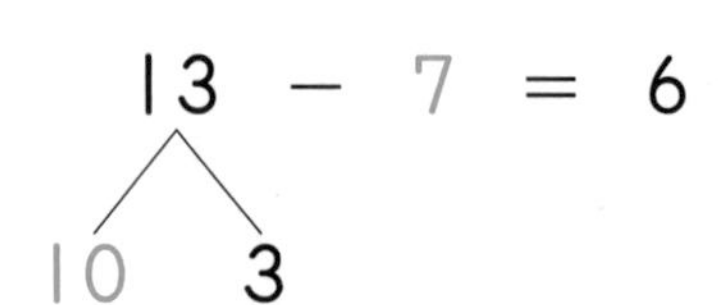

13을 10과 3으로 가르기를 한 후, 10에서 먼저 7을 빼고 남은 3과 3을 더하면 6입니다.

가르기를 하고 뺄셈을 하시오.

1 $15 - 6 = \square$ (15 → 10, $\square$)

2 $14 - 7 = \square$ (14 → 10, $\square$)

3 $11 - 8 = \square$ (11 → 10, $\square$)

4 $17 - 9 = \square$ (17 → 10, $\square$)

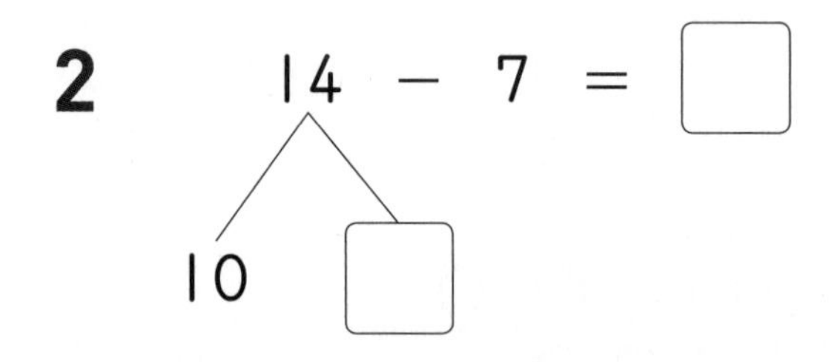

5 $12 - 4 = \square$ (12 → 10, $\square$)

6 $16 - 8 = \square$ (16 → 10, $\square$)

보기 와 같이 덜어 내는 그림을 그리고 뺄셈을 하시오.

보기

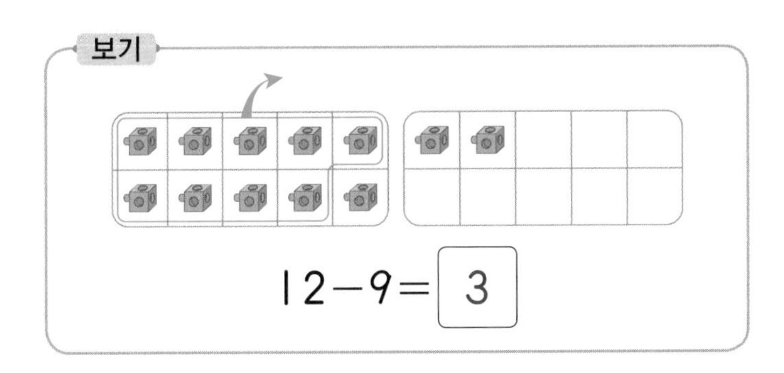

$12-9=$ 3

1

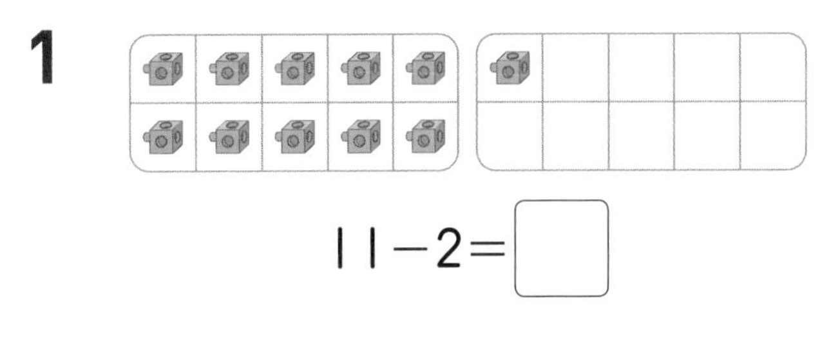

$11-2=$ ☐

2

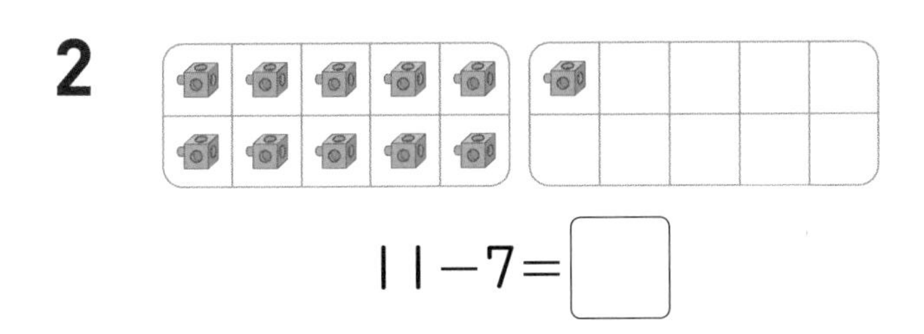

$11-7=$ ☐

3

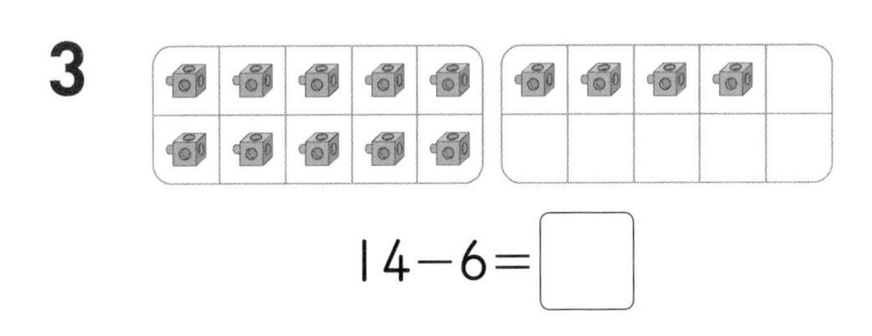

$14-6=$ ☐

4

$13-5=$ ☐

5

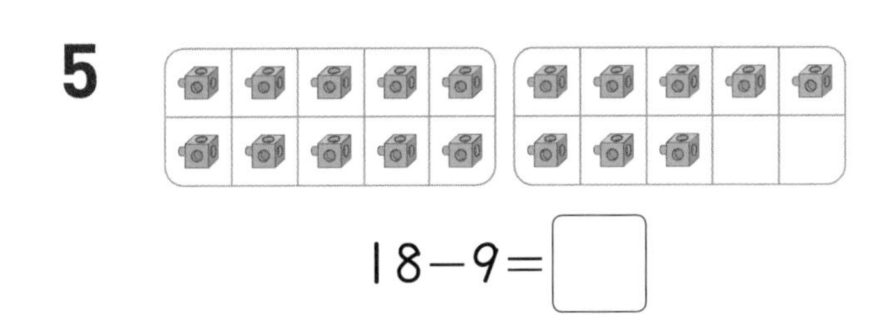

$18-9=$ ☐

6

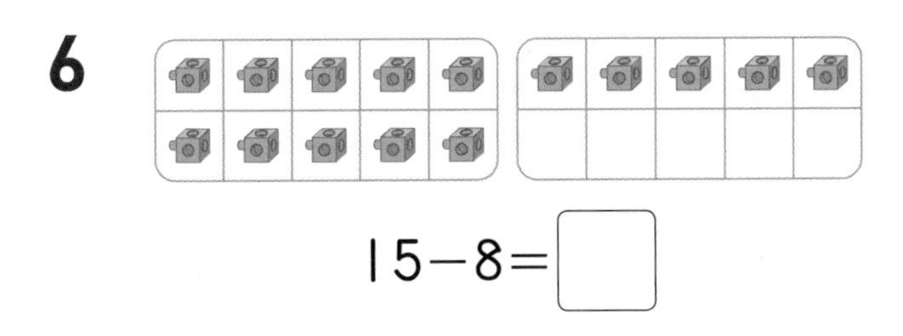

$15-8=$ ☐

7

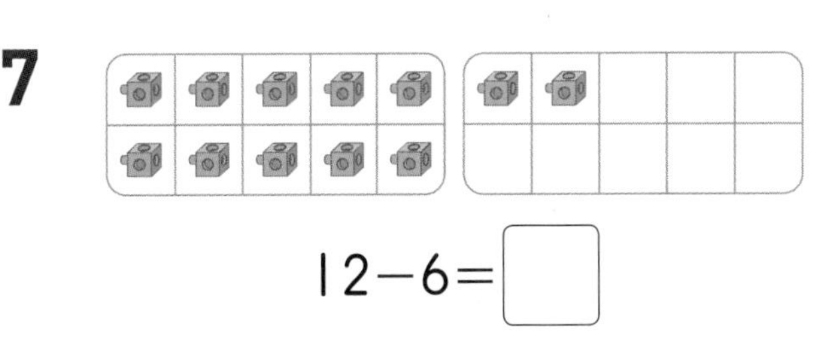

$12-6=$ ☐

8

$14-5=$ ☐

9

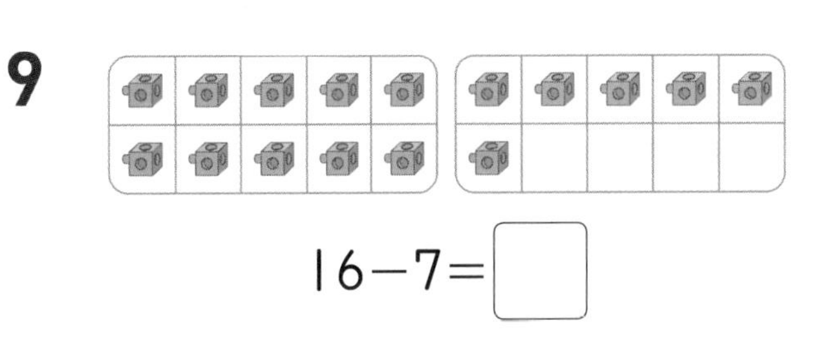

$16-7=$ ☐

6단원 덧셈과 뺄셈(3)

빈 곳에 알맞은 수를 써넣으시오.

1

−

11	7	

2

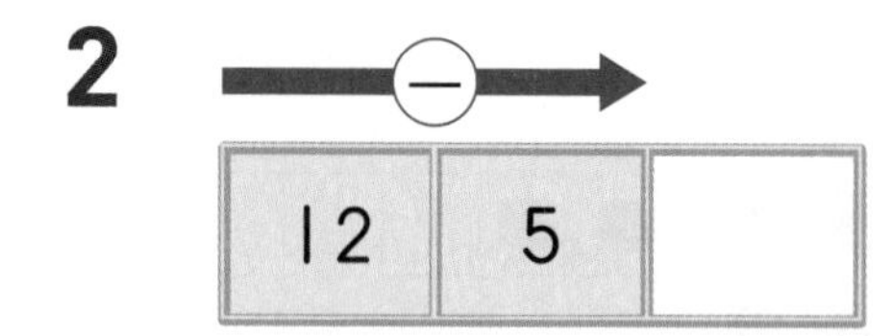

3

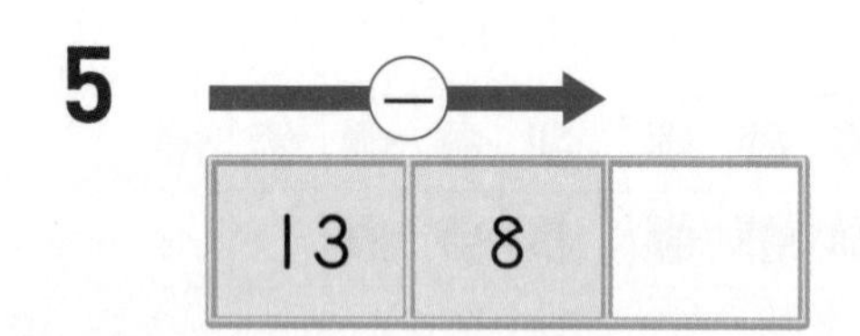

4

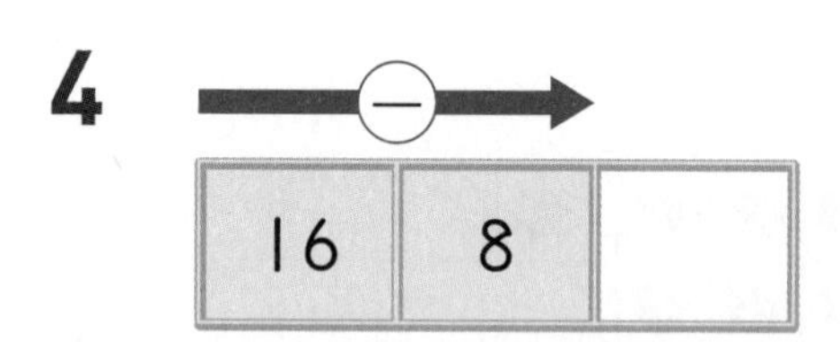

5

−

13	8	

6

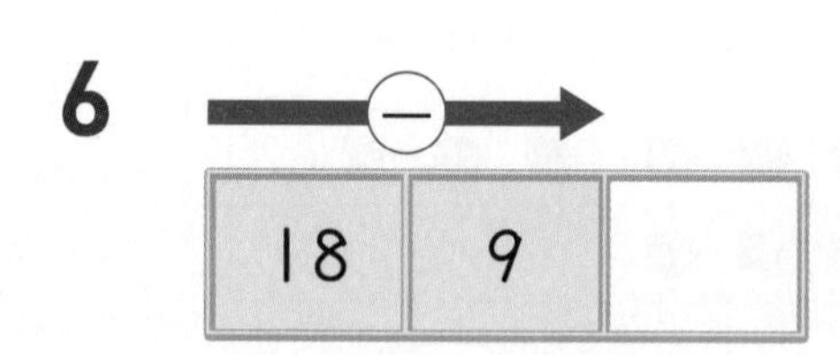

7

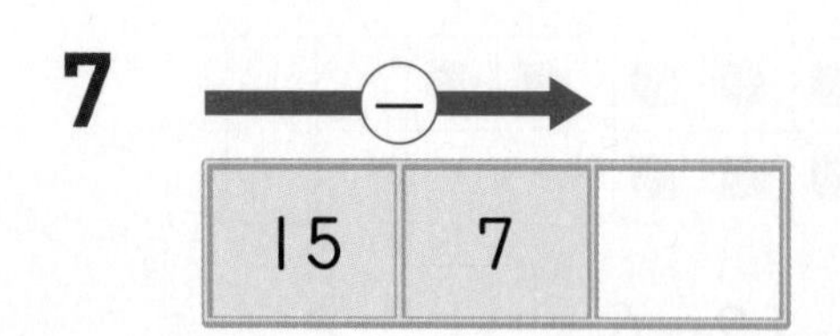

8

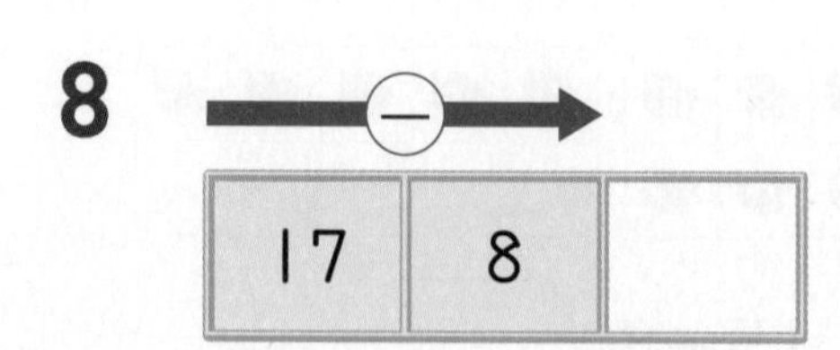

9

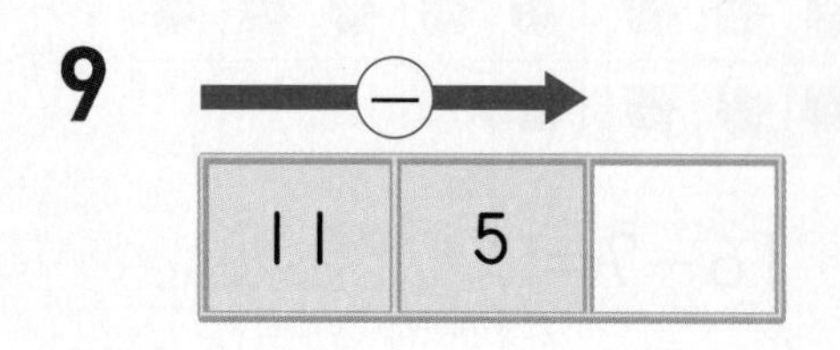

10

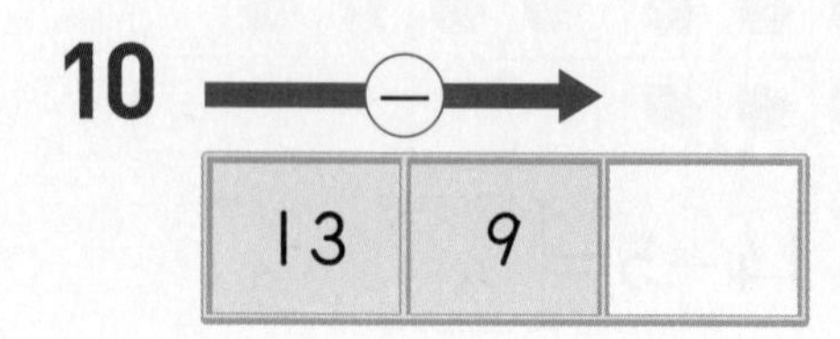

□ 안에 알맞은 수를 써넣으시오.

1

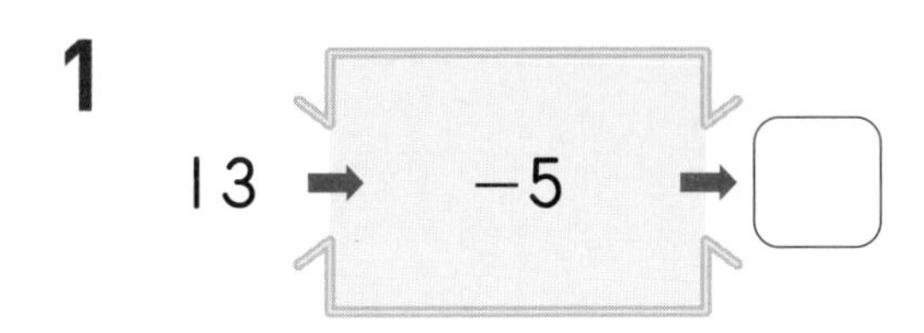

2

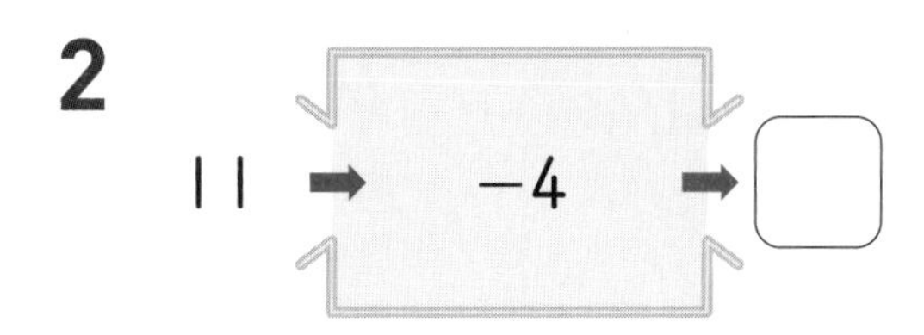

3

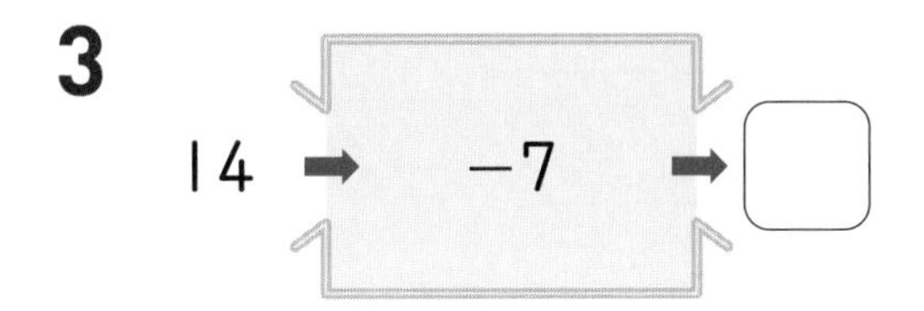

4

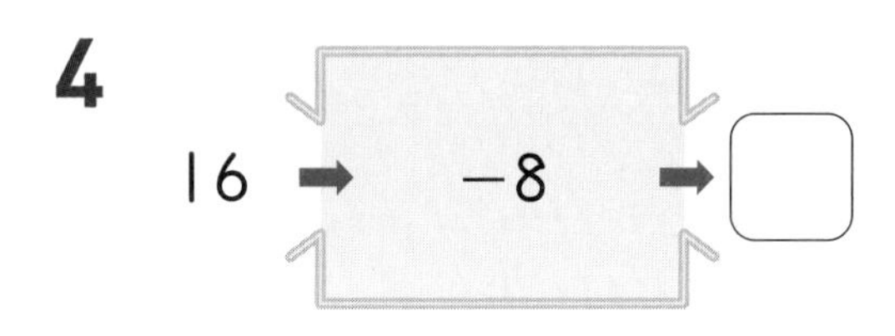

5

12 → −8 → □

6

12 → −7 → □

7

15 → −9 → □

8

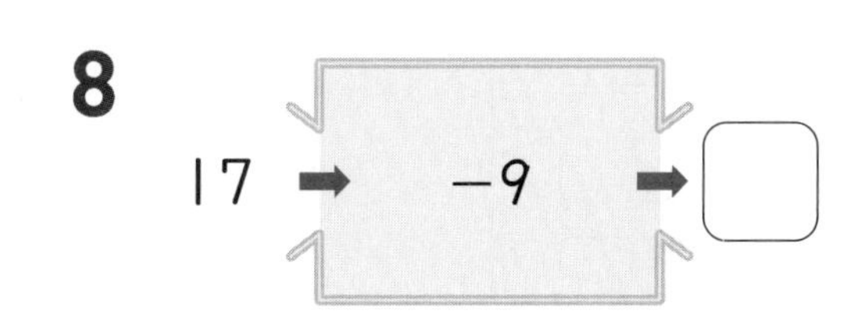

9

11 → −8 → □

10

15 → −6 → □

뺄셈을 하시오.

1

$11-3=8$

$11-4=7$

$11-5=\square$

$11-6=\square$

2

$15-6=9$

$15-7=\square$

$15-8=\square$

$15-9=\square$

3

$15-9=6$

$16-9=7$

$17-9=\square$

$18-9=\square$

4

$12-7=5$

$13-7=\square$

$14-7=\square$

$15-7=\square$

5

$12-4=8$

$13-5=8$

$14-6=\square$

$15-7=\square$

6

$14-5=\square$

$15-6=\square$

$16-7=\square$

$17-8=\square$

7

$12-6=\square$

$12-7=\square$

8

$14-7=\square$

$14-8=\square$

빈칸에 알맞은 수를 써넣으시오.

1

11−2 9	11−3	11−4	11−5
	12−3 9	12−4 8	12−5 7
		13−4 9	13−5 8
			14−5 9

2

12−6 6	12−7 5	12−8 4	12−9 3
	13−7	13−8 5	13−9 4
		14−8	14−9 5
			15−9

3

13−4 9	13−5 8	13−6 7	13−7 6
	14−5 9	14−6 8	14−7
		15−6 9	15−7
			16−7

4

14−6 8	14−7 7	14−8	14−9
	15−7 8	15−8 7	15−9
		16−8 8	16−9 7
			17−9 8

5

11−6 5	11−7 4	11−8	11−9 2
	12−7 5	12−8	12−9 3
		13−8	13−9 4
			14−9 5

6

15−6 9	15−7	15−8 7	15−9 6
	16−7 9	16−8	16−9 7
		17−8 9	17−9
			18−9 9

차가 가장 큰 뺄셈식 만들고 계산하기

4 　 7 　 12

⇨ 12 − 4 = 8

가장 큰 수에서 가장 작은 수를 뺍니다.
① 가장 큰 수: 12, 가장 작은 수: 4
② 차가 가장 큰 뺄셈식을 만들면 12−4=8입니다.

주어진 수 카드 중 2장을 골라 차가 가장 큰 뺄셈식을 만들고 계산하시오.

1 7 　 15 　 9

⇨ ☐ − ☐ = ☐

2 5 　 14 　 9

⇨ ☐ − ☐ = ☐

3 13 　 4 　 8

⇨ ☐ − ☐ = ☐

4 6 　 7 　 13

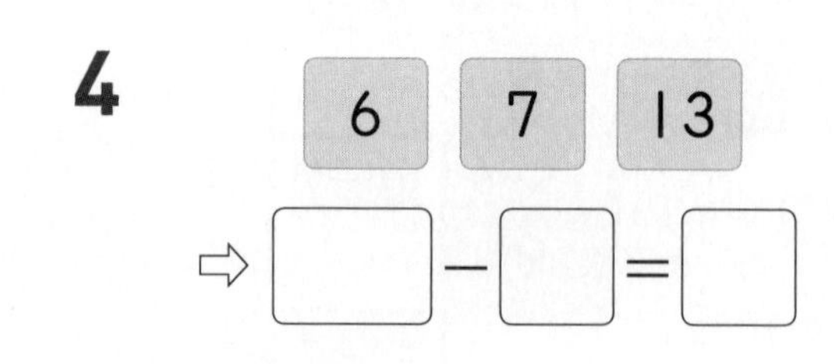

⇨ ☐ − ☐ = ☐

5 7 　 5 　 12

⇨ ☐ − ☐ = ☐

6 16 　 9 　 7

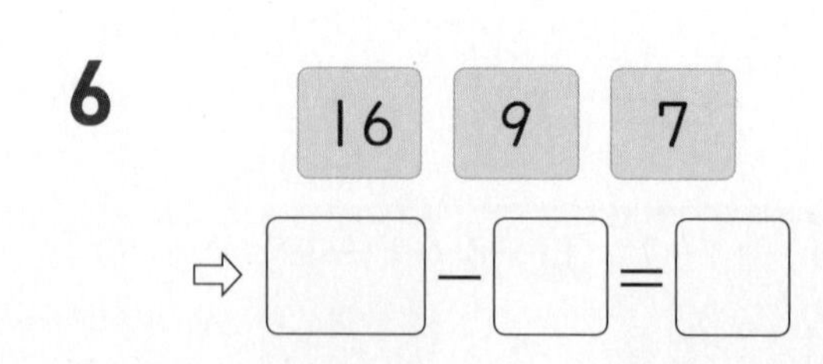

⇨ ☐ − ☐ = ☐

7 11 　 3 　 4

⇨ ☐ − ☐ = ☐

8 8 　 17 　 9

⇨ ☐ − ☐ = ☐

우등생 수학 연산력 문제집

정답

1단원 100까지의 수 ········· 90쪽

2단원 덧셈과 뺄셈(1) ········· 93쪽

4단원 덧셈과 뺄셈(2) ········· 99쪽

5단원 시계 보기와 규칙 찾기 ········· 104쪽

6단원 덧셈과 뺄셈(3) ········· 107쪽

1-2

연산력 문제집 정답

2~3쪽

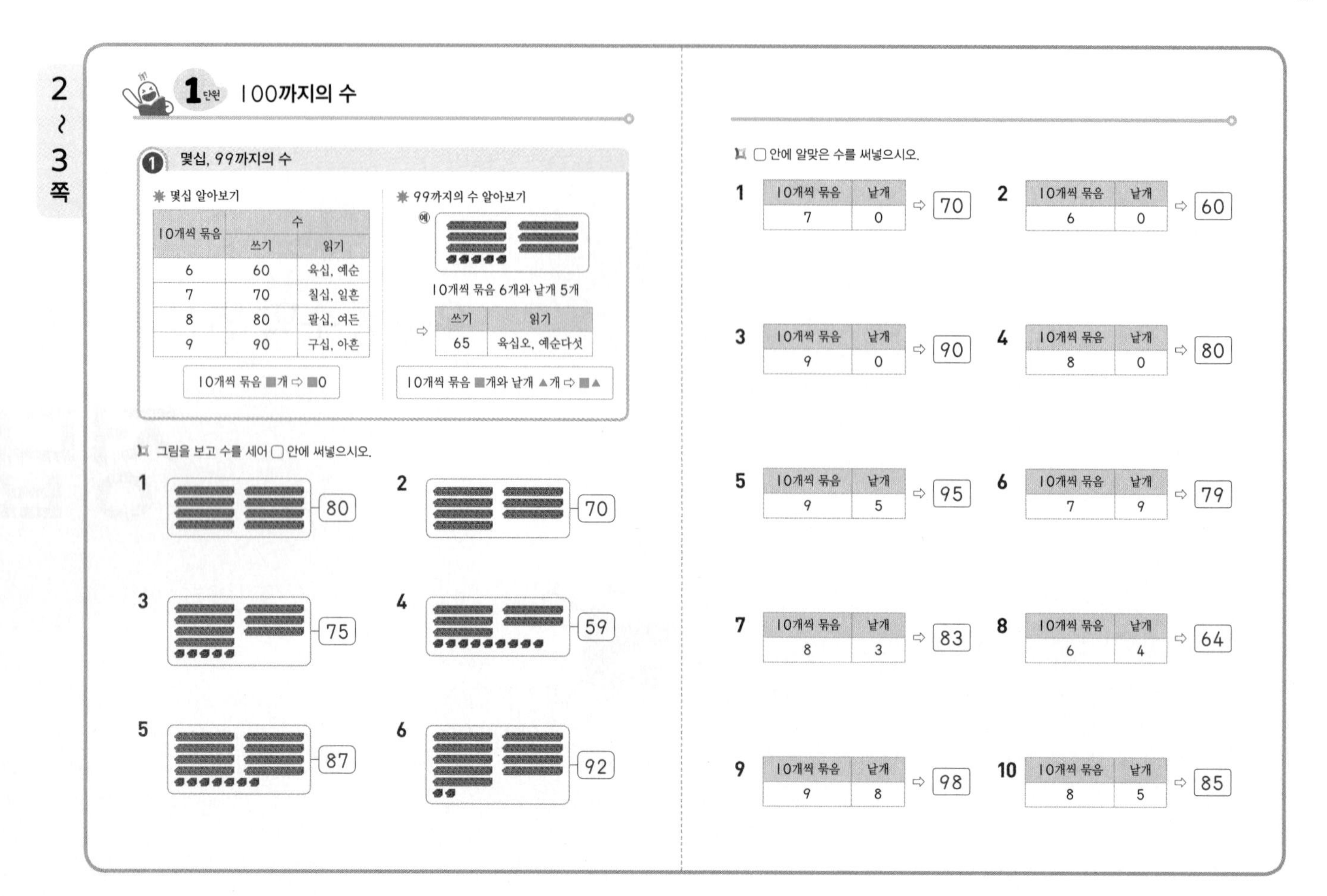

1단원 100까지의 수

1 몇십, 99까지의 수

* 몇십 알아보기

10개씩 묶음	수	
	쓰기	읽기
6	60	육십, 예순
7	70	칠십, 일흔
8	80	팔십, 여든
9	90	구십, 아흔

10개씩 묶음 ■개 ⇨ ■0

* 99까지의 수 알아보기

예 10개씩 묶음 6개와 낱개 5개

⇨

쓰기	읽기
65	육십오, 예순다섯

10개씩 묶음 ■개와 낱개 ▲개 ⇨ ■▲

그림을 보고 수를 세어 □ 안에 써넣으시오.

1 80
2 70
3 75
4 59
5 87
6 92

□ 안에 알맞은 수를 써넣으시오.

문제	10개씩 묶음	낱개	답
1	7	0	70
2	6	0	60
3	9	0	90
4	8	0	80
5	9	5	95
6	7	9	79
7	8	3	83
8	6	4	64
9	9	8	98
10	8	5	85

4~5쪽

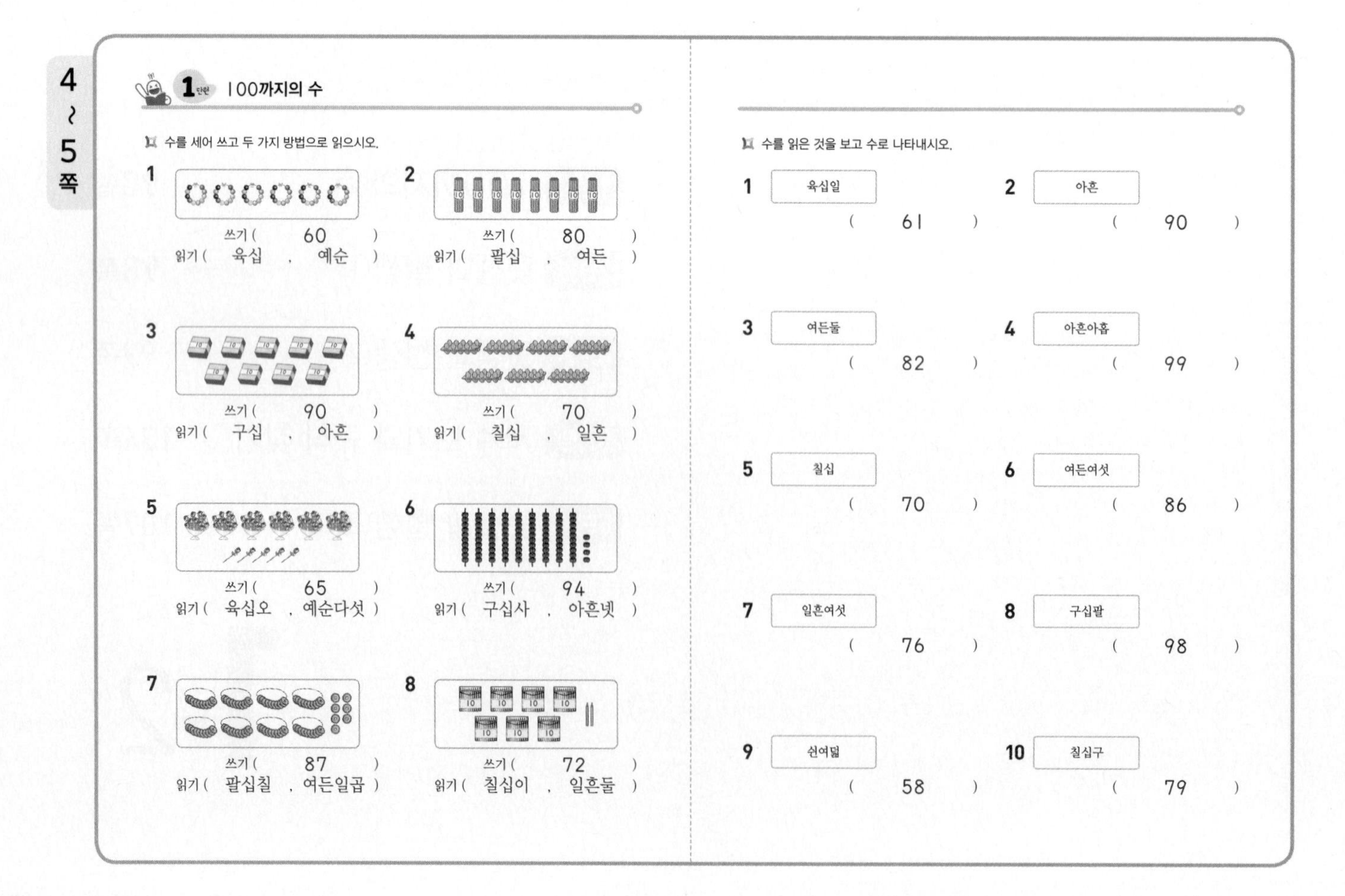

1단원 100까지의 수

수를 세어 쓰고 두 가지 방법으로 읽으시오.

1 쓰기 (60) 읽기 (육십 , 예순)
2 쓰기 (80) 읽기 (팔십 , 여든)
3 쓰기 (90) 읽기 (구십 , 아흔)
4 쓰기 (70) 읽기 (칠십 , 일흔)
5 쓰기 (65) 읽기 (육십오 , 예순다섯)
6 쓰기 (94) 읽기 (구십사 , 아흔넷)
7 쓰기 (87) 읽기 (팔십칠 , 여든일곱)
8 쓰기 (72) 읽기 (칠십이 , 일흔둘)

수를 읽은 것을 보고 수로 나타내시오.

1 육십일 (61)
2 아흔 (90)
3 여든둘 (82)
4 아흔아홉 (99)
5 칠십 (70)
6 여든여섯 (86)
7 일흔여섯 (76)
8 구십팔 (98)
9 쉰여덟 (58)
10 칠십구 (79)

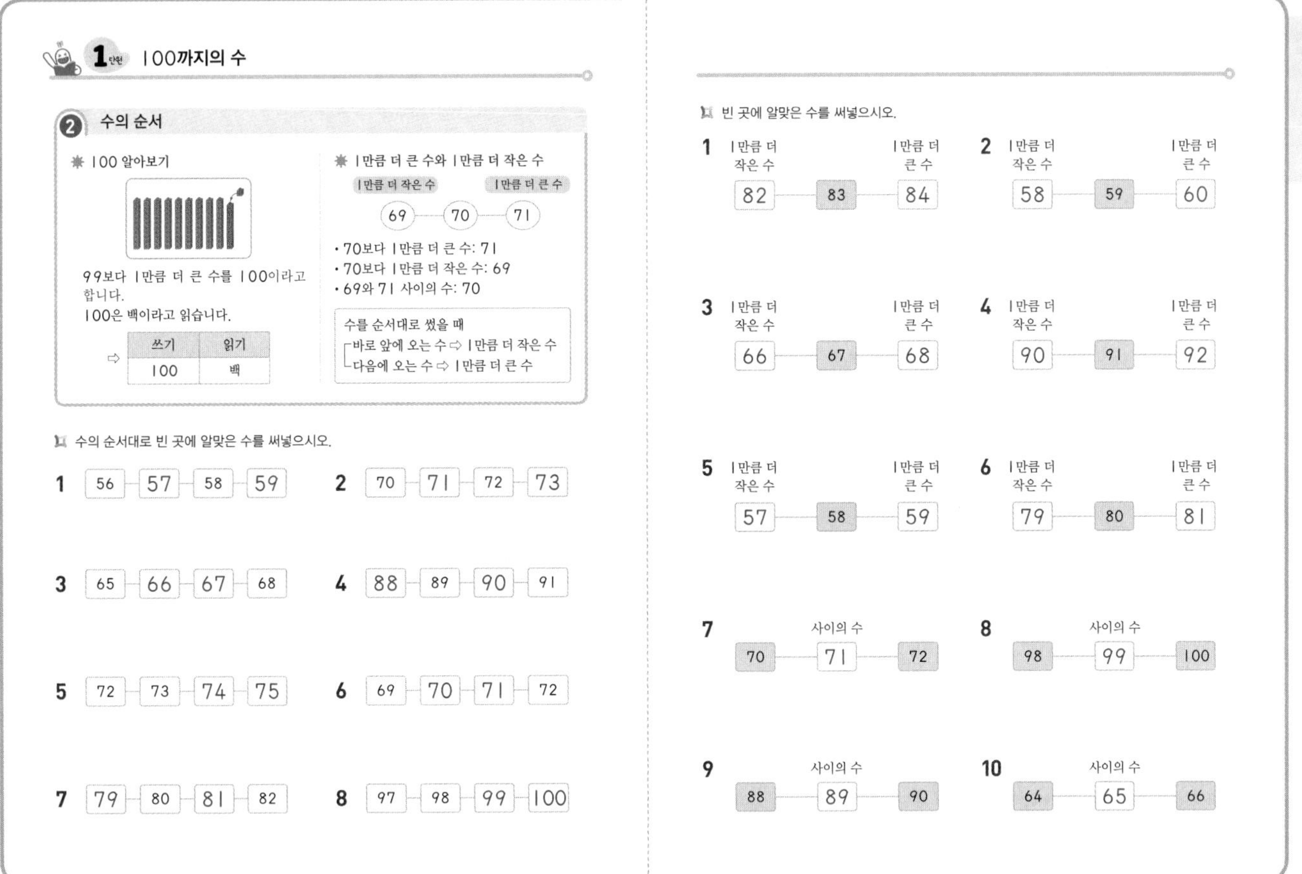

1단원 100까지의 수

② 수의 순서

✱ 100 알아보기

99보다 1만큼 더 큰 수를 100이라고 합니다.
100은 백이라고 읽습니다.

⇨

쓰기	읽기
100	백

✱ 1만큼 더 큰 수와 1만큼 더 작은 수

1만큼 더 작은 수 / 1만큼 더 큰 수

69 — 70 — 71

• 70보다 1만큼 더 큰 수: 71
• 70보다 1만큼 더 작은 수: 69
• 69와 71 사이의 수: 70

수를 순서대로 썼을 때
바로 앞에 오는 수 ⇨ 1만큼 더 작은 수
다음에 오는 수 ⇨ 1만큼 더 큰 수

수의 순서대로 빈 곳에 알맞은 수를 써넣으시오.

1 56 – 57 – 58 – 59
2 70 – 71 – 72 – 73
3 65 – 66 – 67 – 68
4 88 – 89 – 90 – 91
5 72 – 73 – 74 – 75
6 69 – 70 – 71 – 72
7 79 – 80 – 81 – 82
8 97 – 98 – 99 – 100

빈 곳에 알맞은 수를 써넣으시오.

1 1만큼 더 작은 수 82 – 83 – 84 1만큼 더 큰 수
2 1만큼 더 작은 수 58 – 59 – 60 1만큼 더 큰 수
3 1만큼 더 작은 수 66 – 67 – 68 1만큼 더 큰 수
4 1만큼 더 작은 수 90 – 91 – 92 1만큼 더 큰 수
5 1만큼 더 작은 수 57 – 58 – 59 1만큼 더 큰 수
6 1만큼 더 작은 수 79 – 80 – 81 1만큼 더 큰 수
7 사이의 수 70 – 71 – 72
8 사이의 수 98 – 99 – 100
9 사이의 수 88 – 89 – 90
10 사이의 수 64 – 65 – 66

6~7쪽

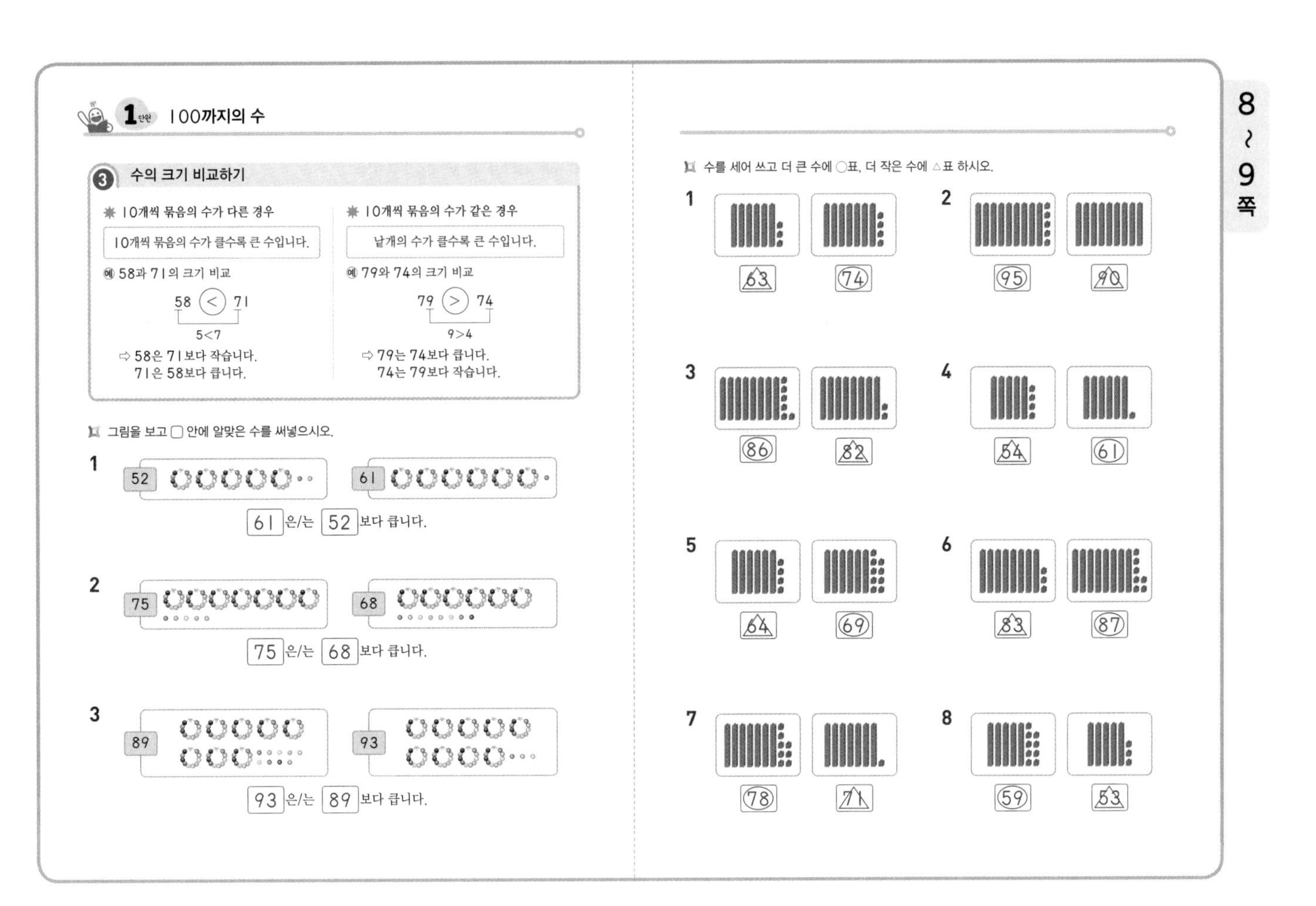

1단원 100까지의 수

③ 수의 크기 비교하기

✱ 10개씩 묶음의 수가 다른 경우

10개씩 묶음의 수가 클수록 큰 수입니다.

예 58과 71의 크기 비교

$58 < 71$

$5<7$

⇨ 58은 71보다 작습니다.
71은 58보다 큽니다.

✱ 10개씩 묶음의 수가 같은 경우

낱개의 수가 클수록 큰 수입니다.

예 79와 74의 크기 비교

$79 > 74$

$9>4$

⇨ 79는 74보다 큽니다.
74는 79보다 작습니다.

그림을 보고 □ 안에 알맞은 수를 써넣으시오.

1 52, 61
61 은/는 52 보다 큽니다.

2 75, 68
75 은/는 68 보다 큽니다.

3 89, 93
93 은/는 89 보다 큽니다.

수를 세어 쓰고 더 큰 수에 ○표, 더 작은 수에 △표 하시오.

1 63(△) 74(○)
2 95(○) 90(△)
3 86(○) 82(△)
4 54(△) 61(○)
5 64(△) 69(○)
6 83(△) 87(○)
7 78(○) 71(△)
8 59(○) 53(△)

8~9쪽

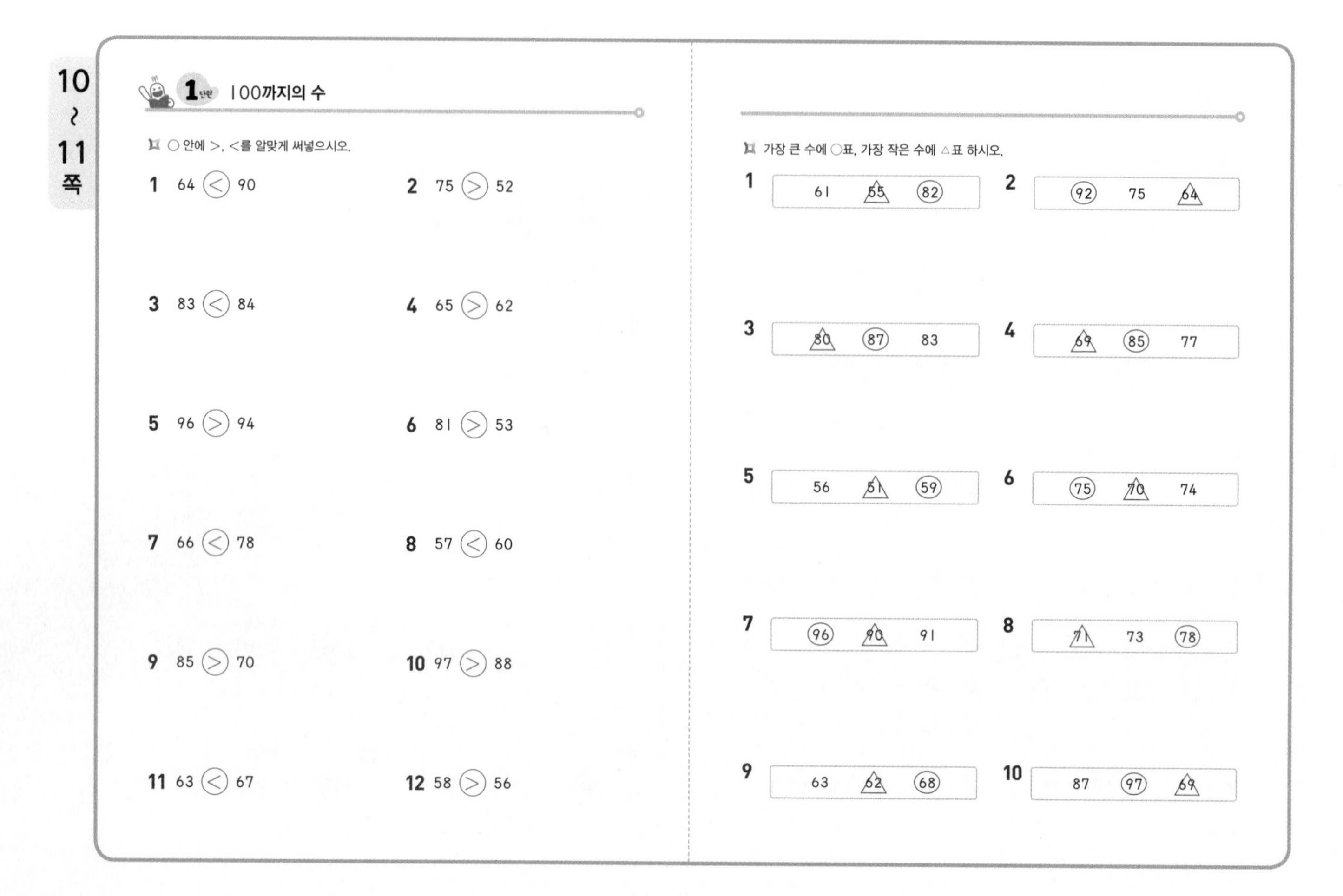

10~11쪽

1단원 100까지의 수

○ 안에 >, <를 알맞게 써넣으시오.

1 64 < 90
2 75 > 52
3 83 < 84
4 65 > 62
5 96 > 94
6 81 > 53
7 66 < 78
8 57 < 60
9 85 > 70
10 97 > 88
11 63 < 67
12 58 > 56

가장 큰 수에 ○표, 가장 작은 수에 △표 하시오.

1 61, 55(△), 82(○)
2 92(○), 75, 64(△)
3 80(△), 87(○), 83
4 69(△), 85(○), 77
5 56, 51(△), 59(○)
6 75(○), 70(△), 74
7 96(○), 90(△), 91
8 71(△), 73, 78(○)
9 63, 62(△), 68(○)
10 87, 97(○), 69(△)

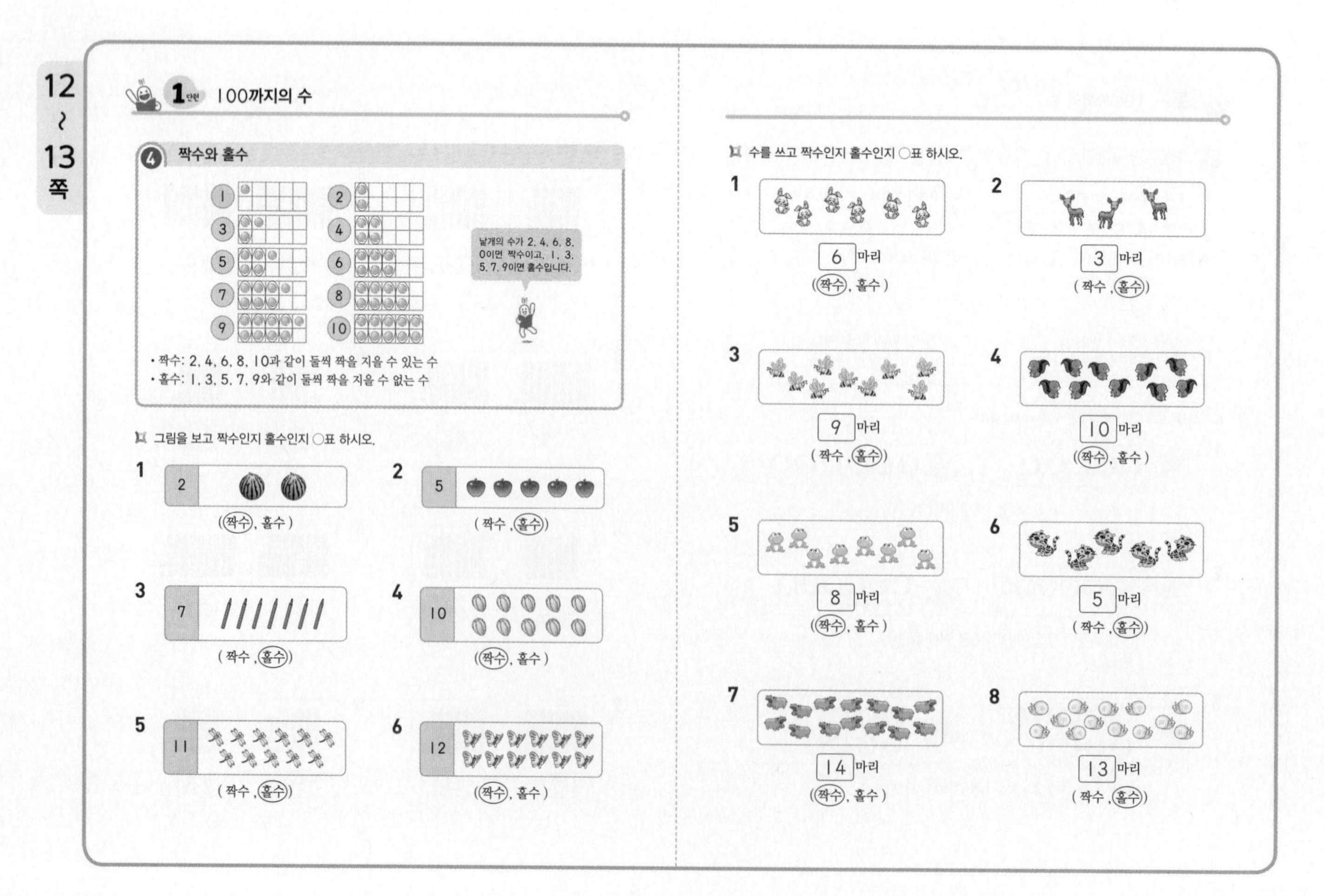

12~13쪽

1단원 100까지의 수

4 짝수와 홀수

낱개의 수가 2, 4, 6, 8, 0이면 짝수이고, 1, 3, 5, 7, 9이면 홀수입니다.

- 짝수: 2, 4, 6, 8, 10과 같이 둘씩 짝을 지을 수 있는 수
- 홀수: 1, 3, 5, 7, 9와 같이 둘씩 짝을 지을 수 없는 수

그림을 보고 짝수인지 홀수인지 ○표 하시오.

1 2 (짝수(○), 홀수)
2 5 (짝수, 홀수(○))
3 7 (짝수, 홀수(○))
4 10 (짝수(○), 홀수)
5 11 (짝수, 홀수(○))
6 12 (짝수(○), 홀수)

수를 쓰고 짝수인지 홀수인지 ○표 하시오.

1 6 마리 (짝수(○), 홀수)
2 3 마리 (짝수, 홀수(○))
3 9 마리 (짝수, 홀수(○))
4 10 마리 (짝수(○), 홀수)
5 8 마리 (짝수(○), 홀수)
6 5 마리 (짝수, 홀수(○))
7 14 마리 (짝수(○), 홀수)
8 13 마리 (짝수, 홀수(○))

1단원 100까지의 수

14~15쪽

계산 연습: 모두 얼마인지 구하기

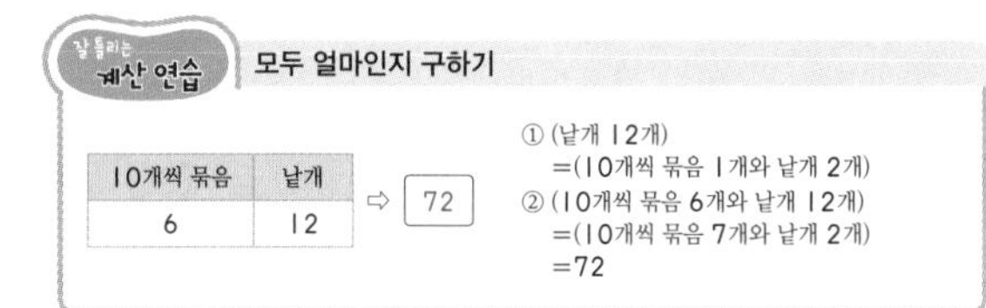

10개씩 묶음	낱개
6	12

⇨ 72

① (낱개 12개)
=(10개씩 묶음 1개와 낱개 2개)
② (10개씩 묶음 6개와 낱개 12개)
=(10개씩 묶음 7개와 낱개 2개)
=72

빈 곳에 알맞은 수를 써넣으시오.

1

10개씩 묶음	낱개
8	11

⇨ 91

2

10개씩 묶음	낱개
7	10

⇨ 80

3

10개씩 묶음	낱개
5	16

⇨ 66

4

10개씩 묶음	낱개
6	14

⇨ 74

5

10개씩 묶음	낱개
7	19

⇨ 89

6

10개씩 묶음	낱개
5	13

⇨ 63

7

10개씩 묶음	낱개
8	17

⇨ 97

8

10개씩 묶음	낱개
6	18

⇨ 78

계산 연습: 수로 나타내어 더 큰 수 찾기

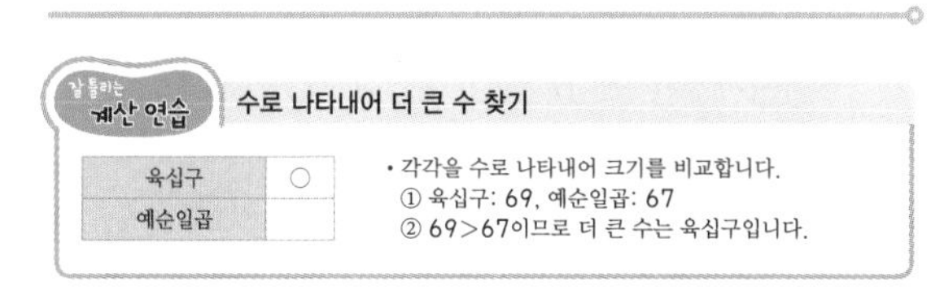

육십구	○
예순일곱	

• 각각을 수로 나타내어 크기를 비교합니다.
① 육십구: 69, 예순일곱: 67
② 69>67이므로 더 큰 수는 육십구입니다.

더 큰 수에 ○표 하시오.

1

팔십삼	
여든여섯	○

2

오십구	
예순둘	○

3

아흔	○
일흔다섯	

4

칠십이	
일흔셋	○

5

팔십구	○
일흔일곱	

6

쉰여덟	
예순	○

7

육십칠	○
예순넷	

8

아흔다섯	○
오십육	

2단원 덧셈과 뺄셈(1)

16~17쪽

① 덧셈하기(1), (2)

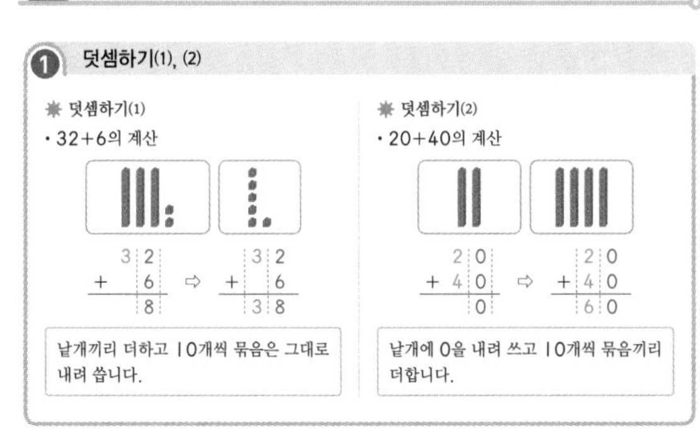

덧셈하기(1)
• 32+6의 계산

$$\begin{array}{r} 32 \\ +\ \ 6 \\ \hline 8 \end{array} \Rightarrow \begin{array}{r} 32 \\ +\ \ 6 \\ \hline 38 \end{array}$$

낱개끼리 더하고 10개씩 묶음은 그대로 내려 씁니다.

덧셈하기(2)
• 20+40의 계산

$$\begin{array}{r} 20 \\ +40 \\ \hline 0 \end{array} \Rightarrow \begin{array}{r} 20 \\ +40 \\ \hline 60 \end{array}$$

낱개에 0을 내려 쓰고 10개씩 묶음끼리 더합니다.

덧셈을 하시오.

1 $\begin{array}{r} 44 \\ +\ \ 5 \\ \hline 49 \end{array}$ **2** $\begin{array}{r} 20 \\ +20 \\ \hline 40 \end{array}$

3 $\begin{array}{r} 35 \\ +\ \ 1 \\ \hline 36 \end{array}$ **4** $\begin{array}{r} 30 \\ +50 \\ \hline 80 \end{array}$

5 $\begin{array}{r} 72 \\ +\ \ 3 \\ \hline 75 \end{array}$ **6** $\begin{array}{r} 80 \\ +10 \\ \hline 90 \end{array}$

덧셈을 하시오.

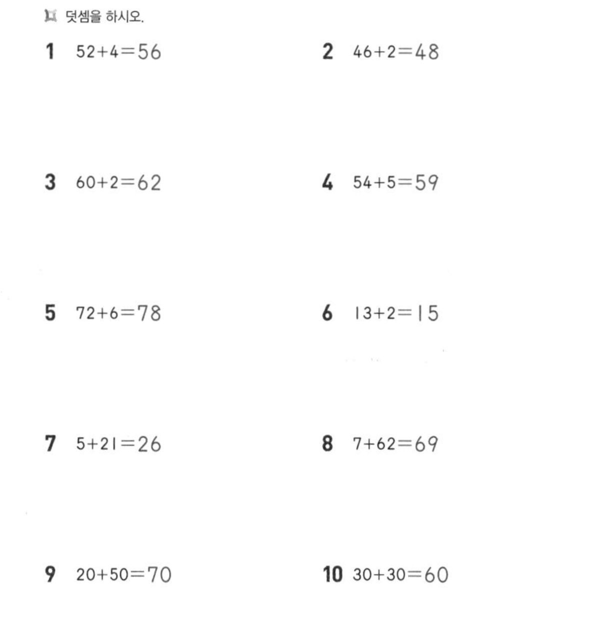

1 52+4=56 **2** 46+2=48

3 60+2=62 **4** 54+5=59

5 72+6=78 **6** 13+2=15

7 5+21=26 **8** 7+62=69

9 20+50=70 **10** 30+30=60

11 30+40=70 **12** 60+30=90

18 ~ 19 쪽

2단원 덧셈과 뺄셈(1)

빈 곳에 알맞은 수를 써넣으시오.

1. 35 → (+3) → 38
2. 30 → (+10) → 40
3. 23 → (+6) → 29
4. 42 → (+7) → 49
5. 50 → (+30) → 80
6. 7 → (+22) → 29
7. 6 → (+41) → 47
8. 90 → (+4) → 94
9. 62 → (+3) → 65
10. 20 → (+60) → 80

두 수의 합을 구하시오.

1. 40 7 (47)
2. 25 3 (28)
3. 40 20 (60)
4. 10 40 (50)
5. 52 2 (54)
6. 36 2 (38)
7. 8 21 (29)
8. 5 80 (85)
9. 40 50 (90)
10. 73 4 (77)

20 ~ 21 쪽

2단원 덧셈과 뺄셈(1)

❷ 덧셈하기(3)

※ 56+22의 계산

(1) 그림으로 알아보기

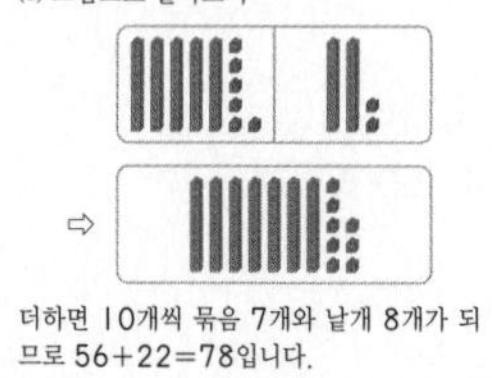

더하면 10개씩 묶음 7개와 낱개 8개가 되므로 56+22=78입니다.

(2) 세로 계산 방법 알아보기

10개씩 묶음은 10개씩 묶음끼리 한 줄로 맞추고, 낱개는 낱개끼리 줄을 맞추어 씁니다.

$$\begin{array}{r} 56 \\ +\ 22 \\ \hline 8 \end{array} \Rightarrow \begin{array}{r} 56 \\ +\ 22 \\ \hline 78 \end{array}$$

낱개는 낱개끼리, 10개씩 묶음은 10개씩 묶음끼리 더합니다.

덧셈을 하시오.

1. $\begin{array}{r} 61 \\ +28 \\ \hline 89 \end{array}$
2. $\begin{array}{r} 23 \\ +14 \\ \hline 37 \end{array}$
3. $\begin{array}{r} 52 \\ +41 \\ \hline 93 \end{array}$
4. $\begin{array}{r} 76 \\ +12 \\ \hline 88 \end{array}$
5. $\begin{array}{r} 34 \\ +24 \\ \hline 58 \end{array}$
6. $\begin{array}{r} 24 \\ +55 \\ \hline 79 \end{array}$

덧셈을 하시오.

1. 26+13=39
2. 48+21=69
3. 51+27=78
4. 52+42=94
5. 32+24=56
6. 62+35=97
7. 34+12=46
8. 41+17=58
9. 53+25=78
10. 35+51=86
11. 62+27=89
12. 46+33=79

2단원 덧셈과 뺄셈(1)

□ 안에 알맞은 수를 써넣으시오.

1 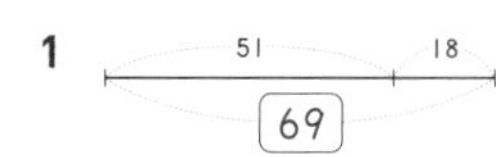
51, 18 → 69

2 35, 14 → 49

3 42, 21 → 63

4 31, 26 → 57

5 12, 62 → 74

6 43, 12 → 55

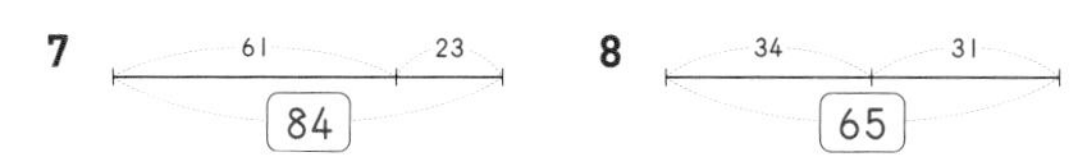

7 61, 23 → 84

8 34, 31 → 65

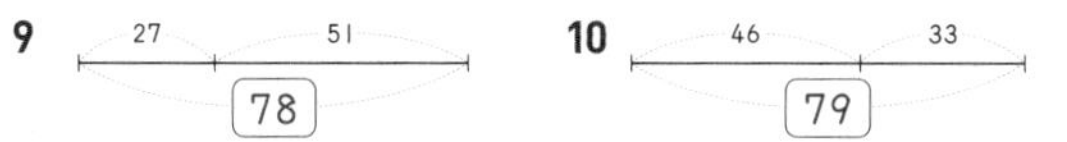
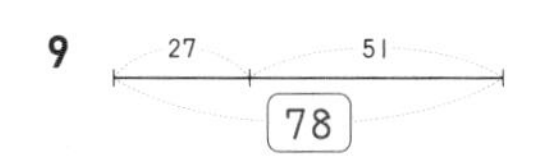

9 27, 51 → 78

10 46, 33 → 79

두 수의 합을 빈칸에 써넣으시오.

1

54	32
86	

2

42	20
62	

3 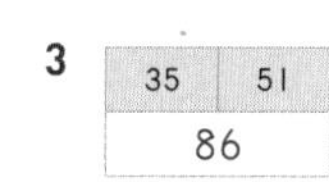

35	51
86	

4

70	15
85	

5

11	63
74	

6

62	34
96	

7

48	41
89	

8

21	54
75	

9

42	37
79	

10

35	24
59	

2단원 덧셈과 뺄셈(1)

3 그림을 보고 덧셈하기

✱ 그림을 보고 덧셈식 만들기

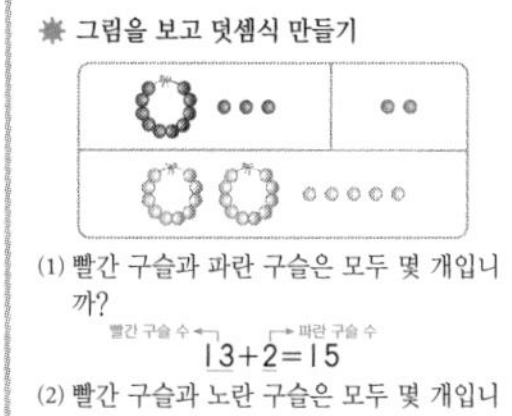

(1) 빨간 구슬과 파란 구슬은 모두 몇 개입니까?

빨간 구슬 수, 파란 구슬 수
13+2=15

(2) 빨간 구슬과 노란 구슬은 모두 몇 개입니까?

빨간 구슬 수, 노란 구슬 수
13+25=38

✱ 여러 가지 방법으로 덧셈하기

$$\begin{array}{r} 13 \\ +\ 25 \\ \hline 38 \end{array}$$

방법 1 10과 20을 더해서 30을 구하고, 3과 5를 더해서 8을 구합니다.

방법 2 13과 20을 더해서 33을 구하고, 33에 5를 더해서 38을 구합니다.

방법 3 10과 25를 더해서 35를 구하고, 35에 3을 더해서 38을 구합니다.

그림을 보고 덧셈을 하시오.

1 빨간색 책과 초록색 책은 모두 몇 권입니까?

12 + 7 = 19 ⇨ 19 권

2 빨간색 책과 보라색 책은 모두 몇 권입니까?

12 + 20 = 32 ⇨ 32 권

3 아랫줄에 있는 책은 모두 몇 권입니까?

5 + 20 = 25 ⇨ 25 권

여러 가지 방법으로 계산하려고 합니다. □ 안에 알맞은 수를 써넣으시오.

1 $\begin{array}{r} 31 \\ +\ 28 \\ \hline 59 \end{array}$

방법 1 30과 20을 더하고 1과 8을 더합니다.

방법 2 31에 20을 더하고 8을 더합니다.

방법 3 30에 28을 더하고 1을 더합니다.

2 $\begin{array}{r} 16 \\ +\ 41 \\ \hline 57 \end{array}$

방법 1 10과 40을 더하고 6과 1을 더합니다.

방법 2 16에 40을 더하고 1을 더합니다.

방법 3 10에 41을 더하고 6을 더합니다.

3 $\begin{array}{r} 53 \\ +\ 15 \\ \hline 68 \end{array}$

방법 1 50과 10을 더하고 3과 5를 더합니다.

방법 2 53에 10을 더하고 5를 더합니다.

방법 3 50에 15를 더하고 3을 더합니다.

4 $\begin{array}{r} 67 \\ +\ 21 \\ \hline 88 \end{array}$

방법 1 60과 20을 더하고 7과 1을 더합니다.

방법 2 67에 20을 더하고 1을 더합니다.

방법 3 60에 21을 더하고 7을 더합니다.

26 ~ 27 쪽

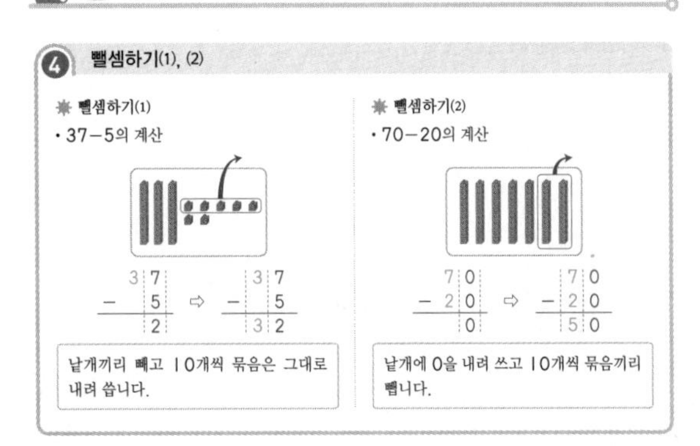

뺄셈을 하시오.

1. $49 - 3 = 46$
2. $50 - 10 = 40$
3. $67 - 4 = 63$
4. $90 - 70 = 20$
5. $95 - 2 = 93$
6. $80 - 40 = 40$

뺄셈을 하시오.

1. 56−4=52
2. 98−5=93
3. 49−7=42
4. 53−2=51
5. 66−4=62
6. 78−5=73
7. 89−3=86
8. 89−6=83
9. 90−10=80
10. 70−20=50
11. 80−50=30
12. 40−10=30

28 ~ 29 쪽

□ 안에 알맞은 수를 써넣으시오.

1. 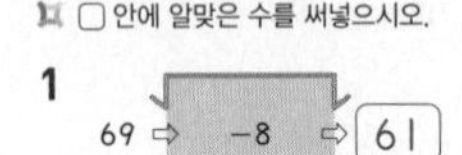

2. 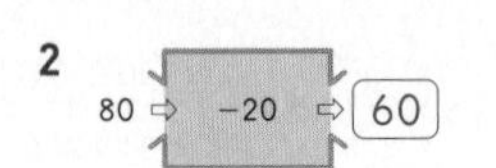

3. 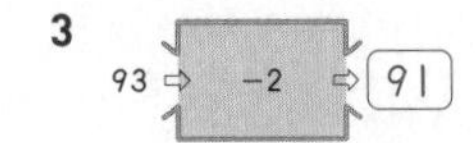

4. 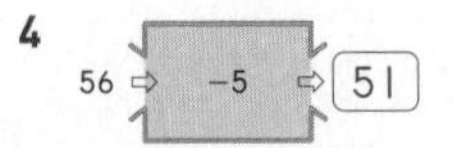

5. 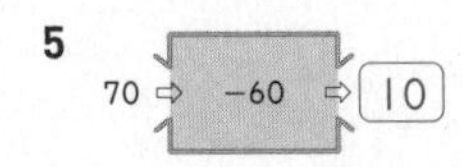

6. 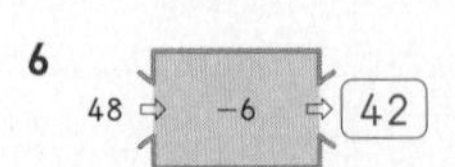

7. 43 ⇨ −2 ⇨ 41
8. 37 ⇨ −4 ⇨ 33
9. 20 ⇨ −10 ⇨ 10
10. 97 ⇨ −3 ⇨ 94

두 수의 차를 구하시오.

1. 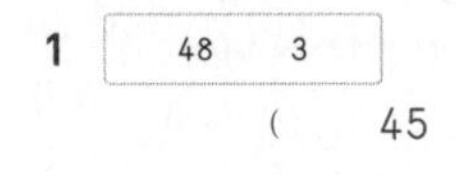

(45)

2. 80 70 (10)

3. 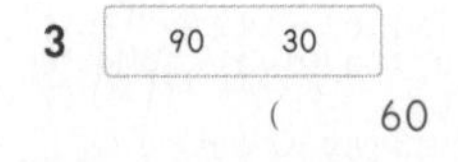

(60)

4. 88 7 (81)

5. 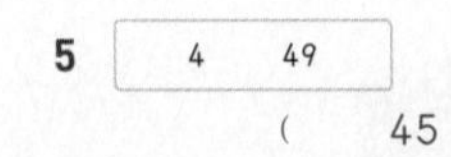

(45)

6. 68 4 (64)
7. 87 2 (85)
8. 59 6 (53)
9. 78 5 (73)
10. 10 50 (40)

2단원 덧셈과 뺄셈(1)

30 ~ 31 쪽

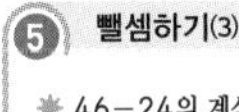

5 뺄셈하기(3)

✷ 46−24의 계산

(1) 그림으로 알아보기

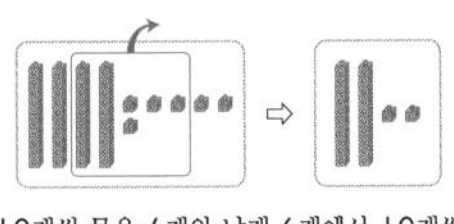

10개씩 묶음 4개와 낱개 6개에서 10개씩 묶음 2개와 낱개 4개를 덜어 내면 10개씩 묶음 2개와 낱개 2개가 남으므로 22입니다.

(2) 세로 계산 방법 알아보기

10개씩 묶음은 10개씩 묶음끼리 한 줄로 맞추고, 낱개는 낱개끼리 줄을 맞추어 씁니다.

$$\begin{array}{r} 46 \\ -\ 24 \\ \hline 2 \end{array} \Rightarrow \begin{array}{r} 46 \\ -\ 24 \\ \hline 22 \end{array}$$

낱개는 낱개끼리, 10개씩 묶음은 10개씩 묶음끼리 뺍니다.

뺄셈을 하시오.

1 $\begin{array}{r} 75 \\ -\ 53 \\ \hline 22 \end{array}$

2 $\begin{array}{r} 98 \\ -\ 77 \\ \hline 21 \end{array}$

3 $\begin{array}{r} 64 \\ -\ 13 \\ \hline 51 \end{array}$

4 $\begin{array}{r} 86 \\ -\ 52 \\ \hline 34 \end{array}$

5 $\begin{array}{r} 24 \\ -\ 11 \\ \hline 13 \end{array}$

6 $\begin{array}{r} 49 \\ -\ 34 \\ \hline 15 \end{array}$

뺄셈을 하시오.

1 93−71=22

2 54−31=23

3 62−10=52

4 87−21=66

5 57−32=25

6 96−55=41

7 85−61=24

8 45−30=15

9 69−25=44

10 78−46=32

11 82−40=42

12 59−25=34

2단원 덧셈과 뺄셈(1)

32 ~ 33 쪽

□ 안에 알맞은 수를 써넣으시오.

1 25: 14, 11

2 74: 34, 40

3 58: 36, 22

4 69: 43, 26

5 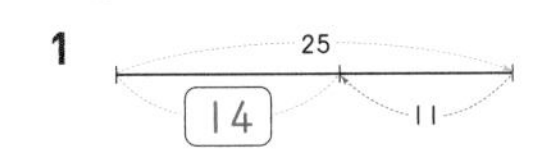

6 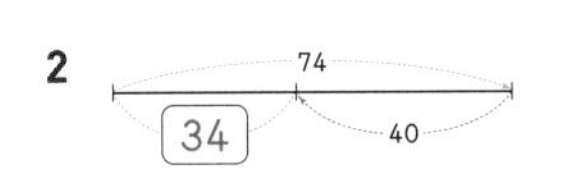

7 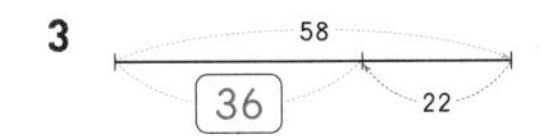

8 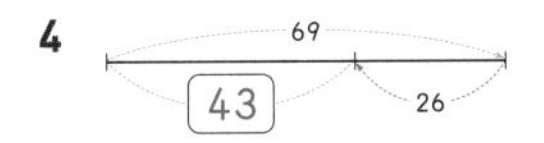

9 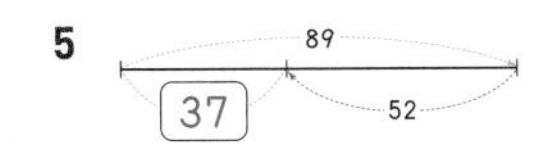

10 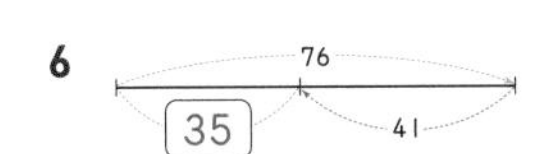

빈칸에 알맞은 수를 써넣으시오.

1 94, 13, 81 / 52 / 42

2 57, 36, 21 / 14 / 43

3 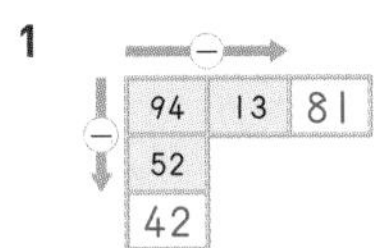

4 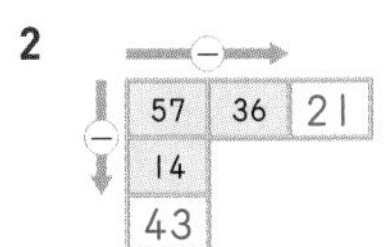

5 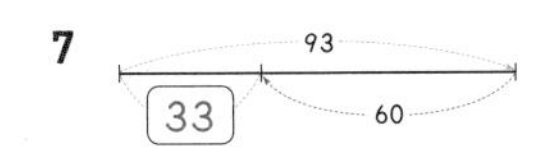

6 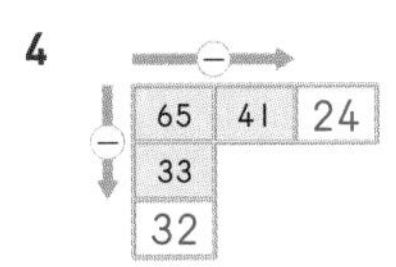

7 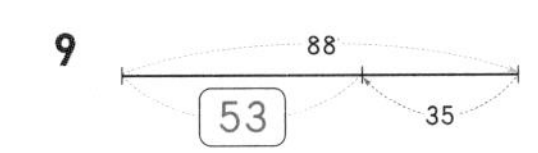

8 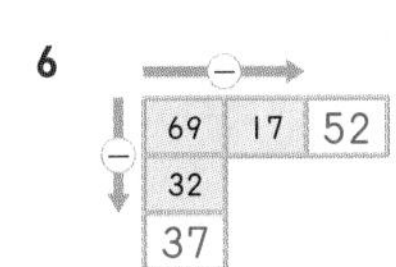

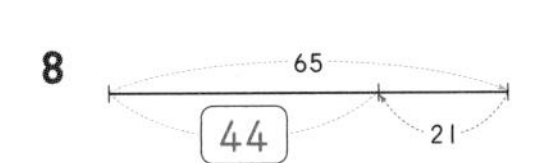

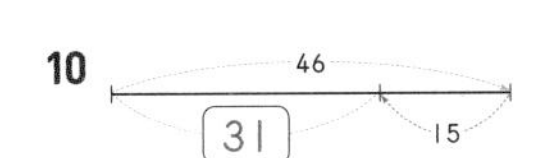

34~35쪽

2단원 덧셈과 뺄셈(1)

6 그림을 보고 뺄셈하기

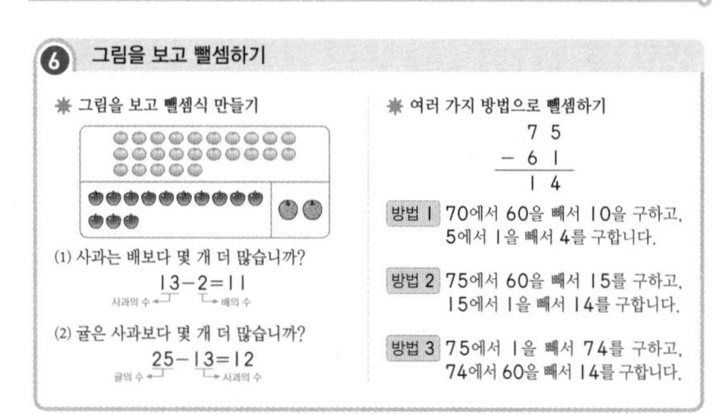

✻ 그림을 보고 뺄셈식 만들기

(1) 사과는 배보다 몇 개 더 많습니까?

13−2=11 (사과의 수, 배의 수)

(2) 귤은 사과보다 몇 개 더 많습니까?

25−13=12 (귤의 수, 사과의 수)

✻ 여러 가지 방법으로 뺄셈하기

$$\begin{array}{r} 75 \\ -\ 61 \\ \hline 14 \end{array}$$

방법 1 70에서 60을 빼서 10을 구하고, 5에서 1을 빼서 4를 구합니다.

방법 2 75에서 60을 빼서 15를 구하고, 15에서 1을 빼서 14를 구합니다.

방법 3 75에서 1을 빼서 74를 구하고, 74에서 60을 빼서 14를 구합니다.

그림을 보고 뺄셈을 하시오.

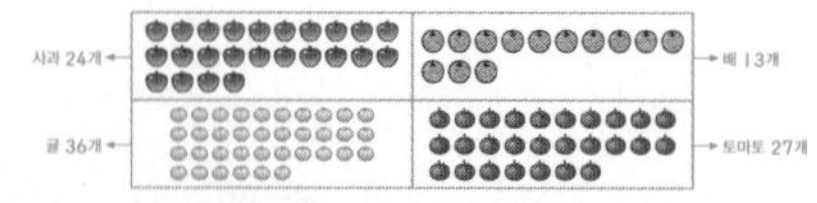

1 사과가 24개 있습니다. 3개를 먹으면 몇 개가 남습니까?

24 − 3 = 21 ⇨ 21 개

2 귤이 36개 있습니다. 학생 4명에게 한 개씩 나누어 주면 몇 개가 남습니까?

36 − 4 = 32 ⇨ 32 개

3 토마토는 배보다 몇 개 더 많습니까?

27 − 13 = 14 ⇨ 14 개

여러 가지 방법으로 계산하려고 합니다. □ 안에 알맞은 수를 써넣으시오.

1 $\begin{array}{r} 98 \\ -\ 46 \\ \hline 52 \end{array}$

방법 1 90에서 40을 빼고, 8에서 6을 뺍니다.

방법 2 98에서 40을 빼고 다시 6을 뺍니다.

방법 3 98에서 6을 빼고 다시 40을 뺍니다.

2 $\begin{array}{r} 63 \\ -\ 21 \\ \hline 42 \end{array}$

방법 1 60에서 20을 빼고, 3에서 1을 뺍니다.

방법 2 63에서 20을 빼고 다시 1을 뺍니다.

방법 3 63에서 1을 빼고 다시 20을 뺍니다.

3 $\begin{array}{r} 59 \\ -\ 18 \\ \hline 41 \end{array}$

방법 1 50에서 10을 빼고, 9에서 8을 뺍니다.

방법 2 59에서 10을 빼고 다시 8을 뺍니다.

방법 3 59에서 8을 빼고 다시 10을 뺍니다.

4 $\begin{array}{r} 76 \\ -\ 23 \\ \hline 53 \end{array}$

방법 1 70에서 20을 빼고, 6에서 3을 뺍니다.

방법 2 76에서 20을 빼고 다시 3을 뺍니다.

방법 3 76에서 3을 빼고 다시 20을 뺍니다.

36~37쪽

2단원 덧셈과 뺄셈(1)

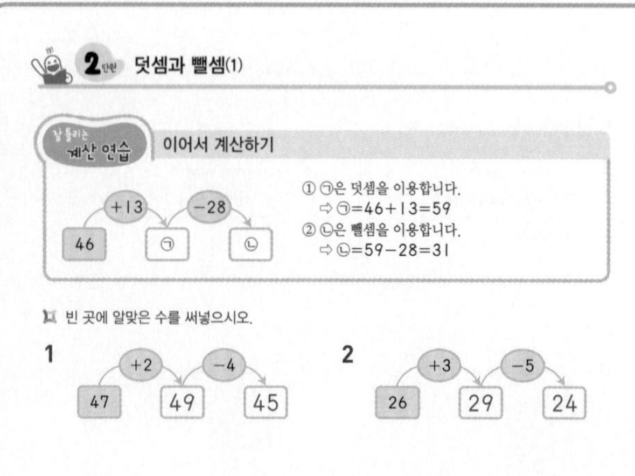

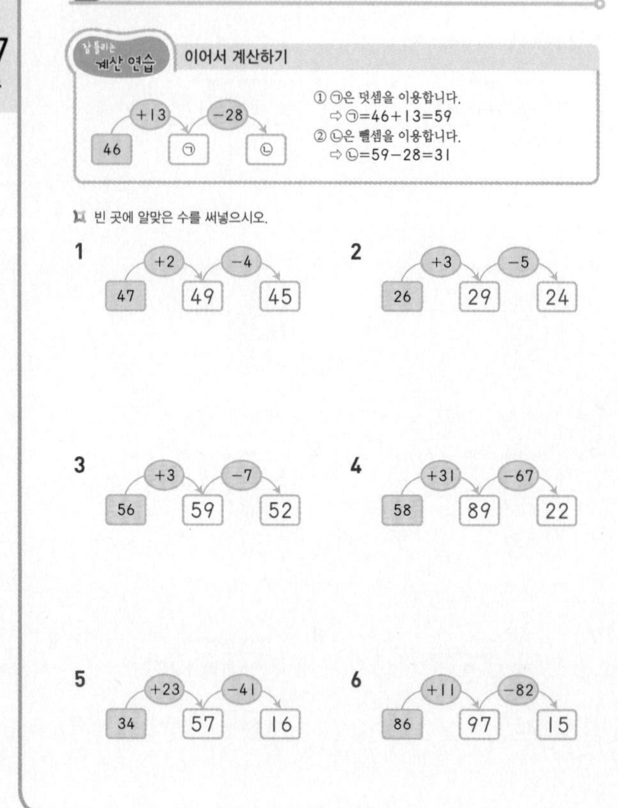

계산 연습 이어서 계산하기

46 → +13 → ㉠ → −28 → ㉡

① ㉠은 덧셈을 이용합니다.
⇨ ㉠=46+13=59

② ㉡은 뺄셈을 이용합니다.
⇨ ㉡=59−28=31

빈 곳에 알맞은 수를 써넣으시오.

1 47 → +2 → 49 → −4 → 45

2 26 → +3 → 29 → −5 → 24

3 56 → +3 → 59 → −7 → 52

4 58 → +31 → 89 → −67 → 22

5 34 → +23 → 57 → −41 → 16

6 86 → +11 → 97 → −82 → 15

계산 연습 세로셈에서 모르는 수 구하기

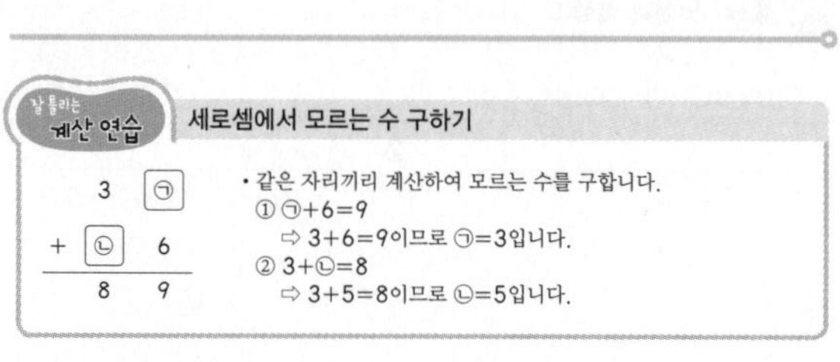

$$\begin{array}{r} 3\ ㉠ \\ +\ ㉡\ 6 \\ \hline 8\ 9 \end{array}$$

• 같은 자리끼리 계산하여 모르는 수를 구합니다.

① ㉠+6=9
⇨ 3+6=9이므로 ㉠=3입니다.

② 3+㉡=8
⇨ 3+5=8이므로 ㉡=5입니다.

□ 안에 알맞은 수를 써넣으시오.

1 $\begin{array}{r} 1\ 3 \\ +\ 2\ 2 \\ \hline 3\ 5 \end{array}$

2 $\begin{array}{r} 6\ 6 \\ +\ 1\ 2 \\ \hline 7\ 8 \end{array}$

3 $\begin{array}{r} 2\ 1 \\ +\ 2\ 4 \\ \hline 4\ 5 \end{array}$

4 $\begin{array}{r} 3\ 3 \\ +\ 5\ 3 \\ \hline 8\ 6 \end{array}$

5 $\begin{array}{r} 1\ 4 \\ +\ 5\ 4 \\ \hline 6\ 8 \end{array}$

6 $\begin{array}{r} 2\ 2 \\ +\ 3\ 4 \\ \hline 5\ 6 \end{array}$

4단원 덧셈과 뺄셈(2)

38 ~ 39쪽

1 세 수의 덧셈

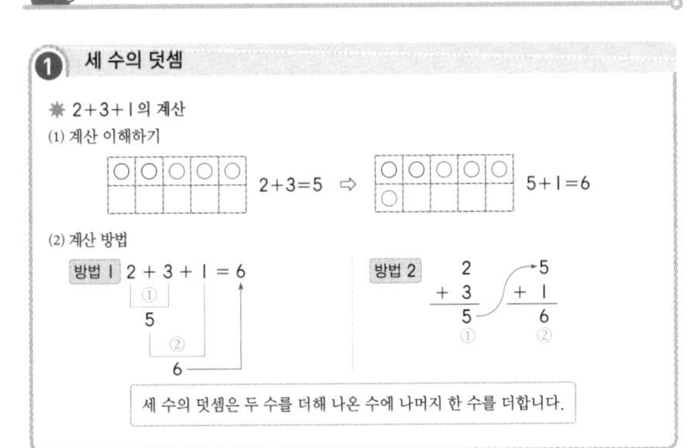

✱ 2+3+1의 계산

(1) 계산 이해하기

2+3=5 ⇨ 5+1=6

(2) 계산 방법

방법 1 2 + 3 + 1 = 6 (① 5, ② 6)

방법 2 2 + 3 = 5 (①), 5 + 1 = 6 (②)

세 수의 덧셈은 두 수를 더해 나온 수에 나머지 한 수를 더합니다.

□ 안에 알맞은 수를 써넣으시오. ✱ 두 수를 더해서 나온 수에 나머지 한 수를 더합니다.

1 2 + 1 + 5 = 8 (3, 8)

2 3 + 2 + 2 = 7 (5, 7)

3 4 + 2 + 3 = 9 (6, 9)

4 3 + 4 + 1 = 8 (7, 8)

□ 안에 알맞은 수를 써넣으시오. ✱ 두 수를 더해서 나온 수에 나머지 한 수를 더합니다.

1 2+4+1=7 (2+4=6, 6+1=7)

2 1+3+2=6 (1+3=4, 4+2=6)

3 5+3+1=9 (5+3=8, 8+1=9)

4 2+2+5=9 (2+2=4, 4+5=9)

5 6+2+1=9 (6+2=8, 8+1=9)

6 3+2+3=8 (3+2=5, 5+3=8)

7 4+2+2=8 (4+2=6, 6+2=8)

8 1+3+3=7 (1+3=4, 4+3=7)

4단원 덧셈과 뺄셈(2)

40 ~ 41쪽

덧셈을 하시오.

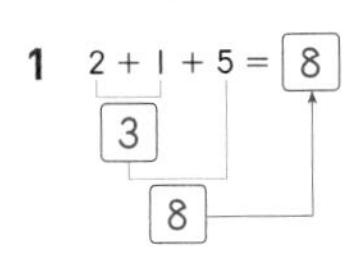

1 4+1+2=7 (5, 7)

2 4+2+2=8 (6, 8)

3 1+1+7=9 (2, 9)

4 5+1+1=7 (6, 7)

5 2+2+1=5 (4, 5)

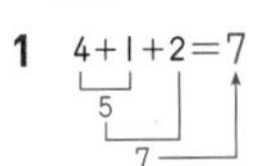

6 1+3+2=6 (4, 6)

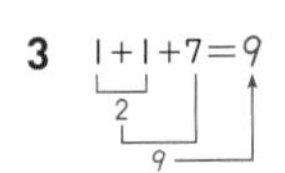

7 2+5+1=8 (7, 8)

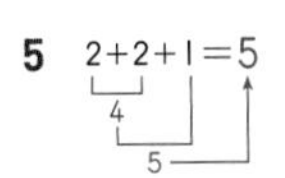

8 4+3+1=8 (7, 8)

9 6+1+2=9 (7, 9)

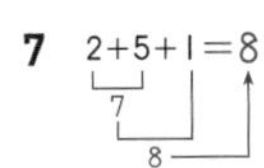

10 3+1+3=7 (4, 7)

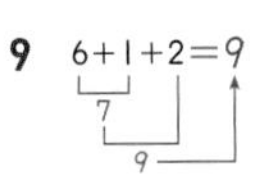

11 3+3+3=9 (6, 9)

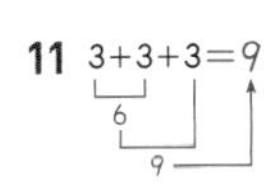

12 2+5+2=9 (7, 9)

빈 곳에 알맞은 수를 써넣으시오.

1 1 → +4 → +3 → 8

2 3 → +4 → +1 → 8

3 3 → +2 → +3 → 8

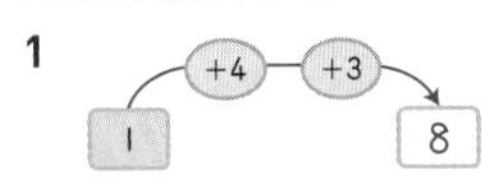

4 1 → +1 → +2 → 4

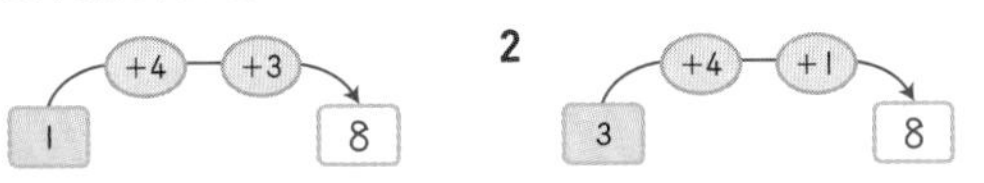

5 5 → +2 → +2 → 9

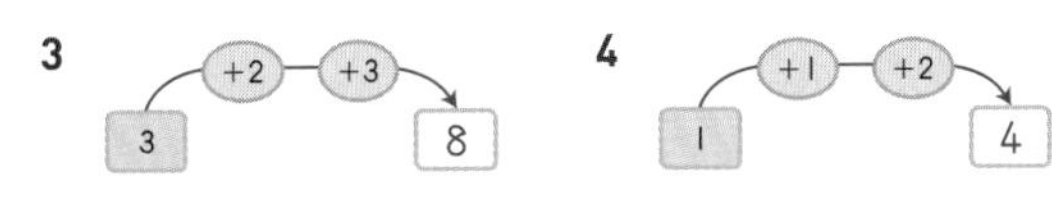

6 5 → +1 → +3 → 9

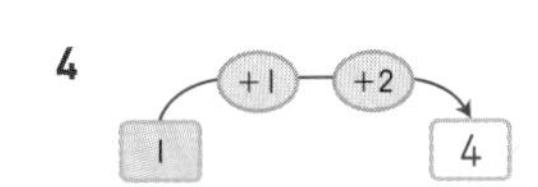

7 6 → +1 → +1 → 8

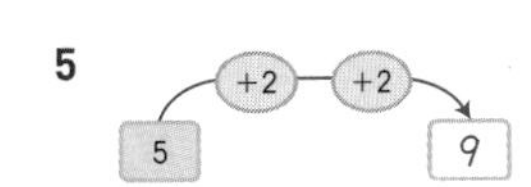

8 1 → +7 → +1 → 9

9 2 → +3 → +4 → 9

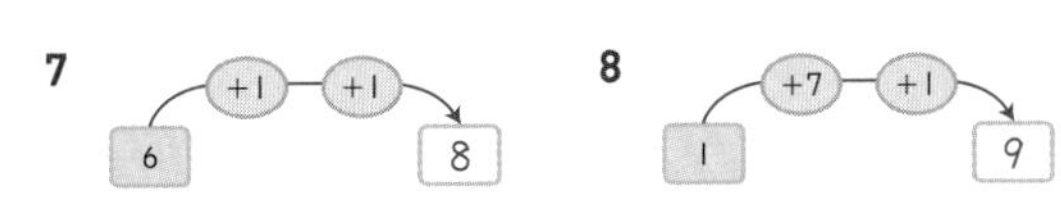

10 4 → +1 → +3 → 8

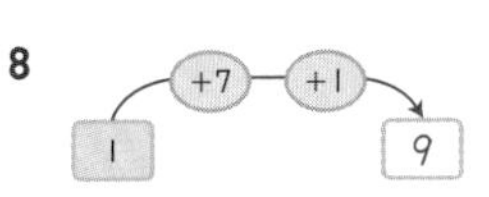

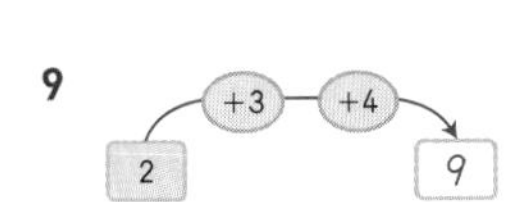

42~43쪽

4단원 덧셈과 뺄셈(2)

② 세 수의 뺄셈

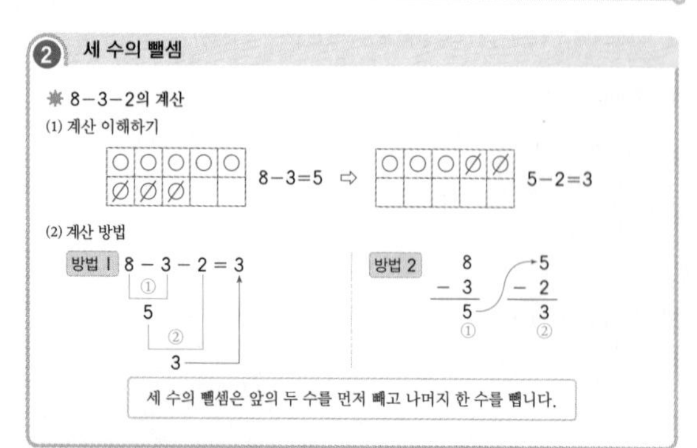

□ 안에 알맞은 수를 써넣으시오.

1 9 − 1 − 4 = 4 (8, 4)

2 6 − 2 − 2 = 2 (4, 2)

3 7 − 4 − 2 = 1 (3, 1)

4 7 − 3 − 1 = 3 (4, 3)

□ 안에 알맞은 수를 써넣으시오.

1 7−2−3=2 (7−2=5, 5−3=2)

2 9−5−1=3 (9−5=4, 4−1=3)

3 6−1−4=1 (6−1=5, 5−4=1)

4 8−4−3=1 (8−4=4, 4−3=1)

5 9−2−3=4 (9−2=7, 7−3=4)

6 8−1−5=2 (8−1=7, 7−5=2)

7 6−3−2=1 (6−3=3, 3−2=1)

8 9−6−2=1 (9−6=3, 3−2=1)

44~45쪽

4단원 덧셈과 뺄셈(2)

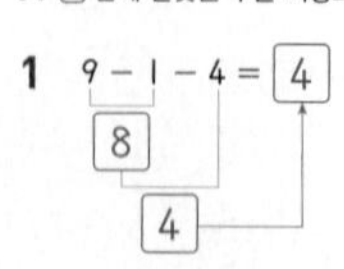

뺄셈을 하시오.

1 9−1−4=4 (8, 4)

2 4−1−2=1 (3, 1)

3 9−5−2=2 (4, 2)

4 8−4−3=1 (4, 1)

5 9−7−1=1 (2, 1)

6 7−2−1=4 (5, 4)

7 8−3−3=2 (5, 2)

8 7−3−2=2 (4, 2)

9 9−2−3=4 (7, 4)

10 8−1−1=6 (7, 6)

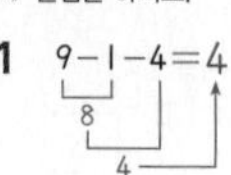

11 7−1−4=2 (6, 2)

12 9−1−3=5 (8, 5)

빈 곳에 알맞은 수를 써넣으시오.

1 8, −2, −3, 3

2 9, −5, −1, 3

3 9, −2, −4, 3

4 9, −1, −2, 6

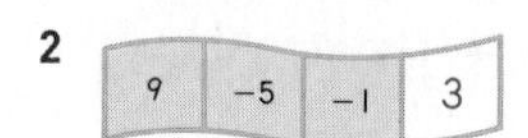

5 7, −2, −2, 3

6 6, −3, −2, 1

7 7, −4, −2, 1

8 8, −3, −1, 4

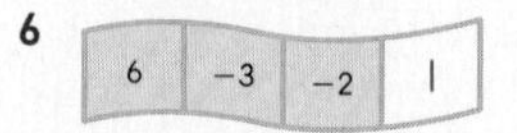
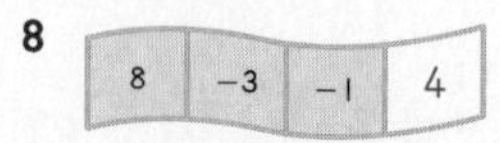

9 9, −3, −4, 2

10 9, −1, −7, 1

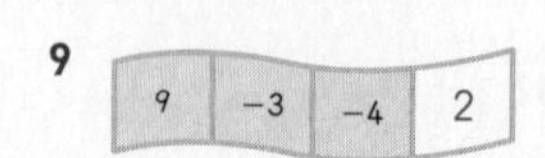
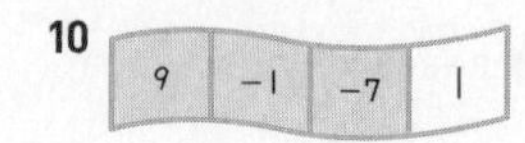

46 ~ 47쪽

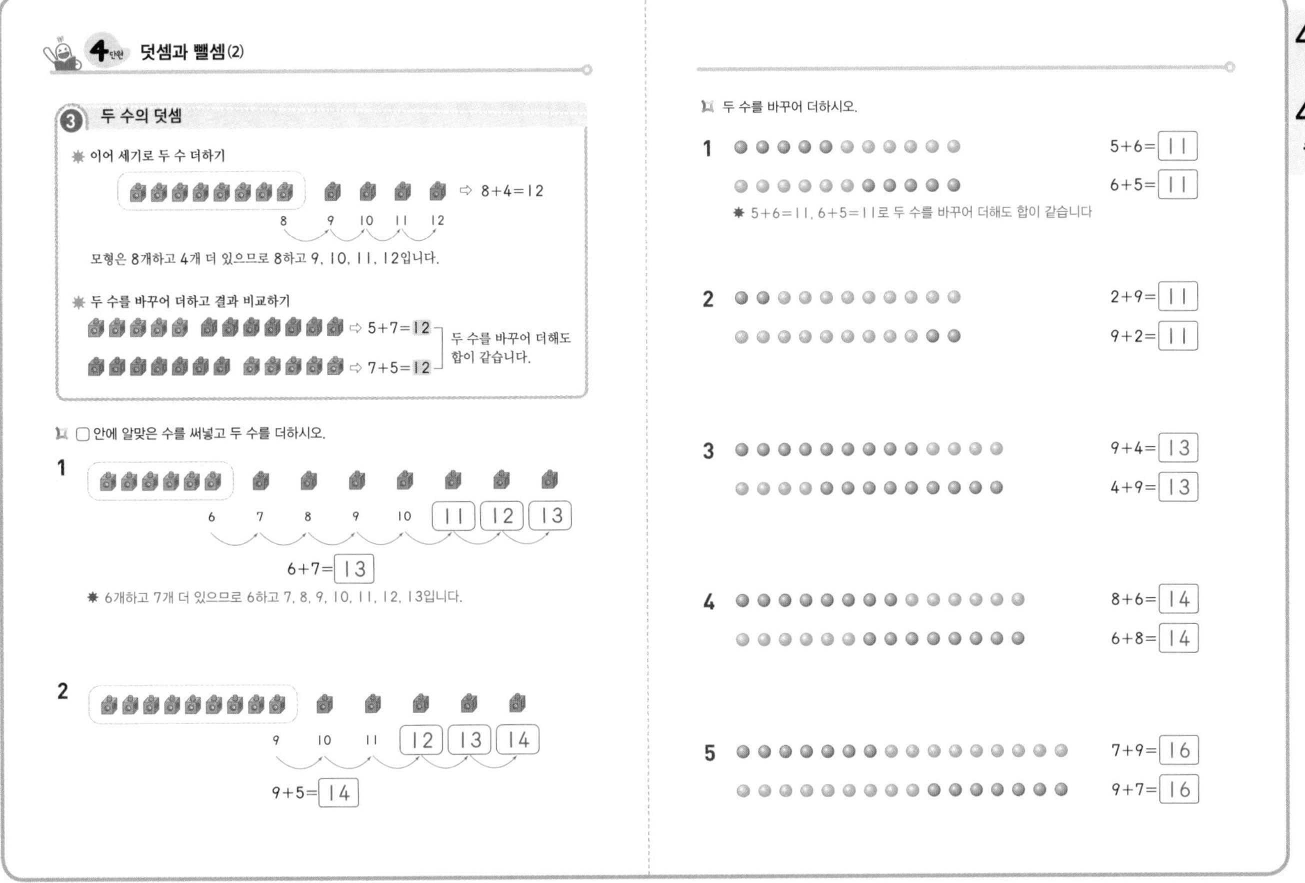

4단원 덧셈과 뺄셈(2)

③ 두 수의 덧셈

이어 세기로 두 수 더하기

⇨ 8+4=12

8 9 10 11 12

모형은 8개하고 4개 더 있으므로 8하고 9, 10, 11, 12입니다.

두 수를 바꾸어 더하고 결과 비교하기

⇨ 5+7=12

⇨ 7+5=12

두 수를 바꾸어 더해도 합이 같습니다.

□ 안에 알맞은 수를 써넣고 두 수를 더하시오.

1. 6 7 8 9 10 [11] [12] [13]

6+7=[13]

6개하고 7개 더 있으므로 6하고 7, 8, 9, 10, 11, 12, 13입니다.

2. 9 10 11 [12] [13] [14]

9+5=[14]

두 수를 바꾸어 더하시오.

1. 5+6=[11]
6+5=[11]
5+6=11, 6+5=11로 두 수를 바꾸어 더해도 합이 같습니다

2. 2+9=[11]
9+2=[11]

3. 9+4=[13]
4+9=[13]

4. 8+6=[14]
6+8=[14]

5. 7+9=[16]
9+7=[16]

48 ~ 49쪽

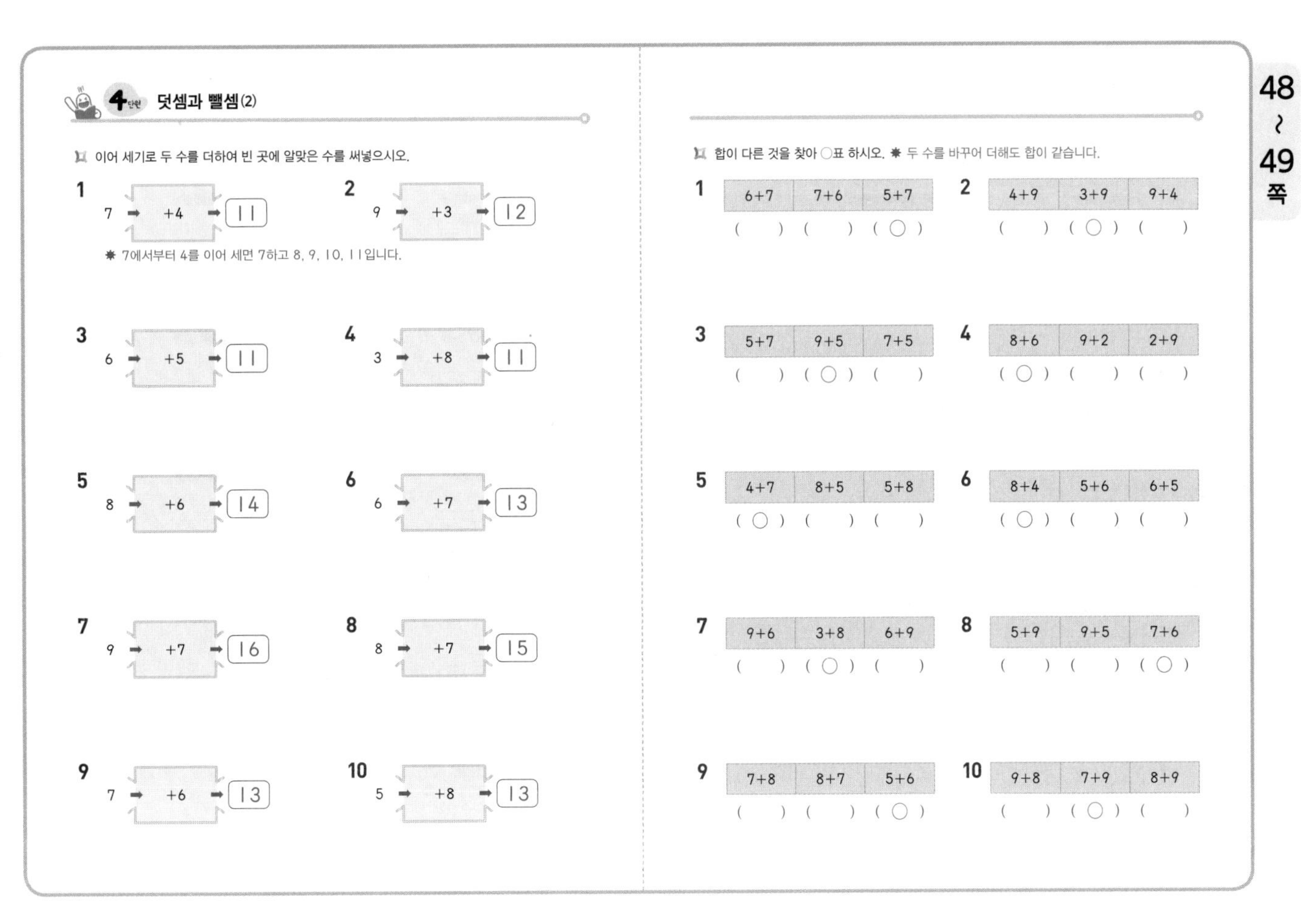

4단원 덧셈과 뺄셈(2)

이어 세기로 두 수를 더하여 빈 곳에 알맞은 수를 써넣으시오.

1. 7 → +4 → [11]
7에서부터 4를 이어 세면 7하고 8, 9, 10, 11입니다.

2. 9 → +3 → [12]

3. 6 → +5 → [11]

4. 3 → +8 → [11]

5. 8 → +6 → [14]

6. 6 → +7 → [13]

7. 9 → +7 → [16]

8. 8 → +7 → [15]

9. 7 → +6 → [13]

10. 5 → +8 → [13]

합이 다른 것을 찾아 ○표 하시오. 두 수를 바꾸어 더해도 합이 같습니다.

1. 6+7 ( ) 7+6 ( ) 5+7 (○)

2. 4+9 ( ) 3+9 (○) 9+4 ( )

3. 5+7 ( ) 9+5 (○) 7+5 ( )

4. 8+6 (○) 9+2 ( ) 2+9 ( )

5. 4+7 (○) 8+5 ( ) 5+8 ( )

6. 8+4 (○) 5+6 ( ) 6+5 ( )

7. 9+6 ( ) 3+8 (○) 6+9 ( )

8. 5+9 ( ) 9+5 ( ) 7+6 (○)

9. 7+8 ( ) 8+7 ( ) 5+6 (○)

10. 9+8 ( ) 7+9 (○) 8+9 ( )

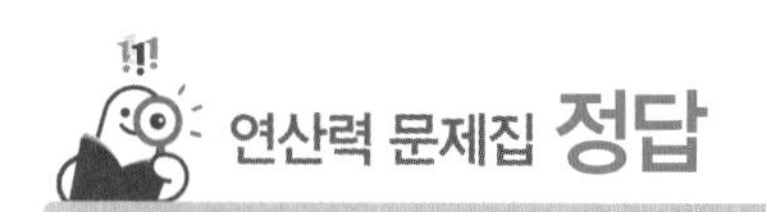

50~51쪽

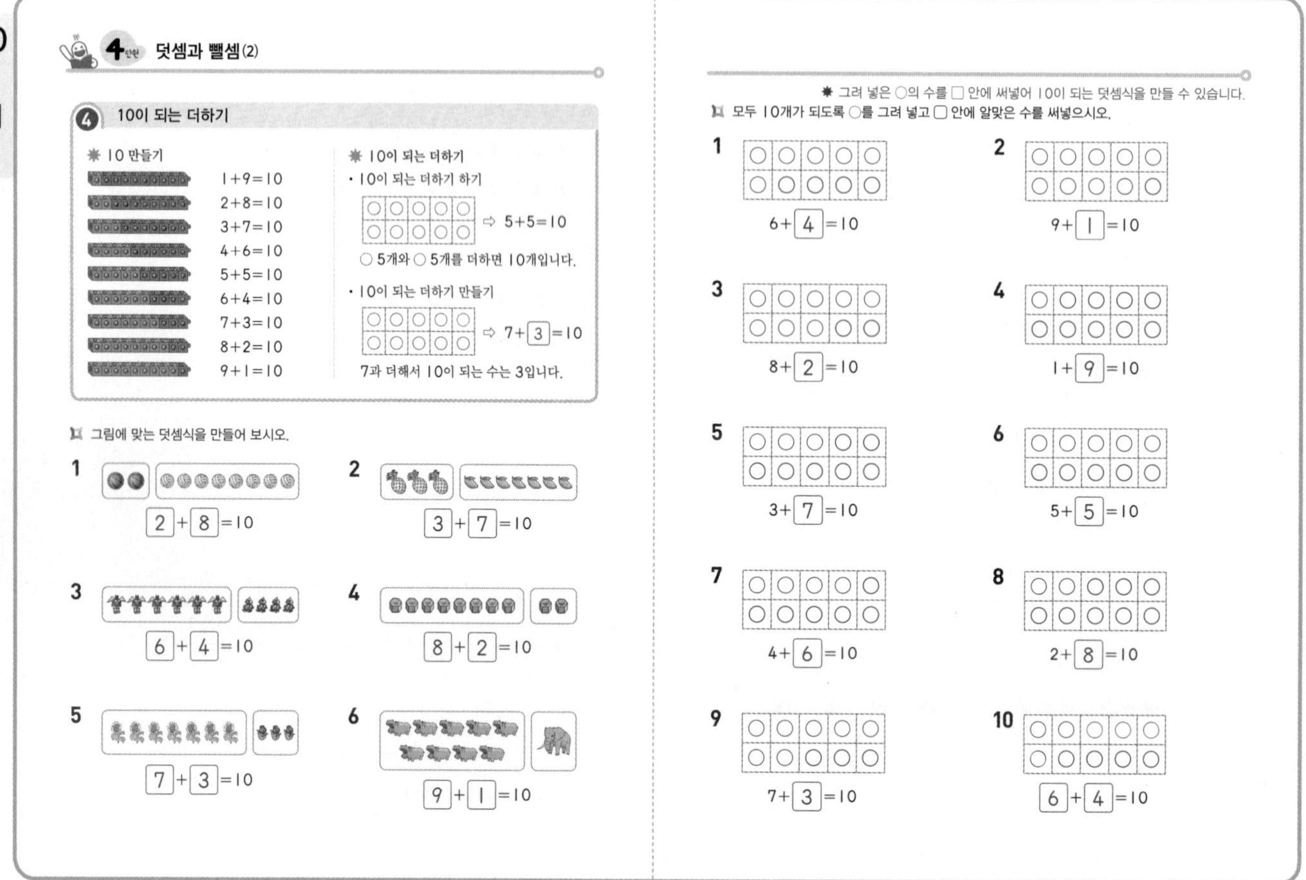

4단원 덧셈과 뺄셈(2)

4 10이 되는 더하기

✱ 10 만들기

1+9=10
2+8=10
3+7=10
4+6=10
5+5=10
6+4=10
7+3=10
8+2=10
9+1=10

✱ 10이 되는 더하기

• 10이 되는 더하기 하기

⇨ 5+5=10

○ 5개와 ○ 5개를 더하면 10개입니다.

• 10이 되는 더하기 만들기

⇨ 7+[3]=10

7과 더해서 10이 되는 수는 3입니다.

그림에 맞는 덧셈식을 만들어 보시오.

1. [2]+[8]=10
2. [3]+[7]=10
3. [6]+[4]=10
4. [8]+[2]=10
5. [7]+[3]=10
6. [9]+[1]=10

✱ 그려 넣은 ○의 수를 □ 안에 써넣어 10이 되는 덧셈식을 만들 수 있습니다.

모두 10개가 되도록 ○를 그려 넣고 □ 안에 알맞은 수를 써넣으시오.

1. 6+[4]=10
2. 9+[1]=10
3. 8+[2]=10
4. 1+[9]=10
5. 3+[7]=10
6. 5+[5]=10
7. 4+[6]=10
8. 2+[8]=10
9. 7+[3]=10
10. [6]+[4]=10

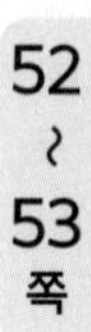

52~53쪽

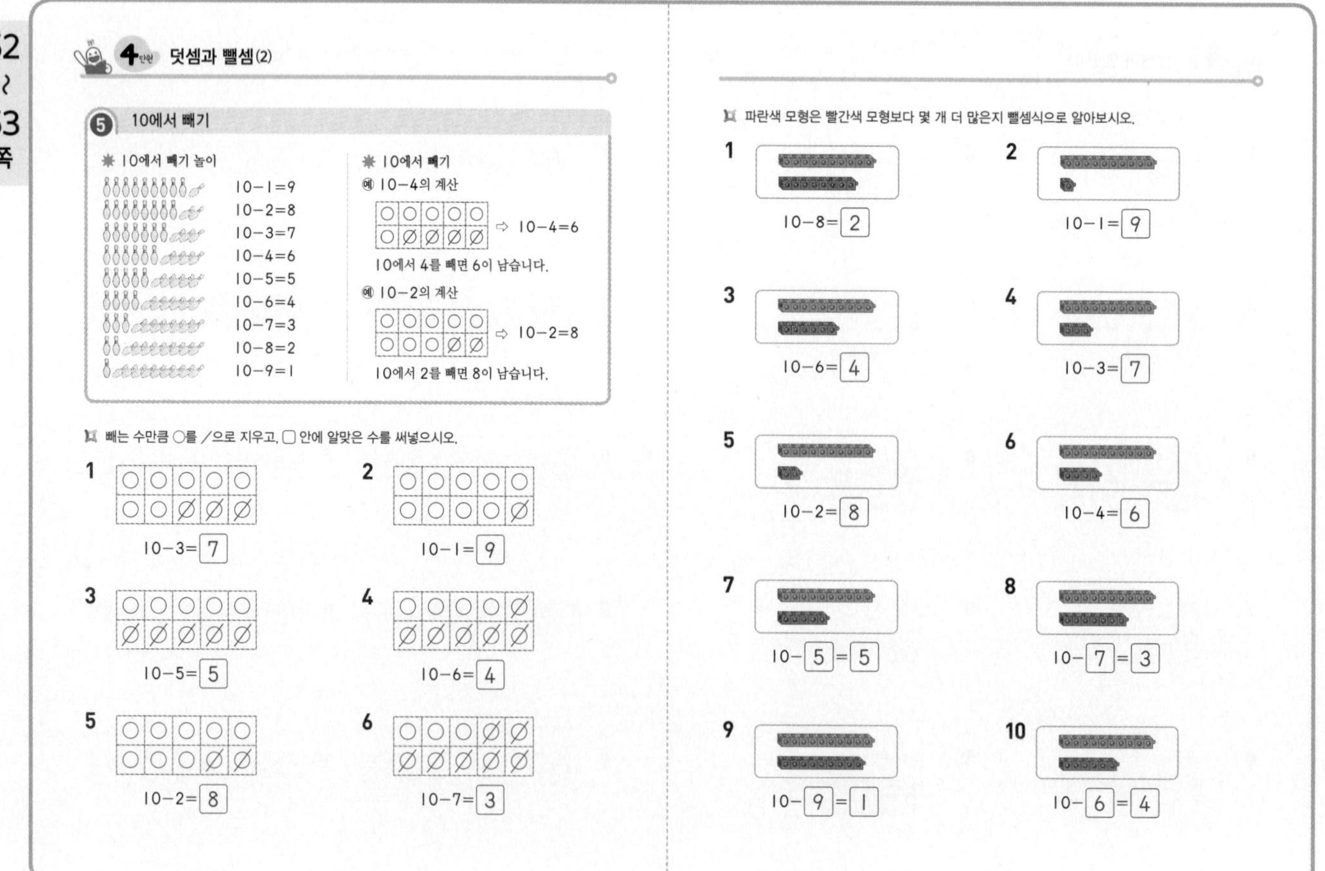

4단원 덧셈과 뺄셈(2)

5 10에서 빼기

✱ 10에서 빼기 놀이

10−1=9
10−2=8
10−3=7
10−4=6
10−5=5
10−6=4
10−7=3
10−8=2
10−9=1

✱ 10에서 빼기

예 10−4의 계산

⇨ 10−4=6

10에서 4를 빼면 6이 남습니다.

예 10−2의 계산

⇨ 10−2=8

10에서 2를 빼면 8이 남습니다.

빼는 수만큼 ○를 /으로 지우고, □ 안에 알맞은 수를 써넣으시오.

1. 10−3=[7]
2. 10−1=[9]
3. 10−5=[5]
4. 10−6=[4]
5. 10−2=[8]
6. 10−7=[3]

파란색 모형은 빨간색 모형보다 몇 개 더 많은지 뺄셈식으로 알아보시오.

1. 10−8=[2]
2. 10−1=[9]
3. 10−6=[4]
4. 10−3=[7]
5. 10−2=[8]
6. 10−4=[6]
7. 10−[5]=[5]
8. 10−[7]=[3]
9. 10−[9]=[1]
10. 10−[6]=[4]

4단원 덧셈과 뺄셈(2)

54~55쪽

6 10을 만들어 더하기

※ 앞의 두 수로 10을 만들어 세 수 더하기
- 7+3+8의 계산

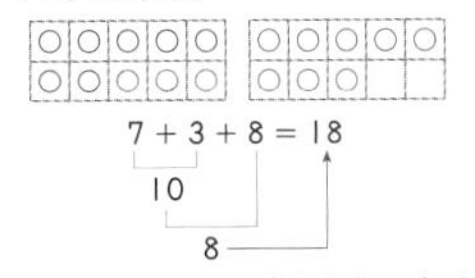

7 + 3 + 8 = 18
(7 + 3 → 10, 10 + 8 → 18)

앞의 두 수 7과 3을 먼저 더해 10을 만든 뒤 10과 8을 더해 18을 구합니다.

※ 뒤의 두 수로 10을 만들어 세 수 더하기
- 3+4+6의 계산

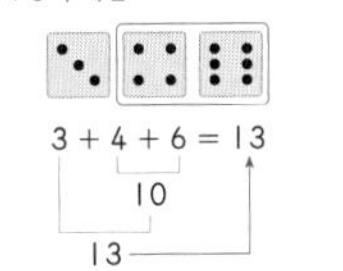

3 + 4 + 6 = 13
(4 + 6 → 10, 3 + 10 → 13)

뒤의 두 수 4와 6을 먼저 더해 10을 만든 뒤 3과 10을 더해 13을 구합니다.

앞의 두 수로 10을 만들어 세 수를 더하시오.

1 2 + 8 + 4 = 14 (10, 14)

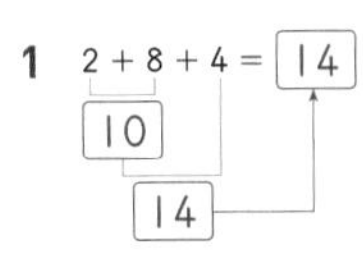

2 5 + 5 + 6 = 16 (10, 16)

3 9 + 1 + 5 = 15 (10, 15)

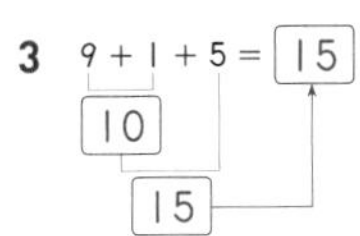

4 6 + 4 + 2 = 12 (10, 12)

5 3 + 7 + 6 = 16 (10, 16)

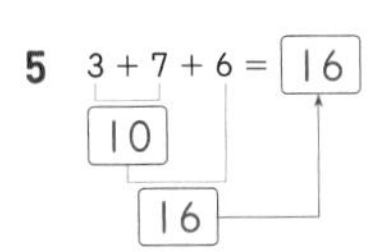

6 8 + 2 + 7 = 17 (10, 17)

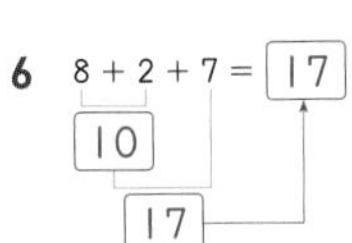

뒤의 두 수로 10을 만들어 세 수를 더하시오.

1 1 + 5 + 5 = 11 (10, 11)

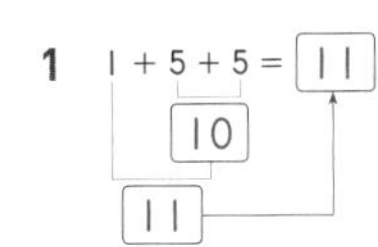

2 8 + 1 + 9 = 18 (10, 18)

3 5 + 6 + 4 = 15 (10, 15)

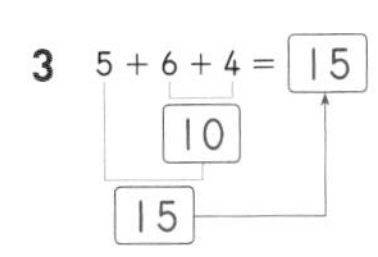

4 4 + 3 + 7 = 14 (10, 14)

5 9 + 2 + 8 = 19 (10, 19)

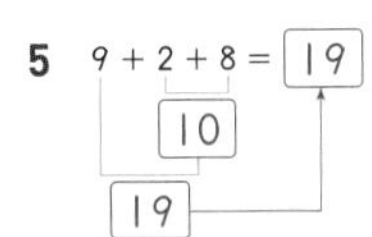

6 7 + 5 + 5 = 17 (10, 17)

7 6 + 7 + 3 = 16 (10, 16)

8 2 + 4 + 6 = 12 (10, 12)

9 3 + 9 + 1 = 13 (10, 13)

10 8 + 8 + 2 = 18 (10, 18)

4단원 덧셈과 뺄셈(2)

56~57쪽

합이 10이 되는 두 수를 ◯로 묶고 세 수의 합을 구하시오.

1 (1+9)+4=14

2 8+(6+4)=18

3 2+(9+1)=12

4 4+(5+5)=14

5 (6+4)+5=15

6 (8+2)+9=19

7 5+(7+3)=15

8 (2+8)+3=13

9 (5+5)+4=14

10 (1+9)+4=14

11 7+(2+8)=17

12 (3+7)+6=16

13 (8+2)+3=13

14 1+(5+5)=11

세 수의 합을 빈 곳에 써넣으시오.

1

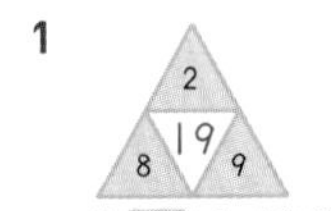

※ 2+8+9=10+9=19

2

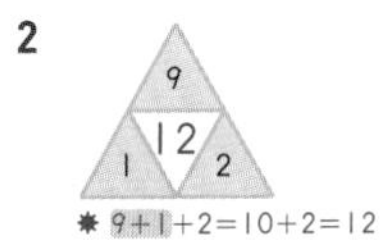

※ 9+1+2=10+2=12

3 (5, 16, 5, 6)

※ 5+5+6=10+6=16

4

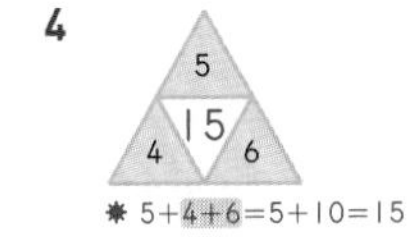

※ 5+4+6=5+10=15

5 (8, 18, 3, 7)

※ 8+3+7=8+10=18

6

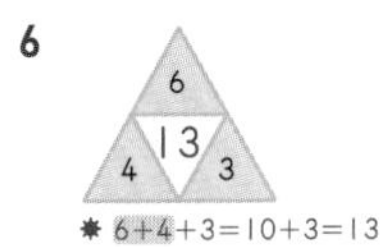

※ 6+4+3=10+3=13

7 (4, 14, 1, 9)

※ 4+1+9=4+10=14

8

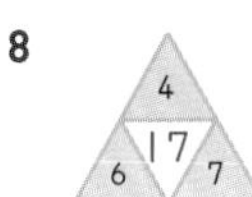

※ 4+6+7=10+7=17

58~59쪽

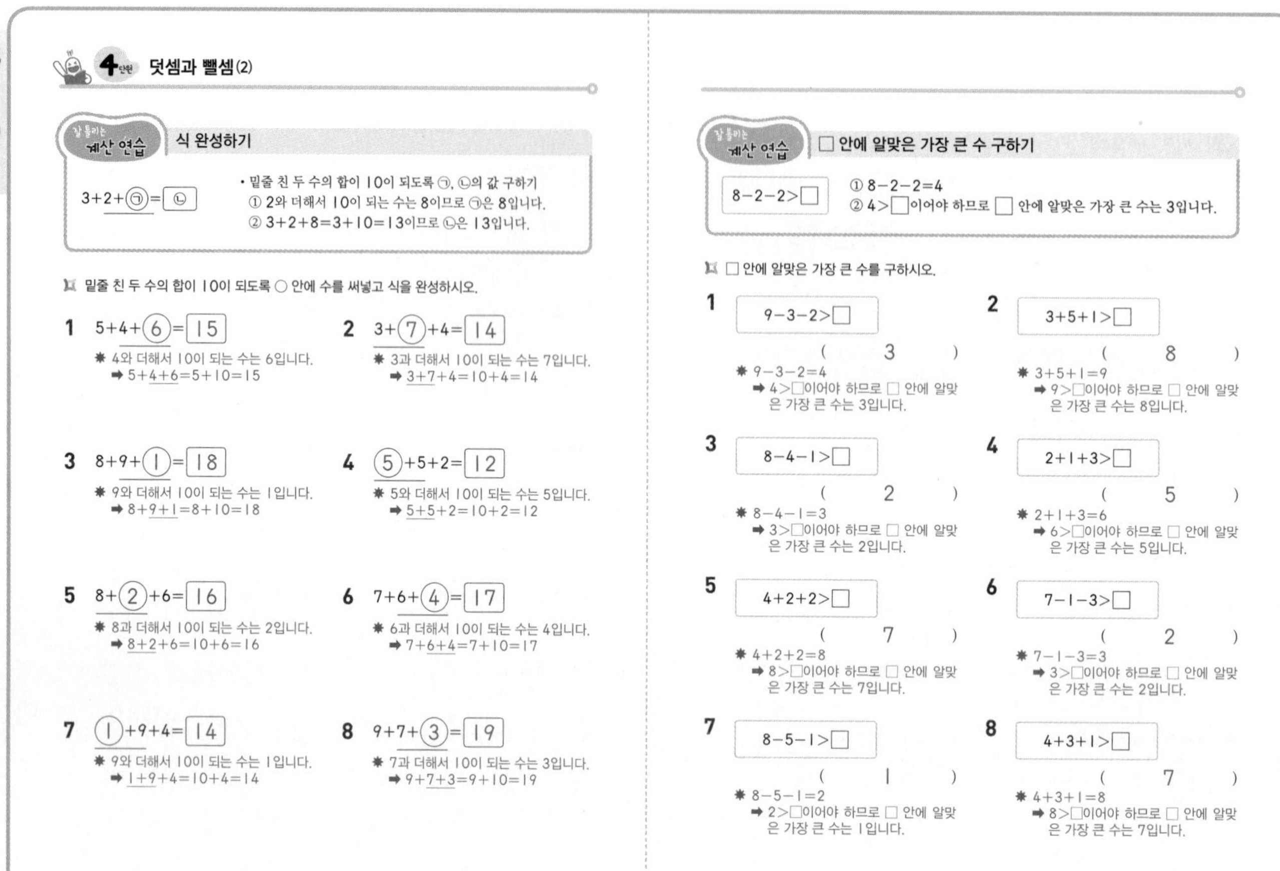

4단원 덧셈과 뺄셈(2)

발돋이는 계산 연습 식 완성하기

3+2+㉠=㉡

• 밑줄 친 두 수의 합이 10이 되도록 ㉠, ㉡의 값 구하기
① 2와 더해서 10이 되는 수는 8이므로 ㉠은 8입니다.
② 3+2+8=3+10=13이므로 ㉡은 13입니다.

밑줄 친 두 수의 합이 10이 되도록 ○ 안에 수를 써넣고 식을 완성하시오.

1 5+4+(6)=15
✽ 4와 더해서 10이 되는 수는 6입니다.
➡ 5+4+6=5+10=15

2 3+(7)+4=14
✽ 3과 더해서 10이 되는 수는 7입니다.
➡ 3+7+4=10+4=14

3 8+9+(1)=18
✽ 9와 더해서 10이 되는 수는 1입니다.
➡ 8+9+1=8+10=18

4 (5)+5+2=12
✽ 5와 더해서 10이 되는 수는 5입니다.
➡ 5+5+2=10+2=12

5 8+(2)+6=16
✽ 8과 더해서 10이 되는 수는 2입니다.
➡ 8+2+6=10+6=16

6 7+6+(4)=17
✽ 6과 더해서 10이 되는 수는 4입니다.
➡ 7+6+4=7+10=17

7 (1)+9+4=14
✽ 9와 더해서 10이 되는 수는 1입니다.
➡ 1+9+4=10+4=14

8 9+7+(3)=19
✽ 7과 더해서 10이 되는 수는 3입니다.
➡ 9+7+3=9+10=19

발돋이는 계산 연습 □ 안에 알맞은 가장 큰 수 구하기

8−2−2>□

① 8−2−2=4
② 4>□이어야 하므로 □ 안에 알맞은 가장 큰 수는 3입니다.

□ 안에 알맞은 가장 큰 수를 구하시오.

1 9−3−2>□ (3)
✽ 9−3−2=4
➡ 4>□이어야 하므로 □ 안에 알맞은 가장 큰 수는 3입니다.

2 3+5+1>□ (8)
✽ 3+5+1=9
➡ 9>□이어야 하므로 □ 안에 알맞은 가장 큰 수는 8입니다.

3 8−4−1>□ (2)
✽ 8−4−1=3
➡ 3>□이어야 하므로 □ 안에 알맞은 가장 큰 수는 2입니다.

4 2+1+3>□ (5)
✽ 2+1+3=6
➡ 6>□이어야 하므로 □ 안에 알맞은 가장 큰 수는 5입니다.

5 4+2+2>□ (7)
✽ 4+2+2=8
➡ 8>□이어야 하므로 □ 안에 알맞은 가장 큰 수는 7입니다.

6 7−1−3>□ (2)
✽ 7−1−3=3
➡ 3>□이어야 하므로 □ 안에 알맞은 가장 큰 수는 2입니다.

7 8−5−1>□ (1)
✽ 8−5−1=2
➡ 2>□이어야 하므로 □ 안에 알맞은 가장 큰 수는 1입니다.

8 4+3+1>□ (7)
✽ 4+3+1=8
➡ 8>□이어야 하므로 □ 안에 알맞은 가장 큰 수는 7입니다.

60~61쪽

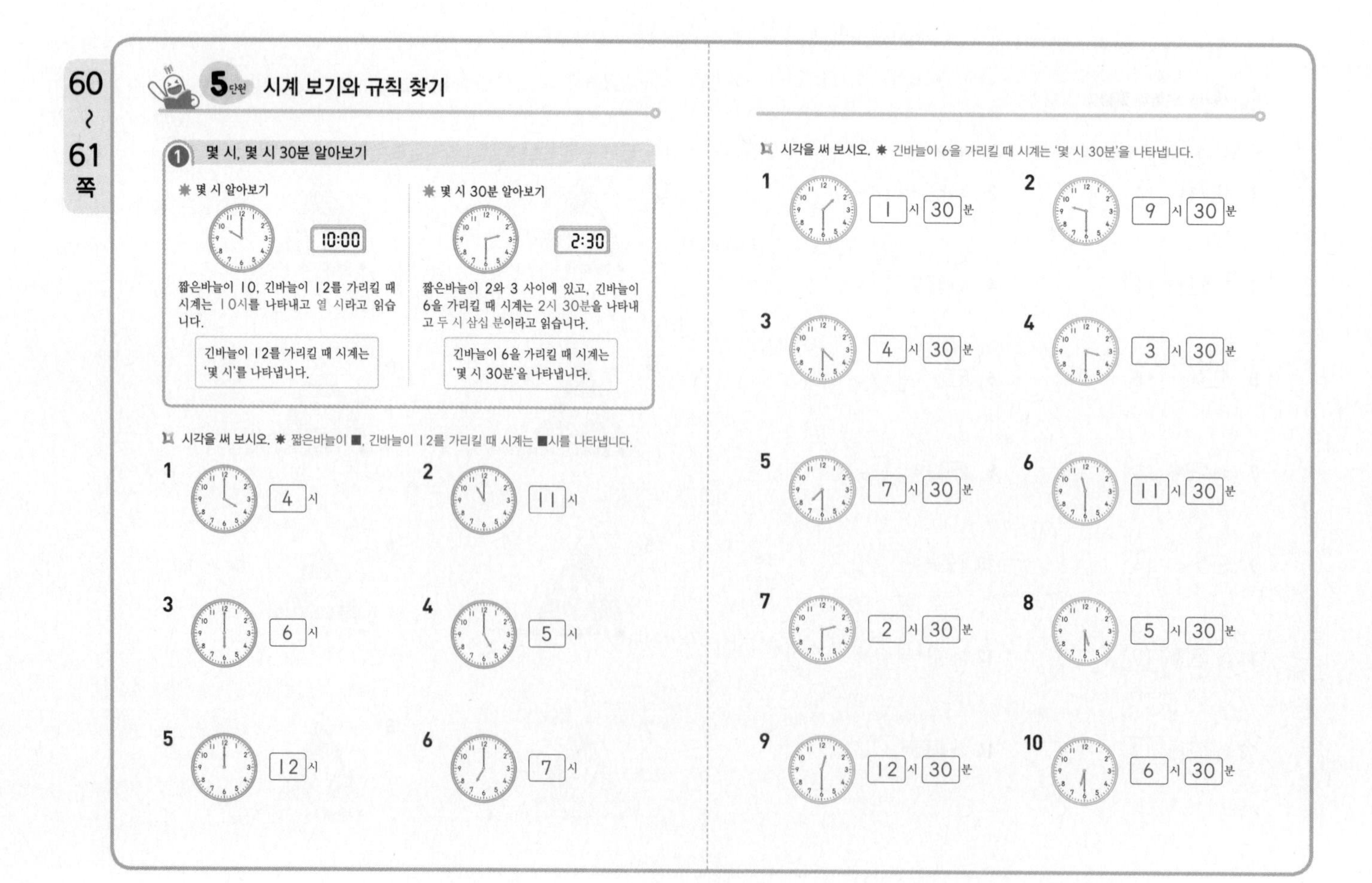

5단원 시계 보기와 규칙 찾기

① 몇 시, 몇 시 30분 알아보기

✽ 몇 시 알아보기

10:00

짧은바늘이 10, 긴바늘이 12를 가리킬 때 시계는 10시를 나타내고 열 시라고 읽습니다.

긴바늘이 12를 가리킬 때 시계는 '몇 시'를 나타냅니다.

✽ 몇 시 30분 알아보기

2:30

짧은바늘이 2와 3 사이에 있고, 긴바늘이 6을 가리킬 때 시계는 2시 30분을 나타내고 두 시 삼십 분이라고 읽습니다.

긴바늘이 6을 가리킬 때 시계는 '몇 시 30분'을 나타냅니다.

시각을 써 보시오. ✽ 짧은바늘이 ■, 긴바늘이 12를 가리킬 때 시계는 ■시를 나타냅니다.

1 4시
2 11시
3 6시
4 5시
5 12시
6 7시

시각을 써 보시오. ✽ 긴바늘이 6을 가리킬 때 시계는 '몇 시 30분'을 나타냅니다.

1 1시 30분
2 9시 30분
3 4시 30분
4 3시 30분
5 7시 30분
6 11시 30분
7 2시 30분
8 5시 30분
9 12시 30분
10 6시 30분

62 ~ 63 쪽

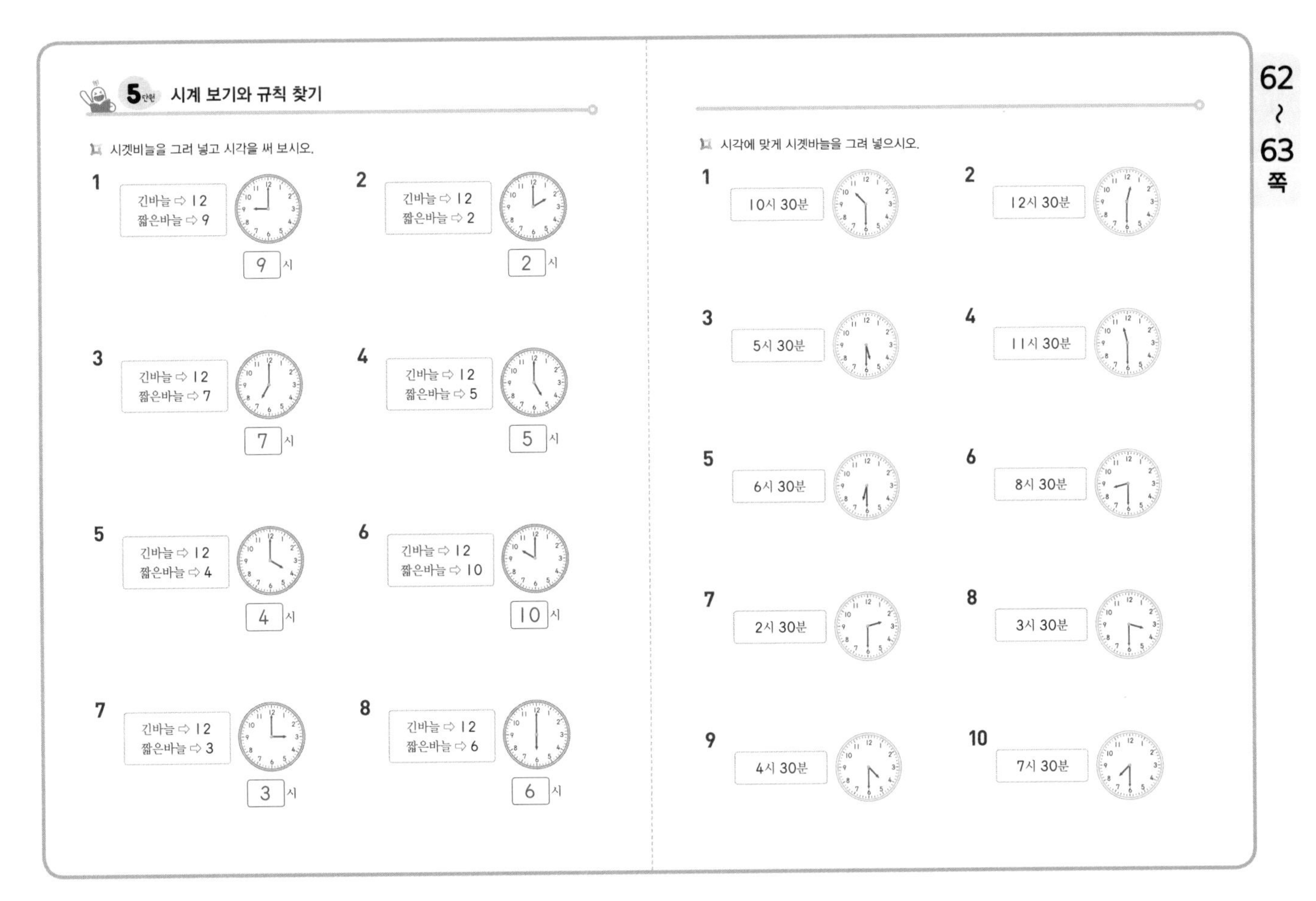

5단원 시계 보기와 규칙 찾기

시곗바늘을 그려 넣고 시각을 써 보시오.

1 긴바늘 ⇨ 12 짧은바늘 ⇨ 9 — 9 시

2 긴바늘 ⇨ 12 짧은바늘 ⇨ 2 — 2 시

3 긴바늘 ⇨ 12 짧은바늘 ⇨ 7 — 7 시

4 긴바늘 ⇨ 12 짧은바늘 ⇨ 5 — 5 시

5 긴바늘 ⇨ 12 짧은바늘 ⇨ 4 — 4 시

6 긴바늘 ⇨ 12 짧은바늘 ⇨ 10 — 10 시

7 긴바늘 ⇨ 12 짧은바늘 ⇨ 3 — 3 시

8 긴바늘 ⇨ 12 짧은바늘 ⇨ 6 — 6 시

시각에 맞게 시곗바늘을 그려 넣으시오.

1 10시 30분

2 12시 30분

3 5시 30분

4 11시 30분

5 6시 30분

6 8시 30분

7 2시 30분

8 3시 30분

9 4시 30분

10 7시 30분

64 ~ 65 쪽

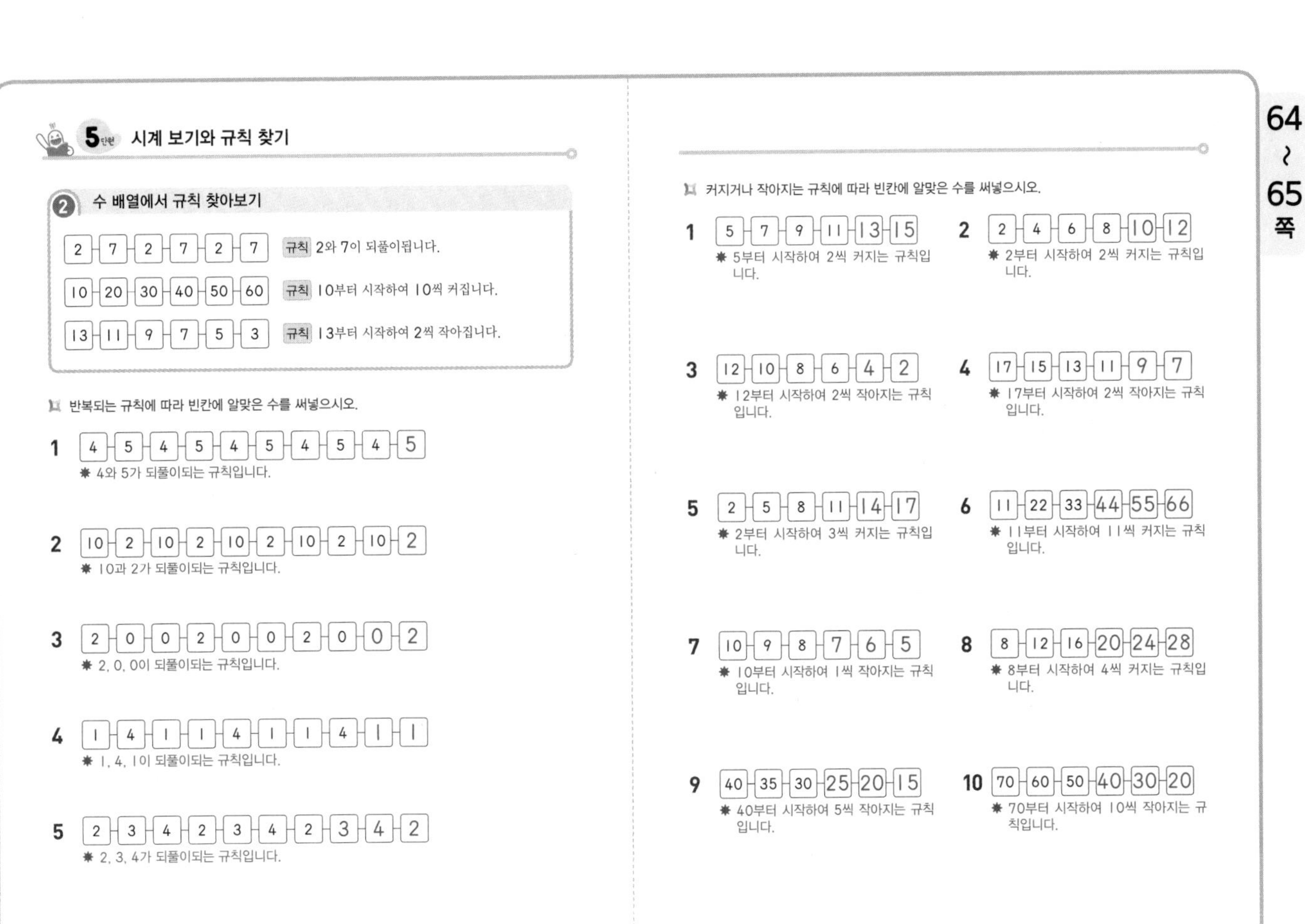

5단원 시계 보기와 규칙 찾기

2 수 배열에서 규칙 찾아보기

2 - 7 - 2 - 7 - 2 - 7 규칙 2와 7이 되풀이됩니다.

10 - 20 - 30 - 40 - 50 - 60 규칙 10부터 시작하여 10씩 커집니다.

13 - 11 - 9 - 7 - 5 - 3 규칙 13부터 시작하여 2씩 작아집니다.

반복되는 규칙에 따라 빈칸에 알맞은 수를 써넣으시오.

1 4 - 5 - 4 - 5 - 4 - 5 - 4 - 5 - 4 - 5
✽ 4와 5가 되풀이되는 규칙입니다.

2 10 - 2 - 10 - 2 - 10 - 2 - 10 - 2 - 10 - 2
✽ 10과 2가 되풀이되는 규칙입니다.

3 2 - 0 - 0 - 2 - 0 - 0 - 2 - 0 - 0 - 2
✽ 2, 0, 0이 되풀이되는 규칙입니다.

4 1 - 4 - 1 - 1 - 4 - 1 - 1 - 4 - 1 - 1
✽ 1, 4, 1이 되풀이되는 규칙입니다.

5 2 - 3 - 4 - 2 - 3 - 4 - 2 - 3 - 4 - 2
✽ 2, 3, 4가 되풀이되는 규칙입니다.

커지거나 작아지는 규칙에 따라 빈칸에 알맞은 수를 써넣으시오.

1 5 - 7 - 9 - 11 - 13 - 15
✽ 5부터 시작하여 2씩 커지는 규칙입니다.

2 2 - 4 - 6 - 8 - 10 - 12
✽ 2부터 시작하여 2씩 커지는 규칙입니다.

3 12 - 10 - 8 - 6 - 4 - 2
✽ 12부터 시작하여 2씩 작아지는 규칙입니다.

4 17 - 15 - 13 - 11 - 9 - 7
✽ 17부터 시작하여 2씩 작아지는 규칙입니다.

5 2 - 5 - 8 - 11 - 14 - 17
✽ 2부터 시작하여 3씩 커지는 규칙입니다.

6 11 - 22 - 33 - 44 - 55 - 66
✽ 11부터 시작하여 11씩 커지는 규칙입니다.

7 10 - 9 - 8 - 7 - 6 - 5
✽ 10부터 시작하여 1씩 작아지는 규칙입니다.

8 8 - 12 - 16 - 20 - 24 - 28
✽ 8부터 시작하여 4씩 커지는 규칙입니다.

9 40 - 35 - 30 - 25 - 20 - 15
✽ 40부터 시작하여 5씩 작아지는 규칙입니다.

10 70 - 60 - 50 - 40 - 30 - 20
✽ 70부터 시작하여 10씩 작아지는 규칙입니다.

66~67쪽

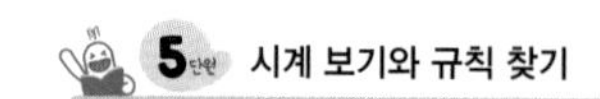

5단원 시계 보기와 규칙 찾기

③ 수 배열표에서 규칙 찾기

1	2	3	4	5	6	7	8	9	10
11	12	13	14	15	16	17	18	19	20
21	22	23	24	25	26	27	28	29	30

규칙 1 ……에 있는 수들은 11부터 시작하여 오른쪽으로 1칸 갈 때마다 1씩 커집니다.

규칙 2 ……에 있는 수들은 5부터 시작하여 아래쪽으로 1칸 갈 때마다 10씩 커집니다.

규칙 3 색칠한 수들은 2부터 시작하여 2씩 뛰어 세는 규칙입니다.

수 배열표를 보고 색칠한 수들의 규칙을 말해 보시오.

1

1	2	3	4	5	6	7	8	9	10
11	12	13	14	15	16	17	18	19	20
21	22	23	24	25	26	27	28	29	30

규칙 1부터 시작하여 3씩 커집니다.

2

71	72	73	74	75	76	77	78	79	80
81	82	83	84	85	86	87	88	89	90
91	92	93	94	95	96	97	98	99	100

규칙 71부터 시작하여 5씩 커집니다.

3

61	62	63	64	65	66	67	68	69	70
71	72	73	74	75	76	77	78	79	80
81	82	83	84	85	86	87	88	89	90

규칙 61부터 시작하여 2씩 커집니다.

4

21	22	23	24	25	26	27	28	29	30
31	32	33	34	35	36	37	38	39	40
41	42	43	44	45	46	47	48	49	50

규칙 22부터 시작하여 10씩 커집니다.

5

41	42	43	44	45	46	47	48	49	50
51	52	53	54	55	56	57	58	59	60
61	62	63	64	65	66	67	68	69	70

규칙 42부터 시작하여 4씩 커집니다.

6

51	52	53	54	55	56	57	58	59	60
61	62	63	64	65	66	67	68	69	70
71	72	73	74	75	76	77	78	79	80

규칙 53부터 시작하여 11씩 커집니다.

색칠한 규칙에 따라 수 배열표에 색칠하시오.

1

10	11	12	13	14	15
16	17	18	19	20	21
22	23	24	25	26	27

✸ 10부터 시작하여 2씩 커지는 규칙입니다.

2

1	2	3	4	5	6
7	8	9	10	11	12
13	14	15	16	17	18

✸ 1부터 시작하여 4씩 커지는 규칙입니다.

3

21	22	23	24	25	26
27	28	29	30	31	32
33	34	35	36	37	38

✸ 22부터 시작하여 2씩 커지는 규칙입니다.

4

30	31	32	33	34	35
36	37	38	39	40	41
42	43	44	45	46	47

✸ 30부터 시작하여 3씩 커지는 규칙입니다.

5

15	16	17	18	19	20
21	22	23	24	25	26
27	28	29	30	31	32

✸ 16부터 시작하여 4씩 커지는 규칙입니다.

6

41	42	43	44	45	46
47	48	49	50	51	52
53	54	55	56	57	58

✸ 41부터 시작하여 5씩 커지는 규칙입니다.

7

1	2	3	4	5	6	7	8
9	10	11	12	13	14	15	16
17	18	19	20	21	22	23	24

✸ 1부터 시작하여 5씩 커지는 규칙입니다.

8

31	32	33	34	35	36	37	38
39	40	41	42	43	44	45	46
47	48	49	50	51	52	53	54

✸ 32부터 시작하여 3씩 커지는 규칙입니다.

68~69쪽

5단원 시계 보기와 규칙 찾기

갈림길의 계산 연습 — 거울에 비친 시계의 시각 구하기

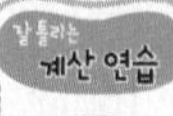

① 짧은바늘: 3과 4 사이, 긴바늘: 6
② 거울에 비친 시계가 나타내는 시각은 3시 30분입니다.

거울에 비친 시계가 나타내는 시각을 구하시오.

1 5시
✸ 짧은바늘: 5, 긴바늘: 12

2 1시 30분
✸ 짧은바늘: 1과 2 사이, 긴바늘: 6

3 7시
✸ 짧은바늘: 7, 긴바늘: 12

4 4시 30분
✸ 짧은바늘: 4와 5 사이, 긴바늘: 6

5 10시
✸ 짧은바늘: 10, 긴바늘: 12

6 11시 30분
✸ 짧은바늘: 11과 12 사이, 긴바늘: 6

7 6시
✸ 짧은바늘: 6, 긴바늘: 12

8 8시 30분
✸ 짧은바늘: 8과 9 사이, 긴바늘: 6

갈림길의 계산 연습 — 같은 규칙으로 수 배열하기

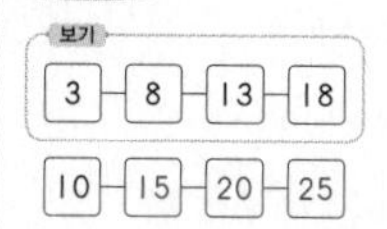

보기 3-8-13-18

10-15-20-25

① 보기의 규칙 찾기
3부터 시작하여 5씩 커지는 규칙입니다.
② 같은 규칙으로 수 배열하기
10부터 5씩 커지는 규칙으로 수를 쓰면 10-15-20-25입니다.

보기와 같은 규칙으로 수를 배열하려고 합니다. 빈 곳에 알맞은 수를 써넣으시오.

1 보기 5-7-9-11
22-24-26-28
✸ 보기는 2씩 커지는 규칙입니다.

2 보기 24-27-30-33
50-53-56-59
✸ 보기는 3씩 커지는 규칙입니다.

3 보기 10-20-30-40
5-15-25-35
✸ 보기는 10씩 커지는 규칙입니다.

4 보기 30-35-40-45
20-25-30-35
✸ 보기는 5씩 커지는 규칙입니다.

5 보기 10-9-8-7
40-39-38-37
✸ 보기는 1씩 작아지는 규칙입니다.

6 보기 33-30-27-24
20-17-14-11
✸ 보기는 3씩 작아지는 규칙입니다.

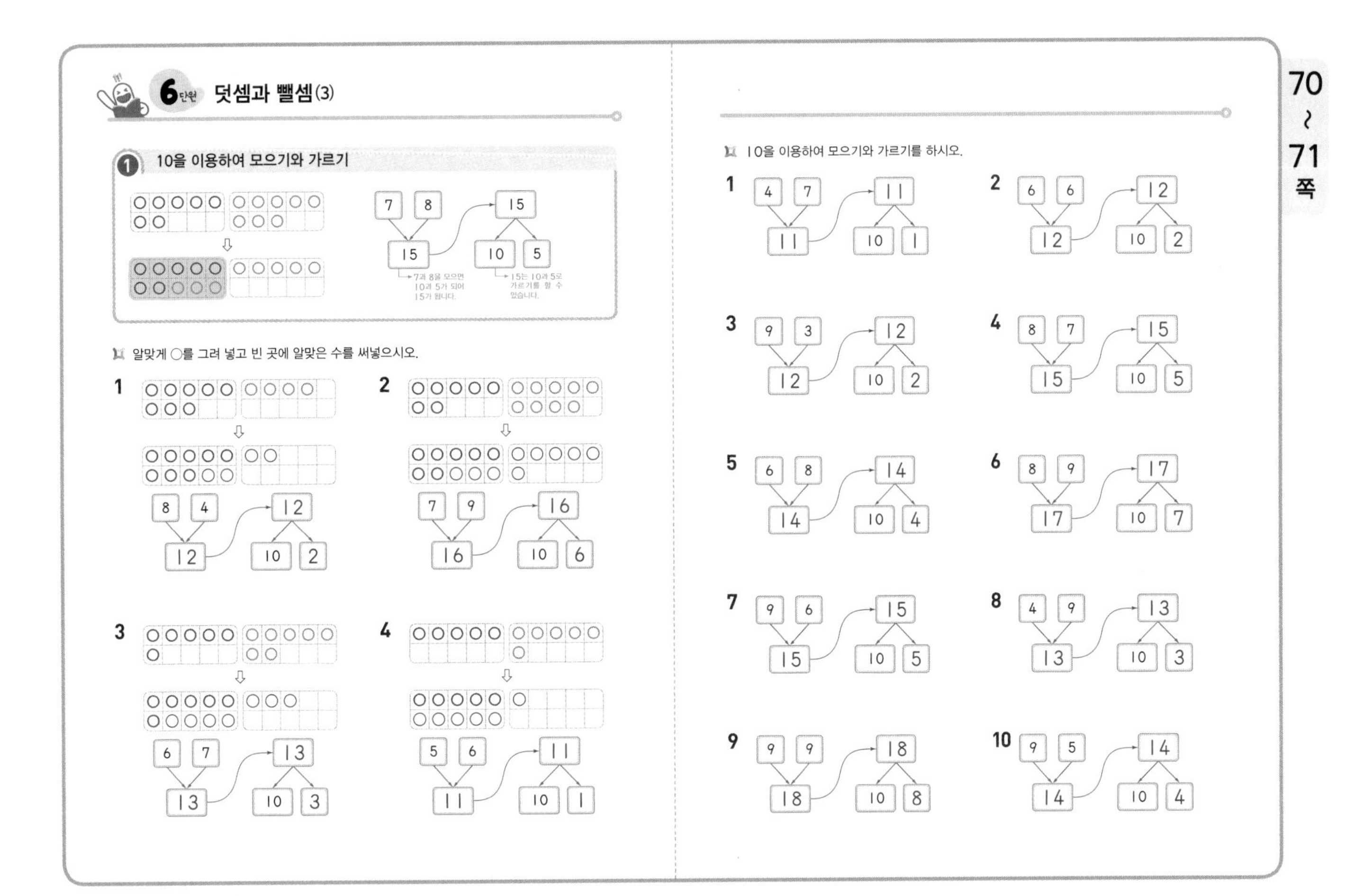

70 ~ 71 쪽

6단원 덧셈과 뺄셈(3)

1 10을 이용하여 모으기와 가르기

7, 8 → 15 / 15 → 10, 5

7과 8을 모으면 10과 5가 되어 15가 됩니다.

15는 10과 5로 가르기를 할 수 있습니다.

알맞게 ○를 그려 넣고 빈 곳에 알맞은 수를 써넣으시오.

1. 8, 4 → 12 / 12 → 10, 2
2. 7, 9 → 16 / 16 → 10, 6
3. 6, 7 → 13 / 13 → 10, 3
4. 5, 6 → 11 / 11 → 10, 1

10을 이용하여 모으기와 가르기를 하시오.

1. 4, 7 → 11 / 11 → 10, 1
2. 6, 6 → 12 / 12 → 10, 2
3. 9, 3 → 12 / 12 → 10, 2
4. 8, 7 → 15 / 15 → 10, 5
5. 6, 8 → 14 / 14 → 10, 4
6. 8, 9 → 17 / 17 → 10, 7
7. 9, 6 → 15 / 15 → 10, 5
8. 4, 9 → 13 / 13 → 10, 3
9. 9, 9 → 18 / 18 → 10, 8
10. 9, 5 → 14 / 14 → 10, 4

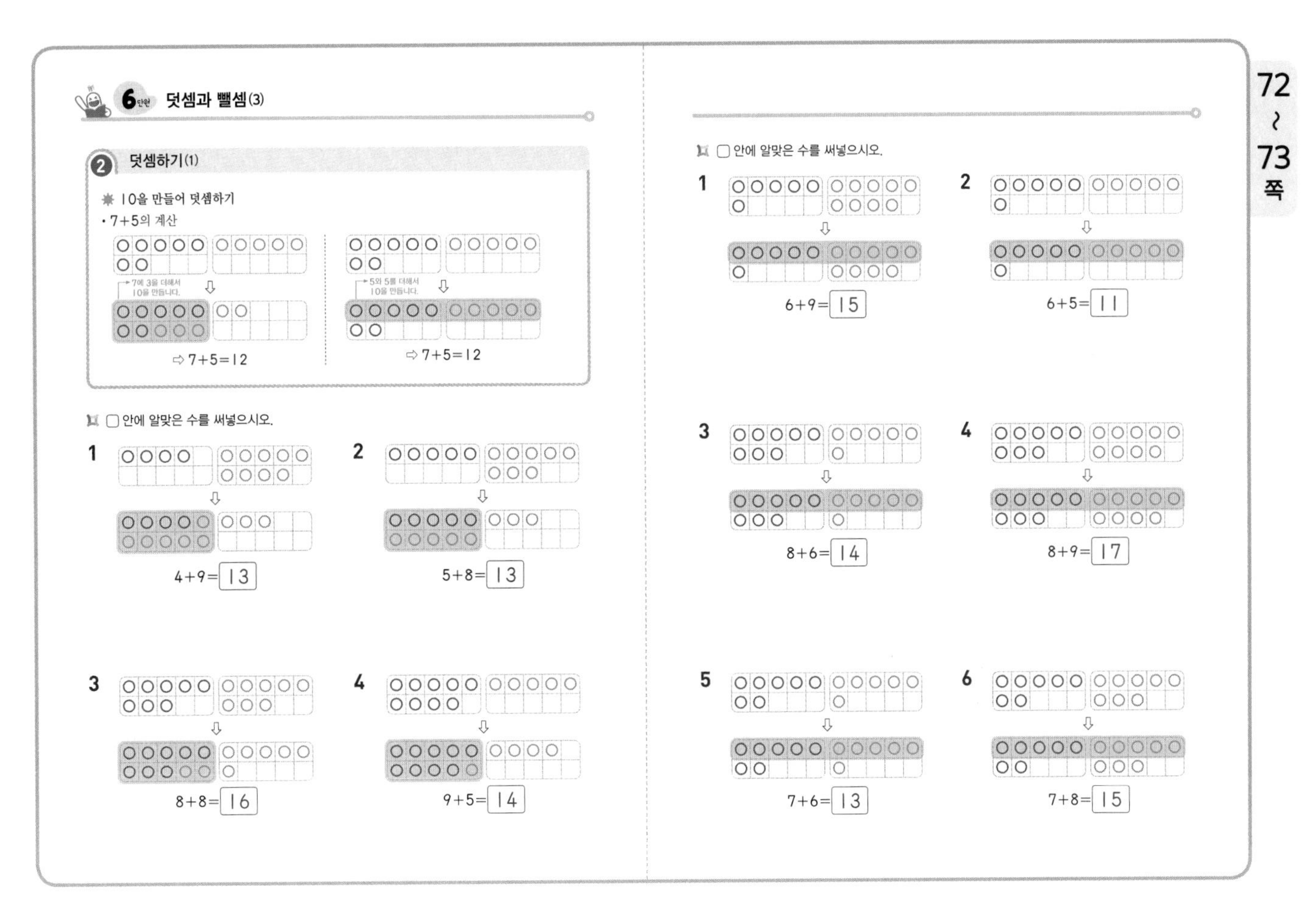

72 ~ 73 쪽

6단원 덧셈과 뺄셈(3)

2 덧셈하기(1)

✱ 10을 만들어 덧셈하기

• 7+5의 계산

7에 3을 더해서 10을 만듭니다. ⇨ 7+5=12

5의 5를 더해서 10을 만듭니다. ⇨ 7+5=12

□ 안에 알맞은 수를 써넣으시오.

1. 4+9=13
2. 5+8=13
3. 8+8=16
4. 9+5=14

□ 안에 알맞은 수를 써넣으시오.

1. 6+9=15
2. 6+5=11
3. 8+6=14
4. 8+9=17
5. 7+6=13
6. 7+8=15

74~75쪽

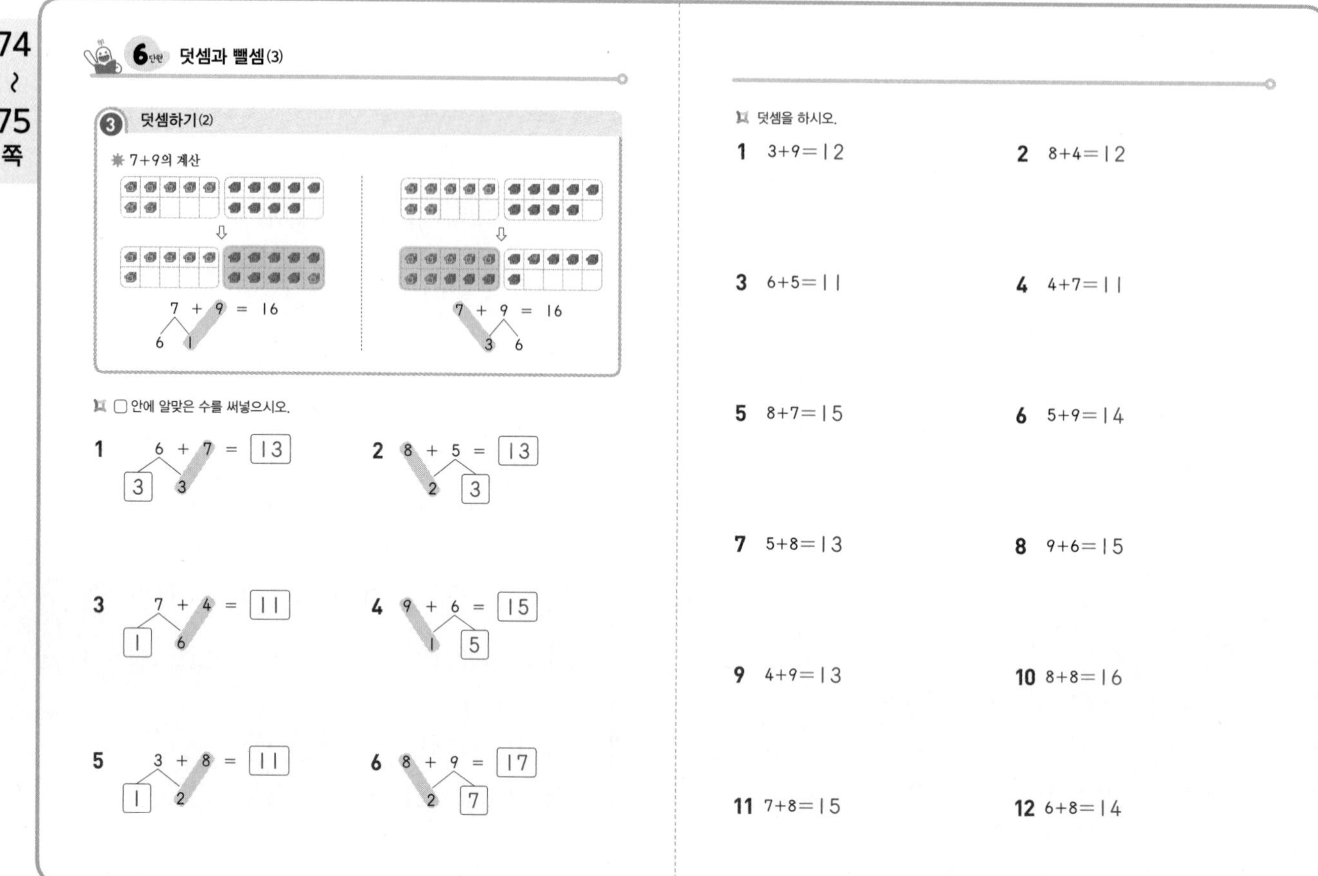

6단원 덧셈과 뺄셈(3)

3 덧셈하기(2)

※ 7+9의 계산

7 + 9 = 16 (6, 1)

7 + 9 = 16 (3, 6)

□ 안에 알맞은 수를 써넣으시오.

1 6 + 7 = 13 (3, 3)

2 8 + 5 = 13 (2, 3)

3 7 + 4 = 11 (1, 6)

4 9 + 6 = 15 (1, 5)

5 3 + 8 = 11 (1, 2)

6 8 + 9 = 17 (2, 7)

덧셈을 하시오.

1 3+9=12

2 8+4=12

3 6+5=11

4 4+7=11

5 8+7=15

6 5+9=14

7 5+8=13

8 9+6=15

9 4+9=13

10 8+8=16

11 7+8=15

12 6+8=14

76~77쪽

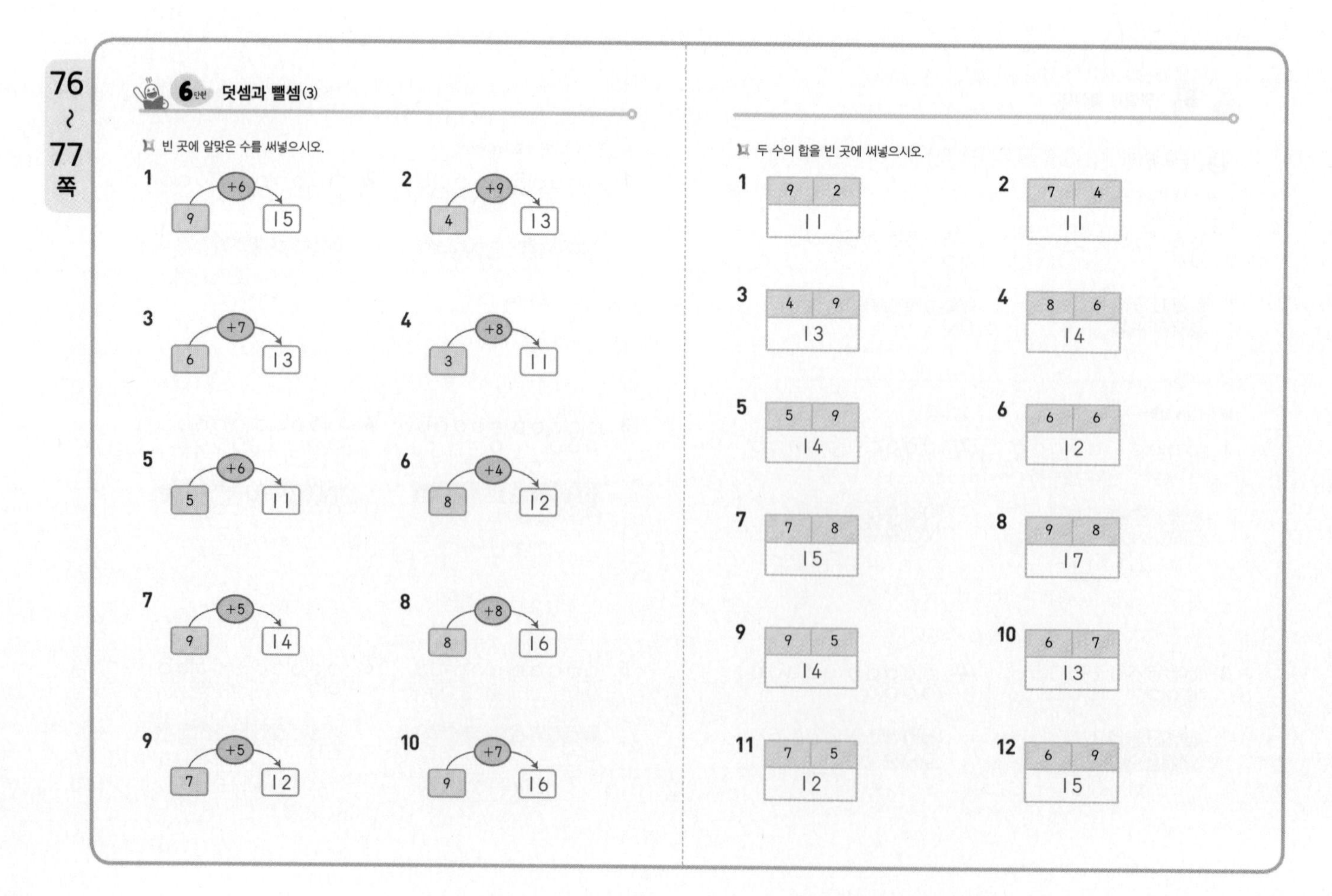

6단원 덧셈과 뺄셈(3)

빈 곳에 알맞은 수를 써넣으시오.

1 9 → +6 → 15

2 4 → +9 → 13

3 6 → +7 → 13

4 3 → +8 → 11

5 5 → +6 → 11

6 8 → +4 → 12

7 9 → +5 → 14

8 8 → +8 → 16

9 7 → +5 → 12

10 9 → +7 → 16

두 수의 합을 빈 곳에 써넣으시오.

1 9, 2 → 11

2 7, 4 → 11

3 4, 9 → 13

4 8, 6 → 14

5 5, 9 → 14

6 6, 6 → 12

7 7, 8 → 15

8 9, 8 → 17

9 9, 5 → 14

10 6, 7 → 13

11 7, 5 → 12

12 6, 9 → 15

6단원 덧셈과 뺄셈(3)

78~79쪽

덧셈을 하시오.

1
5+6=11
5+7=12
5+8=13
5+9=14

2
8+5=13
8+6=14
8+7=15
8+8=16

3
8+7=15
7+7=14
6+7=13
5+7=12

4
9+9=18
8+9=17
7+9=16
6+9=15

5
6+5=11
5+6=11
6+7=13
7+6=13

6
8+6=14
6+8=14
7+9=16
9+7=16

7
5+5=10
5+6=11

8
7+7=14
7+8=15

빈칸에 알맞은 수를 써넣으시오.

1

6+5	6+6	6+7
11	12	13
7+5	7+6	7+7
12	13	14
8+5	8+6	8+7
13	14	15

2

2+6	2+7	2+8
8	9	10
3+6	3+7	3+8
9	10	11
4+6	4+7	4+8
10	11	12

3

4+2	4+3	4+4
6	7	8
5+2	5+3	5+4
7	8	9
6+2	6+3	6+4
8	9	10

4

7+1	7+2	7+3
8	9	10
8+1	8+2	8+3
9	10	11
9+1	9+2	9+3
10	11	12

5

5+7	5+8	5+9
12	13	14
6+7	6+8	6+9
13	14	15
7+7	7+8	7+9
14	15	16

6

6+4	6+5	6+6
10	11	12
7+4	7+5	7+6
11	12	13
8+4	8+5	8+6
12	13	14

6단원 덧셈과 뺄셈(3)

80~81쪽

4 뺄셈하기(1)

✸ 10이 되도록 뺀 후 계산하기 → 뒤의 수를 가르기 하여 빼기

• 12−4의 계산

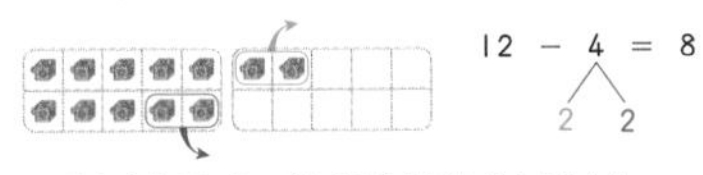

12 − 4 = 8
2 2

12에서 먼저 2를 빼고 남은 10에서 2를 빼면 8입니다.

가르기를 하고 뺄셈을 하시오.

1 11 − 2 = 9 (1, 1)

2 15 − 6 = 9 (5, 1)

3 17 − 9 = 8 (7, 2)

4 13 − 6 = 7 (3, 3)

5 14 − 9 = 5 (4, 5)

6 11 − 7 = 4 (1, 6)

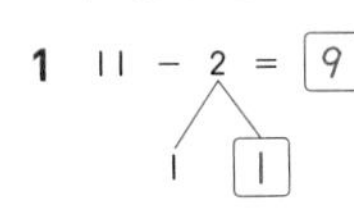

보기 와 같이 ○을 /으로 지워 뺄셈을 하시오.

보기 15−8=7

1 12−6=6

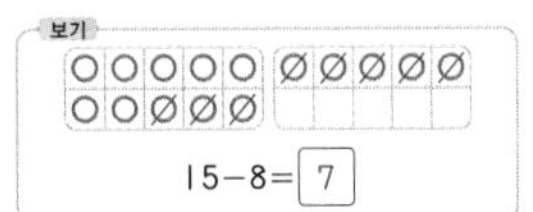

✸ 12에서 먼저 2를 빼고 남은 10에서 4를 빼면 6이 됩니다.

2 13−7=6

3 16−7=9

4 11−5=6

5 12−8=4

6 13−4=9

7 14−6=8

8 17−8=9

9 18−9=9

82~83쪽

6단원 덧셈과 뺄셈(3)

⑤ 뺄셈하기(2)

10에서 뺀 후 계산하기 → 앞의 수를 가르기 하여 빼기

• 13−7의 계산

13 − 7 = 6 (13을 10과 3으로 가르기)

13을 10과 3으로 가르기를 한 후, 10에서 먼저 7을 빼고 남은 3과 3을 더하면 6입니다.

가르기를 하고 뺄셈을 하시오.

1. 15 − 6 = 9 (10, 5)
2. 14 − 7 = 7 (10, 4)
3. 11 − 8 = 3 (10, 1)
4. 17 − 9 = 8 (10, 7)
5. 12 − 4 = 8 (10, 2)
6. 16 − 8 = 8 (10, 6)

보기와 같이 덜어 내는 그림을 그리고 뺄셈을 하시오.

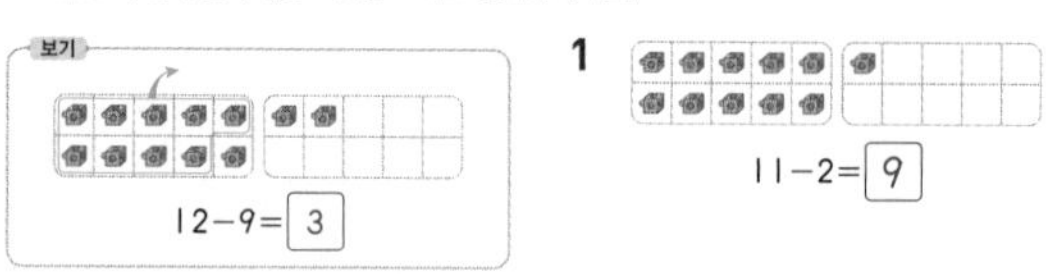

보기 12−9=3

1. 11−2=9
2. 11−7=4
3. 14−6=8
4. 13−5=8
5. 18−9=9
6. 15−8=7
7. 12−6=6
8. 14−5=9
9. 16−7=9

84~85쪽

6단원 덧셈과 뺄셈(3)

빈 곳에 알맞은 수를 써넣으시오.

1. 11 ⊖ 7 → 4
2. 12 ⊖ 5 → 7
3. 14 ⊖ 5 → 9
4. 16 ⊖ 8 → 8
5. 13 ⊖ 8 → 5
6. 18 ⊖ 9 → 9

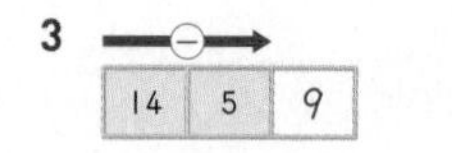

7. 15 ⊖ 7 → 8
8. 17 ⊖ 8 → 9

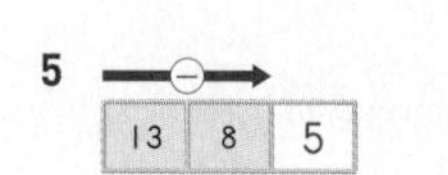

9. 11 ⊖ 5 → 6
10. 13 ⊖ 9 → 4

□ 안에 알맞은 수를 써넣으시오.

1. 13 → −5 → 8
2. 11 → −4 → 7
3. 14 → −7 → 7
4. 16 → −8 → 8
5. 12 → −8 → 4
6. 12 → −7 → 5
7. 15 → −9 → 6
8. 17 → −9 → 8
9. 11 → −8 → 3
10. 15 → −6 → 9

86 ~ 87쪽

6단원 덧셈과 뺄셈(3)

뺄셈을 하시오.

1
11−3=8
11−4=7
11−5=6
11−6=5

2
15−6=9
15−7=8
15−8=7
15−9=6

3
15−9=6
16−9=7
17−9=8
18−9=9

4
12−7=5
13−7=6
14−7=7
15−7=8

5
12−4=8
13−5=8
14−6=8
15−7=8

6
14−5=9
15−6=9
16−7=9
17−8=9

7
12−6=6
12−7=5

8
14−7=7
14−8=6

빈칸에 알맞은 수를 써넣으시오.

1

11−2 9	11−3 8	11−4 7	11−5 6
	12−3 9	12−4 8	12−5 7
		13−4 9	13−5 8
			14−5 9

2

12−6 6	12−7 5	12−8 4	12−9 3
	13−7 6	13−8 5	13−9 4
		14−8 6	14−9 5
			15−9 6

3

13−4 9	13−5 8	13−6 7	13−7 6
	14−5 9	14−6 8	14−7 7
		15−6 9	15−7 8
			16−7 9

4

14−6 8	14−7 7	14−8 6	14−9 5
	15−7 8	15−8 7	15−9 6
		16−8 8	16−9 7
			17−9 8

5

11−6 5	11−7 4	11−8 3	11−9 2
	12−7 5	12−8 4	12−9 3
		13−8 5	13−9 4
			14−9 5

6

15−6 9	15−7 8	15−8 7	15−9 6
	16−7 9	16−8 8	16−9 7
		17−8 9	17−9 8
			18−9 9

88쪽

6단원 덧셈과 뺄셈(3)

잘 틀리는 계산 연습 차가 가장 큰 뺄셈식 만들고 계산하기

4 7 12
⇨ 12 − 4 = 8

가장 큰 수에서 가장 작은 수를 뺍니다.
① 가장 큰 수: 12, 가장 작은 수: 4
② 차가 가장 큰 뺄셈식을 만들면 12−4=8입니다.

✸ 가장 큰 수에서 가장 작은 수를 빼면 차가 가장 큽니다.

주어진 수 카드 중 2장을 골라 차가 가장 큰 뺄셈식을 만들고 계산하시오.

1 7 15 9
⇨ 15 − 7 = 8

2 5 14 9
⇨ 14 − 5 = 9

3 13 4 8
⇨ 13 − 4 = 9

4 6 7 13
⇨ 13 − 6 = 7

5 7 5 12
⇨ 12 − 5 = 7

6 16 9 7
⇨ 16 − 7 = 9

7 11 3 4
⇨ 11 − 3 = 8

8 8 17 9
⇨ 17 − 8 = 9

Memo

우등생 수학

연산력 문제집

우등생 수학
연산력 문제집

※ 주의
책 모서리에 다칠 수 있으니 주의하시기 바랍니다.
부주의로 인한 사고의 경우 책임지지 않습니다.

2022년 2학기 학습가이드

우리아이 실력쑥쑥

천재교육

2022년 2학기 학습가이드

우리아이 실력쑥쑥

 초등 교육, 무엇이 중요할까요?

**바른 인성을 갖춘
창의·융합형 인재 양성**

추구하는 인간상

자주적인 사람, 창의적인 사람,
교양 있는 사람, 더불어 사는 사람

핵심 역량

의사소통 역량, 자기관리 역량, 심미적 감성 역량,
지식정보처리 역량, 창의적 사고 역량, 공동체 역량

수학

· 생활 주변 현상을 수학적으로 관찰하고 표현하는 활동: 생활 주변 소재와 이야기를 통해 수학의 기초적인 개념, 원리, 법칙을 이해하고 수학의 기능을 학습할 수 있도록 구성
· 수학 과목에 대한 흥미와 긍정적 태도 배양

국어

· 국어는 듣기, 말하기, 쓰기, 읽기로 구성하고 국어 활동은 글쓰기와 발음 등 활동 중심으로 학습
· 1학년 1학기에 62차시의 한글 교육을 진행하고, 3학년부터는 매 학기 수업 시간에 책 한 권을 읽고 생각을 나누는 통합적인 국어 활동 활성화
· 연극 교육 강화: 연극 단원을 개설하여 체험 중심 연극 활동

사회

· 주변의 사회현상에 대하여 관심과 흥미를 가지며, 생활과 관련된 기본적 지식과 능력을 습득하고, 이를 자신의 주변 환경이나 문제에 적용할 수 있는 적극적인 태도 함양

과학

· 1~2학년 봄·여름/가을·겨울 내 **'슬기로운 생활'**과 긴밀한 연계
· 일상의 경험과 관련된 상황을 통해 과학 지식과 탐구 방법을 학습하고 과학적 소양 함양

도덕

· 1~2학년 봄·여름/가을·겨울 내 **'바른 생활'**과에서 형성된 인성을 바탕으로 자신, 타인, 사회·공동체, 자연·초월과의 관계에서 자신의 생활을 반성하고 다양한 도덕적 문제를 탐구
· 더불어 살아가는 데 필요한 기본적인 가치·덕목과 규범을 이해하고 도덕적 기능과 실천 능력을 함양

1~2학년 봄·여름/가을·겨울

· **바른 생활, 슬기로운 생활, 즐거운 생활의 3개 교과목이 주제별로 통합**되어 4권으로 운영
· 1학기: 봄 & 여름 / 2학기: 가을 & 겨울 학습

개념 20 기본 60 심화 20

하 중 상 최상

어떤 교과서를 쓰더라도 always

우등생 해법 시리즈

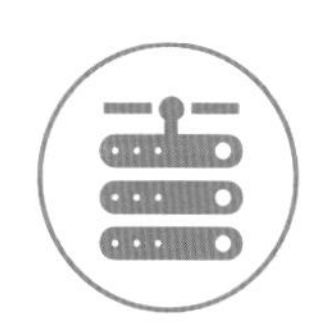

온-오프라인 연계 학습

동영상 강의(개념/서술형 문제)와
온라인 학습 스케줄 관리로
온-오프라인 연계 학습이 가능합니다.

검정교과서 완벽 반영

모든 출판사의 교과서 내용을
골고루 담아 새 검정교과서 체제에
완벽하게 대비할 수 있습니다.

스마트하게 혼·공

흥미로운 시청각 자료와 가이드로
학교 공부가 쉽고 재미있어지는
스마트한 홈스쿨링 학습서입니다.

다양한 평가 대비

쪽지시험, 단원평가, 서술형·논술형 평가 등
다양해진 수행평가에 대비할 수 있습니다.

특별한 부록

우등생 세트 구매 시 꼭 알아야 할 개념과
출제율 높은 문제를 담은 빅데이터 시크릿 북,
검정교과서 평가 자료집 등이 제공됩니다.

연산이 즐거워지는 공부 습관!

빅터연산

연산에 대한 흥미 up!

다양한 유형의 차별화된 연산 문제로
연산 원리에 대한 이해는 물론 흥미까지
높일 수 있습니다.

교과서 연계

학교 교과보다 세분화된 수,
연산 문제로 연산 실력을 탄탄하게
다져줍니다.

충분한 학습량

수, 연산 능력 향상에 필요한 학습량을
충분히 담고, 집중 연산으로 보다 빠르고
정확한 연산 문제 해결이 가능합니다.

스마트 학습

표지의 QR코드를 통해
무제한 연산 TEST를 제공하여
추가적인 학습이 가능합니다.

개념 20 기본 80

하 중 상 최상

독해 능력의 차이가 학습 능력의 차이!

똑똑한 하루 독해

어휘력

독해 시작 전 핵심 낱말을 익히고
생활 어휘와 생활 한자 코너로
어휘력을 향상시킬 수 있습니다.

독해·사고력

하루 10분 분량으로 지루하지 않고
게임 형식의 창의·융합 문제로
독해력을 높이고 사고력을 키웁니다.

배경지식

시나 이야기뿐만 아니라
수학, 사회, 과학, 역사, 예술 등
다양한 분야의 글을 접할 수 있습니다.

시청각 자료

지문마다 QR 코드를 통해
재미있는 시청각 자료를 제공하여
집에서도 풍부한 학습이 가능합니다.

지문 이해

다양한 유형의 문제를 통해
지문의 내용을 얼마나 이해했는지
스스로 확인할 수 있습니다.

예비초~초6 / 예비초A·B, 1A~6B, 총 14권

배움으로 행복한 내일을 꿈꾸는

천재교육 커뮤니티 안내

교재 안내부터 구매까지 한 번에!

천재교육 홈페이지

자사가 발행하는 참고서, 교과서에 대한 소개는 물론
도서 구매도 할 수 있습니다. 회원에게 지급되는 별을 모아
다양한 상품 응모에도 도전해 보세요!

다양한 교육 꿀팁에 깜짝 이벤트는 덤!

천재교육 인스타그램

천재교육의 새롭고 중요한 소식을 가장 먼저 접하고 싶다면?
천재교육 인스타그램 팔로우가 필수!
깜짝 이벤트도 수시로 진행되니 놓치지 마세요!

수업이 편리해지는

천재교육 ACA 사이트

오직 선생님만을 위한, 천재교육 모든 교재에 대한 정보가 담긴
아카 사이트에서는 다양한 수업자료 및 부가 자료는 물론
시험 출제에 필요한 문제도 다운로드하실 수 있습니다.

https://aca.chunjae.co.kr

천재교육을 사랑하는 샘들의 모임

천사샘

학원 강사, 공부방 선생님이시라면 누구나 가입할 수 있는 천사샘!
교재 개발 및 평가를 통해 교재 검토진으로 참여할 수 있는 기회는 물론
다양한 교사용 교재 증정 이벤트가 선생님을 기다립니다.

아이와 함께 성장하는 학부모들의 모임공간

튠맘 학습연구소

튠맘 학습연구소는 초·중등 학부모를 대상으로 다양한 이벤트와 함께
교재 리뷰 및 학습 정보를 제공하는 네이버 카페입니다.
초등학생, 중학생 자녀를 둔 학부모님이라면 튠맘 학습연구소로 오세요!

2022년 2학기 학습가이드

우리아이
실력쑥쑥